Volk en Vaderland · Fotonieuws ·
Storm SS · De Zwarte Soldaat ·
Het Werkende Volk

Volk en Vaderland · Fotonieuws · Storm SS · De Zwarte Soldaat · Het Werkende Volk

Een fascinerende selectie uit de jaargangen 1933-1945

SAMENSTELLING LEONARD DE VRIES
INLEIDING DRS. R.L. SCHUURSMA

SKARABEE FACSIMILE

Deze uitgave is tot stand gekomen met de welwillende medewerking
van het Rijksinstituut voor Oorlogsdocumentatie te Amsterdam.

VERANTWOORDING

In de Skarabee Facsimile-reeks worden vier boeken opgenomen die gewijd zijn aan het tijdvak van de Tweede Wereldoorlog: een bloemlezing van het in Londen verschenen weekblad VRIJ NEDERLAND (indertijd één van de belangrijkste illegale bladen), compilaties van de uit de lucht gestrooide geallieerde blaadjes WERVELWIND en DE VLIEGENDE HOLLANDER en als vierde de nu voor u liggende bloemlezing uit de voornaamste NSB-periodieken, te weten VOLK EN VADERLAND, DE ZWARTE SOLDAAT, STORM-SS, HET WERKENDE VOLK en FOTONIEUWS.

Graag betuig ik mijn dank aan de directeur en de staf van het Rijksinstituut voor Oorlogsdocumentatie te Amsterdam voor de welwillende medewerking en gastvrijheid, die ik heb ondervonden en zonder welke deze uitgaven niet tot stand hadden kunnen komen. Zeer erkentelijk ben ik ook drs. R. L. Schuursma voor zijn bereidwilligheid deze uitgave van een uitgebreide inleiding te voorzien.

Leonard de Vries

Door verschillen in kwaliteit van de beschikbare originelen is het helaas niet mogelijk geweest door het gehele boek heen een optimale drukkwaliteit te bewerkstelligen.

De uitgever zoekt contact met verzamelaars/eigenaars van oude tijdschriften, kinderboeken, catalogi, prijscouranten etc., in verband met zijn voornemen deze reeks te continueren, en hij houdt zich aanbevolen voor suggesties.

Uitgeverij Skarabee B.V.
Postbus 21, Laren N.H.

Omslagontwerp: Henk de Boer
ISBN 90 6071 116 5

Inleiding

Op 14 december 1931 richtte Anton Adriaan Mussert, hoofdingenieur van de provinciale waterstaat in Utrecht, in een zaaltje aan het Domplein de NSB op. Op dezelfde onopvallende wijze waren in de jaren daarvoor reeds talloze fascistische en aanverwante bewegingen en partijen tot stand gebracht, die spoedig weer ter ziele gingen of hun leven rekten onder konstant gebrek aan geld en leden. Maar ditmaal ging het anders. Terwijl vooral de tweede helft van de jaren twintig in betrekkelijke rust en welvaart verlopen waren, kwam in de jaren dertig de grauwe crisistijd, waarin het stempellokaal het symbool werd van gebrek aan toekomstperspectieven. In dat klimaat kreeg Mussert's Nationaal-Socialistische Beweging de wind mee, al recruteerde hij zijn leden bepaald niet alleen onder werkeloze arbeiders en meldden zich ook verrassend veel leden uit ‚de betere kringen'. Mussert was dan ook een ‚fatsoenlijke' vent en een bekwaam man, die enkele jaren tevoren, bij de bestrijding van het verfoeide Belgisch-Nederlandse verdrag over de verbindingen van Antwerpen met de Rijn en de zee, getoond had voortreffelijk te kunnen organiseren. Hij was in staat - zo leek het althans - de politiek terug te brengen tot enkele eenvoudige grondregels, waarvan zijn aanhangers het heil verwachtten in het futloze, door partijpolitiek verziekte Nederland van die dagen.

In werkelijkheid lagen de zaken minder eenvoudig. Al was ons land dan ietwat achteraan gekomen bij de geweldige industriële revolutie die de maatschappij tot in zijn grondslagen omwentelde, toch had men ook hier maar al te zeer te lijden onder de schadelijke bijverschijnselen van die revolutie. Wel was het levenspeil erdoor gestegen, maar de samenleving was ook veel ondoorzichtiger geworden. Terwijl de mensen in de agrarische maatschappij heel sterk in gemeenschappelijk verband hadden geleefd, in kleine, overzichtelijke groepen, was er nu de onafzienbare massa van arbeiders, die na de eerste wereldoorlog weliswaar haar stem mocht uitbrengen bij de verkiezingen, maar verder iedere inspraak miste. Dan was er de lagere middenstand van kleine winkeliers die ook toen al het slachtoffer dreigden te worden van grote winkelbedrijven. Er waren de grote steden, waarin men leefde zonder samenhang met zijn buren en zijn wijk en waarin de eenzaamheid en de frustratie sterk toenamen. Veel mensen raakten los uit het vaste kerkelijke verband, zonder dat daar nieuwe hechte vormen van gemeenschap tegenover stonden.

Weliswaar bood het socialisme een positieve, op de toekomst gerichte ideologie, maar het doorbrak ook de vroegere zekerheden. Het bepleitte het wegvallen van nationale grenzen en kwam op voor een internationale broederschap van arbeiders, die klassenstrijd moesten voeren tegen het kapitaal; het wilde ontwapening; het wilde allerlei particuliere bedrijven tot gemeenschapsbezit maken en het wilde af van de monarchie. Al die wensen betekenden tezamen dat het kleine, begrensde, overzichtelijke en vertrouwde eigen wereldje met zijn duidelijke gezagsverhoudingen, met zijn vaderlandsliefde en

zijn eerbied voor de vorstin, en met zijn respect voor privé bezit en zijn streven naar een sterke defensie, waarmee dat alles verdedigd moest worden tegen aanvallen van buiten, aan het wankelen raakte. Niet-georganiseerde arbeiders, kleine middenstanders, ambtenaren die in Indië gewend waren aan een gezag boven en bedienden beneden zich, officieren die ontwapening vreesden, lieden die het niet meer konden vinden in de traditionele kerken, en zoveel andere teleurgestelde, onzekere mensen, dachten dat iemand als Mussert - in Italië Mussolini, in Duitsland Hitler, in België Degrelle en Van Severen - hun weer vastheid kon geven en een terugkeer naar vroeger, toen alles (schijnbaar!) zoveel beter was geweest.
In werkelijkheid hadden Mussert en zijn plaatsvervanger Van Geelkerken bar weinig te bieden, maar had ook het fascisme en zijn Duitse variant, het nationaal-socialisme, weinig wezenlijke inhoud. Bij Mussert was van socialisme al heel weinig sprake, ook al voerde hij die term in zijn vaandel. Hij wilde af van de politieke partijen en terug naar een hechte, allesomvattende volksgemeenschap. Hij wilde terug naar een soort eenvoudige, alles oplossende rechtvaardigheid en hij dacht, dat dergelijke ‚idealen' alleen maar te bereiken waren als één man een dictatoriale leiding gaf aan de gehele maatschappij. Maar hij had er in het geheel geen begrip voor, dat de moderne industriële maatschappij vaak niet anders kan zijn dan ingewikkeld en onrechtvaardig, en dat de oorzaken daarvan niet kunnen worden weggenomen door een alleswetende dictator en een aantal holle leuzen. Zo bleef er voor de fascisten weinig anders over dan de verering van kracht en van de daad, van het samen marcheren naar de toekomst, wat dat dan ook voor toekomst mocht zijn, en van het brute geweld tegen iedereen die het daar niet mee eens was en aan denken de voorkeur gaf boven het-er-op-slaan. Zo werden de angst voor de moderne, geïndustrialiseerde maatschappij, de onzekerheid en de frustratie, omgezet in het gezamenlijk optrekken tegen allerlei zondebokken: socialisten en communisten, intellectuelen, moderne kunstenaars, en bovenal de Joden.

In landen als Duitsland en Oostenrijk, waar Joden zowel in het intellectuele leven als in financiële kringen een relatief grote plaats innamen, en waar van werkelijke assimilatie niet bijster veel was terechtgekomen, was het antisemitisme altijd al sterk geweest bij de kleinere middenstanders en bij andere bevolkingsgroepen die de maatschappelijke verbanden moeilijk konden doorzien, maar wel tussen de raderen van de moderne maatschappij dreigden te worden fijngewreven. De enorme schokken die de eerste wereldoorlog er teweeg had gebracht, hadden die gevolgen nog doen toenemen. De Duitse nederlaag leek onbegrijpelijk zonder de legende over de dolkstoot, die de anders zo onoverwinnelijke soldaten in de rug gestoken was. Het al uit de middeleeuwen daterende antisemitisme voorzag in die hang naar een grijpbare, simpele zondebok. Hitler en zijn trawanten wakkerden deze afkeer van Joden met uiterste kracht en gekwiekstheid aan. Bij hen kreeg het antisemitisme zijn meest walgelijke en afschrikwekkende vorm. Het kon niet anders of ook in ons land siepelde die pathologische Jodenhaat door en terwijl Mussert aanvankelijk nog weinig moest hebben van deze houding tegenover zijn medemensen, liet hij zich door allerlei minder fatsoenlijke elementen in de NSB meeslepen, tot de Nazi's hem tijdens de bezetting geheel konden inpalmen.

Zonder die bezetting was er van Mussert en de NSB iets geheel anders terechtgekomen en was in ieder geval de door hen aangerichte schade aanzienlijk beperkt gebleven. Terwijl de beweging door grote ijver en een gunstig getij tot een landelijk gemiddelde kwam van acht procent in de verkiezingen van 1935 voor de provinciale staten, zakte het geheel in de jaren daarna terug tot de helft daarvan. De socialisten gingen zich geducht tegen Mussert weren, de rooms-katholieke kerk nam krachtig stelling, en de ‚sterke arm' Colijn ving stemmen weg, die anders mogelijk naar de leider van de NSB waren gegaan. Het brute optreden van Mussert's aanhang was bovendien niet geschikt om ‚nette' burgers, die aanvankelijk met het fascisme hadden gekoketteerd, blijvend te binden. En ook al had een groot deel van het Nederlandse volk niet het flauwste benul van de dreigende Duitse overheersing van Europa, toch nam de sympathie voor de NSB nog verder af, toen Mussert het na de 'Anschlus' van Oostenrijk, de afbraak van Tsjecho-Slowakije en de overval van Polen, die de tweede wereldoorlog inluidde, nog steeds voor Hitler opnam. Toen de Nederlandse strijdkrachten op 10 mei 1940 door de overmachtige Duitse troepen werden overvallen, was de breuk tussen Mussert en de meerderheid van ons volk compleet. Terwijl zijn NSB zich vrijwel geheel onthield van hulp aan de vijand, bleek uit de stevige, maar ook vaak paniekerige en soms overmatig harde acties tegen zijn medestanders wel, hoezeer zijn partij nu gewantrouwd werd als onnationaal en verraderlijk.

Mussert en de zijnen deden na de capitulatie van 15 mei weinig om de verhoudingen te verbeteren, waardoor zijn aanhang nog duidelijker apart kwam te staan. Dat betekende nu niet, dat ons volk omschakelde op collectief verzet, integendeel: het aantal werkelijke verzetsmensen bleef de gehele oorlog door gering en het aantal meelopers groot. Maar de NSB lag eruit en voorgoed, al maakten toch nog vrij wat lieden na de Duitse inval van de gelegenheid gebruik op het ‚goede' paard te wedden door zich alsnog bij Mussert aan te sluiten en onder de in de partij bekende bijnaam ‚meikever' de oudere garde te versterken.

Toen een paar maanden later enkele rivalizerende fascistische bewegingen werden opgeheven of in de NSB opgingen, en de massale Nederlandsche Unie, die als een soort tegenpartij van de NSB met de Duitsers trachtte samen te werken, door de bezetter was uitgeschakeld, had die kleine, geïsoleerde, kunstmatig door de Duitsers overeind gehouden beweging het rijk verder alleen. Tot werkelijke macht kwam Mussert echter niet. De Rijkscommissaris voor het bezette gebied, Dr. Arthur Seyss-Inquart, en zijn medewerkers vonden hem daarvoor te weinig betekenend. Bovendien besteedde Mussert in hun ogen veel te veel tijd aan plannen voor een sterk, onafhankelijk Nederland binnen het toekomstige door de Duitsers beheerste Europa. En bovendien zagen zij maar al te goed, dat er in zijn beweging anderen waren, die heel wat meer bereidheid toonden in hun vaarwater mee te gaan en de NSB daartoe verder te radicaliseren, dan het nauwelijks nationaal-socialistische mannetje uit Utrecht. Intussen bleef een groot deel van de oudere garde haar ‚leider' trouw en behield Mussert althans zoveel aanhang in zijn partij, dat hij rivalen als Rost van Tonningen en Feldmeyer kon afhouden.

De meeste Nederlanders merkten van die interne moeilijkheden bijzonder weinig. Wat wel overkwam, was het optreden van de partij naar buiten nu zij geactiveerd en gesteund door de bezettingsautoriteiten en ongehinderd door de zogenaamde terreur van de vooroorlogse Nederlandse democratische overheid, haar onlustgevoelens kon koelen op haar slachtoffers. Dat de NSB een hekel had aan de Nederlandsche Unie, die voor heel veel landgenoten het verzet tegen Mussert en zijn mensen belichaamde, was niet ernstig en allerminst dramatisch. Dat de partij al spoedig allerlei ambtenaren en met name burgemeesters ging leveren, waarvan het grootste deel ondanks een stoomcursus gespeend bleef van enig bestuurlijk inzicht, was te verwachten. Maar dat de WA-mannen, die het privé-leger van de NSB vormden, van het begin af aan hand- en spandiensten verleenden bij de terreur tegen de Joden, was een afschuwelijk teken van de verwording, die Mussert's aanvankelijk zo ‚fatsoenlijke' beweging had ondergaan. De leider zelf liep daarbij misschien niet voorop, maar hij nam er ook nooit afstand van en hielp integendeel het schuim uit zijn partij door in zijn hoofdartikelen al evenzeer tegen de Joden te hetzen als ieder ander rechtgeaard Nazi.

Na de Duitse inval in de Sowjet-Unie zag Mussert de kans schoon door vorming van een groot Nederlands korps van vrijwilligers voor het Oostfront, indruk te maken op Hitler in de hoop er na de oorlog het Leiderschap in een semi-onafhankelijk Nederland aan over te houden. Met alle middelen hielp hij mee de Nederlandse bijdrage aan de oorlog in het oosten te vergroten, ook al moet het hem al na korte tijd duidelijk geworden zijn, dat zijn landgenoten geheel ondergeschikt werden gemaakt aan de Duitse militaire machine: er was geen sprake van een Nederlands bevel over de troepen die ons land ten bate van Hitler leverde. Intussen hielpen die soldaten wel mee de toch al onafzienbare ellende in de Sowjet-Unie te vergroten.

Er stond voor Mussert bitter weinig tegenover. Niet alleen namen de Duitse autoriteiten hem nauwelijks serieus, tenzij als marionet voor hun doeleinden, bovendien kreeg hij te maken met de steeds machtiger SS, die bij de Nazi's het meest radicaal streefde naar een Duitse opperheerschappij in Europa. Binnen de conceptie van SS-leiders als Himmler en Heydrich, was voor Mussert's ideeën over een onafhankelijk Nederland al in het geheel geen plaats. En Hitler zelf was wel bereid Mussert te ontvangen - bij één van die gelegenheden legde Mussert zelfs een eed op de ‚Führer aller Germanen' af - en later te verklaren dat hij in hem de politieke leider van het Nederlandse volk zag, maar in werkelijkheid stelde dit alles weinig of niets voor. Toen talloze NSB-ers op ‚dolle dinsdag', 5 september 1944, het hazepad kozen uit angst voor een plotselinge geallieerde invasie van ons land, was het met Mussert's prestige al helemaal gedaan. Wat tenslotte voor vrijwel iedereen de bevrijding was, werd voor hem het begin van het einde. Op 7 mei 1946 werd hij na ook in hoger beroep ter dood veroordeeld te zijn, bij Scheveningen geëxecuteerd.

De volgende bladzijden geven een uiterst eenzijdig beeld van de geschiedenis die hierboven kort is samengevat. In de artikelen en illustraties uit Volk en Vaderland, het officiële orgaan van de NSB, De Zwarte Soldaat, een uitgave van de WA, de Stormmeeuw, dat door de Nationale

Jeugdstorm werd gepubliceerd, Het Werkende Volk van de Amsterdamse afdeling der NSB, Storm, het blad van de Nederlandse SS, en Fotonieuws, is de propaganda vervat, waarin zich de visie weerspiegelde die de NSB en de met haar verwante instellingen zo graag van zich zelf wilden hebben. Het beeld van strijders, die met de blik vooruit, staalhard, schouder aan schouder de weg gingen, die Adolf Hitler en hun eigen leider Anton Mussert voor hen hadden uitgezet. De weg naar een nieuwe orde, waarin democratisch partijgekonkel, Joodse machinaties, kapitalistisch winstbejag, communistische vernielzucht en burgerlijke zelfgenoegzaamheid plaats zouden maken voor harde tucht, voor drillen en marcheren, voor de doortastendheid van de daad en de zekerheid van het met geweld afgedwongen gelijk.

Daarbij komen tijdens de bezettingsperiode drie zaken in het bijzonder naar voren. Ten eerste de voortdurende hetze tegen de Joodse Nederlanders, die met de meest smerige en leugenachtige bewoordingen stelselmatig tot on-mensen werden verlaagd, waard om te worden vernietigd. Ten tweede de verheerlijking van de oorlog aan het Oostfront, die met handig in elkaar gezette verslagen en met geraffineerd getekende en gefotografeerde beelden verheven werd tot een groots avontuur en tegelijk een kruistocht ter verdediging van de Europese beschaving. Ten derde de buiten alle proporties gebrachte verering voor Hitler, die eenzaam en met bovenmenselijke gaven toegerust vooraan ging in de strijd tegen de door de Joden opgehitste horden uit Azië en hun verblinde bondgenoten uit Amerika en Engeland.

Er is echter nog een vierde zaak die opvalt en die maatgevend is voor vrijwel alles, wat in de komende bladzijden gedrukt en afgebeeld staat. Het is de stelselmatige omkering van de werkelijkheid. Met een achteraf nauwelijks meer te begrijpen mengsel van kwaadaardigheid en naïviteit hebben de journalisten, de redacteuren, de oorlogsverslaggevers, de fotografen, dichters en tekenaars bijna ieder gegeven verdraaid, tot het paste in de richtlijnen die het Nationaal-Socialisme voor zijn propaganda had uitgebracht. Als men dat voor ogen houdt vormt dit boek een leerschool voor de ontmaskering van propaganda. Dan valt het ook niet moeilijk de parallel te ontdekken tussen de Nazi-propaganda, die vanzelfsprekend gebonden was aan het taalgebruik van die tijd, en zoveel uitingen uit de wereld van nu, waarin men misschien niet enkele miljoenen Joden uitmoordt, maar waarin de misdaden van de Nazi's in wezen steeds weer zijn terug te vinden, als nachtmerries uit een verleden tijd die toch telkens weer waar blijken te zijn.

Drs. R.L. Schuursma
Hoofd Dokumentatiecentrum
Stichting Film en Wetenschap

ZATERDAG 7 JANUARI 1933 1ste JAARGANG No. 1

VOLK EN VADERLAND

WEEKBLAD DER NATIONAAL-SOCIALISTISCHE BEWEGING IN NEDERLAND

HOOFDKWARTIER OUDE GRACHT 35 - UTRECHT

N S B

Redacteur: GEORGE KETTMANN Jr.
Postbox 468, - Telefoon 33384
Amsterdam C.

Administratie: Oude Gracht 35, Utrecht.
Postgiro 207915 - Telefoon 17015

Abonnementsprijs: voor leden f 2.— per jaar fr. p. post; voor niet-leden f 3.— p. jaar fr. p. post; Buitenland f 4.— per jaar fr. p. post; Losse nummers 5 cent Advertentiën: f 0.25 per regel; 500 regels f 0.20 (Bij contract reductie)

EEN WOORD VOORAF

Steen voor steen wordt het gebouw der *Nationaal Soicalistische Beweging* opgetrokken.

De verschijning van het eerste nummer van den eersten jaargang van het weekblad Volk en Vaderland, dat het officieel orgaan zal zijn van de beweging en daarom dan ook door en voor rekening van de N. S. B. wordt uitgegeven, is een groote vreugde voor ons allen. Zij is tegelijk met het houden van onzen eersten landdag, het uiterlijke kenteeken van het feit, dat de eerste periode van den opbouw achter ons ligt.

Het weekblad zal een wapen zijn in onze hand. Nog geen machtig wapen gelijk een dagblad met tienduizenden lezers, is ons weekblad met zijn oplage in eerste instantie van 5000 exemplaren, maar dan toch een wapen. Wij staan nu niet meer geheel machteloos, indien onze tegenstanders en bepaalde categorieën van z.g. medestanders, dwaasheden en erger over de N. S. B. en haar leiding verkoopen (soms in letterlijken zin). Wij kunnen voortaan van antwoord dienen wanneer en voor zoover ons dit noodig of gewenscht voorkomt.

De eerste taak van ons weekblad is echter de band tusschen de leiding en de leden en tusschen de leden onderling te versterken. De wereldbeschouwing van fascisme of nationaal-socialisme, welke wij allen gemeen hebben en die de band is, welke ons bindt om gezamenlijk te werken, dient geleidelijk vaster vorm aan te nemen, meer en meer te worden uitgebouwd, zoodat zelfs in details de toekomst ons klaar voor oogen zal staan.

Het vele werk, dat daarvoor verricht zal moeten worden, zal ten deele door onze wetenschappelijke staf in de stilte van de studeerkamers moeten geschieden en in memorie's worden neergelegd. Binnenkort zal No. 3 van deze serie verschijnen (de Nos. 1 en 2 zijn resp. programma met toelichting), waarin onze nat. soc. staatsleer in korte trekken zal worden uiteengezet. Ook in het weekblad zal daarover het noodige gezegd kunnen worden; het zal dus somtijds artikelen bevatten van wetenschappelijke strekking.

Belangrijker is, dat het ons visie zal geven over het gebeuren om ons. Er geschiedt zooveel dicht bij en verder af, waaruit blijkt hoe de natie naar den afgrond wordt gelokt en (of) gesleept. Wij zijn nog niet bij machte om het te verhinderen. Wij werken er voor en streven er naar om eens dit wel te kunnen, om het roer van het schip van staat om te kunnen gooien, vóór het vaartuig op de zandige kust omhoog is geloopen, of, zooals de mijnenlegger Krakatau doodmoe op zijn zijde gaat liggen. Daarvoor zal ontzaglijk veel werk verricht moeten worden en van ons uithoudings- en doorzettingsvermogen het uiterste worden gevergd. Intusschen zal onze aanwezigheid reeds preventief werken op hen, die de voosheid van eigen theorieën kennend, begrip hebben van de kracht, welke van den gezonden fascistischen gedachtegang uitgaat en onze beweging uit dien hoofde reeds vreezen, hoewel zij nog echts in haar beginstadium verkeert. Ons weekblad zal ons ook daarbij een krachtige steun zijn.

Een blad behoort een redactie te hebben. De opbouw van de beweging vergt zooveel, dat het mij niet mogelijk is tevens als redacteur van het blad op te treden. Ons lid George Kettmann heeft de opdracht om als redacteur op te treden aanvaard. Ik hoop en vertrouw, dat hij, bijgestaan door een staf van bekwame medewerkers, aan het blad de redactioneele verzorging kan geven, welke het behoeft.

Aan U, leden van de N. S. B. is de taak om zorg te dragen, dat spoedig tot verdubbeling van de oplaag zal kunnen worden overgegaan. Ieder lid zij tevens propagandist voor Volk en Vaderland. In iedere plaats kome zoo spoedig mogelijk een plaatselijke vertegenwoordiger van het blad, die met den administrateur in nauw contact zal staan. De administratie zal een zoo zelfstandig mogelijk onderdeel uitmaken van het algemeen secretariaat.

Ten slotte een enkel woord aan onze jongeren, die de uitgave van het jongerenblad „Alarm" verzorgd hebben. Gij hebt pionierswerk gedaan. In het tijdperk, dat nu achter ons ligt, hebt Gij door Uw initiatief zorg gedragen, dat er althans om de veertien dagen, door de verschijning van Uw blad contact tusschen de jongeren werd tot stand gebracht. Ik weet, dat Ge met toewijding dit werk verricht hebt en dat teleurstelling U niet altijd bespaard is gebleven. Een en ander zijn inhaerent aan pionierswerk.

De verschijning van Volk en Vaderland brengt met zich de beëindiging van de uitgave van Alarm. Het formaat van het weekblad is groot genoeg om voorshands aan de jongeren onder ons de gelegenheid te bieden om hetgeen in hen leeft tot uiting te kunnen brengen. Ik vertrouw, dat daarvan op de juiste wijze gebruik gemaakt zal worden, tot het tijdstip, waarop de beweging zoo groot geworden zal zijn, dat naast Volk en Vaderland een speciaal blad voor de jongeren op zijn plaats zal zijn.

In naam van de Nationaal-Socialistische Beweging spreek ik den wensch uit, dat „Volk en Vaderland" een groot aandeel moge hebben in den opbouw van de beweging en daardoor naar beste weten zal dienen ons Volk en ons Vaderland, waarvoor wij den strijd hebben aangebonden tegen de ons omringende ontbindende stroomingen.

Utrecht, 3 Januari 1933.

MUSSERT

HET JONGERENBLAD „ALARM"

Bij besluit van den algemeenen leider, zal het jongerenblad der N. S. B. „Alarm" voortaan niet meer als zelfstandig orgaan verschijnen. Een gedeelte van „Volk en Vaderland" is voor een afzonderlijke jeugdrubriek afgestaan, waarvan de redactie bij het vroegere „Alarm" berust; het redactie-adres voor deze rubriek blijft dus Laan van Eik en Duinen 140, 's Gravenhage.

Al behoudt de leiding van het jeugdblad hierdoor haar zelfstandigheid„ wij spreken de verwachting uit, dat er bij allen, die tot ons nieuwe weekblad het hunne bijdragen, sprake zal mogen zijn van een goeden geest van kameraadschap en den wil tot eensgezinde samenwerking.

Omtrent abonnementen, e.d., zal nog een nadere regeling worden getroffen; in geen geval zal den abonné's van „Alarm" tekort worden gedaan.

LEIDEND BEGINSEL

Voor het zedelijk en lichamelijk welzijn van een volk is noodig een krachtig Staatsbestuur, zelfrespect van de natie, tucht, orde, solidariteit van alle bevolkingsklassen en het voorgaan van het algemeen (nationaal belang boven het groepsbelang en van het groepsbelang boven het persoonlijk belang.

MET DEN RUG TEGEN DEN MUUR

Dutten? sprack moy Heintgje, dutten?
Stille, Maets, een toontje min:
Dutten? wacht, dat most ick schutten,
Bin ick angders dien ick bin?

HUYGENS

gkj. — Deze uitgave is er ongetwijfeld allereerst op gericht bij te dragen tot de versteviging van het contact der leden met hun leider ir. Mussert en der leden onderling, teneinde de bezieling van ons fascistisch ideaal levend te houden. Er is een zoo hopeloos tekort aan bezieling en aan werkelijk onbaatzuchtig idealisme om ons heen, dat wij, vrienden — vaak zonder elkaar te kennen — schouder aan schouder hebben te staan.

Juist omdat wij als vijanden van alle „politiek" weigeren mee te doen aan het gekonkel en geknoei der honderd-en-een kliekjes en dan ook zonder transigeeren — het bekende geschipper der heeren vakpolitici — voor onze beginselen durven uitkomen, staat ons een zware strijd te wachten.

Niemand onzer vermag precies te berekenen welke machten wij tegenover ons zullen vinden; dat dwingt tot het parool: wie niet mèt ons is, is tégen ons. Daarom: sluit de gelederen — eenheid.

Nu wij ons ervan bewust zijn, een zoo verworden samenleving niet stilzwijgend te kunnen dulden, zonder daaraan medeplichtig te worden, aanvaarden wij rustig de consequentie van ons openlijk protest — hoon en verdachtmaking, sociale achteruitzetting en zelfs de slinksche sovjet-actie met het onrijpe olijftakje des vredes.

Wij staan inderdaad met den rug tegen den muur. Dit weekblad moge dan ook in de eerste plaats aantoonen, dat onze beweging geen starre organisatie is met een vette pot aan contributies en wat dies meer zij, terwijl ze al evenmin het toevluchtsoord wil wezen voor de tallooze slachtoffers der malaise, met wie ongeveer elke politieke partij in Nederland een tijdlang geflirt heeft. Wat honderdmaal beter en belangrijker is: wij zullen bewijzen, dat onze beweging een kern beteekent van goedwillende en geestdriftige Nederlanders, die — hoe klein voorloopig nog in aantal — eendrachtig zullen voortbouwen aan de verwezenlijking hunner idealen.

Evenwel niet slechts ter bemoediging van onze geestverwanten is dit blad bedoeld. Wij wenschen verstaan te worden door àlle weldenkende landgenooten, die in staat zijn te erkennen, dat slechts dan een bestuur heilzaam werkt, wanneer het zichzelf een doelbewust gedrag voorschrijft en even doelbewust het volk tot wet durft opleggen, zich eenparig in te spannen en tegelijk zich te schikken naar hetgeen de middelen en de omstandigheden noodzakelijk maken.

Wij komen niet — ter wille van een of andere groep — met eischen en nog eens *eischen* aandragen en slaan evenmin met onze vuist op tafel, om voor onze keurig nette vriendjes een min of meer plezierig materieel succesje af te dwingen.

Ons program bevat niets van de prachtige beloften, waarmee de politieke Sinterklazen in verkiezingstijd de kinderharten der kiezers stelen. Goddank worden we niet voor onze actie betaald . . .

Nog steeds blijven duizenden als triest stemvee in liberale lauwheid de „meerderheid" erkennen — de grauwe ongezeefde meerderheid als groote en kleine, gezonde en rotte aardappels in één zak.

Zulke ezels zijn de meeste menschen toch niet, dat zij werkelijk uit eigen beweging de hoeveelheid boven de hoedanigheid zouden verkiezen. Maar uit grenzenlooze gemakzucht en uit een echt Hollandsch soort zelfgenoegzaamheid laten zij eenvoudig toe, dat de hoeveelheid altijd en overal den doorslag geeft — ten koste van elk redelijk begrip van rechtvaardigheid en elken sprankel idealisme.

Het behoeft ons niet te verwonderen dat ternauwernood één fatsoenlijk mensch zich nog met politiek bemoeit; men glimlacht en haalt er zijn schouders over op. Het wordt tijd, deze afzijdigen er aan te herinneren, dat zij — zoetekens ingedommeld — mede schuldig staan aan de schanddaden der vele autoriteiten van allerhande kleur, die het vaderland verkwanselen en het „algemeen belang" laten verslonzen voor de klasse en de partij, waaruit zij zijn voortgekomen.

Wij zijn bereid voor degenen die niet aan politiek doen en juist daardoor een futlooze struisvogelpolitiek voeren, de kastanjes uit het vuur te halen. Intusschen willen wij verwachten, dat ons voorbeeld hen alsnog de oogen doet uitwrijven.

„Il faut avoir l'esprit de haïr ses ennemis" — is dat niet een gezegde, om het de Jan Salie's in het slappe gezicht te slingeren?

Het zou inderdaad teveel gevergd zijn bij onze medeburgers een offervaardig idealisme, een sterk geloof in geestelijke waarden terug te vinden. Doch wel staat het vast, dat elke volksgemeenschap ten doode is opgeschreven, wanneer zij zich uitsluitend bekommert om de materieele zijde van haar bestaan — altijd weer het materieele dat „toch voordeeliger" is.

Ondanks alle pessimisme willen wij niet wanhopen. Wij zullen er wel voor zorgen, dat dit weekblad geen sluimerrol wordt waartegen men het hoofdje vleit om voldaan verder in te dutten, nu wij den braven burger weer wat sensatie hebben bezorgd. Wij schrijven regels van prikkeldraad — wij schrijven met den mitrailleur van onze geestdrift, in het vuur van onze verontwaardiging.

Wien het aangaat, zal vermoedelijk een groote keel opzetten of ons eenvoudig doodzwijgen wat een beproefde methode is in het parlement, waar de heeren naar de koffiekamer drummen — ook dan wanneer een der praters eens iets zegt wat de moeite waard is. Het is duidelijk, dat zulke reacties ons volkomen koud kunnen laten. Wanneer wij ons druk maken over het welzijn van ons volk en het herstel der nationale waardigheid, door te ageeren tegen ondergrondsch communistisch verraad en defaitisme, dan doen wij dat, omdat ons zelfrespect geen lijdelijk toezien gedoogt. Wij zijn niet van plan, anderen nationaal-socialist te *maken*; indien onze geestdrift aanstekelijk werkt, zullen wij ons daarover verheugen, opdat het Nederlandsche volk eindelijk weer de kracht vindt zichzelf te zijn.

DRAAGT UW INSIGNE

ZATERDAG 14 JANUARI 1933 **LANDDAGNUMMER** 1ste JAARGANG No. 2

VOLK EN VADERLAND

WEEKBLAD DER NATIONAAL-SOCIALISTISCHE BEWEGING IN NEDERLAND

HOOFDKWARTIER OUDE GRACHT 35 - UTRECHT

Redacteur: GEORGE KETTMANN Jr.
Postbox 468, - Telefoon 33384
Amsterdam C.

Administratie: Oude Gracht 35, Utrecht.
Postgiro 207915 - Telefoon 17015

Abonnementsprijs: voor leden f 2.— per jaar fr. p. post; voor niet-leden f 3.— p. jaar fr. p. post; Buitenland f 4.— per jaar fr. p. post; Losse nummers 5 cent

Advertentiën: f 0.25 per regel; 500 regels f 0.20 (Bij contract reductie)

REDE VAN MUSSERT OP DEN LANDDAG

Uitgesproken op 7 Januari j.l. in het Gebouw voor Kunsten en Wetenschappen te Utrecht

Volksgenooten, medestrijders voor den Nationaal-Socialistischen staat, genoodigden —

Nu wij hier voor de eerste maal bijeen zijn, dringen vele gedachten zich aan ons op en maken vele gewaarwordingen zich van ons meester. Natuurlijk is het voor ons een vreugde en een voldoening, dat wij nu op dezen eersten landdag bijeen zijn en tevens het eerste nummer van ons weekblad „Volk en Vaderland" verschijnt. Beide zijn de uiterlijke kenteekenen, dat de eerste phase van den opbouw der beweging voorbij is.

Verleden jaar om dezen tijd bestond er nog geen Nationaal-Socialistische Beweging in Nederland. De eerste leden zijn in Maart ingeschreven. Het duurwaarden heeft zij geschapen naar binnen en naar buiten? Heeft zij de natie krachtiger, eendrachtiger gemaakt?

Waarmede zal dit tijdperk later door den historicus vergeleken worden? Met de 16e of 17e eeuw of met de 18e? Met den bloeitijd onzer natie of met haar periode van verval? Laat ons daartoe achtereenvolgens de naar binnen gekeerde en de naar buiten gekeerde zijde der natie bezien.

In 1918 wordt ons land aan de zuidzijde door Frankrijk en België besprongen; men wil Zeeuwsch-Vlaanderen, Zuid-Limburg, de Rijn en de Schelde. Er behoorde evenals in 1914 voor de natie maar één wachtwoord te zijn: „sluit de gelederen en maak front". Inplaats daarvan zijn wij van achteren

Het jaar in, jaar uit zonder werk laten loopen van een groot deel der opkomende generatie, die zelfs niet de kans krijgt het werken te leeren, is een volksramp, waarvan de gevolgen niet zijn te overzien. Onder marxistisch bewind in Duitschland heeft men deze pest laten voortwoekeren; onder de zweep van het nationaal-socialisme worden door een reactionaire regeering de eerste ernstige pogingen gedaan, om het werkloosheidsvraagstuk ter hand te nemen. Nog heeft de fascistische gedachte Duitschlands regeeringskasteel niet bezet en reeds is de invloed aanzienlijk geweest. Het marxisme is teruggeworpen, de stal is eenigermate gereinigd, de vette baantjes werden ingekrompen, de Barmat en Sklarekzaakjes geliquideerd.

Maar nooit zal een volledige heropbouw mogelijk zijn, zoolang niet het marxisme is uitgeroeid als in Italië. Daar is de strijd tegen Moskou beëindigd, definitief. Maar ook daar alleen.

van der „Vaderen erf", die mede huiverde en zijn collega's, in het oor fluisterde: Weet wat je doet, er komt oorlog van met België.

Het „huiveren" is aan het leunen, steunen en kreunen voorafgegaan en maakt sindsdien deel uit van het beleid. Als de voorteekenen niet bedriegen, zal men dit jaar voor de derde maal de strop gereed maken, zij het dan ook bezwaard met een steen van niet zulk enorm gewicht als in 1927. Een Marxistisch, zoogenaamd Nederlandsch kamerlid, dat ons volk ter wille van België, waaruit hij stamt, in 1914 in den oorlog tegen Duitschland wilde drijven, heeft onlangs den nieuwen aanval ingeluid, gesecundeerd door een in Maastricht wonend persoon met bekende en onverdacht anti-Nederlandsche antipathieën.

Curaçao — Een oogenblik is het Nederlandsche volk uit zijn dommel ontwaakt. Toen de bulletins meldden, dat een handjevol Venezuelaansche avonturiers Willemstad in zijn macht had en den Gouverneur mede uit varen had genomen — toen was er plotseling een

bedrag voor den nieuwen aanbouw van ruim tien millioen tot anderhalf millioen, waardoor zij onze verzekeringspremie met 85 pct. vermindert. Dat doet een z.g. rechtsche regeering, die ervan doordrongen moet zijn, dat de Nederlandsche natie staat en valt met Indië. Dat ons volk in de diepste ellende gestort wordt, als Indië verloren gaat.

Wat er nu met de Twentsche arbeiders geschiedt, is slechts een voorproefje van hetgeen zal geschieden met de Amsterdamsche, de Haagsche en de Rotterdamsche bevolking, en dus van den weeromstuit met de geheele Nederlandsche bevolking, als Indië verloren gaat. Voor dit schrikbeeld huiveren wij nu op onze beurt. Maar het is geen huivering, die ons in de schulp doet kruipen, maar een die ons aanzet, snel en deugdelijk voort te werken, opdat wij niet te laat zullen komen en de ramp niet over ons arme volk komt, vóór wij sterk genoeg zijn om het gevaar te weerstaan.

gezegd kon worden, dat wij bezig waren aan het eerste duizendtal. En nu kunnen wij er wederom een nul achter zetten: wij zijn bezig aan het eerste tienduizendtal.

Een jaar geleden stonden wij dus allen nog eenzaam in het politieke leven. Wij hadden geen politiek tehuis. Wel waren velen onzer lid van oude politieke partijen, maar het besef, dat zij onmachtig waren en onmachtig zouden blijven om den nieuwen geest te brengen, die noodzakelijk is om den opbouw van de natie ter hand te nemen, was zoo levendig, dat de partijen geen tehuis in den waren zin des woords meer aan ons boden.

Het tehuis, dat ons ontbrak, hebben wij allen in de Nationaal-Socialistische Beweging gevonden. De kracht van het leidend beginsel, het programma en de toelichting hebben ons tezamen gebracht. Van eenzaam dolenden zijn wij actieve leden van de beweging geworden; daarvoor past ons dankbaarheid jegens de beweging, die ons heeft opgeheven. Denken wij ons in, dat de beweging werd beëindigd, wij zouden wederom eenzaam staan en wat erger is, wij zouden overmeesterd worden door het gevoel, machteloos de komende gebeurtenissen — wellicht den ondergang der natie — te moeten afwachten.

Wij staan niet meer alleen; wij staan met elkander verbonden. Het ligt alleen aan onze plichtsvervulling, aan onzen opofferingszin, aan onzen wil, om den dam op te werpen, die de vloedgolf van willoosheid, ongeloof en defaitisme zal keeren.

Bijeen op onzen eersten landdag, willen wij voor het forum van het Nederlandsche volk, hier vertegenwoordigd door de pers, onze politieke geloofsbelijdenis afleggen. Werpen wij daartoe een terugblik op het tijdperk van veertien jaren, dat sinds 1918 verliep. Nederland onder een z.g. rechtsche regeering of een regeering, steunende op de z.g. rechterzijde. Welke bezieling is van de leiding der natie uitgegaan in dit tijdperk; tot welke groote daden heeft zij het volk aangezet; welke blijvende nog meer te verlammen. Dat was geen toevallige coïncidentie; dit is de aard van het beestje.

Ik zeg u: iedere maal, dat de natie in nood zal zijn en zij al haar mannen behoeft, zal het marxisme haar van achteren bespringen. Heeft de heer Albarda dit niet duidelijk in de Tweede Kamer gezegd? Het Nederlandsche volk en zijn regeering weet dit; niemand kan pretendeeren onwetend te zijn. Wat heeft men na November 1918 gedaan? Burgerwachten; de Bijzondere Vrijwillige Landstorm. Een deel van de natie met het geweer bij den voet, om gewapend te zijn tegen een ander deel der natie. Als eerste afweermaatregel noodzakelijk en begrijpelijk, maar slechts als intermezzo verschoonbaar.

Het is op den duur onbestaanbaar, dat een natie, die naar buiten een harden strijd om haar bestaan heeft te voeren, jaar in jaar uit met het geweer aan den voet moet blijven staan, om het marxisme in toom te houden. Een natie, die dat duldt, legt het op den duur tegen het marxisme af. Het is nu al een *veertienjarig bestand* tusschen de natie en het marxisme. Een bestand kan niet tot in het oneindige duren. De natie zal moeten kiezen, den strijd op te geven of hem uit te vechten.

Sindsdien is het marxisme van jaar tot jaar sterker geworden. De regeering steunt op de rechterzijde; het marxisme steunt op Moskou en Den Haag. Deze laatste steun is heel wat steviger.

Wij zien verder. Wij denken aan de vierendeeling van de natie op bevel van ongenoemde krachten door middel van de radio, de stopzetting van de Phohi. Het begrip Natie weer zooveel mogelijk op den achtergrond geschoven. Wij denken aan de verlamming van het volksonderwijs en vernietiging van volkskapitaal door een onzinnige toepassing van het beginsel der gelijkstelling.

Wij zien de volstrekte onmacht ter oplossing van het werkloosheidsvraagstuk; *het* vraagstuk bij uitnemendheid, daar het de instandhouding van de kracht en het moreel der natie geldt. den eenen dag den anderen te halen.

Wij zouden onrechtvaardig zijn, als wij niet constateerden, dat in het bestaande tijdperk de Zuiderzee afgesloten en de Wieringermeer ingepolderd is. Een blijvende uitbreiding van Neerlands bodem. Maar ook hier ontbreekt het tweeslachtige element niet. Het parool was: de haring er uit, de koeien en het graan er in. De haring is er uit gezet — een nadeel voor de natie, dat echter ruimschoots zou worden vergoed door de nieuwe werkgelegenheid, welke 200.000 H.A. in cultuur te brengen grond — grooter dan de prov. Utrecht — zou opleveren. Na nog geen tiende gedeelte daarvan te hebben uitgevoerd, zijn de werken stopgezet; wederom worden duizenden naar den steun verwezen.

Door het stopzetten van de productieve uitgaven, om improductieve te kunnen doen, zal nooit een betere toestand verkregen worden. Ons geheele materieele bestaan berust op de grondstoffen en den arbeid; al het andere is afgeleid.

Laat ons nu eenige aandacht schenken aan de zijde der natie, welke naar buiten gekeerd is. Om het verval te schetsen, behoef ik u maar drie begrippen op te noemen: het Belgisch verdrag — Curaçao — de landsverdediging.

Het Belgische Verdrag — Waar ter wereld doet zich het schouwspel voor, dat een volk twee jaar lang moet vechten om zijn eigen regeering te beletten, de natie een strop met een molensteen er aan om zijn hals te doen. Toch is dat hier gebeurd. Het Belgische Verdrag, dat door de Tweede Kamer is aangenomen en door de Eerste is verworpen in 1927, was louter een verlengstuk in Nederlandsche richting van het verdrag van Versailles. Een aanslag op de natie, die op het kantje af is afgeslagen. Niet alleen marxisten hebben daaraan gewerkt. Neen, het was een rechtsche regeering, die dit fraais met alle kracht verdedigd heeft, en het was de man, die patent meent te bezitten op het roepen van „leve de Koningin" en wiens beginselen overloopen zonden en militaire politie; toen was het kalf verdronken en zou men de put gaan dempen. Het is alweer vergeten, de zaak blijft weer bij het oude. Tot den volgenden keer.

Onze weermacht wordt systematisch afgebroken onder de zweep van het marxisme. Tegen den tijd, dat Rusland, door de vervolmaking van zijn industrieele outillage gereed zal zijn voor het groote offensief naar het Westen, moet het Westen weerloos en zooveel mogelijk onttakeld zijn.

Onder leiding en met stevigen steun van Moskou wordt hieraan doelbewust gewerkt. Daaraan wordt onze weermacht uitgeleverd; elke marxistische saboteur krijgt op kosten van de natie gelegenheid, zichzelf in het hanteeren van wapenen te oefenen en zijn nietmarxistische mede-soldaten op te zetten tot sabotage en ondermijning. Moskou wordt daarbij geholpen door de S. D. A. P., die niet anders kan, al zou zij ook anders willen. Jaar in, jaar uit, heeft zij haar aanhang geleerd met minachting op eigen volk en vaderland neer te zien. De goeden onder hen weten natuurlijk heel goed, dat niet de kapitalisten, maar de arbeiders voor hun materieel en moreel bestaan volstrekt afhankelijk zijn van volk en vaderland: de arbeider is buiten zijn land een verschoppeling, die over de grens gesmeten wordt, en de kapitaalkrachtige buiten zijn land een welkome vreemdeling. Maar de theorie van het marxisme past niet op deze onomstootelijke waarheid en de theorie moet zegevieren ten koste van het volk.

Tenslotte is nog daarbij gekomen een groote schare van goedige naïevelingen, die onder aanvoering van pacifistische dominee's de natie weerloos aan haar vijand wil overleveren. Daartegen is de regeering niet opgewassen, ook al leunt zij op de rechterzijde, steunt zij op Jan en Alleman en kreunt zij door de radio. Ziet wat er gebeurt in het tijdperk, dat Japan Mantsjoerije verovert en zich naar Thibet begeeft; dat de Vereenigde Staten zijn vloot concentreert in de Stille Oceaan; dat Engeland zijn vlootbasis in Singapore gereed maakt. In dat tijdperk bestaat de Nederlandsche vloot in Indië uit een uiterst zwak eskader en vermindert de regeering het verwachten is. De Krakatau heeft het ook geprobeerd, is ook gaan leunen op de rechterzijde, maar is toen volgeloopen en gezonken. De geheele natie loopt vol en zinkt op deze wijze. Het marxisme maakt den lijdensweg wat korter, maar des te erger.

Daarom slaan wij doelbewust den nieuwen weg in: het fascisme in den vorm van nationaal-socialisme, dat ons zal moeten voorgaan naar het herstel van de natie.

De eenvoudigen van harte en zij die de struisvogelpolitiek als hoogste wijsheid beschouwen, zullen ons toevoegen: och wat, die paar honderdduizend communisten. Laat ze schreeuwen. Verder vinden zij de geheele natie tegenover zich. Maar wij laten ons niet in slaap sussen tot het definitief te laat is. De ondergang der natie is veel dichterbij dan men denkt.

Kuyper's antithese heeft haar tijd gehad. Wij stellen hier nu de nieuwe antithese, die over het lot van ons volk zal beslissen: de antithese vóór of tegen het marxisme.

En laat ons nu de rekening eens opmaken. 30 pct. van de bevolking doelbewust georganiseerd in marxistische politieke partijen; 40 pct. die hun sympathie in een of meer opzichten niet meer onder stoelen of banken steken (van den kansel wordt openlijk dienstweigering verheerlijkt en door de radio verbreid); 30 pct. in min of meer defensieve houding, zonder élan, zonder geloof in de toekomst van de natie, zonder zelfvertrouwen. Den weg naar beneden, welke daarvan het gevolg is, heb ik zoo hier en daar voor u belicht.

Het is belachelijk te denken, dat men kan volstaan met te zeggen: ik ben tegen het marxisme. Daartegenover zal gesteld moeten worden een wereldbeschouwing, juister, sterker, waarachtiger, omdat alleen op deze wijze de overwinning bevochten zal worden. Deze wereldbeschouwing is de fascistische, Nationaal-Socialistische. Zij heeft de volkomen zege bevochten in Italië; zij heeft het marxisme in Duitschland niet alleen tot stilstand gebracht maar zijn voornaamste stellingen doen ontruimen.

ZATERDAG 4 FEBRUARI 1933 1ste JAARGANG No. 5

VOLK EN VADERLAND

WEEKBLAD DER NATIONAAL-SOCIALISTISCHE BEWEGING IN NEDERLAND

HOOFDKWARTIER OUDE GRACHT 35 - UTRECHT

Redacteur: GEORGE KETTMANN Jr.
Postbox 468 - Telefoon 33384
Amsterdam C.

Administratie: Oude Gracht 35, Utrecht.
Postgiro 207915 - Telefoon 17015

Abonnementsprijs: voor leden f 2.— per jaar fr. p. post; voor niet-leden f 3.— p. jaar fr. p. post; Buitenland f 4.— per jaar fr. p. post; Losse nummers 5 cent Advertentiën: f 0.25 per regel; 500 regels f 0.20 (Bij contract reductie)

HITLER RIJKSKANSELIER

„Hitler rijkskanselier!" De radiogolven hebben het nieuws over de wereld verspreid en stroomen van inkt hebben deze gebeurtenis reeds omspoeld!

Ook ons, Nederlandsche nationaal-socialisten, doortrilt deze tijding met een heftigen schok, want wij beseffen, dat het er thans om gaat, of de fascistische staatsgedachte spoedig in Duitschland zal zegevieren. Daarom zullen onze leden de ontwikkeling en de verwikkelingen, die van deze benoeming het gevolg zullen zijn, met hevige belangstelling volgen.

Voorloopig bezien wij deze gebeurtenis met gemengde gevoelens.

Eenerzijds verheugen wij ons er over, dat aan onzen fascistischen geestverwant, dien geweldigen organisator, dien grooten propagandist voor een grootsch ideaal, dien leider van een volksbeweging, welke de Duitsche natie door zijn buitengewone gaven en taai vasthoudenden arbeid voor ondergang in den Marxistischen chaos heeft weten te be-

over zich een zeer militante rijksdagmeerderheid.

Mussolini kreeg onmiddellijk de bevoegdheid gedurende ruim een jaar wetten te mogen uitvaardigen buiten de volksvertegenwoordiging om, — zal Hitler deze bevoegdheid, als het noodig is, ook krijgen?

Mussolini bevond zich tegenover een Italië, waarin het wel is waar een janboel was, maar zonder sterk georganiseerde politieke partijen, terwijl de wereld en Italië nog niet te lijden hadden van een crisis als wij thans beleven, — Hitler daarentegen zal hebben te strijden niet alleen tegen krachtige politieke partijen, waaronder de communisten, die door Moskou met alle beschikbare macht gesteund zullen worden, maar ook tegen sterke vakvereenigingen, getuige de op 30 Januari tegen hem gerichten oproep van de groote algemeene „Gewerkschaften", waaraan zelfs het „Gesamtverband der Christlichen Gewerkschaften" mededoet. En dit dan nog tijdens de huidige wereld-

merkwaardige verschijnsel wijzen, dat reeds op den dag zelf van Hitlers benoeming tot rijkskanselier de pers begint niet meer uitsluitend met hoon, minachting en spot over hem te schrijven. Plotseling is Hitler niet alleen maar een prul, dien men niet ernstig heeft te nemen. Zoo schrijft het Handelsblad reeds op 30 Januari j.l.:

„Adolf Hitler in volle openbaarheid, door honderdduizend en meer oogen aangestaard, is geen onsympathieke verschijning. Zooals hij daar langs zijn regimenten loopt, langs zijn v r ij w i l l i g e troepen wel te verstaan — wat nog een heel ander verschijnsel is dan de veldmaarschalk langs een g e d w o n g e n leger — heeft hij niets van een poseur en toch een natuurlijke waardigheid, die bewondering afdwingt.

Vijftien millioen Duitschers achter zich te weten, als absoluut heerscher te commandeeren over een vrijwillig, zij het dan ook ongewapend, leger van 220.000 S.A. en S.S. mannen, in staat te zijn op een paradeveld ruim 70.000 van deze mannen en jongens in indrukwekkende discipline en volkomen overgave bijeen te brengen.

Dat is een prestatie. En toch is deze Hitler in zijn uiterlijk gedrag geen ingebeeld poseur, geen pedant, geen pseudo-Mussolini, geen kleine Napoleon geworden.

Voor hem staan 72.000 mannen in uniform. Hij roept door de microfoon, en sterke luidsprekers maken hem op het immense veld woord voor woord verstaanbaar: „Heil, Ka-

zonder commando omhoog, een donderend „Heil!" klinkt hem tegemoet. Toch spreekt hij zijn volgende zinnen zonder opgeblazenheid, met vol klinkenden bariton, welberekend maar nimmer storend door een bombastisch teveel aan krachttermen. Ik krijg den indruk, dat deze man uit één stuk is en dat het natuurlijk geen pose kan zijn. Men heeft hem, toen zijn beweging nog klein was, wel poseur en zelfs pias genoemd. Dat was stellig een groote vergissing. Wie zich, eenvoudig werkman zonder imponeerende kennis, zonder schooloverwicht, in een omgeving van intellectueelen, hooge officieren, sluwe demagogen en eerzuchtige „Streber" zoo handhaaft en zijn gezag weet door te zetten, is geen doorsnee-mensch."

O, zoo!

Zou Hitler dit alles hebben kunnen doorzetten zonder frissche, sterke ideeën, zonder krachtige levens- en wereldbeschouwing, zonder zich geheel en zonder transigeeren te geven aan zijn ideaal: Duitschland wederom gezond en groot te maken?

Laten wij ons dezen „eenvoudigen werkman" tot voorbeeld nemen; laten wij trachten, ieder op zijn gebied, zonder verslapping en met alle kracht, die in ons is, voortdurend te arbeiden aan den opbouw van onze Nationaal-Socialistische Beweging tot heil van volk en vaderland!

DE WEERLOOZE KUDDE

Herder, wacht U voor den wolf!

wbp. — „Laat u derhalve niet ontmoedigen. Blijf uw vredesideaal getrouw, strijd in woord en daad tegen het militarisme en voor vrede en ontwapening." Deze passage vonden wij in een antwoord, dat de redacteur van het R.K. Kerkblad St. Maarten een vraagsteller gaf. Wij zijn ervan overuigd, dat het zeker niet de wil der hoogere geestelijkheid is, dat dergelijke theorieën verkondigd worden; dit maakt het zeker dubbel noodig, de uitlatingen van deze strekking te signaleeren.

Waren de Pauselijke zouaven, die hun land en hun gezin verlieten, om voor de vrijheid van den oppersten kerkvorst hun leven te offeren, dan geen militairen? Zult gij, katholieken, dan een tweede maal rustig uw kerkvader laten opbouwend aan den arbeid te kunnen gaan.

Anderzijds ontveinzen wij ons niet, dat zijn positie in de gegeven omstandigheden zoo ongunstig mogelijk is.

De geheele wereld, en in het bijzonder Duitschland, is door het zoogenaamde vredesverdrag van Versailles in een reeds vijftien jaren voortdurenden, meedoogenloozen, economischen oorlog gewikkeld, die verscherpt door het feit, dat de industrieele voortbrenging zich sedert den wereldoorlog over tal van landen heeft uitgebreid, de werkelijke oorzaak van de huidige crisis is.

Duitschland is dermate geteisterd, dat doeltreffende maatregelen eerst op den langen duur tot merkbare verbetering zullen kunnen leiden. Zullen aan Hitler de tijd en de vrijheid gelaten worden die maatregelen te kunnen nemen?...

Hij zal in zijn handelingen niet vrij zijn, gebonden als hij is aan een coalitieregeering, die op tal van punten, en wel op de principieele, het niet eens zal zijn met de maatregelen, in het nationaal-socialistisch programma aangegeven.

Vergelijken wij Hitlers positie met die van Mussolini, toen deze in 1922 aan het bewind kwam, dan blijkt Hitlers taak oneindig moeilijker.

Mussolini kon naar eigen goeddunken zijn eerste coalitieministerie samenstellen, — Hitler is opgenomen in een niet door hem samengesteld coalitie-ministerie, waarin de nationaal-socialistische ministers de minderheid vormen.

Mussolini had den Koning op zijn hand, — Hitler heeft boven zich een door een schaar van geslepen politici omringden rijkspresident, van wien bekend is, dat hij Hitler niet gunstig gezind is, en die hem geenszins de vrije hand zal laten.

Mussolini had met zijn troepen het geheele land in zijn macht, — Hitler heeft te rekenen met een rijksweer en andere troepen, van welke het nog niet zeker is in welke mate hij, als de nood het eischt, op hen zal kunnen vertrouwen.

Mussolini had tegenover zich een kamer, die door angst geslagen geen vin durfde roeren. — Hitler heeft tegenheeft.

Mocht Hitler er dus in slagen zich langen tijd aan het hoofd van de regeering te handhaven, en tevens zijn plannen door te zetten, dan zal dit op zich zelf al een geweldige prestatie zijn. En mocht hij er in slagen daardoor den nood in Duitschland te verminderen, de politieke toestanden te zuiveren en de fundamenten voor een corporatieven staat te leggen, dan zal men in hem een der grootste staatslieden hebben te erkennen.

En als het huidige ministerie zou vallen?... Men kan moeilijk voorspellen, wat dan gebeuren zal, maar van de verschillende mogelijkheden lijken ons de volgende de waarschijnlijkste: Daar een parlementaire regeeringsmeerderheid wel niet tot stand gebracht zal kunnen worden, is het mogelijk, dat, òf de rijkspresident aan Hitler de geheele regeeringsmacht toevertrouwt, in welk geval te rekenen is op rood verzet, dat echter spoedig gebroken zal zijn, òf er komt de chaos van burgeroorlog, waaruit het nationaal-socialisme toch weer zegevierend te voorschijn zal komen, waardoor een sterke, werkelijke regeering het Duitsche volk langs den weg van orde en arbeid zal opvoeren tot herstel van de welvaart.

Maar hoe dan ook, nu Hitler eenmaal aan de regeering deelneemt, zien we voor de toekomst als eindresultaat toch steeds een nationaal-socialistisch Duitschland.

Wij hopen voor onze buren, dat dit resultaat bereikt zal worden zonder de verschrikking van een burgeroorlog.

Wij vertrouwen, dat Hitler en de zijnen zullen toonen tegen hun geweldige taak opgewassen te zijn.

Wij zijn overtuigd, dat alleen het nationaal-socialisme in staat zal zijn Duitschland van algeheelen ondergang te redden, dat alleen het nationaal-socialisme Duitschland kan opbouwen tot een nieuwen, krachtigen staat en het de plaats in de wereld kan teruggeven, waarop het krachtens zijn geschiedenis en zijn machtige cultuur recht heeft.

Moge een hersteld Duitschland het begin zijn van Europeesch herstel!

Ten slotte willen we nog even op het

DE PERMANENTE LIJKREDE

Van levend lijk tot Rijkskanselier

DE NECROLOGIE DER N. S. D. A. P.

jbl. — Was ik een links-georiënteerd journalist, ik zou er allengs ernstig over denken een zwenking te maken. De reden daarvoor zou wellicht een zekere zucht naar originaliteit zijn, doch wellicht eveneens de erkenning, dat de zich steeds als foutief ontmaskerende prophetie op den duur iets onbevredigends heeft.

De nationaal-socialistische beweging in Duitschland bestaat weldra veertien jaren en bijna even lang duurt de strijd tegen haar voort. Voor zoover deze strijd niet uit beschimpingen en verloochingen bestond, was zijn voornaamste kenmerk te vinden in de permanente lijkrede: na de Münchener Mei-demonstratie van 1923 was het nationaal-socialisme volkomen dood.

Na het verraad van November van het jaar 1923 was het nationaal-socialisme volledig mortibus. Toen het in het daaropvolgende jaar de parlementen binnentrok, beëindigde het met dezen doodelijken stap nogmaals zijn korte leven. De een half jaar daarna volgende verkiezingen bevestigden, dat het nationaal-socialisme nu toch werkelijk en volkomen dood was....

Merkwaardig genoeg schenen deze snel-op-elkaar-volgende sterfgevallen den tegenstanders niet genoegzaam te voldoen. Als we de pers van de daarop volgende jaren doorlezen, dan vinden wij de volgende doodstijding van het nationaal-socialisme omstreeks het tijdstip, waarop Hitler uit de vesting Landberg terugkwam, verder in den tijd toen de N.S.D.A.P. opnieuw georganiseerd werd en de leider weer in het openbaar mocht spreken.

De landdagverkiezingen van 1928 en 1929 toonden weer onomstootelijk aan, hoe ontzettend dood het nationaal-socialisme was. Zelfs in de Brockhaus vond de destijds allerwege verbreide meening ingang, dat het nationaal-socialisme 'zijn hoogtepunt overschreden' had en dus niets meer had te hopen. Daar deze landdagverkiezingen intusschen eenigen twijfel omtrent de doodsberichten zouden kunnen wekken, was de steeds op waarheid en eerlijke voorlichting beluste pers gaarne bereid, deze resultaten als 'een koortsachtige opflikkering' te betitelen. Koorts bij een doode!

Dit laatste opflikkeren was in de daarna volgende jaren meermalen te bespeuren, waarbij zich het zonderlinge geval voordeed, dat de logischerwijze steeds zwakkere vlam een steeds feller schijnsel wierp. Gelukkig lieten de permanente lijkredenaars zichzelf en hun toehoorders niet bedotten, doch zagen in de helderheid — aan objectieve waarnemers eigen — de bevestiging hunner theorie.

Een uitgesproken zege behaalde deze theorie in den herfst van 1930 bij de rijksdagverkiezingen: slechts een partij, welke op het punt stond op catastrophale wijze in het niet te verzinken, kon een dergelijke aanwinst bereiken!

Intusschen stierf de N.S.D.A.P. steeds maar door. Nadat in 1931 niet veel bijzonders gebeurde, bracht het jaar 1932 een gala-monster-sterven van de N.S.D.A.P., zooals de wereld voordien nog nimmer had aanschouwd. De twee presidentsverkiezingen en de rijksdagverkiezing van den afgeloopen zomer bewezen door hun geregelde stemmen-toename der Nazi's het absoluut doodelijke einde. De lijkreden namen toe, vooral toen in enkele dorpen met tot tweehonderd kiezers een teruggang voor de N.S.D.A.P. te bespeuren viel. Daar kwam het einde....

Deze prophetie werd bewaarheid in de verkiezingen in Lippe. Immers, daar slaagden de nationaal-socialisten er in, hun stemmenaantal slechts met 20 pCt. te vermeerderen. Dood — driedubbel dood begon ze den verkiezingsstrijd en dooder dan dood kwam ze er uit! Hetgeen genoegzaam moge blijken uit het feit, dat de andere partijen er terzelfdertijd in konden slagen, bijna de helft van hun stemmen te verliezen.

In één woord: de N.S.D.A.P. is zoo dood als een pier en als zij haar massasterven slechts half zoo snel voortzet als tot dusver.... dan zal het wel niet meer te verhinderen zijn, dat ze de leiding in het Duitsche Rijk overneemt. Dat is intusschen ook gebeurd: Hitler werd rijkskanselier. Straks zeggen de heeren nog, dat het zijn schim is die aan het bewind staat. Maar vaststaat, dat de N.S.D.A.P. deze gebeurtenis niet meer te boven komt; zij heeft de kracht van haar gebeente overschat. Deze sensatie staat ons met de eerstvolgende krantenedities te wachten. Dat zij ruste in vrede....

voordeel? Neen, dat zult ge niet. Ook gij wilt niet den vrede tot elken prijs.

Wordt het dan geen tijd, dat de Kerk, die den vrede predikt, daarmee niet zoo ver gaat, zich zèlfs op staatsterrein te begeven, om ter wille van een stekeblind pacifisme afbreuk te doen aan de weerbaarheid van ons volk?

LEIDEND BEGINSEL

Voor het zedelijk en lichamelijk welzijn van een volk is noodig een krachtig Staatsbestuur. zelfrespect van de natie, tucht, orde, solidariteit van alle bevolkingsklassen en het voorgaan van het algemeen (nationaal) belang boven het groepsbelang en van het groepsbelang boven het persoonlijk belang.

ZATERDAG 22 APRIL 1933 — 1ste JAARGANG No. 16

VOLK EN VADERLAND

WEEKBLAD DER NATIONAAL-SOCIALISTISCHE BEWEGING IN NEDERLAND

ALGEMEEN LEIDER: Ir. A. A. MUSSERT
HOOFDKWARTIER OUDE GRACHT 35 - UTRECHT

Redacteur: GEORGE KETTMANN Jr.
Postbox 237 - Telefoon 33384
Amsterdam C.

Administratie: Oude Gracht 35, Utrecht.
Postgiro 207915 - Telefoon 17015

Abonnementsprijs: *f* 2.50 per jaar fr. p. post; Buitenland *f* 4.— per jaar fr. p. post; Losse nummer 5 cent. Advertentiën: *f* 0.25 p. regel; 500 regels *f* 0.20 (Bij contract reductie)

ENKELE WOORDEN TOT ONZE JOODSCHE LEDEN

Pionierswerk is geen werk voor Jan en alleman; het eischt groote karaktervastheid en doorzettingsvermogen om tegen wind en getij in, het doel te bereiken.

Verleden jaar telden wij honderden leden, nu duizenden. Toch zijn wij allen nog pioniers en blijven dat, tot het tijdstip, waarop wij de honderdduizenden bereikt zullen hebben, die wachten tot ons woord en onze daad hen zal hebben gebracht tot de nationaal-socialistische wereldbeschouwing. Dan zal de eenheid van de Nederlandsche natie zich voltrekken, zooals de eenheid van het Italiaansche volk en het Japansche volk tot werkelijkheid geworden is en de eenheid van het Duitsche volk worden de is.

Veel zal er geleden en gestreden moe-

zich dus meer aan bij Italië, waar de leer van het fascisme het anti-semitisme niet kent.

Niettemin wordt met voorbedachten rade door onze tegenstanders soms openlijk, doch meestal in het geniep, verkondigd, dat ook wij N.S.B.'ers jodenhaters zijn. Gij weet als N.S.B.'ers, dat dit niet zoo is, dat onze zin voor rechtvaardigheid — één van de pijlers, waarop de toekomstige nationaal-socialistische staat zal moeten rusten — dit niet toelaat, omdat er een geheele categorie van Nederlandsche Joden aanwezig is, die Nederlandsch voelt, denkt en in wezen Nederlandsch is; de categorie waartoe Gij behoort.

Daartegenover staat de groote, zeer groote groep van Joden, die geen nationaal-socialist zijn en dit ook nimmer

in de marxistische beweging vooraanstaande Jood heeft laatst, in verband met de gebeurtenissen in Duitschland gesproken over de eer van zijn ras. Dezen zelfden man is de eer van de Nederlandsche natie even onbekend als de taal der Eskimo's; zijn dagelijksch werk is het, om duizenden van onze volksgenooten te vergiftigen met zijn theorieën, die zich niet verdragen met de eer van een natie.

Van die zijde zult Gij, Joodsche N.S.B.'ers, voor de voeten geworpen krijgen, dat Gij uw ras verloochent, dat Gij heult met den vijand van uw ras. Op deze wijze probeert men u in uw eer aan te tasten en het is daarom, dat ik deze woorden tot u richt.

Uw antwoord kan eenvoudig zijn: Juist wij zijn het, die door mede te werken aan de N. S. B. — dus mede te werken aan de hernieuwing van de Nederlandsche natie — daadwerkelijk toonen, dat het nationaal-socialisme in Nederland niet anti-semitisch behoeft te zijn of te worden, omdat hier in Nederland Joden zijn, die met hun geheele

mede één onverbrekelijk geheel uitmaken en in de toekomst willen blijven uitmaken.

Gij pleegt dus niet alleen geen verraad aan uw ras, maar Gij behoedt dit, voor zoover dit rechtvaardig en juist is, tegen onverdiende *hetze* binnen 's lands grenzen.

Gij hebt uw plaats in onze gelederen uit volle overtuiging ingenomen, blijft deze plaats waardig en Gij zult de voldoening hebben uw plicht te hebben gedaan tegenover al onze volksgenooten ondanks verdachtmaking en hoon.

MUSSERT

NOGMAALS: NATIONALE OPVOEDING

OPROEP

Versterkt het financieële front

De groei der Beweging brengt met zich, dat de uitgaven sterk stijgen, niettegenstaande het werk uit idealisme en geestdrift wordt verricht. De propaganda vergt echter steeds meer; de oplage van het weekblad is verhoogd tot 8500 ex., binnenkort zal zij opgevoerd moeten worden tot 10.000. Met ingang van 1 April is het zevende kringhuis gehuurd.

Het is dan ook een eereplicht van alle leden om onmiddellijk door het *koopen van contributiezegels* hun *contributie* over 1933 te betalen en voor alle leden en belangstellenden om door het *koopen van steunzegels* (verkrijgbaar bij alle groepspenningmeesters in prijzen van *f* 0.10, *f* 0.25, *f* 1.—, *f* 2.50 en *f* 10.—) de beweging te steunen, ieder naar zijn financieele draagkracht.

de eerste plaats aan onze kameraden, die werken en leven te midden van hun Nederlandsche medearbeiders, die door een reeds tientallen jaren durende campagne van haat en verdachtmaking, totaal verblind zijn voor hetgeen zij zelven behoeven om volwaardige burgers te worden van den nationaal-socialistischen Nederlandschen staat.

Als dank en erkenning voor hun pionierswerk worden onze medstrijders gemolesteerd, hun ramen en deuren beklad en geteerd; het vuilste is nauwelijk vuil genoeg om over hen uit te gooien. Zoo zijn de pacifisten en de vrijheidsmenschen in de practijk. Ik denk aan de vele anderen, die in hun dagelijksch leven bemoeilijkt en verguisd worden, omdat zij den moed hadden te breken met het politieke systeem, dat ons volk noodlottig wordt en vastberaden den weg zijn opgegaan, welke tot het herstel moet leiden en een nieuwe toekomst voor land en volk moet ontsluiten.

Hoe graag zouden wij hun dit leed besparen, maar het is niet mogelijk. Het behoort evenzeer bij den opbouw der beweging, als het vallen van een kind bij het leeren loopen.

Wanneer Gij, joodsche leden der N.S.B., dus dergelijke moeilijkheden en bezwaren ondervindt of ondervonden hebt, dan is daarin geen voldoenden grond gelegen om een woord apart met u te spreken. Maar ik vrees, dat Gij behalve deze bezwaren, die ik als normaal zou willen aanduiden, nog andere ondervindt naar aanleiding van de gebeurtenissen in Duitschland en het is daarom, dat ik u iets te zeggen heb.

De Duitsche nationaal-socialistische beweging is principieel anti-semitisch; dat is zij van den aanvang af geweest en daarin is zij gesterkt door den heftigen tegenstand van marxistisch-Joodsche zijde, welke zij in den jarenlangen strijd heeft ondervonden; de gevolgen daarvan doen zich nu natuurlijk gevoelen.

Onze N. S. B. is principieel niet-anti-semitisch. De toestanden zijn hier te lande op dit punt nu eenmaal geheel verschillend met die in Duitschland. Wat dit betreft, sluit onze beweging

1533 24 APRIL 1933

„Mijn volk heeft een zeldzaam fijn besef getoond van hetgeen mij bindt aan Willem den Zwijger, wiens geesteskind ik mij in meer dan een opzicht gevoel.

Het ware in strijd met zijn willen en streven hem te eeren, of lof toe te zwaaien; immers onze historie is Gods werk en in dit licht zag hij de feiten. Juist dat Godsbestier heeft de gedachte die in zijn denken ontsproot, in ons Vaderland doen wortel schieten, haar gesteld tot een waarheid waarop zoowel het gebouw van den Staat als het rechtsbewustzijn der natie rusten.

Mochten wij allen, ziende op den Vader des Vaderlands en willende onszelf zijn en blijven, onverpoosd voortbouwen op de grondslagen door hem gelegd."

Deze gulden woorden werden gesproken op den 21sten September 1923 door Hare Majesteit de Koningin, staande bij het monument van Prins Willem den Eerste in de Nieuwe Kerk te Delft.

Het was het oogenblik waarop het gerestaureerde Koor als zilveren jubileumgeschenk aan Hare Majesteit werd aangeboden, in tegenwoordigheid van een duizendtal mannen en vrouwen uit alle kringen van het Nederlandsche volk.

Ontroerend was het de Nazate van den grooten Zwijger dit getuigenis te hooren afleggen.

Ons Volk heeft den diepen zin ervan verstaan, en bewaart deze woorden als een kostbaar bezit.

Thans, nu wij de geboorte van Prins Willem voor vierhonderd jaren herdenken, komen zij ons weer voor den geest, en zij spreken levende taal.

Wie nog voortbouwen op de grondslagen door hem gelegd, zijn voor dit gesprokene opnieuw dankbaar.

Het is in den geest van Hare Majesteit zoo wij Haren grooten Voorvader niet eeren of lof toezwaaien.

Maar dankbaarheid vervult in deze dagen bij vernieuwing ons hart, dat God dezen man aan ons Volk heeft gegeven.

Het Koninklijk woord was een weerklank op wat door hem die in dat onvergetelijk oogenblik namens ons Volk het monument aan Hare Majesteit overdragen mocht, werd gezegd:

„Dit monument, dat wij voor onze Vorstin oprichten, eert tevens ons Vorstenhuis.

Ons Volk ziet toch voor alles in U een Oranje.

In geestelijken zin reiken Uwe Majesteit en de Vader des Vaderlands elkander de hand.

En wanneer straks de band tusschen Oranje en Nederland vier eeuwen lang zal hebben stand gehouden, dan is dit in de eerste plaats omdat die band door God gelegd werd tusschen een Willem den Zwijger en ons Volk.

Zijn naam staat diep gegrift in de ziel van ons Volk.

Zijn taak was op te komen voor de heiligste rechten en vrijheden van geheel ons Volk.

Zijn daad, zijn groote daad was zichzelf te geven als offer voor zijn Volk."

Bij deze herdenking zweren wij, Nationaal Socialisten, voor dien naam onder ons Volk den eerbied te blijven opeischen waarop hij recht heeft:

die taak in haar schoone klaarheid onder ons Volk bekend te doen zijn:

die daad als een onvergankelijk voorbeeld voor te houden aan allen die bereid zijn om voor hun Volk en hun Vaderland te leven.

was ik kort geleden getuige van de volgende bewuste ondermijning van het nationale gevoel. Op deze bijeenkomst, waarbij de opkomst verplicht is, was een spreker genoodigd, die tot onderwerp had gekozen: „Willem van Oranje, de rebellenleider". In een op zichzelf uiterst knap betoog ontleedde spreker één speciale zijde van de Oranje-figuur en deed op voorzichtige, maar handigdoordringende wijze afbreuk aan het „sprookje van het heldenvolk" uit den 80-jarigen oorlog. Door zich herhaaldelijk vrij te pleiten van vergelijkingen met den tegenwoordigen tijd, vestigde hij juist de aandacht op zijn klaarblijkelijke bedoeling.

De rebellen waren „werklooze schippers", de revolutie „democratisch" en de Spaansche legerautoriteiten onderhandelden met de muitende soldaten.

Laat veel hiervan waar zijn, alles desnoods, dan vragen wij ons toch af, waar dergelijke betoogen goed voor zijn. Een bepaald deel van de ca. 600 toehoorders mist immers het gevoel van de eenzijdigheid ervan, al wordt hen dit erbij verteld. Het resultaat is, dat er afbreuk wordt gedaan aan het nationale bewustzijn en den eerbied voor de historie en haar groote figuren en wat het ergste is, dat dit wordt overgebracht op, wie weet hoeveel duizend kinderen.

Is het niet een groote misdaad om de dragers van onze toekomst op eenzijdige wijze met het verleden in kennis te stellen; zien deze „paedagogen" dan niet, dat er behalve in de concrete waarheden een groote waarde schuilt in de wijze, waarop deze worden overgebracht.

C'est le ton qui fait la musique. Wanneer de eerbied voor de historie verloren gaat, dan gaat het demoralisatiespook vanzelf wel verder, het respect voor de ouders verdwijnt, voor het gezin, voor de natie: het einde is niet te overzien.

En daarom noemen wij zulk optreden misdadig in hooge mate.

Laten wij, nationaal-socialisten, eerbied kweeken voor onze geschiedenis, eerbied voor ons vaderland en hèn bestrijden, die met het onverkwikkelijk uitpluizen van details onze volksziel trachten te vergiftigen.

mer van den Algemeen Penningmeester No. 213436.

Bewijst, dat Gij U offers wilt getroosten voor den opbouw der beweging. Er zijn er zooveel die iederen dag van vroeg tot laat zich inspannen; maakt hun het werken mogelijk. Parasiteert niet.

DE HEEREN MET DEN PALMTAK

Een oud-lid, dat ingevolge het besluit van minister Deckers bedankt heeft, schrijft ons:

Donderdagavond 6 April j.l. is in Hilversum een anti-oorlogstentoonstelling geopend met een inleidend woord van den heer W. L. van Warmelo, oud-kapitein der artillerie. Spr. vertelde op het gebied van ontwapening tal van vooral voor NSB-ers „nieuwe" dingen — o.a. van een bom van 1000 ton (d.i. precies 1.000.000 K.G.) en van een vliegtuig met een capaciteit van 10.000 ton. Vergelijk dat eens met onze Indië-vliegtuigen. We vallen toch wel erg in het niet!

Ook vertrouwde spr. ons een geheim toe. Hij had thuis een copie van een brief, waarin de geallieerden aan België, indien het na den val van Luik oorlog bleef voeren, een stuk van Nederland tot aan den Moerdijk beloofden. Met het oog op de internationale verhouding verzocht spr. den journalisten, dit geheim niet te publiceeren!

Dat de heeren van de schietvereeniging „Het Gebroken Geweer" er wel op uit zijn, den vrede te bewaren, blijkt genoegzaam uit het verklappen van zoo'n opzienbarend geheim in het openbaar.

Tenslotte vernamen wij nog, dat er nu voor het eerst in de geschiedenis gelegenheid bestond, om in de Tweede Kamer maar eens vrouwen te kiezen. Dan zou het wel gedaan zijn met de bewapening.[1]) Hierna volgde nog een applaus.

[1]) Zelfs voor haarspelden hoeven we niet bang meer te zijn. (Red.)

VOLK EN VADERLAND

WEEKBLAD VOOR DE NATIONAAL-SOCIALISTISCHE BEWEGING IN NEDERLAND

ALGEMEEN LEIDER: Ir. A. A. MUSSERT

HOOFDKWARTIER: OUDE GRACHT 354 – UTRECHT

Abonnementsprijs ƒ 0.80 per kwartaal. Oost- en West-Indië en Buitenland ƒ 1.— per kwartaal bij vooruitbetaling. Losse nummers 6 cent, in Indië 10 cent. Voor abonnement: Administratie „Volk en Vaderland" Postbus 74, Utrecht, tel. 16997. Postgiro 207915.

HOOFDREDACTEUR: MR. S. A. VAN LUNTEREN
REDACTEUREN:
GEORGE KETTMANN JR. — MR. H. REYDON
POSTBUS 118 TELEFOON 16997 UTRECHT

UITGAVE VAN DE NEDERLANDSCHE NATIONAAL-SOCIALISTISCHE UITGEVERIJ (N. E. N. A. S. U.)
DIRECTEUR: R. VAN HOUTEN

Voor Advertenties: Administratie Volk en Vaderland. Postbus 74. Utrecht Postgiro 207915.
TARIEF: Gewone advertenties 35 cts per regel. — Tekstadvertenties 85 cts (voorpagina ƒ 1 75) per regel. Bij contract reductie. Kameraadjes: ƒ —.25 per regel van plm. 20 letters per regel. Minimum ƒ 1.— Bij vooruitbetaling.

NA DEN SLAG

In gesloten gelederen voorwaarts

De Beweging de locomotief en de 300.000 kiezers de personenwagens

Kameraden,

Op onzen Landdag, een maand geleden, heb ik u gezegd: of het honderdduizend, tweehonderdduizend of driehonderdduizend volksgenooten zullen zijn, die op ons stemmen, in ieder geval zullen wij na de provinciale statenverkiezing, — die voor ons slechts een incident is in den strijd, — in gesloten gelederen voorwaarts gaan.

Welnu, het waren er driehonderdduizend, die op de Beweging stemden. In één slag kregen wij de positie van een „groote" politieke partij. In ronde getallen staat het nu zoo met de stemmencijfers:

R.K. Staatspartij	1000 × duizend
S.D.A.P.	800 × „
Anti-revolutionnairen	400 × „
Christelijk-Historischen	350 × „
N.S.B.	300 × „

langeloos groote opofferingen hebben getroost, is het ons mogelijk geweest om aan het Nederlandsche volk te doen zien, dat het net van de politieke partijen, waarin ons volk is gevangen, niet onverbrekelijk is. Wij hebben er een aardig gat in geslagen; driemaal honderdduizend zijn al ontsnapt.

Vele jaren geleden heeft Erich Wichman reeds gezegd tot het Nederlandsche volk: rechts en links bestrijden elkander slechts in schijn, in werkelijkheid bestrijden zij.... U! De juistheid hiervan heeft deze verkiezing afdoende bewezen. Alle pamfletten van alle politieke partijen waren gericht tegen de N.S.B. De zich noemende Christelijke partijen onderscheidden zich daarbij in geen enkel opzicht van de liberale en de marxistische. Alle leugens en alle laster, die wij N.S.B.-ers al lang van hen gewend zijn, werden in verdubbelde mate uitgestort over die vele honderdduizenden, die wij nog niet hebben kunnen bereiken. Voor het „houvast" moest elk begrip van eerlijkheid en fatsoen wijken. Zelfs de vuile leugen, dat wij door Duitschland betaald worden, werd niet geschuwd.

Wij kennen niet het begrip fusie en het transigeeren en daarom stonden alle politieke partijen tegenover ons; daaruit kunt

menlijk naast elkander strijdend, de grondslagen leggen voor een gelukkig volk, waarin de eerlijke plichtsgetrouwe werker de plaats verkrijgt die hem toekomt als gelijkgerechtigde staatsburger. Wij willen elkander weer leeren begrijpen, leeren waardeeren en het zoo ver brengen, dat wij éëns vrije staatsburgers zullen zijn van een onafhankelijken fieren Nederlandschen Staat, waarop wij trotsch zullen kunnen zijn omdat hij gerespecteerd wordt en aan ons, zijne Staatsburgers, verschaft recht, arbeid, vrede. Dat is de taak der Beweging. Al staat de N.S.B. als partij op de vijfde plaats, zonder twijfel neemt de N.S.B. als Beweging de sterkste positie in. Alleen een uiterst gezonde, sterke Beweging was in staat om een gat te slaan in het net der politieke partijen.

Daarom moet en zal er ons alles aan gelegen zijn om den geest der Beweging niet alleen te behouden, maar dezen geest op te voeren. Wij zullen aan elkander bouwen en met elkander voortgaan steen voor steen de Beweging op te bouwen.

Het geheele Nederlandsche volk ziet naar U, mijne kameraden, of Gij daartoe in staat zu't zijn. Nu zult Ge eerst recht moeten toonen, dat Gij het vertrouwen der 300.000 waard zijt, door U met alle kracht en energie weer te zetten aan den verderen opbouw der Beweging.

De organisatie zal worden versterkt, de fascistische geest zal worden aangekweekt, wij zullen verder gaan te leeren al het vuil, waarmede naar ons gesmeten wordt, te verachten en te trachten naar eer en geweten ons te hoeden te vervallen in de zelfde fouten als onze tegenstanders.

Op dan, mijne kameraden; in gesloten gelederen voorwaarts! Uw opdracht: de eerste 50.000 leden, wacht op zijn vervulling; de oplage van Volk en Vaderland moet 100.000 worden. Het strijd- en verkiezingsfonds is leeg. Zooals ik gezegd heb op den landdag: wij zijn arm, maar zonder schulden. Rijk zullen wij wel nooit worden, daarvoor hebben wij geen aanleg. Maar van ieder moet ik verwachten dat hij of zij ook medewerkt om de Beweging ook geldelijk zoo sterk mogelijk te maken.

Het is lente, de zomer komt. De verleiding om den strijd aan anderen over te laten is groot. Weerstaat die verleiding. Uw volk heeft U noodig; de nood stijgt met den dag; geestelijk zoowel als materieel. Wij kennen maar één angst, n.l. te laat te komen om ons volk van den ondergang te redden.

Wij willen en wij mogen ons historische roeping niet verzaken en daarom: ieder op zijn post en ieder weer aan den arbeid.

Het incident is gesloten. De Beweging trekt onweerstaanbaar op.

HOU ZEE!

MUSSERT

30 April 1935.

DIT No. BEVAT O.A.

HET BEZUINIGINGSPLAN
Eén dag na de verkiezingen bekend

DE DURE SPIRITUS
Het volk brengt ƒ 300,000 extra op

VERARMDE BOEREN
Belastingheffing op het platteland

IN HET WILHELMINA-GASTHUIS
Een oord van kwelling voor niet-marxisten

LUCHTBESCHERMING
Het volksbelang verwaarloosd

MARCHANT WIL BURGEROORLOG

socialisten	200 ×	„
Vrijzinnig democraten	150 ×	„
Staatkundig Gereformeerden	100 ×	„
Kleine partijen te samen	200 ×	„
totaal	3.700 ×	„

Vóór ons verschijnen in de politieke arena, was het geheele z.g. democratische systeem onwrikbaar vastgeloopen. Er werden bij een tweede kamerverkiezing om zoo te zeggen, geen nieuwe aandeelen meer uitgegeven. Er waren er honderd en die waren verdeeld onder de politieke partijen, van ouds bekend en gerenommeerd.

Iedere partij had er een vast aantal: de één een half dozijn, de andere een dozijn, een zeer groote twee dozijn en de meeste daarvan stonden ook nog vast op naam, zooals die van De Geer, Snoeck Henkemans, Albarda, Aalberse, Marchant, enz. enz. Van tijd tot tijd werden die aandeelen afgestempeld en dan waren ze weer geldig voor eenige jaren. Zij stonden zoo vast als een huis, zoodat men er om zoo te zeggen, hypotheek op kon krijgen.

Als er van de honderd twee of drie naar een andere regentenfamilie (partij) gingen, werd dit voorgesteld als een geweldige gebeurtenis. Colijn moest minister-president worden, omdat de anti-revolutionnaire familie, door de Tweede Kamerverkiezing van 1933, er twee aandeelen bij kreeg!!

Door de N.S.B. is dit nu met één slag veranderd. Deze verkiezing heeft ons het beeld gegeven van de gerenommeerde regentenfamilies, op een rij geschaard, krampachtig verdedigend hun gezamenlijk aandeelenbezit, dat voordien onaantastbaar was. Langs het geheele familiefront van Colijn tot en met Albarda daverde het „hou vast". Maar de „hou-zeeërs" hebben — tot ontzetting van het éénheidsfront — reeds bij den eersten aanval acht aandeelen veroverd.

Pater Borromeus de Greeve, propagandist van „hou-vast", sprak na het bekend worden van den verkiezingsuitslag van „de niet te miskennen triomf van de N.S.B." Overigens van dezen politicus de eenige mededeeling over de N.S.B., welke niet in strijd was met het negende gebod. Zijn verdere mededeelingen gingen over den bedrieger Mussert, de muilkorf, de knuppel, de knoet, de concentratiekampen (niet die van Colijn), de staatsdictatuur, in het kort, het geheele repertoire van Meyer Sluyser, dien wij allen reeds lang kennen uit „Vrijheid-Arbeid-Brood", waaruit pater Borromeus de Greeve zeer veel heeft geleerd, dat wellicht dienstig is voor de R.K. Staatspartij, *maar uit zijn mond, door het kleed dat hij draagt,* beleedigend is voor de Kerk, wier dienaar hij zou moeten zijn.

Er is ontzaglijk veel geofferd door duizenden kameraden om den ban te breken van de onaantastbaarheid der politieke partijen. Honderden zijn dag en nacht in touw geweest, hebben hun persoon in geen enkel opzicht gespaard. Ik denk hierbij in de eerste plaats aan onze sprekers, onzen verkiezingsdienst, onze colporteurs en propagandisten en onzen vrijwilligen motordienst. Dank zij het feit, dat allen zich geheel bemeenschappelijken vijand zien.

Zoo staan wij dan nu met één slag als partij de vijfde in de rij, onmiddellijk onder de Christelijk-Historischen.

Onze taak

Onze taak staat te dezen opzichte klaar en duidelijk voor ons: Bij de eerstvolgende Tweede Kamerverkiezingen hebben wij de Christelijk-Historischen en de Anti-Revolutionnairen te passeeren en daardoor te worden de derde in de rij.

Dit zal de eerste daad van ons moeten zijn als politieke partij. Geloof niet, dat onze tegenstanders ons dit gemakkelijk zullen maken; een gemakkelijk uit te voeren daad heeft trouwens voor ons als fascisten geen waarde. Maar als wij voortgaan op den ingeslagen weg, dan zullen wij daartoe in staat moeten zijn, dan zullen wij het volbrengen. Onder de zeer vele gelukwenschen, die ik ontving met het slagen der verkiezingsactie, was er één die mij zeer getroffen heeft en die ik daarom hierbij wil doorgeven aan al mijn kameraden:

„Hartelijk gelukgewenscht. Bidt God om wijsheid en kracht. Blijf eenvoudig. Hou Zee!"

Kameraden, het incident is gesloten; voort gaat weer de Beweging.

Wanneer ik zou moeten constateeren, dat de Beweging was *geworden* tot een „groote" politieke partij, dan zouden wij goed doen door te spreken van een Beweging, die *verworden* was tot een partij.

Na deze verkiezing moeten wij zijn Beweging *en* partij. De Beweging is de locomotief, de partij zijn de personenwagens, die er achter hangen. De Beweging wordt momenteel gestuwd door 43.000 man; de partij telt omstreeks 300.000 aanhangers. De partij is slechts *één* van de middelen waardoor de Beweging haar staatkundige machtsmiddelen moet verkrijgen, om mede daardoor haar hooge doeleinden te kunnen verwezenlijken.

De 300.000 hebben niet gestemd op de personen of op de partij, maar hebben laten zien, dat zij in meerdere of mindere mate in de Beweging gelooven. Zou de partij grooter en grooter worden en de Beweging verworden, beter ware het dan, dat de Beweging nooit geboren zou zijn. Partijen zijn er in Nederland te veel; de Beweging is het eenige middel om den ondergang van dit volk te voorkomen.

Wij zijn de Beweging begonnen, wij zijn tot haar toegetreden, wij strijden voor haar, iederen dag, omdat wij ons volk onder onze oogen te gronde zien gaan aan de terreur, het onrecht, de demagogie, den klassestrijd, de partijpolitiek die te zamen de zedelijke grondslagen van ons volk ondermijnen en aan honderdduizenden de bestaansmogelijkheid ontnemen.

Wij willen weer één volk worden, ondanks de kerkelijke verschillen die er zijn en er zullen blijven. Wij willen elkander als Nederlanders weer de hand reiken en geza-

De democratie aan de baantjes geofferd

HET PARLEMENT NAAR HUIS

Nu ook de Vrijz.-Dem. Bond voor ambtenaren verboden?

In ons vorig nummer citeerden wij de woorden, waarmede dr. h. c. Henri Polak opruide tot burgeroorlog. Veertig jaar lang heeft hij zijn misleide volgelingen, die hem hebben „vrijgesteld", doen zingen: „niet met de wapenen der barbaren", maar nu zijn parasiteeren op de centen der door zijn wanbeleid aan werkloosheid en ellende prijsgegeven diamantbewerkers door het optrekkend nationaal-socialisme eerlang een einde zal nemen, nu hitst hij op tot geweld. Wij brengen zijn woorden nogmaals in herinnering:

„Duitschland heeft ons geleerd, dat tegen deze misdadigersbenden" (dat is de N.S.B., als U het soms nog niet wist) „de rede niet baat. Wie ons land, ons volk, wil behoeden tegen het lot, dat Duitschland en zijn volk heeft getroffen, *moet er op los slaan. Den genadeloozen geen genade. Tegenover de geweldenaars het geweld. Al het andere is nutteloos.*"

De zoo in-fatsoenlijke burgerlijke pers heeft zich wel gewacht ons volk van deze schandelijke opruiing mededeeling te doen. Stelt u zich even voor, dat in ons orgaan iets dergelijks, of veel minder, gezegd was, de kwijl der heiligste verontwaardiging ware over hun vesten gesiepeld! Maar nu de edele minnaar van schoonheid en vakvereenigingstractement, een der geestelijke leiders der ultra-legale S.D.A.P. zooiets zegt, nu zwijgen alle farizeeërs en veinzen het niet gelezen te hebben....

Wellicht zou een vreemdeling in het Nederlandsch Jerusalem denken, dat de Justitie dan ten minste haar plicht zou doen, en den opruier zou vervolgen.

Maar ook dit is niet geschied. En sedert 27 April j.l. kan het ook bezwaarlijk meer geschieden, omdat in het blad van minister Marchant, het officieel orgaan „De Vrijzinnig-Democraat", *eveneens met burgeroorlog wordt gedreigd.* Minister Van Schaik kan toch moeilijk zijn collega, en, naar de geruchten luiden, eerlang zijn geloofsgenoot, strafrechtelijk doen vervolgen?

We lezen namelijk in genoemd blad van 27 April j.l., dat wanneer langs den wettigen weg de N.S.B. zóóveel leden in het parlement zal hebben gekregen, dat zij aan de parlementaire democratie een einde zou kunnen maken, dan zal de N.S.B.

„eerst de proef hebben door te maken van een burgeroorlog".

In elk geval, meent het blad van Marchant, zal dan:

„de regering zich vrij moeten maken. Het mindere kwaad is de regering vrij van het parlement".

Derhalve: als de N.S.B. een parlementaire meerderheid heeft behaald, dan stuurt Marchant het parlement naar huis, werpt hij zich op tot dictator en zal hij een „burgeroorlog" ontketenen om de meerderheid van ons volk met de wapenen te onderwerpen!

Ziedaar de principieele „democraat", de man van den „volkswil". Die heele democratie is dus maar larie. Het eenige beginsel, dat in werkelijkheid zijn politiek beheerscht, is: houvast de macht en de baantjes! Als hij dat niet meer zou kunnen, wil hij die heele democratische santenkraam opheffen en zegt: *als het fascisme langs wettigen weg niet tegen te houden is, dan word ik zelf „fascist"!* Want de macht en de baantjes houd ik vast.

Of meneer Marchant ook benauwd begint te worden! Als er morgen kamerverkiezing was, zou zijn partijtje volgens de stemverhouding der vorige maand van 6 op 4 zetels in de Tweede Kamer dalen, en eerlang nog veel meer. En daarom dreigt het kleinste regeerings-partijtje met den grootsten mond met burgeroorlog, *en is dus principieel van den legalen weg afgeweken.*

Wat zullen Colijn en De Geer van deze „keldering" geschrokken zijn! Waren zij consequent, dan moest de Vrijzinnig-Democratische Bond voor ambtenaren verboden worden, en moesten de Ministers Marchant en Oud aftreden en door onvervalschte en niet hun mond voorbijpratende staatspartijers, of zoo, vervangen worden.

Natuurlijk zal dat niet gebeuren, maar zal achter de schermen Marchant alleen op zijn reuzenflater gewezen worden.

't Is meer dan weerzinwekkend!

Nadat het bovenstaande geschreven was, lazen wij over deze ergerlijke zaak een artikel in De Maasbode. Dit blad is heftig geschrokken, en citeert in het avondblad van 30 April het slot van het opruiend, vrijzinnig-demokratisch artikel eveneens en merkt naar aanleiding daarvan op [1]:

Hier is zeker niet waar: eind goed, al goed. Integendeel. Dit einde is allerbedenkelijkst. *En het zou ons aan een voldoend superlatief ontbreken, wanneer hierin de meening van een der Ministers werd weergegeven.*

Want ontdaan van fanfares komt het er toch hierop neer, dat gezegd wordt: als de N.S.B. langs den legalen weg der verkiezingen dreigt de meerderheid in de volksvertegenwoordiging te krijgen, dan zal men daar tegenover den illegalen weg hebben in te slaan.

Of neen, het is zelfs nóg erger.

Wie scherp leest, zou in dit geschrevene dit dreigement kunnen hooren:

„Als de Kamer het groote bezuinigingsontwerp, uit vrees voor den wassenden invloed van de extreme partijen, niet aanvaardt, dan zal de Regeering het Parlement naar huis sturen, en dan maar zonder Parlement regeeren".

Dit wordt dan het „mindere kwaad" genoemd.

Het „grootere kwaad" is practisch echter dit: dat er een ander kabinet zou optreden, hetwelk een andere welvaartspolitiek dan het huidige zou willen voeren.

Nu kunnen wij al weer begrijpen, dat het zittend kabinet vast overtuigd is, dat een andere politiek dan de zijne niet goed zou zijn. Zoo iets is meer voorgekomen.

Maar in een democratie, gelijk de Schrijver zegt te willen behouden, is 't nu eenmaal zoo, dat eenig kabinet niet regeeren kan zonder meerderheid in het Parlement. Heeft het deze niet meer, dan doe het een beroep op de kiezers, of trede af.

Maar nooit kan het geoorloofd zijn, zonder Parlement te regeeren.

Dat is nu eenmaal in strijd met het wezen van de democratie.

Bovendien: regeeren zonder parlement is ook in volstrekten strijd met de Grondwet.

Geen kabinet kan ook dezen weg inslaan zonder met zijn eed van trouw aan de Grondwet in strijd te handelen.

Dat men van dezen uitslag der Statenverkiezingen, eenigermate geschrokken is, begrijpen wij. Dat men, in dezen schrik bevangen, iets meer zegt, dan men in meer normale oogenblikken zou uiten, kunnen wij ook nog begrijpen.

Maar wat hier geschreven werd kan niet door den beugel. Het verraadt een mentaliteit, die, kwam ze bij een Minister voor, zelfs een groot gevaar zou beteekenen.

En ook... een formidabele domheid.

Hoe kan men aan leden van een politieke partij verbieden ambtenaar te zijn, omdat ze eventueel niet voor het aanwenden van illegale middelen zullen terugdeinzen, [2] — wanneer men zelf van plan is, om in een of ander ongewenschte situatie illegale middelen te gebruiken?

Wij achten het verschijnen van dit artikel een zaak van aanbelang.

Eenige nadere verklaring en opheldering komt ons wel gewenscht voor.

Te meer, omdat dit artikel de herinnering wakker roept aan een ongelukkige uitlating van twee jaren geleden, in de Memorie van Antwoord op Hoofdstuk I der Staatsbegrooting.

Toen is daar in de Tweede Kamer door de voorzitters der Chr. historische en der Katholieke kamerfractie krachtig tegen opgekomen. De Minister-President verklaarde toen, dat men die passage had misverstaan.

Maar hoe moet dan dit wel zeer duidelijk artikel in De Vrijzinnig-Democraat verstaan worden?

Er klinkt eenzelfde dreigement uit.

---

[1]) Cursiveeringen en vet van ons. — **Red.** VoVa.

[2]) Wat bovendien aan de N.S.B. *lasterlijk* wordt aangewreven! — Red. VoVa.

VRIJDAG 28 MEI 1937 — 5e JAARGANG No. 22

VOLK EN VADERLAND

WEEKBLAD VOOR DE NATIONAAL-SOCIALISTISCHE BEWEGING IN NEDERLAND

ALGEMEEN LEIDER: Ir. A. A. MUSSERT - HOOFDKWARTIER: MALIEBAAN 35 UTRECHT

REDACTEUREN: GEORGE KETTMANN Jr. EN Mr. H. REYDON OUDE GRACHT 194 UTRECHT POSTBUS 118 TELEFOON 18041 (2 LIJNEN)

UITGAVE VAN DE NEDERLANDSCHE NATIONAAL-SOCIALISTISCHE UITGEVERIJ (N. E. N. A. S. U.) POSTBUS 74 OUDE GRACHT 194 TEL 18041 UTRECHT

Abonnementsprijs ƒ 0.80 per kwartaal. Oost- en West-Indië en Buitenland ƒ 1.— per kwartaal bij vooruitbetaling. Incassokosten ƒ 0.15, Losse nummers 6 cent, in Indië 10 cent. Voor abonnement: Administratie „Volk en Vaderland" - Postbus 74 - Utrecht. - Telefoon 18041. - Postgiro 207915.

Voor Advertenties: Administratie Volk en Vaderland. Postbus 74. Utrecht. Postgiro 207915. Tarief: Gewone advertenties 35 cts. per regel. - Tekstadvertenties 85 cts. (voorpagina ƒ 1.75) per regel. Bij contract reductie. Kameraadjes: ƒ 0.25 per regel van plm. 20 letters per regel. Minimum ƒ 1.—. Bij vooruitbetaling.

MUSSERT SCHRIJFT OVER:

GESLAGEN MAAR ONGEBROKEN

VOORWAARTS

Wij hebben ons volk nog even lief als vóór 26 Mei. Wij zijn er nog even sterk van overtuigd, dat het in zijn kern, in zijn wezen een goed volk is. Daarom is deze verkiezing voor ons nationaal-socialisten geen teleurstelling om der wille van onze Beweging, maar om der wille van ons volk.

te komen, want de wereld staat niet stil. Wij denken daarbij in de eerste plaats aan het imperium, aan Indië; aan de zestig millioen, die leven onder Nederlands vlag, aan de tweehonderdduizend, die daar de vlag hoog moeten houden en nu, na 26 Mei weten, dat zij voorloopig van het Nederlandsche volk niets te verwachten hebben ....

Maar de wonderen zijn de wereld niet uit. Wij hopen nog steeds op tijd te komen, om ons volk van den ondergang te redden, om het imperium te behouden. In ieder geval dragen wij daarvoor niet de verantwoordelijkheid.

Onze verantwoordelijkheid is: voort te gaan, te bouwen met alle kracht, toewijding en liefde aan een sterke, hechte, offervaardige kern, die na korteren of langeren tijd, ons tot bezinning komend volk zal voorgaan op den nieuwen weg. De verantwoordelijkheid der partijen is en blijft vooralsnog: ons volk regeeren in de eenheid door democratie, die zij ons volk hebben voorgespiegeld vóór 26 Mei en die in een veelheid van wrijvingen en onvruchtbaar gekijf zal eindigen na een of twee of wellicht drie jaren. Moge er dan nog tijd en ruimte zijn voor de wederopstanding van ons volk.

Kameraden: Sluit de gelederen. Drukt de helm vaster op uw hoofd en weest getrouw. Onze voorouders hebben wel voor heetere vuren gestaan dan wij nu en wij hopen aan het eind van onze dagen

„GEWETENSVRIJHEID" IN NEDERLAND

Hoe de Staatsgreeppartij haar stemmen krijgt

Mijnheer,

Na lezing van het laatste huichelachtig vlugschrift „Tot God gericht" vraag ik U. Durft U, na stemming

Volk en Vaderland 28 V 1937

wij op 26 Mei een slag gekregen hebben. Het was mij een voorrecht om in den nacht van 26 op 27 Mei tot de eersten te behooren, die door onze tegenstanders werden gehoond en uitgejouwd. Vriend noch tegenstander had verwacht, wat is geschied, nl. dat het aantal onzer aanhangers op dien dag bleek slechts ruim de helft te zijn van het aantal, dat twee jaar geleden op de Nationaal Socialistische Beweging stemde, niettegenstaande de Beweging zelf in dien tijd gegroeid is. De meeningen in eigen gelederen varieerden van 8 tot 12; zelf heb ik het cijfer 10 genoemd.

Na de Statenverkiezing van 1935 heb ik geschreven: wij hebben nu de vijfde plaats bezet; bij de volgende verkiezingen willen wij de derde plaats innemen. Zoo lag het in ons plan; maar de mensch wikt en God beschikt. Inplaats van de derde plaats in te nemen, nemen wij nu de zesde plaats in.

Er zijn nu drie groote partijen in het parlement nl. de Staatsgreeppartij met 31, de S.D.A.P. met 23 en de A.R.P. met 17 zetels. Daaronder komen 7 kleine, n.l. de Chr. Hist. Unie met 8, de V.D. Bond met 6, de N.S.B. met 4; de Vrijheidsbond met 4, de Communisten met 3 en de Staatkundig Gereformeerden en Chr. Dem. Unie ieder met 2 zetels.

De overigen zijn weggevaagd, hebben slechts stemmen vergaard om ze volgens het nieuwe kiesstelsel daarna cadeau te doen aan hun tegenstanders en wel speciaal aan de Staatsgreeppartij en de S.D.A.P.

Wij hebben ons te stellen op den bodem van de werkelijkheid. Het is 27 Mei; wij maken de balans op.

De eerste vraag is dan: zijn wij in onze beginselen geschokt? Het antwoord luidt: neen. Achttien eeuwen lang werd als onomstootelijk vaststaand beschouwd de leer, dat de zon draait om de aarde. Toen kwam Copernicus met de revolutie: de aarde draait om de zon. Halsstarrig bleef men zich niettemin vastklampen aan de oude leer. In 1600 (70 jaar na het gereed komen van het werk van Copernicus) werd Bruno nog te Rome in het openbaar verbrand, omdat hij weigerde te herroepen, dat de aarde om de zon draait. In 1633 moest nog Galilei deze waarheid herroepen, anders had hij het lot van Bruno gedeeld. Honderd jaar en meer waren er voor noodig om de waarheid te doen zegevieren over oude waandenkbeelden.

Honderdvijftig jaar leven wij onder den druk der beginselen van de Fransche revolutie. Wij weten, dat die beginselen valsch zijn, dat zij de volkeren naar den ondergang voeren, wij weten, dat alleen een nationaal en sociaal gevoelend en werkend volk ons uit de ellende van dezen tijd kan voeren naar een betere toekomst. Dit is een onomstootelijke waarheid. Wij waren vóór 26 Mei in het bezit van deze waarheid en wij zijn na 26 Mei nog in het bezit daarvan. De aarde draait om de zon, al blijven onze tegenstanders van meening, dat de zon om de aarde draait.

De tweede vraag is: is de strijdlust, de ruggegraat der Beweging gebroken? Het antwoord luidt: neen!

Nog in den nacht van 26 op 27 Mei heb ik mij daarvan overtuigd in Rotterdam, Den Haag, Haarlem en Amsterdam, waar ik duizenden kameraden bijeenvond en nog nimmer is het geloof in onze Beweging zoo sterk geweest als nu. Ik weet wel, er zullen zich velen afwenden, die den harden, moeizamen strijd niet kunnen of willen volhouden. Dat is goed. Dat is in overeenstemming met hetgeen een vriend der Beweging mij een paar maanden geleden zei: het gaat jullie veel te goed; ik hoop dat ge met vier in plaats van met tien man in de Tweede Kamer komt. Dan zal de Beweging zich samenvatten en dan eerst zal de basis voor den verderen strijd van graniet worden.

Welnu, wij komen met vier man in de Tweede Kamer en niet met tien. Wij hebben de kracht, den moed en de volharding om ons samen te vatten, om de basis van graniet op te trekken.

Ik heb slechts één verzoek aan degenen, die willen vertrekken, n.l. doe het gauw. Ik moet binnen een maand weten waarop ik kan bouwen. Op dat fundament gaan wij verder. Zonder ophef, zonder uiterlijk vertoon, zal de tweede helft van dit jaar besteed worden aan de inwendige versterking der Beweging. In Januari moet de Beweging verjongd, frisch, sterk, gereed zijn om haar taak voort te zetten.

De derde vraag is: kunnen wij in het parlement nu doen, hetgeen wij ons hadden voorgenomen? Het antwoord luidt: ja.

Wij waren in de Tweede Kamer met 0 en in de Eerste Kamer met 2 mannen. Wij komen in de Tweede Kamer met 4 en in de Eerste Kamer met 4 mannen. Zij zullen het voorgenomen werk verrichten zonder hapering, zonder aarzeling.

De Beweging marcheert dus verder: geslagen, maar ongebroken.

Dit volk wenscht nog niet met ons onzen weg te gaan. Wij hebben het in deze jaren losser gemaakt van de partijen, waarop het jarenlang stemde; wij hebben het in beweging gebracht, maar het heeft nog s..eds vertrouwen in onze tegenstander.. en nog geen vertrouwen in ons. Daarover moeten wij niet vertoornd zijn, maar alleen bedroefd, omdat het waarschijnlijk hard, zeer hard, geslagen zal moeten worden, om tot het juiste inzicht te kunnen zeggen: het was een harde **moeilijke strijd met op- en neergang, maar uiteindelijk met de overwinning bekroond.**

In de schaduw van het dal, maken wij ons gereed om te gaan stijgen!

Hou Zee!

MUSSERT

Het bankroet van „Fidessa"

Het Bisdom mede verantwoordelijk

ONZE mededeelingen omtrent de moeilijkheden, waarin een aanmerkelijk aantal schippers zijn geraakt, die hun spaarpenningen aan de kerkelijke spaarbank „Fidessa" hebben toevertrouwd, hebben bij sommigen de tong losgemaakt. De Telegraaf vond het noodig, eindelijk ook eens op inlichtingen uit te gaan en rector Olsthoorn vulde eenige kolommen in De Maasbode over het onderwerp „Tendentieuse berichtgeving".

Op zijn scheldwoorden en verdachtmakingen aan ons adres zullen wij niet ingaan; die schijnen nu eenmaal bij zeker soort „Katholieke Actie" te hooren. Wel echter op de feiten.

In de eerste plaats is daar dan de aansprakelijkheid van het Bisdom Haarlem, welke rector Olsthoorn afwijst. Het feit, dat naar diens eigen mededeeling aan De Telegraaf de moeilijkheden eigenlijk al van 1919 dateeren, bewijst wel, dat het Bisdom allen tijd heeft gehad om daarvan kennis te krijgen. Dat het van de moeilijkheden niets heeft geweten, is dus al geen blijk van behoorlijk toezicht. Rector Kerkvliet heeft volgens rector Olsthoorn jaarlijks rekening en verantwoording afgelegd, hetgeen bewijst, dat er rekenplichtigheid bestond. Rekenplichtigheid veronderstelt toezicht en controle. Deze moeten ten eenenmale hebben ontbroken, indien bij een administratie, die rector Olsthoorn zelf „chaotisch" noemt, deze rekening en verantwoording steeds „een vrij gunstig beeld" kon vertoonen. Aan de verantwoordelijkheid van het hooger gezag valt dan ook niet te twijfelen. Het is wel heel merkwaardig dat ondanks deze rekenplichtigheid volgens rector Olsthoorn zelfs het bestaan der spaarbank Fidessa aan het Bisdom volkomen onbekend heeft kunnen blijven!

Ten tweede is er de kwestie van het regeeringssubsidie. Van een subsidie is nooit sprake geweest, zegt rector Olsthoorn. Gelukkig dan maar. Intusschen is er wel een „voorschot" gegeven, zegt rector Olsthoorn, welke subsidie jaarlijks aan de regeering moet verantwoord worden, „hetgeen steeds is geschied". Welke waarde aan die verantwoording te hechten valt leert ons intusschen de rekening en verantwoording aan het Bisdom: gezien de warboel in de administratie valt er niet veel waarde aan te hechten.

Hoofdzaak is echter voor ons de spaarbank. Hier hebben tal van kleine menschen hun spaarduitjes naar toe gebracht. Zij hadden niet de bedoeling dit geld aan de kerk te leenen, maar wilden het ergens brengen, waar het veilig was en zij het bij behoefte terstond konden opvragen. Rector Olsthoorn beroept er zich nu op, dat nog vóór 1 Juli 1937 20 pCt. van dit geld zal zijn uitgekeerd, terwijl de rest verdeeld in een renteloos en een rentend gedeelte, bij jaarlijksche uitlotingen met steun van het Bisdom zal worden terugbetaald. Dat is nu alles mooi en goed voor menschen, die hun geld aan de kerk zelf hebben geleend met de bedoeling een vroom werk te doen. Die vragen er niet naar, of en wanneer zij het geld terugkrijgen en of de rente op tijd wordt betaald. Wie geld leent voor stichting van een kerk, heeft daarmee geen zakelijke bedoelingen. Maar met deze spaarders is het een heel ander geval. Zij kunnen nu al sedert eind 1935 niet over hun spaargeldje beschikken.

Het is den schippers de laatste jaren niet voor den wind gegaan. Velen hunner zijn zelf in groote moeilijkheden geraakt en zagen hun schip, hun broodwinning, in handen van de scheepshypotheekbank overgaan. Voor deze menschen is het een levensbelang, dat zij over hun eigen geld kunnen beschikken. Wie zal hun thans een voorschot geven op een nietrentende vordering met kans op gedeeltelijke aflossing bij uitloting, welke bovendien dan nog afhankelijk is van de goedgunstigheid van kerkelijke autoriteiten, die natuurlijk in de eerste plaats trachten de kerk te saneeren?

Wat deze menschen noodig hebben is een ingrijpen van de overheid, waarbij de verplichting van het Bisdom om het spaargeld terug te betalen rechtens vastgesteld wordt, bij voorkeur door verificatie in faillissement of door afgifte van een notarieele schuldbekentenis ten laste van het Bisdom, zoodat zij niet langer afhankelijk zijn van goedgunstigheid of bedelpartijen. Door tusschenkomst van een credietinstelling of door een rijksvoorschot zouden zij daarna terstond het geheele hun toekomende bedrag aan spaargeld kunnen opnemen, terwijl het Bisdom dan uit zijn inkomsten geleidelijk aflossing plus rente aan deze credietinstelling of aan het rijk zou kunnen terugbetalen.

„Mannen van karakter", rector Olsthoorn, betalen wat zij schuldig zijn en maken daarmee meer spoed, naarmate de schuldeischers behooren tot een volksgroep, die meer in de verdrukking zit en van de hand in den tand leeft. Christelijke liefde ijvert voor de belanken der kleine luiden, die hun vertrouwen in hun geestelijken raadsman met het verlies van hun zuur verdiende spaarduitjes hebben moeten bekoopen. Wij nemen het wijlen rector Kerkvliet niet kwalijk, dat onder zijn bewind de boel in het honderd is geloopen: de man werkte boven zijn kracht en iedereen kan fouten maken. Maar als dan een commissie tot regeling van het Kerkelijk crediet in het Bisdom Haarlem, onder toezicht van mgr. Bekkers aan het saneeren gaat, dan verwachten wij iets anders dan een regeling, waarbij kleine spaarders, die toch al in moeilijke omstandigheden leven, nog jarenlang op hun geld zullen moeten wachten, zelfs zonder rentevergoeding. Dan verwachten wij een regeling, die meer Christelijke liefde, zelfs meer karakter vertoont.

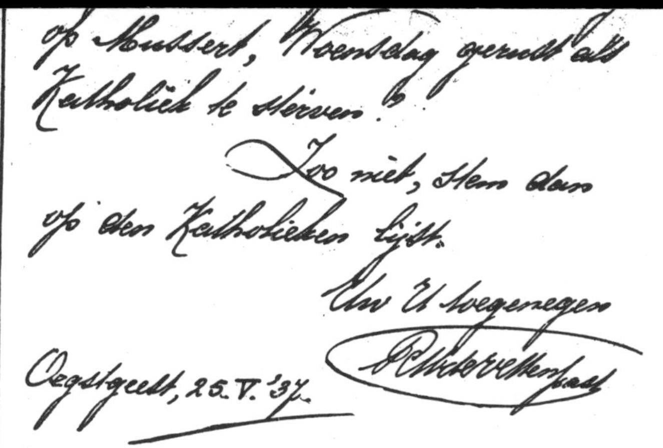

op Mussert, Woensdag gemeld als
Katholiek te sterven.
Zoo niet, stem dan
op den Katholieken lijst.
Uw U toegenegen
Oegstgeest, 25.V.'37.

Hierboven vindt men de afbeelding van een briefje, dat pastoor De Vetten te Oegstgeest aan een kiezer zond. Tal van geestelijken hebben op soortgelijke wijze de staatkundige- en gewetensvrijheid voor duizenden tot een aanfluiting gemaakt.

Het zou vrij wat eerlijker zijn, als onze democratische kieswet openlijk bepaalde, dat de stemmen van katholieke kiezers collectief door den pastoor worden uitgebracht. Zoo is immers toch de practijk!

VRIJDAG 8 SEPTEMBER 1939 | 7e JAARGANG No. 36

VOLK EN VADERLAND

WEEKBLAD VOOR DE NATIONAAL-SOCIALISTISCHE BEWEGING IN NEDERLAND

LEIDER: MUSSERT - HOOFDKWARTIER: MALIEBAAN 35 UTRECHT

REDACTIE-ADRES: HOOFDKWARTIER DER N.S.B. MALIEBAAN 35 UTRECHT TELEFOON 16543

UITGAVE VAN DE NENASU POSTBUS 2 KAISERSTRAAT 9 LEIDEN TELEFOON 21545

Abonnementsprijs f 0.80 per kwartaal. Oost- en West-Indië en Buitenland f 1.— per kwartaal bij vooruitbetaling. Incassokosten f 0.15. Losse nummers 6 cent, in Indië 10 cent. Voor abonnement: Administratie „Volk en Vaderland" — Postbus 2 — Leiden — Telefoon 3880 — Postgiro 207915.

Voor advertenties: Administratie Volk en Vaderland, Postbus 2, Leiden. Postgiro 207915. Tarief: Gewone advertenties 32 ct. per regel. - Tekstadvertenties 60 cts. (voorpagina f 1.25) per regel. Bij contract reductie. Kameraadjes bij vooruitbetaling 50 cts. Minimum 5 regels. Elke regel meer 10 cts.

MUSSERT SCHRIJFT OVER: FEITEN VAN WERELDBETEEKENIS

OORDEELT RECHTVAARDIG

Op Vrijdag 1 September des ochtends om 6 uur rukten de Duitsche legers Polen binnen. Van Duitsche zijde wordt medegedeeld, dat dit geen oorlog moet worden genoemd, maar afweer van Poolsche aanvallen. Deze meening kan ik niet deelen. Naar mijn meening heeft Duitschland aan Polen den oorlog verklaard en wel op 1 September

democraten, alle berichtgevingen van Havas en Reuter wasschen dit feit niet weg.

Duitschland wenscht nòch oorlog met Engeland, nòch oorlog met Frankrijk en zelfs nu, nu de oorlog al sinds eenige dagen verklaard is, weigert Hitler het eerste schot te lossen aan het Westelijk front.

te, om aan misdadige gekken het commando over duikbooten toe te vertrouwen.

Willen Engeland en Frankrijk te land Duitschland met ter daad aanvallen, zonder de neutraliteit van Zwitserland, België of Nederland te schenden, dan is er maar één weg: storm loopen tegen de Siegfriedlinie. De Duitschers zijn niet van plan er achter vandaan te komen. Zij wachten rustig af; hun order is niet: val Frankrijk binnen, maar hun order is: verdedig het Duitsche vaderland in de sterkste stelling ter wereld — n.l. de Siegfriedlinie.

den minsten zin, om den kop in het zand te steken en te zeggen: vliegtuigen van onbekende nationaliteit deden dit. Sterker nog: dit is een soort aanmoediging, om daarmede voort te gaan en voorts is het een verdachtmaking van dengene, waarvan men weet, dat hij het niet gedaan heeft. Doordat Duitschland nog geen aanvallen op Engeland heeft gedaan, kon nu nog met behulp van de vele gedane waarnemingen worden vastgesteld, dat het Engelsche vliegtuigen waren.

Zoo gauw als Duitsche vliegtuigen aan-

j.l., toen de opmarsch begon.

Op Zondag 3 September hebben kort na elkander Engeland en Frankrijk aan Duitschland den oorlog verklaard, ofschoon ook zij zorgvuldig hebben nagelaten van oorlogsverklaring te spreken. Daarna hebben Canada, Australië en Nieuw-Zeeland aan Duitschland den oorlog verklaard en heeft Zuid-Afrika de eerste stappen daartoe gedaan.

Een reeks van staten hebben zich neutraal verklaard.

VIJF EN TWINTIG jaren nadat de wereldoorlog van 1914 uitbrak, is Europa dus opnieuw in oorlog en zij, die als volwassenen den wereldoorlog van 1914—1918 hebben medegemaakt, wrijven zich de oogen uit wanneer zij de kranten van heden lezen; het is voor hen alsof Augustus 1914 is teruggekomen. Precies dezelfde sensatieberichten en ophitsingen, verdraaiingen en verzinsels, leugens en verdachtmakingen.

Van 1914 tot 1918 behoorde ik mede tot de slachtoffers daarvan, geloofde ik even stellig in „de krant" als honderduizenden dat nu doen. Mijn jeugd van toenmaals zij daarvoor een verontschuldiging.

Ik herinner mij van 1914—1918 de verhalen over de kinderhandjes, die door de Duitschers werden afgehakt, over de vetbereiding uit soldatenlijken en dozijnen andere smeerpijperijen, verzonnen en de wereld ingestuurd door een internationaal boevenpak, dat ervoor betaald werd, om de geheele wereld op te hitsen tegen Duitschland.

En als ik nu weer lees, over Duitsche bommen, die precies altijd op vrouwen en kinderen vallen, over wagens met lijken die in Duitsche steden rondrijden, over kunstschatten, die worden verwoest, over hospitalen, die worden beschoten, alles natuurlijk alleen door de Duitschers, volgens de vrijwel geheel Joodsche persbureaux Havas en Reuter, die voor Frankrijk en Engeland dit soort werk verzorgen, dan prijs ik mij gelukkig, de werkelijke bedoelingen daarvan te doorzien en dan weet ik, dat het in dit moeilijk tijdsgewricht meer dan ooit mijn taak is, om waarheid van leugen te onderscheiden en zorg te dragen, dat onze bladen een zoo zuiver mogelijk richtsnoer zijn voor ons Volk.

Sinds zeven jaren is „Volk en Vaderland" het eenige weekblad in Nederland, dat elk groot vraagstuk, dat ons beroerd heeft, (de Abessijnsche kwestie, de devaluatie, de werkloosheid, de politieke inquisitie, de varkenspolitiek, enz., enz.) klaar en duidelijk heeft uiteengezet en dat altijd gelijk kreeg volgens het oude spreekwoord: al is de leugen nog zoo snel, de waarheid achterhaalt haar wel.

Deze traditie zal ik handhaven, nu dulzenderlei berichten afstormen op de menschen, om hen op dwaalsporen te brengen. De waarheid, niets dan de waarheid, om daaruit de gevolgtrekkingen te maken, die noodig zijn voor het welzijn van Volk en Vaderland, anders staat mij niets voor oogen.

De oorlog tusschen Duitschland en Polen

DE oorzaak van dezen oorlog is het dictaat van Versailles, dat de overwinnende mogendheden in 1919 op Duitschland hebben gelegd. Dit dictaat scheurde West-Pruisen en Danzig van Duitschland af, schonk West-Pruisen aan Polen en maakte Danzig onder toezicht van den Volkenbond hoorig aan Polen.

Elke staatsman van eenige beteekenis wist, dat dit de kiem van een nieuwen oorlog in zich droeg. Een sterk geworden Duitschland zou dit evenmin verdragen, als een sterk Nederland zou verdragen, dat op een gegeven oogenblik Rotterdam aan Duitschland zou worden geschonken, omdat het aan den mond van den Rijn ligt en van groot belang is als haven voor Duitschland. Hitler maakte Duitschland weer sterk en dus acht hij het zijn taak, ook deze fout te herstellen.

Het is Duitschland's goed recht, om het onrecht te herstellen, dat de overwinnaars van 1919 hebben opgelegd.

Polen wilde dit vrijwillig niet doen en ook dit is volkomen logisch. Polen redeneert: als nu het tot Duitschland behoord hebbend stuk van Polen terugkomt aan Duitschland, vraagt straks Slowakije of Hongarije het vroegere Oostenrijksche stuk en daarna of tegelijkertijd Rusland het vroegere Russische stuk. Zoo zou Polen dan wederom worden opgedeeld. Het is zeer begrijpelijk, dat Polen vreest, dat afstand van Danzig en den Corridor het begin van het eind zou beteekenen.

Hitler heeft als laatste poging tot vredelievenden afstand zijn bekende zestien punten voorgesteld: Danzig als oer-Duitsche stad onmiddellijk terug aan Duitschland en in den Corridor (het vroegere West-Pruisen) een volksstemming onder toezicht van de groote Europeesche mogendheden. Dit is van Duitsch standpunt gezien het minste, dat van Polen kon worden geëischt en tevens uiterst billijk en rechtvaardig, gegrondvest op het zelfbeschikkingsrecht der volkeren.

Hevig gekrakeel is ontstaan over de vraag, of Polen genoeg tijd heeft gekregen, om dit voorstel te overwegen. Duitschland zegt 2 × 24 uur gewacht te hebben. Engeland zegt: 30 uur. Dit is echter van geen beteekenis, daar het officieele Poolsche communiqué later heeft verklaard: „Geen enkele regeering zou dergelijke voorwaarden kunnen aanvaarden".

Het tragische conflict van twee volkeren, die ieder er vast van overtuigd zijn voor zijn levensbelangen te vechten, is uitgebroken.

Misschien had Polen toegegeven, als Engeland het niet verzekerd had van zijn steun. Principieel heeft Engeland evenmin iets met Polen te maken als Duitschland met Ierland. Wij zijn echter sinds meer dan honderd jaren zoo gewend, dat de wereld bukt voor Engeland, dat honderdduizenden menschen in Nederland rustig de meening verkondigen: Duitschland had de zaak moeten laten, zooals in 1918 is vastgelegd, want Engeland had toch duidelijk gezegd, dat Polen op zijn steun kon rekenen! Het Duitsche volk kent deze gevoelens van hoorigheid aan Engeland niet en stoort zich daar evenmin aan als wij dit in de 17de eeuw deden.

Daarom kon het geschil tusschen Duitschland en Polen alleen door de wapenen worden beslecht, hoe tragisch dit ook is.

De uitslag van dien strijd is niet twijfelachtig. Binnen enkele weken zal hij vermoedelijk beslecht zijn, ook al vechten de Polen met al hun dapperheid en met den inzet van al hun krachten. Het onrecht van Versailles zal worden hersteld, de Poolsche staat zal verkleind zijn, maar de eer van Polen daardoor niet aangetast zijn.

Duitschland heeft twintig jaren gezucht onder de misdaad van het verdrag van Versailles en moet nu wederom ten oorlog, om de laatste resten daarvan op te ruimen. Laten wij hopen en vertrouwen, dat het aan een overwonnen Polen geen verdrag zal opleggen, dat aan het Poolsche volk onmogelijk maakt, in een eigen Poolschen staat tot bloei te komen. Het verdrag van Versailles van 1919 opruimen om een soortgelijk verdrag — maar dan onrechtvaardig naar den anderen kant — daar voor in 1939 in de plaats te stellen, heeft geen zin. Moge Europa daarvoor gespaard blijven.

ENGELAND en Frankrijk hebben Duitschland den oorlog verklaard. Al het water van de zee, al de welsprekendheid der zij, die in Engeland al sinds jaren doelbewust op oorlog hebben aangedrongen — nl. Eden en Churchill en anderen — hebben overwonnen en zijn in het Engelsche ministerie opgenomen. De ware doeleinden worden niet meer verbloemd. Onomwonden is publiekelijk verkondigd: het gaat om de vernietiging van het nationaal-socialisme in Duitschland. Een overwonnen Duitschland zal een dictaat op zijn hals geschoven worden zoodanig, dat Versailles daarbij vergeleken een weldadigheidsvoorstelling is, want het zou zoo worden, dat het zich nimmer meer zou kunnen herstellen.

Waarom die ontzettende haat van de Engelsche regeerders tegen het nationaal-socialistische Duitschland? Het antwoord hierop is tweeledig: Zoover het Joden betreft, haten zij het nationaal-socialistische Duitschland wegens het nationaal-socialisme, dat de Joodsche wereldmacht breekt. Voor zoover het rasechte Engelschen betreft, haten zij het nationaal-socialistische Duitschland, omdat het nationaal-socialisme Duitschland weer sterk heeft gemaakt. Engeland heeft door de eeuwen heen elke Europeesche macht bestreden, die het sterkst was. Eerst Spanje, daarna Napoleon, daarna het Keizerlijke Duitschland, nu het nationaal-socialistische Duitschland. Het hoopt ook nu wederom te overwinnen, om Europa te kunnen beheerschen, zooals het sinds Napoleon's val gewend is.

Voor dit doel wilde het wederom niet alleen Frankrijk gebruiken, maar ook Rusland. Stalin heeft geweigerd, om ter wille van Engeland Duitschland aan te vallen en sprak met Hitler af, dat Rusland en Duitschland elkander niet zouden aanvallen. Dit was de eerste groote misrekening van Engeland.

Frankrijk kon zich niet meer aan Engeland's greep ontrukken en ging mede. Ierland weigert. Het Transvaalsche element in Zuid-Afrika weigert ook, maar is met 80—67 stemmen overheerscht door de Engelschen en de Joden. Van een land, dat met 80—67 stemmen in den oorlog gaat, kan echter niet de minste kracht uitgaan. Australië en Nieuw-Zeeland moeten onder alle omstandigheden met Engeland mede doen, omdat zij het Japansche gevaar vreezen en op Engeland rekenen voor de afweer daarvan.

Van groote beteekenis is het mededoen van Canada en van nog grooter beteekenis zou het zijn, als de Vereenigde Staten daartoe bewogen konden worden. De ondergang van het stoomschip Athenia met 1400 passagiers aan boord, grootendeels Canadeezen en Amerikanen, zou het middel daartoe kunnen zijn. Daarom kan ieder, die zijn hersens gebruikt, weten dat een Duitsche onderzeeër dit schip n i e t heeft getorpedeerd, tenzij er een Duitsche onderzeeër rondvaart, wiens commandant een misdadige gek is. Het is in Duitschland evenmin als in andere landen de gewoonjongens, aan hun ouders, hun vrouwen, hun verloofden, indien zij daartoe zullen worden gedreven. Men zegt dat honderdduizenden Senegalnegers daarvoor zullen worden gebruikt, om zuiver Fransch bloed te sparen. Maar ook dit is ontzettend, want ook Senegalnegers zijn menschen, te goed om naar de slachtbank gevoerd te worden.

Misschien, heel misschien, als de Poolsche affaire snel wordt geregeld, wendt Duitschland zich dan nogmaals tot Engeland en Frankrijk met het voorstel, om af te zien van den ontketenden oorlog en vrede te maken in Europa. Moge dit dan zijn, vóórdat de eerste stormloop begint tegen een vestingwal veel en veel sterker dan ooit Verdun is geweest, waar in de verschrikkelijke jaren van 1914—1918 het kostbare bloed van honderdduizenden den bodem drenkte.

WAT ons Vaderland betreft: de Nederlandsche regeering heeft den eenig mogelijken weg gekozen, die ook onze volkomen instemming heeft, ja die wij al sinds jaren hebben voorbereid — n.l. de zelfstandige onzijdigheid. Niet alleen dat ik in talrijke redevoeringen en artikelen de noodzakelijkheid daarvan in den loop der jaren heb uiteengezet, toen inplaats daarvan de zgn. Volkenbondspolitiek troef was, maar ons Eerste Kamerlid Van Vessem en onze Tweede Kamerleden d'Ansembourg en Rost van Tonningen hebben er voor gevochten zooveel zij konden en hoon en bespotting ontvangen van hen, die zich nu gelukkig achten, dat de door ons altijd bepleitte zelfstandige onzijdigheidspolitiek wordt in acht genomen.

De Duitsche gezant in Den Haag heeft, begeleid door den Nederlandschen minister van Buitenlandsche Zaken, plechtig aan de Koningin verklaard, deze onzijdigheid te zullen eerbiedigen.

Zooeven heeft de Engelsche gezant in Den Haag verklaard:

„aan het afleggen van uitdrukkelijke verklaring, dat Groot-Brittannië onze onzijdigheid zal eerbiedigen, heeft de Britsche regeering nimmer behoefte gehad; er is immers niemand uwer, die gelooft, dat mijn land de onzijdigheid van uw land niet in beginsel zou wenschen te eerbiedigen."

Het is heel vriendelijk, om te vertellen, dat de Engelsche regeering deze neutraliteit „in beginsel zou wenschen te eerbiedigen", maar het gaat er om, of de Engelsche regeering de verzekering geeft, dat zij dit metterdaad zal doen en deze verzekering uitvoert.

Engeland heeft de eerste aanvallen op Duitschland gedaan met vliegtuigen, die papieren uitstrooien, om het Duitsche volk tegen de Duitsche regeering op te zetten en voorts met vliegtuigen, die bommen wilden werpen op Wilhelmshafen en Cuxhaven. Het leidt geen twijfel, dat in beide gevallen Nederland's neutraliteit door Engelsche vliegtuigen is geschonden. De Nederlandsche regeering bezit daarvan de bewijzen.

Het heeft voor ons, Nederlanders, niet ... op Engeland zouden doen in denzelfden nacht als Engelsche vliegtuigen tochten zouden ondernemen naar Duitschland, is het ontzaggelijk veel bezwaarlijker, om de nationaliteit van vliegtuigen, die boven ons gebied zouden zijn, vast te stellen.

Het is daarom een Nederlandsch belang, dat niet hoog genoeg kan worden aangeslagen, dat de Nederlandsche regeering onmiddellijk in Londen ten sterkste protesteert, de waarborging van de onschendbaarheid van ons grondgebied eischt en de meest doeltreffende maatregelen neemt tot afweer van toekomstige schendingen. De vraag doet zich hierbij voor, of de uitzending van berichten over den weerstoestand, ten behoeve van de luchtvaart, niet onmiddellijk dient te worden beëindigd. Noch Engeland, noch Frankrijk, noch Duitschland geven deze berichten weer, juist om de vliegtuigaanvallen tegen te gaan. Moet onder die omstandigheden Nederland dan daarmede doorgaan? Laat de regeering hierover spoedig een beslissing nemen.

Wat Frankrijk betreft, daarvan hebben wij nog in het geheel niet de gewenschte verklaring van eerbiediging van ons grondgebied. Ik zal niet nalaten op de noodzakelijkheid daarvan zoolang te wijzen, tot het gevaar bezworen zal zijn. Geen grooter ramp voor ons Vaderland in dezen tijd, dan dat deze kwestie niet afdoende is geregeld, vóórdat de hel aan het Westelijk front losbarst.

Deze ramp te voorkomen met alle daartoe dienstige middelen is niet alleen de plicht van de Nederlandsche regeering, maar ook van ieder die het wel meent met het Nederlandsche volk en in de voorste rijen daarvan staat de Nederlandsche nationaal-socialist, de belichaming van de wedergeboorte van het Nederlandsche volk, die geschiedt in onzen tijd, dwars door het krijgsrumoer heen van een Europa waarin broedervolkeren tegen elkander strijden en kostbaar bloed wordt vergoten.

MUSSERT

VRIJDAG 24 MEI 1940 — 8e JAARGANG No. 20

VOLK EN VADERLAND

NATIONAAL-SOCIALISTISCH WEEKBLAD

REDACTIE-ADRES: MALIEBAAN 35 - UTRECHT - TELEF. 16543

UITGAVE: NENASU - POSTBUS 2 - LEIDEN - TELEFOON 21545 - 21546

Abonnementsprijs bij vooruitbetaling f 0.80 per kwartaal. Oost- en West-Indië f 1.-, Buitenland f 1.20 per kwartaal. Incassokosten f 0.15. Losse nummers 6 cent, in Indië 10 cent. Voor abonnement: Administratie „Volk en Vaderland" - Postbus 2 - Leiden - Telefoon 21545 - Postgiro 207915

Voor advertenties: Administratie „Volk en Vaderland" - Postbus 2 - Leiden - Postgiro 207915 Gewone advertenties 32 cent per regel - Tekstadvertenties 60 cent per regel. Bij contract reductie. Kameraadjes bij vooruitbetaling 50 cent. Minimum 5 regels. Elke regel meer 10 cent

VAN OUD NAAR NIEUW

NEDERLAND OP DEN DREMPEL VAN DEN NIEUWEN TIJD

De Britsch-Joodsche propaganda, waardoor ons Volk sinds het uitbreken van den oorlog is geteisterd, had tot hoofddoel, de Nationaal-Socialistische Beweging te vernietigen. Op zeer geraffineerde manier is dit geschied door dezen toestand te scheppen!

Wie geloofde in de Engelsche bijstand en overwinning, was een groot Vaderlander

gevallen. Onschuldigen werden doodgeschoten, vermoord dus. Voor duizenden guldens is gestolen en geroofd.

Dit is toch niet Nederlandsch, dit is Poolsch. Inderdaad was dit Poolsch. Indien de zeegaten niet zoo spoedig door de Duitsche weermacht onbruikbaar waren gemaakt voor het transport naar Engeland, indien de Duitsche troepen niet zoo ontzaglijk snel waren binnengerukt, was het Britsch-Joodsche doel: de vernietiging van het beste, het sterkste deel van ons Volk, ...

zag. Wij wonen in bezet gebied. Het Duitsche gezag wenscht, dat hier orde en rust zal heerschen. Een ieder heeft het zijne daartoe bij te dragen. De duizenden nationaal-socialisten, die mishandeld en van hun vrijheid en hun goed beroofd zijn, vragen recht. Zullen zij dat krijgen? Naar mijn vaste overtuiging, ja!

De democratische willekeur en ontrechting, waaraan wij jarenlang bloot gestaan hebben, is ten einde. Sommige dwazen denken nu nog wel, dat zij in ...

Hoofdartikel van Mussert

DAAR boven uit, ver daar boven uit, gaat onze voortdurende zorg voor ons Volk in Nood. Nu, na alles wat ons is aangedaan, behoort toch ons hart uit te gaan naar ons eigen Volk. Dit volk kan het toch niet helpen, dat het jarenlang bedrogen en belogen is; dat het geen flauw begrip meer had van wat er werkelijk in de wereld plaats vond; dat het zelfs dacht, dat Engeland ons zou komen helpen! God zij dank, heeft Engeland geen kans gekregen, om ons te komen ...

Gaven zij hun leven tevergeefs? Ouders, echtgenooten, verwanten, verloofden, gelooft dit niet! Zeker, onze onafhankelijkheid is nu teloorgegaan, na slechts $4^1/_2$ dag strijd. Gij vraagt u af, moest hij daarvoor vallen? Neen, daarvoor viel hij niet. Ik geloof, dat straks ons Volk grooter, fierder, sterker dan ooit zijn deel zal hebben ...

Wie twijfelde aan de Engelsche bijstand en overwinning, was een defaitist, die onderhanden moest worden genomen door „geestelijke en moreele herbewapening".

Wie meende, dat de Duitschers geen baarlijke duivels waren en dat het nationaal-socialisme toch niet zoo kwaad was, was verdacht.

Wie meende, dat naar een goede verstandhouding met het Duitsche volk moest worden gestreefd en dat het Nederlandsche nationaal-socialisme het eenige is, dat voor ons Volk redding uit den toenemenden nood kon brengen, was een landverrader.

Op deze wijze moest ons Volk worden ingepompt de haat tegen de N.S.B., die noodig was om ons anders zoo goedmoedige en nuchtere volk volkomen te verblinden en zulke schandelijke daden te dulden, als voorgekomen zijn in de vier oorlogsdagen en de dagen die daaraan zijn voorafgegaan.

Nimmer zou dit mogelijk geweest zijn, als deze Britsch-Joodsche propaganda niet had kunnen rekenen op den toegewijden bijstand van „de democratie" en van den zgn. inlichtingendienst van het Nederlandsche leger.

ER zijn vóór den oorlog vele honderden huiszoekingen gedaan bij N.S.B.-ers — zgn. om wapenen te vinden. Er werden geen wapenen gevonden, want die waren er niet. Er werden geen verontschuldigingen aangeboden, want het ging er om, de systematische verdachtmakingen voort te zetten. Onmiddellijk bij het uitbreken van den oorlog zijn op de beestachtigste wijze vele duizenden nationaal-socialisten gevangen genomen, met moord en doodslag bedreigd en vervoerd o.a. naar den Hoek van Holland en naar Amsterdam, om naar Engeland te worden weggesleept. Wat onzen menschen is aangedaan, is zoo ten hemel schreiend, dat alleen vergelijking mogelijk is met de concentratiekampen, die de Engelschen indertijd in Zuid-Afrika hebben ingericht tijdens den laatsten Boerenoorlog.

Niet alleen militante nationaal-socialisten, maar ouden van dagen, menschen tusschen zeventig en tachtig jaar, ja een oud man van 87 jaar, vrouwen en kinderen, niemand en niets werd gespaard. Het hoofdkwartier is vier maal bestormd door militairen. Roof en plundering waren normaal. Bedreiging met bajonetten en revolvers geschiedde in duizenden gevallen. Wat er met de krijgsgevangenen gebeurd is, wordt eerst thans langzamerhand bekend. Het is een onmenschelijk lot, dat den meesten hunner ten deel viel. Maar wat is er gebeurd met onze leiders Rost van Tonningen, Kröller, Feldmeyer en enkele anderen, die reeds vóór het uitbreken van den oorlog in Ooltgensplaat waren opgesloten, is tot nu toe niets anders bekend dan dat zij in den nacht van Zondag 12 Mei op Maandag 13 Mei per auto zijn vervoerd naar het plaatsje Den Bommel op hetzelfde eiland en daar aan boord van het vaartuig van schipper Piet Bouma zijn gebracht. Waarheen is nog niet bekend. Zijn zij in leven? Wij hopen het vurig en vertrouwen het ook. Het meest waarschijnlijk is nog, dat zij naar Engeland zijn overgebracht.

Zoo eindigde de democratie in Nederland:

Het goud verscheept naar Engeland;

Het land ten deele onder water gezet;

De bruggen vernield;

Het leger gevangen genomen;

Ons volk in nood onder vreemde heerschappij;

De heeren gevlucht naar Engeland na eerst de uitbetaling van hun tractementen veilig gesteld te hebben.

Erger is niet mogelijk. Het is ontzettend!

◆

WAT nu? Bij deze vraag moeten wij ons er van bewust zijn, dat wij zijn bezet gebied, dat wij hebben te gehoorzamen aan de Duitsche militaire overheid. Het leger is een verzameling krijgsgevangenen; het is een gunst van de Duitsche legerleiding, dat deze krijgsgevangenen niet naar Duitschland of Polen zijn overgebracht voor den aanleg van wegen en het verrichten van anderen arbeid. Indien zij als krijgsgevangenen in de handen van Engeland waren geraakt, zou hun lot geheel anders geweest zijn. Niettemin, zij zijn krijgsgevangenen, al worden zij ook als recruten behandeld, die opgekomen zijn om hun dienstplicht te vervullen. Het wil mij voorkomen, dat het Nederlandsche volk nog te weinig de grootte van deze gunst beseft. Wij beseffen het wel en zouden dankbaar zijn als onze soldaten binnenkort naar huis zouden kunnen gaan.

Wij burgers, hebben ook te gehoorzamen aan het Duitsche militaire gezag en het is een groote vergissing. Er zal in Nederland weer recht worden gedaan. Maar geen eigen berechting, geen ordeverstoringen, geen wraakzucht botvieren. Het is noodig dat alle misdrijven, die gepleegd zijn, behoorlijk worden te boek gesteld met aanduiding zoo nauwkeurig mogelijk van tijd en plaats en van degenen, die zich uitzonderlijk misdadig hebben gedragen. Per kring en per district behoort dit materiaal te worden geordend. Copie aan den afweerdienst van het Hoofdkwartier. De rekening zal te zijner tijd gepresenteerd worden. Geen misdaad mag ongestraft blijven.

Voorts hebben wij, nationaal-socialisten, nu een bijzondere taak te vervullen, door nauwkeurig toe te zien, dat de onruststokers en haatzaaiers niet opnieuw het hoofd opsteken. Een paar dagen lang zijn zij koest geweest, maar nu — aangemoedigd door de Britsche radio — trachten zij weer opnieuw te beginnen.

Fluistercampagnes worden georganiseerd over verraad van N.S.B.-ers aan eigen volk, door schieten op burgers, vernielen van telefoonleidingen, hulp aan de Duitsche parachutisten, wegneming van de springlading van de brug aan den Moerdijk, enz. enz. Dit is de voortzetting van de Britsch-Joodsche propaganda tegen de nationaal-socialisten. Dit is alles leugen en bedrog, valsche aantijgingen, voorbereiding tot nieuwe misdadige aanslagen op leven en eigendommen van nationaal-socialisten. Dit is opnieuw een poging tot hoogverraad aan eigen volk, welke door de treurige resten der democratie nu nog in elkander wordt gezet.

Aan ons, nationaal-socialisten, is het om er toe mede te werken, dat dit ten spoedigste en nu definitief eindigt. Elk symptoom van deze actie meldt gij onmiddellijk aan de bevoegde Nederlandsche autoriteiten, die tot taak hebben de rust en de orde te handhaven. Helpt dit niet, dan doet gij daarvan onmiddellijk mededeeling aan den kring- en districtsleiders der Beweging. Aan de bezwaddering en bevuiling moet een eind komen.

◆

... hoop geworden. Zij hebben „geholpen" in IJmuiden, door vandaar uit naar Amsterdam te gaan, om de benzinetanks in brand te steken. Zij hebben „geholpen" in Zeeland — en Middelburg ligt in puin. Het ergste is ons Volk bespaard gebleven, n.l. de Engelsche hulp op groote schaal.

Ons Vaderland is voor 99 pCt. ongeschonden uit den strijd gekomen.

Ons volk is voor 99,9 pCt. gespaard gebleven. Niettemin zijn vele honderden gevallen, soldaten en burgers, zonen en dochteren van ons Volk.

Dit zijn wonden, geslagen in ons Volk, wonden die schrijnen, maar die eens zullen helen. Met eerbied en dankbaarheid gedenken wij de gevallenen, zij die hun leven gaven voor de onafhankelijkheid van hun Vaderland.

... fascistische Europa kon niet worden gevormd zonder oorlog omdat de oude machten niet wilden wijken. Deze oude machten verklaarden op 3 September den oorlog aan het nationaal-socialisme. Daarmede was reeds op 3 September van het vorig jaar beslist, dat ook ons Volk en ons Vaderland in den krijg betrokken zouden worden. Het duurde alleen tot 10 Mei voor het daadwerkelijk geschiedde. De oorlogsgeesel ging over ons land, snel en slechts plaatselijk treffend.

Nu moet er gebouwd worden aan de nieuwe toekomst. Er zullen slechts weinigen zoo onnoozel zijn te denken, dat het oude terug zal keeren.

Het oude heeft afgedaan — voorgoed.

Een sterk, fier nationaal-socialistisch Nederlandsch volk moet doelbewust worden gebouwd. Dit kan. En dit is het groote, het bemoedigende, het verblijdende: er zijn soldaten en officieren geweest, bij de luchtmacht, aan de Grebbelinie, aan de Maasbrug te Rotterdam en op andere plaatsen, die als leeuwen hebben gevochten. Een Duitsch officier zei: de Grebbe was een hel. Zij, die helden, zijn het, die ons hebben laten zien, dat ons Volk nog steeds is het volk van Tromp en De Ruyter, van Paul Kruger en De Wet. Dit volk kan nimmer ten onder gaan, als het tot een eenheid wordt gesmeed en sterk doch voorzichtig wordt geleid naar de nieuwe nationaal-socialistische toekomst.

Ziedaar, onze taak, de taak van alle volksgenooten tezamen.

Het nationaal-socialisme heeft het verslagen, overwonnen, uitgeputte en verscheurde Duitsche volk van 1918 tot een enorm sterke macht gemaakt; zou het Nederlandsche nationaal-socialisme dan terugdeinzen voor de taak, om ons Volk weer op te richten en groot, fier en sterk te maken? Neen, daarvoor deinzen wij niet terug. Acht jaren lang hebben wij gebouwd aan de vorming van een kern tegen alle machten in, die Nederland ten verderve voerden. De belooning is, dat wij nu ons Volk zullen mogen dienen, door het te leiden naar een stralende toekomst, die wacht. Hebt vertrouwen. Alles sal reg kom.

UTRECHT, 22 Mei 1940.

MUSSERT

VIJF DAGEN GEMARTELD

DUIZENDEN KAMERADEN ACHTER SLOT EN GRENDEL

DE LEIDER BLEEF IN NEDERLAND

Het is onmogelijk den ontzaglijken stroom van rapporten en berichten inzake de verschrikkelijke terreur, die op bevel der democratische machthebbers met ingang van 10 Mei op de Nederlandsche nationaal-socialisten en de in Nederland wonende Duitschers is uitgeoefend, in dit nummer te verwerken. Ook als een geheel no. van „Volk en Vaderland" hieraan zou worden gewijd, zou de ruimte slechts voldoende zijn, om één klein gedeelte van die rapporten enz. te plaatsen.

IN de jaren van fellen strijd, dien wij streden tegen democratie voor nationaal-socialistische eenheid, hebben wij onnoemelijk veel democratisch onrecht moeten dragen. Golven van haat en laster zijn via de democratische pers over ons heengespoeld. Leugen en verdachtmaking waren de wapens, waarmede men ons poogde neer te vellen. Broodroof was aan de orde van den dag. Een N.S.B.-er uit zijn betrekking stooten, hem zijn bestaanszekerheid ontnemen, gold als een respectabele daad.

Dag in dag uit was de Jodenpers in de weer, om het volk op te hitsen tegen de nationaal-socialisten. Met duivelsche sluwheid poogden de partijbladen hun leugens in een kleed van waarheid te hullen. Het nationaal-socialistische Duitschland werd afgeschilderd als de hel op aarde, een hel waarin de arbeider werd gefolterd, waarin de moraal werd vertrapt, de geloovigen

tige Duitschers als beesten werden tezamen gedreven, toen wij op bevel van de democratische regeering in ons „vrije" Nederland werden opgesloten, toen men gereed stond ons te vernietigen, ons te dooden, toen de nood het hoogst was en men ons aandeed wat men zelfs geen moordenaar in Nederland aandoet, was de Leider in ons midden, was de Leider in Nederland, was de Leider in een eenvoudige boerenwoning. Daar had men hem kunnen vinden, toen men huiszoeking deed, daar had men hem kunnen dooden in de kamer, die hem als verblijfplaats diende. Dáár in die boerenwoning was Mussert, dáár was de N.S.B., dáár was het Nederlandsche natio-

naar ruwe schatting in totaal meer dan tienduizend.

Tienduizend menschen — Nederlanders en Duitschers — beschuldigd van landverraad en spionnage, tienduizend menschen, bedreigd met revolvers, karabijnen, bajonetten, gehoond en gesmaad, beleedigd en getrapt. Tienduizend menschen, vooraf door de democratische overheid op lijsten geplaatst als staatsgevaarlijk — daarom Vrijdagmorgen reeds voor een groot deel door politie en militairen uit hun woningen gesleept, samengedreven in hokken, die voor veestalling zelfs ongeschikt zijn.

Hoorn! Deze naam zal in de herinnering van achthonderd menschen blijven voortleven als een symbool van democratische onmenschelijkheid.

Wij noemen Hoorn, maar wij weten dat bij duizenden een andere naam zal voortleven. Doch slechts de naam is anders.

Wij noemen Hoorn, omdat daar mevrouw Mussert heeft geleden en omdat ook wij de verschrikking van dat verblijf hebben beleefd. Er komt nog voldoende gelegenheid, om de ellende te beschrijven, die ook in andere verblijfplaatsen is geleden. Wij nemen Hoorn slechts als een voorbeeld en zullen den gang van zaken in telegramstijl teekenen, om een eersten indruk te geven van hetgeen den Utrechtschen kameraden is aangedaan.

Van Vessem gearresteerd, zoo ging reeds spoedig het gerucht. Andere namen volgden: Van Genechten, Van Bilderbeek, Meuldijk.

Schrik en ontsteltenis in de gelederen; waarom zouden wij het ontkennen? Als moordenaars werden de kameraden in celwagens naar het politiebureau vervoerd, losgescheurd van vrouw en kinderen. Sommigen werd zelfs geen gelegenheid gelaten, de allernoodzakelijkste toiletbenoodigdheden bijeen te pakken. Vooruit, instappen!

1.85 m. lang, 1.10 m. breed, 2.05 m. hoog. Steenen vloer. Een verroest ijzeren rooster met openingen van eenige decimeters op een verhooging. Vroeger had daarop weleens een stroozak gelegen — nu niet.

Naar binnen! klonk het commando. Twee in één kooi, in sommige zelfs drie. De ijzeren deur werd gesloten. Zoo stonden wij, vol verbazing en woede. Was dit mogelijk? Het was werkelijkheid. Een stinkend vuil hok, ijzer, plaatijzer, tralies. Gebrul en getier, geruk en gekraak. De smalle ijzeren deuren zaten op slot. Zoo stonden wij. Zoo stond ook mevrouw Mussert. Zoo stonden wij allen — de Nederlanders en de Duitschers. De democratische machthebbers wilden ons vernietigen. Verbazing en woede. Wij waren op alles voorbereid en toch.... nòg hadden wij te goed gedacht over de democraten.

Wij stonden in de ijzeren cellen, als wilde dieren waren wij opgesloten in kooien. Met twee of drie personen in een ruimte, die meer dan twintig jaren geleden ongeschikt was verklaard als nachtelijke verblijfplaats voor één man. In het schemerdonker zagen wij elkander aan. Verbetenheid lazen wij op elkanders gezichten. Van Vessem en Meuldijk, links Van Genechten en Van Bilderbeek, rechts Wölcke, Schouten, Holle....

Wij konden met elkander spreken. Wat wilde men met ons? Uur na uur verstreek. Om beurten „rustten" wij op het ijzeren rooster. Geen drinken, geen eten, geen stroozak. Roestig ijzer, een steenen vloer. Het werd nacht, het werd koud. Geen dekking. Brandende dorst. Geen gelegenheid om naar het toilet te gaan. Een ontzettende marteling, twintig uren aan één stuk. Nimmer is een moordenaar in Nederland behandeld op een wijze als deze Nederlanders en Duitschers. Een moordenaar wordt verhoord. Hij krijgt eten en drinken, hij krijgt gelegenheid om naar het toilet te gaan, hij krijgt ligging en dekking, hij wordt niet uitgescholden en niet bedreigd met geweren en bajonetten.

Eindelijk — na twintig uren van on-

moeite ontwaren wij schragen en planken. Spookachtig glinsteren eenige blauwe lichtjes. Er rammelen borden. Voedsel van een ondefinieerbare substantie. Een der kameraden noemt het zeewier met gestampte kwallen. Sommigen eten iets.

Dan weer terug naar de ijzeren kooien. Dezelfde lijdensgeschiedenis herhaalt zich. Hier en daar laait verzet op in de hokken. Het wordt gesmoord. Er klinken flarden van liederen. Soms rolt er een lach, want de humor is niet dood. Er is hoop op verlossing, doch hoe, en wanneer. Traag kruipen de uren. Het wordt dag. Wij kunnen weer zien. Wij spreken over degenen, die wij moesten achterlaten. Wij spreken over onze soldaten aan het front. Maar wij weten niets. Liever hadden wij willen vechten. Maar wij waren „landverraders".

Het werd middag. Brandende dorst. Ondragelijk is het leed, dat door deze urenlange opsluiting opnieuw ontstaat. Welk mensch kan dit uithouden zonder te vervallen in dat wat in het gewone leven onfatsoenlijk of onbeschaafd heet. Het gewone leven, het bestond niet meer. De natuur stelt zijn eischen, ook aan het lichaam van een opgesloten sterveling. Men begrijpt.

Wij behoeven verder geen détails te geven. Na uren en uren wederom tien minuten om te „luchten", naar het toilet te gaan, te wasschen en een stuk kug te verorberen.

Ook dat was een marteling, want wie is in staat in zoo'n korten tijd zijn lichaam te verzorgen?

Op 13 Mei kwam er verandering. Wij merkten het aan de gezichten, aan de houding der soldaten, aan het eten. Wij kregen iets meer vrijheid. Wij behoefden niet meer met twee of drie man in één kooi te zitten. Wij kregen een stroozak, die wij ze·· moesten vullen. Zelfs werd er een commissie gevormd uit gevangenen — o krankzinnig rudement van democratie — die tot taak kreeg, het leven der gevangenen te veraangenamen. Paul Kiès — Albarda had blijkbaar ook zijn concurrenten laten opbergen! — bleek tot voorzitter te zijn gebombardeerd. Wij waren allen lotgenooten, verkondigde Kiès. De bedoeling was wellicht goed, doch gelukkig kon deze malle commissie worden ontbonden, voor zij haar werkzaamheden „tot veraangenaming des levens" kon aanvangen.

Wij roken de Vrijheid! O, het was verschrikkelijk in de verte de Amsterdamsche petroleumhavens te zien branden, het was ook angstwekkend om te zien, hoe men schepen liet zinken in den mond van de

In naam der democratie vermoord

Een brief van een kameraad uit Voorburg bevat de navolgende ontzettende regels:

„Wat wij hier in Den Haag in de „Filmstad" hebben meegemaakt en hoe wij als beesten zijn behandeld, zult u wel van andere kameraden hebben gehoord.

Ook zult u hebben vernomen, dat bij het spoortransport van Wassenaar naar Amsterdam kameraad Roest uit Voorburg en kameraad Wolters, eveneens uit Voorburg, het leven hebben moeten laten, samen met nog twee andere volksgenooten. Deze verschrikkelijke nacht zal nooit uit mijn geheugen verdwijnen.

Kam. Roest was met de slagersorganisatie in Zuid-Holland belast. Zijn jonge vrouw en zijn driejarig zoontje zullen nu vergeefs op den vader wachten en de financieele zorgen zullen ook spoedig komen. De vrouw van kam. Roest heeft tot dusver „officieel" niets over haar man vernomen. Ook weet zij niet, waar het overschot van haar man is gebleven".

Woudenberg, Ekering, Van Kampen en vele anderen.

De soldaten deelden sigaretten en chocolade uit. Ook zij voelden dit slot als een verlossing. Hoe kan het anders? Met moge waar zijn, dat velen geloof hadden gehecht aan de leugen der democratie, dat wij landverraders waren, thans viel alles weg. Ook de houding der officieren werd anders. Eerst was de toenadering schoorvoetend, doch uur na uur werd de verstandhouding hartelijker. Er was schaamte menschelijke beschaving te vernietigen. Zoo werd Duitschland voorgesteld in woord en geschrift en dit vooral was het middel, waarmede men hoopte de N.S.B. te verdelgen.

Wij, de strijders voor een nieuw gaaf Nederland, wij beklagen ons niet over den hoon en den smaad, die over ons is uitgestort. Wij wisten het vóór wij den strijd begonnen, dat ons geen leed zou worden gespaard.

Wij wisten, dat de democratische machthebbers bereid waren tot het uiterste te gaan, verder te gaan dus dan een uniformverbod of een verbod voor ambtenaren; wij wisten, dat men bereid was onzen Leider uit den weg te ruimen, hem en de mannen, die met hem streden in de voorste gelederen.

Op alles waren wij voorbereid. Het was immers zoo duidelijk. Alle terreur, alle leugen, alle hoon en smaad spitsten zich langzaam maar zeker toe in de laaghartigste verdachtmaking, die ooit op Nederlandschen bodem is uitgevonden en geformuleerd: de laaghartige beschuldiging van landverraad.

Met satanische geslepenheid heeft men alle gif, waarover onze tegenstanders gezamenlijk beschikten, weten samen te trekken in deze eene schandelijke en onvergeeflijk laaghartige beschuldiging: landverraad. Van dit gif dropen alle kranten, het siepelde tusschen de regels van onschuldig schijnende berichten, het golfde in democratische redevoeringen, het spoot hoog op in het parlement. Landverraad!, dat was de kreet waarmede men het Nederlandsche volk tot kookhitte poogde te brengen tegen de N.S.B.

Na dezen afschuwelijken kreet, dien klank van Noord tot Zuid en van Oost tot West, in steden en dorpen, waren wij op alles voorbereid. Er zat systeem in dit duivelsche werk en wij doorzagen het. Wij wisten wat ons te wachten stond. Wij wisten, dat onze Leider niet veilig meer was in het land, dat hij gezond en sterk wilde maken, wij wisten, dat men gereed stond hem te vernietigen.

Een vlucht naar het buitenland zou hem buiten alle gevaren hebben gebracht. De middelen om te vluchten waren voor hem in voldoende mate voorhanden, evengoed als voor de regeering.

Kameraden, weet dit goed en weet het voor altijd, toen wij bij duizenden met de in Nederland woonach-

N.S.B. kunnen vernietigen en daar zou men ook de N.S.B. vernietigd hebben, indien God het niet had verhoed.

Allen waren wij in gevaar, wij wisten, dat de dood op ons loerde, karabijnen en revolvers waren op ons gericht, bajonetten glinsterden, maar wij waren bij elkander. De Leider was alleen. Op hem loerde de dood in een gedaante, die onzichtbaar was en van alle kanten. Doch God heeft de vervolgers met blindheid geslagen. Zij zochten, maar vonden niet.

OMDAT men Mussert niet vond, greep men mevrouw Mussert. Als een misdadigster werd zij weggevoerd, werd zij opgesloten te Hoorn in een gevangenis, in een ijzeren kooi, zonder eten of drinken, zonder slaapgelegenheid.

Had men hoop, dat zij de verblijfplaats van onzen Leider zou aanwijzen? Wij weten het niet. In ieder geval stond vooruit vast, dat men zooiets uit den mond van mevrouw Mussert nimmer zou vernemen.

Ongeveer achthonderd menschen — Nederlanders en Duitschers, waaronder ook vele vrouwen en zelfs kinderen — werden te Hoorn achter de tralies gezet.

Uit de rapporten is ons gebleken dat er in andere plaatsen o.a. in Amsterdam en Den Haag en ook in kleinere plaatsen nog grootere aantallen zijn samengedreven in gevangenissen, forten, ja zelfs in kerken,

bedreiging, dat bij het minste verdachte gebaar, ja zelfs indien één woord werd gesproken, onverbiddelijk zou worden geschoten.

Zoo werden wij tezamen geperst in een kamer. Geheimde agenten, het geweer in den aanslag, den vinger aan den trekker. Uren wachten. Zouden wij verhoord worden? — Wij hoopten het.

Wij zagen onbekende gezichten. Het bleken later Duitschers. Wij zagen een Duitsch R.K. priester.

Om acht uur 's morgens waren de eersten gevangen genomen. Om drie uur 's middags werden wij in een autobus geladen.

Wij verlieten Utrecht, zwaar bewaakt door gewapende agenten. Waarheen? Niemand wist het.

In de Potterstraat zag een der kameraden zijn vrouw staan op het trottoir. Hij bonkte tegen de gesloten ramen, om de aandacht te trekken. Door een agent werd hij neergedrukt, terwijl een hoofdinspecteur bedreigingen brulde.

Een lange rit — spreken was verboden — via Amsterdam naar Hoorn. Dreigende muren, getraliede vensters, grimmige solcatengezichten. Wij begrepen, wij waren landverraders en spionnen. Wij hunkerden ernaar, de benauwde sfeer van de bus te verlaten. Wij hoopten op frissche lucht en een weinig vrijheid.

Bittere teleurstelling. Als beesten werden wij op het groote binnenplein van het oude vervallen gebouw, dat eens had dienst gedaan als militaire strafgevangenis, doch in 1918 was afgekeurd vanwege den slechten hygienischen toestand, bijeengedreven door zwaar gewapende soldaten onder commando van een sergeant. Wijd stonden de deuren open. Naar binnen. Naar boven. Naar rechts, naar links. Sleutels rammelden, sloten knarsten.

Overal gangen en in die gangen cellen, ijzeren kooien, twee-hoog. IJzeren kooien:

in het nachtelijk donker naar de binnenplaats gedreven en vandaar naar de toiletten. Eén minuut. Schiet op! Vooruit! Het gaat naar een donkere ruimte. Met

steeds niets. Toch was het duidelijk, de vrijheid was in aantocht. Het was tragisch zoo de vrijheid te moeten begroeten, want wij begrepen, dat het ontzaglijke offers gekost had, wij begrepen dat onze weermacht het niet langer had kunnen uithouden tegen de ontzaglijke kracht van het Duitsche leger.

Zoo bespraken wij de kansen, Nederlanders en Duitschers, broederlijk tezamen achter de tralies.

En zij kwam, de vrijheid, zij kwam na vijf dagen van ontzaglijk en onnoodig leed — vijf dagen van ontzaglijke spanning. Op de binnenplaats ontmoetten wij

op bevel van hoogerhand hadden moeten aandoen. Doch onder de nu bevrijde gevangenen was een milde stemming. Wij wisten immers, dat niet onze bewakers, doch hun opdrachtgevers verantwoordelijk waren voor het ontzaglijke leed, dat over zoo'n groot aantal Nederlanders en volks-Duitschers is uitgestort.

Zoo zijn deze opdrachtgevers eveneens verantwoordelijk voor den dood van De Roode, Wagenaarstraat 161, Amsterdam.

De Roode leed aan suikerziekte. Doordat geen insuline aanwezig was, moest hij sterven, welke pogingen dokter Dros ook aanwendde, om hem in het leven te behouden.

Wij gaven Hoorn als een voorbeeld. Wij weten, dat de toestand in andere „verblijfplaatsen" niet minder beestachtig was. Wij hopen gelegenheid te krijgen de talrijke gevallen nog afzonderlijk te behandelen. Wij hopen in staat te zijn, dat alles met foto's te „verluchten", niet omdat wij behoefte zouden hebben aan sensatie, doch omdat het Nederlandsche volk moet weten hoe wij en met ons vele volks-Duitschers zijn getrapt, getrapt door de democratische machthebbers, die in de ure, waarop de nood van het volk het grootst was, hun eigen veege lijf met het goud, dat door den noesten ijver van dat volk was bijeengebracht, hebben gered door een smadelijke vlucht.

Wij, nationaal-socialisten, zijn gehoond, gesmaad, belasterd. Alles was gereed, om ons uit te roeien. God heeft het verhoed.

Het Nederlandsche volk in zijn geheel is belogen, bedrogen en bestolen.

Wij blijven gelooven, wij blijven vertrouwen. Wij kunnen niet leven zonder vrijheid en recht.

Het bloed dat spreekt

Nadat een onzer kameraden op ruwe wijze uit zijn huis was gehaald en zonder gelegenheid te krijgen afscheid te nemen van vrouw en kinderen, werd meegenomen om te worden geïnterneerd, schreef zijn vijftienjarige zoon het volgende stuk

Vader.
Nu pas, nu u weg bent,
nu pas besef ik goed,
dat ik u nooit heb gekend:
— Eigen volk en bloed.
Wat er alles voor u lag achter die woorden
waarvan we wel door u nooit het diepste hoorden,
maar toch het diepste wel vermoedden te voelen.

Nu pas wordt het zóó fel,
dat het niet te koelen is in mij:
Dat geloof in de groote waarheid, die
al was ik doof voor veel, door de
zwaarheid van het missen
me weer bewust wordt.
Ook weet ik nu,
dat u nog veel meer bent.
En nu vergeet ik nooit meer,
wat u alles deed in dienst van 't volk,
dat misleid door hen,
die u bestreden
om strijd u schold en niet begreep.
Vader, weet, dat wij allen zullen lijden
voor wat u dacht en deed.
Maar dat we in ons strijden dankbaar zijn
voor het ware geloof, dat u ons gaf,
en dat voor ons het zwaarste licht maakt.
En dat, laf, geen woord van u gezegd is,
omdat zoozeer de vrees hun in het hart
gelegd is.
Maar boven dat alles,
wees overtuigd
dat wij den dag van wraak en vrijheid
aanschouwen zullen.
En, als dat niet mag,
dat we dan vertrouwen kunnen
op een lateren dag.

In alle druc en rou
Biet malkander de hant;
In alles zijt getrou
Gods kerk en 't vaderlant.

VRIJDAG 5 JULI 1940

8e JAARGANG No. 26

VOLK EN VADERLAND

NATIONAAL-SOCIALISTISCH WEEKBLAD

REDACTIE-ADRES: MALIEBAAN 35 - UTRECHT - TELEF. 16543

UITGAVE: NENASU - POSTBUS 2 - LEIDEN - TELEFOON 21545 - 21546

Abonnementsprijs bij vooruitbetaling f 0.80 per kwartaal. Oost- en West-Indië f 1.-, Buitenland f 1.20 per kwartaal. Incassokosten f 0.15. Losse nummers 6 cent, in Indië 10 cent. ›or abonnement: Administratie „Volk en Vaderland" - Postbus 2 - Leiden - Telefoon 21545 - Postgiro 207915

Voor advertenties: Administratie „Volk en Vaderland" - Postbus 2 - Leiden - Postgiro 207915 Gewone advertenties 32 cent per regel - Tekstadvertenties 60 cent per regel. Bij contract reductie. Kameraadjes bij vooruitbetaling 50 cent. Minimum 5 regels. Elke regel meer 10 cent

DE WITTE-ANJER-DEMONSTRATIE

Hoofdartikel van Mussert

TERWIJL iederen nacht Engelsche bommen land en volk teisteren, waarbij vele tientallen dooden per week te betreuren zijn, hadden de vereenigde democraten hier den euvelen moed, om zich — georganiseerd — met witte anjers en oranje te tooien ter eere van den Nederlandschen ritmeester, die naar Engeland vluchtte, toen collega's in den vollen strijd stonden tegen het Duitsche leger.

Men staat eenvoudig versteld over een dergelijke grenzenlooze brutaliteit en domheid. Het schijnt of de Nederlandsche democraten ziende blind en hoorende doof zijn en ook sinds 10 Mei niets, maar dan ook niets hebben geleerd.

Er was een band, eens een zeer sterke band, tusschen Nederland en Oranje. Er waren tijden, dat practisch het geheele volk om Oranje geschaard stond. Deze tijden zijn schaarscher en schaarscher geworden en men herinnert zich hoe in deze eeuw van 1900 tot 1936, onder den invloed van de democratie, het marxisme, het liberalisme, het politiek katholicisme deze band werd uiteengerafeld tot er enkele draadjes slechts overbleven.

Eigenlijk waren in het volk ten slotte bijna alleen de protestantsch kerkelijken in wier blazoen nog geschreven stond God, Nederland en Oranje.

Toen kwamen wij, nationaal-socialisten, en probeerden omhoog te halen, hetgeen door de democraten in de modder was getrapt. Het lukte, het oranje ging weer omhoog. Toen kwamen de democraten weer en klemden zich daaraan vast en maakten van oranje het symbool van hun strijd tegen het nationaal-socialisme en haalden het zoo weer omlaag.

♦

ZOO gingen wij den oorlog in en op den derden dag van dien oorlog verliet de Koningin het Volk en het Vaderland. Daarmede heeft zij den band doorgesneden, die Volk en Vorstin bond. Velen in den lande, juist zij, die werkelijk van harte Oranjegezind waren, hebben dit diep betreurd. Maar hetgeen gebeurd is, is niet meer ongedaan te maken, dat weten zij beter dan wie dan ook.

Wij, nationaal-socialisten, zijn ervan overtuigd, dat op 13 Mei 1940 het Oranjehuis als Vorstenhuis heeft opgehouden te bestaan. Dit is voor ons een vaststaand feit en de toekomst zal dit bevestigen. Koningin Wilhelmina was de laatste der regeerende Oranjes; vele jaren heeft Zij de Kroon van Nederland gedragen; het is aan de geschiedenis om later te beoordeelen het goede en het kwade. Wij, nationaal-socialisten, oordeelen daarover niet; wij zwijgen, want voorbij is voorbij en wie eenmaal de Kroon van Nederland gedragen heeft, kan er zeker van zijn, dat nationaal-socialisten, bezield met liefde voor Volk en Vaderland, uit respect voor Volk en Vaderland iedere bezoedeling onvoorwaardelijk afwijzen. Te meer geldt dit, waar de Kroon het laatst door een vrouw werd gedragen.

♦

DAT Prinses Juliana met haar beide kinderen uitweek naar het volkomen veilige Canada is te begrijpen, al zou zij oneindig wijzer en beter gedaan hebben door het oudste kind onder vertrouwd geleide te hebben laten heengaan en zelf op haar post te blijven bij het Roode Kruis, waar zij zoo dikwijls heeft geposeerd voor de film, de radio en bij die gelegenheden waar een stukje van het Roode Kruis demonstratief vertrok naar Abessinië of Finland. Juist in de oorlogsdagen moest het Roode Kruis dienst doen voor de slachtoffers van den strijd en het is hoogst pijnlijk, dat juist op die dagen het Roode Kruis in den steek werd gelaten door haar, die daarin moest voorgaan. Maar de natuurlijke band tusschen Moeder en kinderen bleek sterker te zijn dan de opgelegde conventioneele band met het Roode Kruis. Dit is een feit gebleken, waarvan men zich rekenschap heeft te geven zonder boosheid, wetende dat de natuur sterker is gebleken dan de leer.

♦

MAAR dit alles geldt niet voor den ritmeester van het Nederlandsche leger, die de echtgenoot van Prinses Juliana is. Hij was officier, had onvoorwaardelijk en daadwerkelijk aan den strijd moeten deelnemen en zoonoodig door zijn dood de eer en het bestaansrecht van het huis van Oranje dienen hoog te houden. Hij heeft absoluut niet aan den strijd deelgenomen, hij is eenvoudig zoo veilig en snel mogelijk naar het buitenland gevlucht.

De beroepsbedriegers, die ons volk al sinds jaren misleiden zijn ook nu weer op het pad met de meest fantastische verhalen over zijn deelneming aan den strijd in Zeeland. Ja, hij zou daar zwaar gewond zijn, hij zou daar zelfs een arm hebben verloren! Zuivere fantasie. Hij is zoo snel mogelijk vertrokken naar Engeland, schijnt nog eens in Parijs geweest te zijn en nu voor de Engelsche radio te spreken tegen Duitschland en Hitler.

Dit is voor mij geen verrassing. Hij kwam hier als Duitscher en zijn eerste werk was zijn afkomst als Duitscher zoo grondig mogelijk te verloochenen. Hij duldde de schending van de Duitsche vlag; hij dulde de minachting voor het Duitsche volkslied door daarvoor in de plaats het zotte Detmold-liedje te laten zingen. Hij verkrachtte den fascistengroet, dien hij gewend was te brengen, door daarvoor in de plaats een soort armzwabber in te voeren. Dit alles medemakend en gadeslaande was hij daardoor voor mij geteekend; geen woord daarover was verder noodig.

Wie zijn eigen Volk verloochent, verloochent zeker het Volk, waarin hij krachtens huwelijk een hooge positie verwerft. Het is dus volkomen natuurlijk, dat hij is heengegaan, toen de omstandigheden voor een Nederlandsch officier ongezond werden.

Maar het toppunt is, dat hij nu uit Engeland ophitst tegen het Duitsche volk en zijn Führer, terwijl zijn broer als officier in het Duitsche leger zijn plicht doet en hijzelf uit het Nederlandsche leger is gedeserteerd. Daarvoor zijn geen woorden te vinden, die ik aan het papier kan toevertrouwen.

De zoogenaamde vaderlandsliefde en oranjeliefde van de R.K. staatspartijers, van de S.D.A.P.-ers, van de liberalen en anderen werd getoond, door op den verjaardag van dien man Zaterdag 29 Juni oranje te dragen en ...... een witte anjer.

Hierboven zeide ik: men staat eenvoudig versteld over een dergelijke grenzenlooze brutaliteit en domheid. Hieraan valt toe te voegen, dat men tevens versteld kan staan over het gebrek aan eer en fatsoen, dat daaruit blijkt. Terwijl uit Engeland, de verblijfplaats van dezen man, de Engelsche bommenwerpers opstijgen, om dood en verderf te zaaien in ons Volk, tooit het geestelijk rapaille zich met witte anjers ter eere van Prins Bernhard, om zoo hun Vaderlandsliefde te toonen. Het is ontzettend, het is walgelijk.

Dit was de handschoen, die gesmeten werd in het gezicht van het fatsoenlijke, zelfbewuste, eerlijke deel van ons Volk.

Wij zijn de eer en het geweten der natie, heb ik meermalen gezegd en geschreven. Als zoodanig hadden wij op te treden en is ook opgetreden. Speciaal in Amsterdam is dit gebeurd en goed ook. Met krachtige hand is aan de anjelierendemonstratie een einde gemaakt. 's Ochtends waren er vele anjer-dragers, 's middags waren er al heel wat minder en 's avonds waren zij zoo goed als verdwenen. Rake klappen moesten daarvoor worden uitgedeeld. Het spijt mij, dat de Duitsche bezettingstroepen getuige moesten zijn van deze diepgaande oneenigheid in het Nederlandsche volk, maar daar was niets aan te doen. De bezettingsautoriteiten en de Amsterdamsche gemeentelijke autoriteiten zullen naar mijn stellige verwachting hebben ingezien, dat het hier ging om een anti-nationaal-socialistische demonstratie, die tevens de eer van ons Volk aantastte, door op den dag, dien geen behoorlijk Nederlander zich wenscht te herinneren, een volkomen valsche en vooze vaderlandsliefde te demonstreeren.

Ik heb de overtuiging, dat de kweekers van witte anjers verstandig zullen doen, niet te rekenen op grooten afzet tegen den tijd, dat het volgende jaar de maand Juli in zicht komt.

Utrecht, 4 Juli 1940.

MUSSERT

HET SNEEUWBAL-SYSTEEM

OP allerlei wijzen en met velerlei middelen pogen de Churchill-knechten en -knechtjes den ouden democratischen waan in Nederland te doen herleven. Dat is niet gemakkelijk, want deze waan werd in enkele dagen volledig verpletterd, uit elkander gerukt en aan flarden gescheurd. Het zijn deze flarden, die men thans weer bijeengaart en tracht samen te voegen tot een levend geheel. Op zichzelf is dit dus nogal een kinderlijk bedrijf en het zou dan ook niet noodig zijn, er maar één oogenblik bij stil te staan, ware het niet, dat er duizenden en duizenden argelooze en oprechte Nederlanders zijn, die zich tengevolge van de duizelingwekkend snel afwikkelende en thans achter den rug liggende gebeurtenissen als in een luchtledig voelen. Het oude biedt geen houvast meer en van het nieuwe kunnen zij zich — tengevolge van het democratisch bedrog, waarvan zij jaar in, jaar uit het slachtoffer waren — nog geen voorstelling maken. Het gevaar bestaat dus, dat zij den gerepareerden waan in argeloosheid en oprechtheid aanvaarden als het nieuwe, dat uit het oude is voortgekomen.

De Churchillknechten speculeeren dan ook hoofdzakelijk op argeloosheid en oprechtheid in het volle besef, dat door het democratisch bedrog, in het verleden gepleegd, de waarheid in twee maanden tijds nog niet in haar vollen omvang in de hoofden en harten kan zijn doorgedrongen.

Nu het echter niet mogelijk is zooals voorheen in het openbaar het nieuwe verdacht te maken, nu den Churchill-knechten de oude middelen uit de vingers zijn geslagen en de Leugen zich slechts langs ondergrondsche paden kan bewegen, heeft men nieuwe middelen uitgevonden.

Men bedient zich van het sneeuwbal-systeem.

Men doet het door middel van brieven en dus ondergronds, waardoor het mogelijk is wat duidelijker te lasteren, maar men doet het ook door middel van de pers, waarbij het dan noodig is meer de voorzichtigheid in acht te nemen.

In de brieven is het nog steeds het „verraad", dat wordt aangewend, om den lezer te overtuigen, dat de N.S.B. on-Nederlandsch is en zich keert tegen het volkseigen.

Op het oogenblik is er een brief in omloop,waaruit wij het voornaamste zullen aanhalen. Deze brief geeft een indruk van de activiteit in de democratische onderwereld. De brief is gericht aan de „Landgenooten". Wij lezen o.a.:

„Hij, (dat is de Bezetter van Nederland) zal ook kunnen begrijpen, dat wij een diepen afschuw hebben over het feit, dat een aantal onwaardigen aan den vijand handlangersdiensten heeft bewezen.

De bezetter moge dan het verraad met goud hebben betaald en er dankbaar gebruik van hebben gemaakt, een Duitsch soldaat kan slechts afschuw hebben voor een verrader. Zijn vertrouwen zal hij, naar wij mogen aannemen, en wij meenen dit reeds te hebben kunnen opmerken, niet schenken aan een beweging waaraan het bloed kleeft van onze eigen dappere zonen.

Onthoudt landgenooten, de namen van de verachtelijke lafaards die onze jongens in den rug hebben aangevallen, hen vanuit de huizen hebben beschoten en hen door verraad aan vijandelijk vuur hebben blootgesteld.

Het uur der vergelding zal komen, vroeg of laat......!

De letters N.S.B. dragen den vloek over geheel Nationaal Nederland.

Medeburgers tikt of schrijft dezen brief over en geeft hem door aan minstens twee landgenooten. Zoo spoedig mogelijk moet de Nederlandsche bevolking worden opgewekt tot het nemen van een strikt afwijzende houding tegenover de verraders"

Het is niet noodig hieraan veel toe te voegen. Deze schandelijke verdachtmaking spreekt voldoende voor zichzelf en laat ook geen twijfel betreffende het antwoord op de vraag, waar dit vuil wordt geproduceerd. Wij weten, dat dergelijke pogingen, om het Nederlandsche volk geestelijk in de Joodsch-kapitalistische Churchillketenen gevangen te houden, de activiteit der Nederlandsche nationaal-socialisten slechts kan prikkelen en verhoogen, zoodat de bedrijvers van dit onvergeeflijke kwaad hun eigen ondergang, hun volledige vernietiging door deze medewerking verhaasten. Dat deze briefschrijvers — ook zij, die den brief overtikten en opnieuw verspreidden — een smaad werpen op de Duitsche weermacht door het voor te stellen, alsof die weermacht haar succes in Nederland dankt aan verraad, schijnen dze misdadigers in hun grenzenlooze begeerte naar de oude machtspositie niet eens te beseffen. Behalve misdaad is democratie óók zelfverblinding.

VAN deze democratische zelfverblinding getuigt ook het sneeuwbal-systeem, dat in de Nederlandsche pers wordt toegepast. Men doet het voetje voor voetje, tastend. Over verraad wordt natuurlijk niets meer gezegd. Men heeft begrepen, dat men dan de vingers zal branden. Men spuit dus het vuil thans heel voorzichtig en volgens het reeds genoemde sneeuwbal-systeem. Mijnheer Pieterse b.v. pleegt in zijn krant een artikel, waarmee hij op listige wijze schade poogt te berokkenen aan de N.S.B. Mijnheer Pieterse, diep begaan met het lot van het Nederlandsche volk, wil vooral aantoonen, dat de N.S.B. on-Nederlandsch is. Zóó'n verhaal is koren op den molen der Nederlandsche inktkoelies. Het Nederlandsche volk moet immers ingelicht worden, zuiver Nederlandsch ingelicht. Het verhaal van mijnheer Pieterse doet de ronde door de Nederlandsche pers. Het sneeuwbalsysteem. En zoo poogt men niet alleen de N.S.B. te schaden, maar over de N.S.B. heen anti-Duitsche gezindheid te kweeken. Het moet alles echt Nederlandsch, ziet u, en de N.S.B. dweept immers met het Duitsche systeem. „Echt Nederlandsch" dus. Zoo wil het een zekere heer Meyer. En zoo gaat dit gemeier alweer als een sneeuwbal door de „echt Nederlandsche" pers. Neen, over verraad spreekt men niet meer. De heeren zijn nu „echt Nederlandsch" in de hoop, op deze wijze het Nederlandsche nationaal-socialisme tegen te houden. Zoo is ook het geschrijf van den heer Colijn „echt Nederlandsch" en doet dus „echt Nederlansch" als een sneeuwbal de ronde door de „echt Nederlandsche" pers. „Echt Nederlandsch" alzoo is niet alleen „Het Volk", maar ook „Het Friesche Dagblad" en „De Zwolsche" van de Erven Tijl te Zwolle. Wij noemen er maar een paar. Alle bladen, die voor den oorlog pro-Engelsch waren, zijn thans „echt Nederlandsch." „Echt Nederlandsch" is ook het „nationale blok" en „het nationale front", waarover de vroegere democratische leiders thans in hun bladen en geschriften leuteren. Het zijn de democratische wenschdroomen, die thans, nu er een en ander veranderd is in Nederland, voorzichtig aan het krantenpapier worden toevertrouwd, in de hoop, dat de lezers hun vroegere „leiders" niet vergeten.

15e VAN HERFSTMAAND 1940 - No. 1

De ZWARTE SOLDAAT

BLAD VOOR DE W.A. BAN 28 'T GOOI

HOOFDOPSTELLER: NIC. WENT
LAMMERT MAJOORLAAN 33, BUSSUM, TEL. 3137

Prijs per no. 10 cent

ADVERTENTIE-TARIEF ....

De eerste „Zwarte Soldaat"

Een groote bezieling heeft zich van de Gooische jongens meester gemaakt. Toen de Leider hen na de terreurdagen van 10—15 Mei riep voor de W. A., stond direct het eerste Vendel klaar. Nog wel niet in uniform, enkele zwarte hemden daargelaten, maar toch één van doel: „Paraat voor Mussert en met hem voor ons volk".

Dit eerste vendel groeide snel aan en er ontstond de roep naar een nieuw doel: H e t G o o i m o e t e e n B a n w o r d e n. Het stafkwartier zond een Banleider — wij stichtten een bankwartier en de jongens stroomden toe. Ban 28 marcheert weldra met z'n vier vendels van Bussum, Naarden, Hilversum en alles wat daar omheen ligt!

En nu de volgende stap: een eigen blad. Daar is dan onze eerste „Zwarte Soldaat". Hij staat overeind als de stoere werker tusschen de vier vendels. Lezers, inschrijvers, adverteerders, drukkers, werkers, kameraden en ook andere volksgenooten hielpen hem aan z'n eerste uniform. Wij weten als nationaal-socialisten dat het altijd beter kan. Zij, die kritiek op dezen soldaat hebben: dat zij in onze gelederen komen en mee marcheeren, want wij moeten hem gezamelijk beter maken. Laat deze krant onze beste kameraad worden; hem alles brengen wat hij noodig heeft: kleeding, dekking, voeding, geld, want hij staat midden in onzen strijd. Voor Anton Mussert is hij in 't gevecht.

N i c. W e n t
Ban-administrateur

De Zwarte Soldaten

Tekst: H. R. Klijn. Muziek: H. v. d. Berg.

De strijd is ontbrand,
Verdeeldheid moet weg
In ons schoon Nederland.
Nu zijn we nog geknecht,
De nieuwe geest breekt baan,
Wij zijn dus paraat,
Laat 't eenheidsfront maar slaan,
Wij blijven op de straat.
Kom, kameraad, toon een daad,
Voor ons volk en land waar het om gaat.
Want wij zijn de zwarte soldaten.
Met Anton Mussert zijn wij in 't gevecht.
Daarom zijn wij de zwarte soldaten,
Want wij strijden voor vrijheid en voor recht,
Wij strijden tegen 't marxisme,
Rood front, liberalisme,
Want ons volk moet in vrijheid weer leven,
Dat is onze taak en heilig recht.
Daarom zijn wij de zwarte soldaten,
Met Anton Mussert zijn wij in 't gevecht.

De W.A. marcheert!

Toen de democratische horden haar machtswellust op ons N.S.B.-ers gedurende de vijf dagen van den oorlog in ons land hadden botgevierd, en de Duitsche kameraden ons de vrijheid kwamen brengen, gaf onze Leider onder het motto „deze dagen van terreur nooit meer" opdracht, onmiddellijk op een breede basis de W. A. te doen organiseeren.

Onze Algemeen Commandant, die belast werd met deze opdracht, liet over deze taak geen gras groeien en na ruim drie maanden van hard werken onder de meest moeilijke omstandigheden, zijn de resultaten zeer verdienstelijk te noemen en een krachtig „H o u - Z e e" voor deze prestatie van onzen Commandant is hier zeker op zijn plaats.

Thans marcheert de W. A. over geheel Nederland in een versneld tempo. Dit Volksche-leger is niet meer te remmen en de W. A. zal zeker de Nationaal Socialistische Beweging, haar Leider A. A. M u s s e r t en de door onzen Leider ingestelde Politieke-Organisatie naar den Haag brengen, waar de Leider met zijn groote staatskunde, maar met zijn nog grootere liefde voor land en volk, het staatsroer ter hand zal nemen om in het Nationaal Socialistische Europa wat komen gaat, zijn volk de juiste plaats te doen geven welke het toekomt.

De taak, om dit te bereiken kameraden, is U op Uwe schouders gelegd. Het onbeperkte vertrouwen, hetwelk de Leider in U stelt, is ongeëvenaard en geen W. A. man mag dit vertrouwen ooit en te nimmer schenden! Van U wordt verlangd, dat door Uw persoon, door Uwe houding, door Uwe kameraadschapszin, door Uwe offervaardigheid, door Uwe rotsvaste overtuiging in onze beginselen en Uw geloof in den Leider, onze Volksgenooten zullen weten, dat een vernieuwd volk is opgestaan om strijdend het maatschappelijk geluk te brengen aan dit volk.

De W. A. zal laten zien dat de „B r o n n e n v a n h e t N a t i o n a a l S o c i a l i s m e" geen holle klanken bevatten; zij zal laten zien dat in een Volks-leger geen plaats is voor nietwerkers of geprotegeerde parasieten, doch dat moed, ken...is en leiderseigenschappen den grondslag vormen van elken functionaris, die geroepen wordt zijn kunnen in dienst te stellen der gemeenschap. Met deze bekwaamheden draagt elke W.A.-man, smid of bakker, dokter of advocaat, den maarschalkstaf in zijn ransel.

Ook in het Gooi marcheert thans de W.A. en als commandant van het Gooi heeft het mij ontroerd, niet ter plaatse bekend zijnde, zooveel mooie en echte kameraadschap te mogen vinden als hier. De Gooische W.A. heeft zijn plicht begrepen, een krachtige golf van wilskracht en van werklust werd door de W.A. mannen het Gooi ingestuwd, man voor man zijn zij berekend voor hunne taak, zoodat ik overtuigd ben, dat deze Ban binnen afzienbaren tijd als „modelban" naar voren zal komen.

Het nieuwe ban-kwartier, hetwelk den 28sten Herfstmaand 1940 zal worden geopend aan den Huizerweg 25a te Bussum, is wel een sprekend symbool van deze mooie eenheid, om in zoo'n korten tijd de grootste resultaten van werklust en van offervaardigheid te bereiken.

Daarvoor kameraden, mijn hartelijken dank, U weet niet hoe verheugd onze Leider zal zijn, als hij gewaar wordt, dat in het Gooi waar de Leider de meest moeilijke dagen van een reeks groote teleurstellingen in zijn leven moest doorbrengen, een laaiende vlam is opgestegen om met hem, achter hem en naast hem ons volk te doen bevrijden van de kluisters der democratie en ons van een overwonnen volk tot een vrij volk zal terugvoeren in een Nationaal Socialistische gemeenschap.

Wij geven van deze plaats eenparig de plechtige gelofte, dat de Leider veilig geborgen is in ons midden en gedragen zal worden door onze sterke armen, de armen der W.A. mannen, de ziel der Nationaal Socialistische Beweging in Nederland.

Kameraden, onze eigen krant is er, resultaat van Uw ijverig werken, wij gaan voorwaarts, dit voorwaarts gaan kan alleen geschieden als iedere W.A. man zijn schouders er onder zet.

In het Gooi met zijn Opbouwdienst is voor ons zeer veel werk aan den winkel. Terug kunnen wij niet meer, trouwens dit woord komt niet voor in het W.A.-woordenboek, steeds voorwaarts tot aan ons de overwinning is.

Van het nieuwe Ban-kwartier uit, waar ons bolwerk zal zijn en waaruit georganiseerd zal worden, zal deze organisatie krachtig ter hand genomen moet worden, met als leuze „M e t M u s s e r t v a n h e t G o o i u i t d e V i c t o r i e !"

Hou Zee!

De Banleider:
H. Hammekool Jr.

Moord op Peter Ton

DE FEITEN

Zaterdag 31 Augustus omstreeks vijf uur kwam uit de Javastraat de N.J.S., welke een marsch door de stad had gemaakt, en sloeg de Balistraat in naar het kwartier. Ongeveer een tiental kleinere meisjes moesten nog den hoek voorbijgaan, toen twee wielrijders op haar inreden, waarbij een der meisjes kwam te vallen.

Een onzer kameraden verzocht daarop aan een agent van politie om procesverbaal op te maken tegen den wielrijder. De agent begon om aan dit verzoek te voldoen, toen een burger, zekere Hidding uit de Javastraat, zich naar den agent begaf en opmerkte, dat hij niet zoo moest kruipen voor die N.S.B.-ers, omdat die toch niets te vertellen hebben.

Dit was voor een anderen agent, no. 435, aanleiding om tot zijn collega's te roepen: „Trek je van die rotkerels niets aan!" en tot enkele omstaande W.A.-mannen: „Doorloopen".

De W.A.-mannen begonnen onmiddellijk aan dit bevel te voldoen, een feit, wat uit verschillende verklaringen onomstootelijk is komen vast te staan.

Het ging echter den agent niet vlug genoeg naar den zin en deze begon te duwen. De hopman Van Leeuwen merkte daarbij op dat de W.A.-mannen naar binnen zouden trekken, doch dat de politie niet handtastelijk mocht worden.

Als antwoord daarop, riep agent 435: „Sabels trekken", waarna op de W.A.-mannen werd ingeslagen.

Hierbij werd de eerste gewond; het was kam. Kakebeke, die onverhoeds van achteren werd aangevallen en door een sabelhouw bloedend aan het achterhoofd verwond werd.

Vlak daarop werd geschoten: kam. Ton werd geraakt en wilde de poort van het W.A.-kwartier binnenloopen, toen hij over een fiets struikelde en bloedend bleef liggen.

Op dat moment kwam een andere agent en sloeg kam. Ton nog met een sabel in den hals.

Van dat oogenblik werd steeds geschoten en daarbij zijn ook de W.A.-man Paape Jr. en de vaandrig van de N.J.S. Van Domburg Scipio gewond; Paape liep een schot in de buik op en Van Domburg Scipio werd in zijn dijbeen geschoten.

Het aantal agenten werd steeds grooter; binnen enkele minuten waren er zeker dertig aanwezig, die als bezetenen sloegen en schoten, zoodat het een wonder mag heeten, dat hier niet meerdere dooden te betreuren zijn.

Er vielen slachtoffers: de vaandrig der W.A., Dusschoten kreeg een slag met een sabel op het hoofd, vaandrig Verbaan werd aan de pols verwond en anderen liepen wonden aan armen en beenen op.

Op het oogenblik, dat de gewonden in ziekenauto's werden weggevoerd, stond agent 1100, naar door vele ooggetuigen werd vastgesteld, glimlachend toe te zien.

Kort daarop verscheen de Duitsche politie met twee overval-wagens bemand met een aantal Schupo's die spoedig de orde herstelden.

De Haagsche politie-agenten werden gearresteerd.

Toen kameraad Ton in het ziekenhuis was opgenomen, hebben de kameraden Scholte en Giesekamp naast zijn bed gestaan. Hij is niet meer bij kennis geweest en na enkele oogenblikken zacht en kalm overleden.

VRIJDAG 11 OCTOBER 1940 — 8e JAARGANG No. 40

VOLK EN VADERLAND

NATIONAAL-SOCIALISTISCH WEEKBLAD

REDACTIE-ADRES: MALIEBAAN 35 - UTRECHT - TELEF. 16543

UITGAVE: NENASU - POSTBUS 2 - LEIDEN - TELEFOON 21545 - 21546

JE MAINTIENDRAI

Abonnementsprijs bij vooruitbetaling f 0.80 per kwartaal. Oost- en West-Indië f 1.-, Buitenland f 1.20 per kwartaal. Incassokosten f 0.15. Losse nummers 6 cent, in Indië 10 cent. Voor abonnement: Administratie „Volk en Vaderland" - Postbus 2 - Leiden - Telefoon 21545 - Postgiro 207915

Voor advertenties: Administratie „Volk en Vaderland" - Postbus 2 - Leiden - Postgiro 207915 Gewone advertenties 32 cent per regel - Tekstadvertenties 60 cent per regel. Bij contract reductie. Kameraadjes bij vooruitbetaling 50 cent. Minimum 5 regels. Elke regel meer 10 cent

ONS INDIË BEHOUDEN

Het pact Duitschland-Italië-Japan

Op 27 September werd in de groote zaal der nieuwe Rijkskanselarij te Berlijn een pact gesloten tusschen Duitschland, Italië en Japan, dat daarop neerkomt, dat Duitschland en Italië de zaken zullen regelen in Europa en Afrika en dat Japan ditzelfde zal doen in Oost-Azië.

Over de ordening van de levensruimte in Afrika, handelde mijn artikel in „Volk en Vaderland" van de vorige week. Naar mijn meening kan daaruit nieuw leven voortkomen voor alle man van Neerland's stam, omdat de verbroken banden met het Volk van Zuid-Afrika, dat ons zoo na staat, weer aangeknoopt zouden kunnen worden, zonder adt onze erfvijand Engeland dit langer

hoogste Nederlandsche belangen. Met Indië staat Nederland; zonder Indië ligt het plat."

In „Volk en Vaderland" van 23 Juli 1939 schreef ik over zieltogend Europa in Azië:

„En nu wordt het derde bedrijf opgevoerd met den ouden Lloyd George van 1918 als speler op het tweede plan en de Churchill's en Eden's op het eerste plan. Gedreven door de Joden en marxistische elementen, keert Engeland zich tegen het Duitsche Rijk in

Wanneer het in Berlijn gesloten pact Amerika afhoudt van deelneming aan den oorlog, hetgeen toch in ieder geval het doel is, wanneer Engeland dus weet niet te kunnen rekenen op militaire hulp van de Vereenigde Staten, wanneer gezond verstand en redelijkheid regeeren in Buitenzorg, dan mogen wij hopen op het behoud van Indië, niettegenstaande alles wat uit domheid, hebzucht en redeloozen haat is misdreven en veronachtzaamd.

Niettemin zullen honderdduizenden Nederlanders iederen dag met hun ge-

volbracht door de Nederlanders en niet minder door hen, die door sommigen Indo's worden genoemd en door de bouwers worden beschouwd als de Indische Nederlanders, die mede het imperium dragen.

D e z e t a a k t e m o g e n v o o r t z e t t e n, i n h e t b e l a n g v a n d e I n d i s c h e v o l k e r e n, i n h e t b e l a n g v a n h e t N e d e r l a n d s c h e v o l k, i n h e t b e l a n g v a n d e n t o e k o m s t i g e n b o n d d e r G e r m a a n s c h e v o l k e r e n — j a, v a n h e t g e h e e l e b l a n k e r a s, d a t i s h e t g e e n w i j i n A z i ë v r a g e n a l s o n s a a n d e e l i n

Hoofdartikel van Mussert

Te straffen hen, die nu denken straffeloos misdaden tegenover volks- en (of) rasgenooten te kunnen plegen, is recht doen.

Voort te bouwen, Indië grooter en sterker, gezonder en reiner te maken, is de roeping, die het Nederlandsche

ons van het allergrootste belang wegens Indië, het Insulinde dat zich slingert om den evenaar als een gordel van smaragd. Het geheele Nederlandsche Volk verkeert in groote bezorgdheid over de naaste toekomst van Indië, een ieder vreest Japan en men vraagt zich af, of het pact een aanmoediging is voor Japan om tot gewelddadige inbezitnemngen over te gaan, dan wel een rem. Het is mij niet mogelijk op deze vraag een afdoend antwoord te geven. Ik ben echter van meening, dat bij een wijs beleid in Indië het mogelijk is met Japan tot overeenstemming te komen.

HET is goed, dat men zich er eerst rekenschap van geeft, dat deze oorlog den weg baant voor een revolutie, die zich zal voltrekken op ieder gebied des levens. Daartoe behoort de verruiming van blik, die een normaal gevolg is van de versnelling en uitbreiding van het verkeer.

Honderden jaren geleden ging het verkeer te paard en de menschen leefden in kleine gemeenschappen, zooals steden, graafschapjes, enz. Daarna kwam het verkeer per postkoets en de menschen leefden in grootere gemeenschappen, kleine staatjes. Het verkeer van de 19e eeuw ging per trein en de Europeesche groote staten ontstonden of vervolmaakten zich.

Nu leven wij in het tijdsgewricht van het vliegtuig en nu moeten wij dus leeren denken in werelddeelen (continenten); levensruimten van met elkander samenwerkende volkeren.

Europa verlaat nu het tijdperk van elkander beoorlogende staten en gaat het nieuwe tijdperk van de Europeesche solidariteit beginnen. De solidariteit, die zich zal uitstrekken over Europa en Afrika.

Het tweede continent wordt gevormd door de onmetelijke uitgestrektheid der Vereenigde Sovjet-Republieken.

Het derde continent is Oost-Azië.

Het vierde Amerika.

Over blijft dan nog Zuid-Azië, Nederlandsch-Indië en Australië. Bij dit overschot heeft het blanke ras zeer groot belang. Daarom heeft Duitschland gedaan wat mogelijk was om Engeland af te houden van den moord op het Britsche imperium, die het vorig jaar begaan werd door de oorlogsverklaring van Chamberlain aan Hitler.

Engeland was de aangewezen leidende Europeesche mogendheid voor het behoud van Zuid-Azië, Nederlandsch-Indië en Australië. De kracht van deze leidende mogendheid wordt vernietigd. Zullen dientengevolge Sovjet-Rusland en Japan de erfenis deelen? Zoo ja, dan vallen natuurlijk Nederlandsch-Oost-Indië en Australië aan Japan ten deel. Dit is het gevaar, dat er is en dat men vreest.

Vast staat, dat het doel van het pact geenszins is dit gevaar te vergrooten. Het heeft alleen de bedoeling de Vereenigde Staten terug te houden van den oorlog, waarin president Roosevelt hen wil storten.

Vast staat, dat het gevaar aanzienlijk kleiner zou zijn, indien achter het bezit van Nederlandsch-Indië een militaire kracht zou staan van grootere beteekenis, dan er nu helaas aanwezig is.

◆

IN „Volk en Vaderland" van 25 Februari 1938 schreef ik naar aanleiding van den oorlog tusschen Japan en China o.m.:

„Niet eenmaal, maar duizendmaal gedurende haar zesjarig bestaan heeft de Nationaal-Socialistische Beweging gevraagd — neen gesmeekt — neen gebeden: verdedig Indië vóór het te laat is. Maar de heeren doen dit niet. Een nationaal-socialistisch voorstel om twee zware kruisers te bouwen, is in de Tweede Kamer zelfs niet in behandeling genomen. Het is bar. Het is meer dan bar; het is verraad aan de Het vergeet daarbij de enorme belangen, die het in Oost-Azië heeft."

De wetenschap, dat achter de Europeesche belangen in Zuid-Azië onvoldoende Europeesche kracht staat — door de onverantwoordelijke handelingen van de Churchill's in Engeland en de Colijn's in Nederland — drukt nu als lood op het leven van ieder, die het wel meent met ons volk — ja, van ieder, die Europeesch verantwoordelijkheidsbesef heeft.

Het is een schrale troost voor ons, nationaal-socialisten, te weten, dat wij tegen deze onverantwoordelijke politiek altijd gewaarschuwd hebben — ja, open en duidelijk hebben verkondigd, dat die zoogenaamde verdediging van Nederland nuttelooze geldverspilling was, maar dat iedere cent, die gemist kon worden voor verdediging, besteed moest worden in Indië. Men heeft het eenvoudig niet gedaan; het was voor de vriendjes voordeeliger om de staatsruif hier te plunderen en te hitsen tegen Duitschland, dan om onzen menschen in Indië de veiligheid te verzekeren, waar zij recht op hebben.

◆

WAT zal er nu van Indië worden? Zal Indië voor ons behouden blijven? Wie zal het zeggen?

Ik geloof niet, dat Japan een gewelddadige verovering van Indië in dit tijdsgewricht op het oog heeft. Ik geloof nog minder, dat dit met instemming van Berlijn zou geschieden. Maar ik geloof, dat als de Nederlandsch-Indische regeering een passend besef heeft voor redelijke wenschen van Japan ten aanzien van grondstoffenleverantie en afname van goederen, benevens voor de noodzakelijkheid van een niet te duur vervoer van dezen goederenruil, er overeenstemming bereikt zal kunnen worden. Maar één ding sta daarbij voorop, n.l. dat Indië de heeren in Londen en de heeren in Washington buiten de deur moet houden, anders loopt het mis. De heeren in Londen zullen voor geen middel schromen om Amerika in den oorlog te betrekken; zonder gewetensbezwaar zullen zij daartoe Nederlandsch-Indië tot oorlogsterrein maken.

tooien, terwijl hun ouders voor hen in het verre Oosten hun brood verdienen. Gepensioneerden, die tientallen jaren van hun leven gewijd hebben aan den opbouw daar in die gewesten, waar reeds drie en halve eeuw Neerland's vlag met eere wappert. Wat Indië voor ons beteekent, ideëel en materiëel, zouden wij pas ten volle beseffen, wanneer het voor ons verloren was. Welk een grootsche taak is daar die taak met vreugde en voldoening verrichten, na de schuld te hebben gedelgd, die wij hebben aan de Nederlandsche en Duitsche nationaal-socialisten, onze kameraden, waarmede wij ideëel zoo nauw verbonden zijn en die nu reeds maandenlang lijden in de concentratiekampen in tropisch klimaat. Goed te maken, wat nu aan hen wordt misdreven, is een eereplicht, dien wij waarlijk niet zullen vergeten.

Wij verwachten van den nieuwen tijd voor het Nederlandsche volk nieuw leven in Zuid-Afrika, zoo het zijn kans grijpen kan.

In Zuid-Oost-Azië gaat het om behoud, gaat het er om of wij ons zullen handhaven, om daarna verder te bouwen.

MUSSERT

Utrecht, 8 October 1940.

„Werd Peter Ton wel vermoord?"
- vraagt het dagblad „Ons Noorden"

NADAT het dagblad „Ons Noorden" reeds heeft getracht, politieke munt te slaan uit een artikel in het weekblad „De Waag", om onzen Leider in de oogen van het volk als onbekwaam voor het leiderschap voor te stellen, heeft het nog méér moed gekregen en komt het daarop nogeens terug. Onder de redenen, waarop de medewerker van „De Waag" zijn oordeel formuleert, wordt genoemd: „het al te haastig roepen van moordenaar! naar aanleiding van het overlijden van den ongelukkigen W.A.-man Peter Ton". Volgens „Ons Noorden" laat dit geen twijfel meer, of „De Waag", die nauwe relaties met de N.S.B. onderhoudt, gelooft geen woord van de lezing, die van het tragische voorval in de Balistraat in de pers is gegeven. Zelfs acht „Ons Noorden" het al verdacht, dat „alle politieke agitatie rond dezen zgn. moord in de N.S.B.-pers plotseling is verstomd". Maar het blad, dat dit alles voorloopig nog alleen vermoedt, durft het toch ook aan, iets te weten, voordat het gaat schrijven — het weet n.l., dat de politie-agenten, die aanvankelijk van moord zijn beschuldigd, in vrijheid zijn gesteld.

Na dit netwerk van verdachtmakingen heeft „Ons Noorden" den treurigen moed, van onzen neergeschoten kameraad Peter Ton te schrijven: „gewoon gestorven". Het staat er met aanhalingsteekens, om de lezers vooral te doen beseffen, hoe normaal het feitelijk is geweest en hoe abnormaal onze Beweging is, dat de Leider en met hem duizenden en duizenden onzer kameraden de baar van dezen weerman zijn gevolgd. Achteloos schrijft deze pers-vlegel:

„Gewoon gestorven". Zooals er wel meer menschen op straat plotseling sterven.

En het blad eindigt zijn lasterlijk commentaar met de vraag, of het niet noodig is, dat de Duitsche autoriteiten hierover worden ingelicht! Het blad wenscht n.l. zoozeer voor de goede zeden te waken, dat zoo'n „lugubere propaganda" („indien hier misleiding in het spel was" . . . nu ja, „indien", want men kan niet àlles weten, maar het zal toch wel zoo zijn!) nog wel een staartje krijgt.

Als de Duitsche autoriteiten iets moeten weten, dan is het wel de minderwaardige manier, waarop democratische bladen als „Ons Noorden" misbruik maken van de ongecensureerde meeningsuiting! Dezelfde troebele vermoedens als vóór 10 Mei worden niet alleen rondverteld, **maar** verschijnen als zgn. beschouwingen in druk. Er zijn er die er niet tegen kunnen, als vrije mannen te worden behandeld; het zijn de glibberige lichtschuwe lasteraars, zooals die van „Ons Noorden" er een is.

Derde Verantwoording

Stortingen voor het fonds
„Voor de gewonde
Kameraden"

J. F. H. Scheveningen f 5.—; Penningm. Kr. 23 f 6.65; Distr. 23. Kol. 7 f 8.50; A. M. K.—S. Nijmegen f 5.—; J. t. B.—P. v. K. Voorburg f 2.50; M. v. d. L. Delft f 1.—; J. C. B.—B. Baarn f 5.—; Vendel 1, Ban 5 Alkmaar, f 4.—.

Stortingen voor bovengenoemd fonds worden ingewacht bij den secretaris van Ban 6, J. C. Smissaert, Javastraat 102A, 's-Gravenhage op gironummer 276975.

DE W.A. MARCHEE

AMSTERDAM! Na jaren vind ik U terug! Verloren scheen het leven van mijn jeugdherinneringen, ik kon er geen geest meer ontwaren, waarover de geschiedenis spreekt: Een trotsche koopstad, een stad waarin verkeeren de leiders der Oostindische handelshuizen, een stad waarin vroolijk zingen de passagierende bemanningen der Oceaanschepen, welke in de nijvere havens van een rijke lading worden gelost.

Amsterdam van de oude grachten, de majestueuse gevels, stad van de oude families, van de rasbewuste koopmansgeslachten, van de volksbuurten, waar het werkende, arbeidende volk zoo welgemoed haar zorgen droeg, met een grap en één grol, met een gemoedelijke, eerlijke solidariteit.

Verdreven uit de stad mijner vaderen, heb ik er een paar maal als vreemde rondgeloopen, ontwijkend de Joden, die hier bezit hadden genomen van alles: van de trottoirs, van de parken, van de theaters, van de ruimten, van schijnbaar iedereen!

Ik hoorde er de vreemde talen, ik zag er de vreemde gebaren, ik werd er verdrongen van een goede tafel in een café; in de tram was mij slechts een bescheiden plaats toegemeten onder den druk van een vetten jood, die of mijn bijval eischte in zijn gijn, mijn onderworpenheid aan zijn drukte of mij van zich afduwde tot in een hoek.

Arm Amsterdam, waar de internationale kliek haar hoofdkwartier had, onder bescherming van de corrupte regeering, onder de minzame blikken van een vorstin, die de synagoge pleegde te bezoeken en de joodsche sloppen voor haar rijtoeren uitkoos, waar het schuim der wereld zijn moordplannen smeedde, samenhokte en complotteerde tegen het Recht, tegen het Licht, tegen het Dietsche Volk.

Arm Amsterdam, bezet door de Joodsche horden, gemolesteerd, uitgemergeld, verflenst van droefheid om eigen schoon dat verloren ging, dat systematisch werd vernietigd.

Amsterdam, drempel, waarover het Jodendom bezit van de wereld dacht te nemen, stervende hoofdstad van een stervende Natie, wij de W.A, en in de eerste plaats: de W.A.-Amsterdam, hebben zich gekeerd tegen Uw belagers, tegen de belagers van het Germaansche ras.

Vandaag, 9 November 1940, keer ik weer en met mij duizenden van Uw zonen, marcheeren wij met dreunenden tred de vaderstad binnen, verheft de Leider U tot hoofdstad van het Dietsche Rijk!

Wat gaat er in onze harten om, wat gaat er om in de harten van honderdduizenden, die dezen gloriedag meeleven?

Mussert neemt d
den Dam

De Leider neemt afschei

Dank, dank aan den
weer het fiere vrije vad
gaf onzen eigen grond,
heilige waarden van on

Dank aan den Germa
troepen der bevrijding
ontzetten, die met ons
gespuis, tegen het verd

Marcheeren wij in ona
Leider Mussert in de
voorwaarts dezen burc

9 November, dag de
bewogenheid!

Ik sta op den Dam, op
Zwart-Roode banieren
soldaten der RECHTV
voorbij.

Dit zijn de eere-regimen
inzet van hun leven de
Nationaal-Socialisme op

Heerbanleider Feenstra
hebben zij hun acties ui
zij hebben elk verzet ne
VUIST! Zie de Haag

Er klinken trommels in de straten, er stampen laarzen op het plein.

T AMSTERDAM BINNEN

varte Soldaten op parade af

Commandant Zondervan

die in onze Amstelstad
erstelde, die ons terug-
arenlang den vijand de
he volk zag vertrappen.

r, Adolf Hitler, wiens
pere W.A.-Amsterdam
ken wilden tegen het

n rijen, zien wij den
strekken wij den pas;
n!

ding, dag van diepe

orische plein, ik zie de
eging; daar komen de
HEID aan den Leider

zijn de mannen, die met
ij vochten, waar nu het

n mannen, weken lang
tegen de Unie-benden,
n MET DE BLOOTE
A. in parade-pas, zie

de blijde tinteling in de oogen der Weermannen, vandaag in Amsterdam zijn zij de gasten der Amsterdamsche W.A., zien zij, hoe hier in deze reusachtige stad die kameraden van Mokum het hem hebben geleverd.
Terborg uit het oosten marcheert, Limburgs geduchte troepen bewegen zich in zwaren tred voort, duizenden gaan den Leider voorbij, de vaandels neigen, voorwaarts gaat het de toekomst tegemoet!

* * *

HET is de dag van de W.A.! Een dag, waarop we ons al zoo lang hadden verheugd. Treinen vol komen op het Muiderpoortstation aangereden.
De groepen zwarthemden stellen zich op de perrons op en marcheeren af naar het opstellingsterrein. Jassen en koffertjes verdwijnen in auto's van de A.W.A. en dan staan de vendels klaar. De commandant Zondervan gaat aan den kop van zijn zwarte mannen en precies 2 uur zetten zich 12000 beenen in beweging. Muziek voorop, vaandels, de W.A. marcheert, en hoe! Er zijn knapen bij en mannen, boeren en burgers, arbeiders en heeren — allen in hun zwarte hemd met koppel, allen in denzelfden vasten tred met de zwarte laars. Is dat werkelijkheid? Is dat het volksleger van Mussert en... in Amsterdam? Jawel — daar stappen ze — ferm en flink — de oogen recht vooruit, de lippen saamgeknepen — Zondervan gaat voorop.
Ze weten het — ze volgen. Dwars door de jodenbuurt naar den Dam!
Het is op het Damrak een onafzienbare rij van zwarte blokken! De voetpaden staan volgepropt met nieuwsgierigen die groeten, zoodra een nieuw marschblok met zijn vaandel verschijnt. En dan ineens het commando: „Geeft acht", gevolgd door „hoofd rechts" — de Leider staat op den Dam en we zien hem recht in het gezicht. Hier marcheert de nieuwe tijd. Mussert groet — de arm gestrekt — de open hand — zijn leger trekt voorbij. Zoo is het goed.
Amsterdam wordt wakker — de voetstap dreunt op den Dam. Zondervan treedt uit de rijen en meldt zijn zwarte batallons aan den Leider. Hij staat nu rechts van hem. Links staat Van Geelkerken en achter den Leider staat zijn lijfgarde „Hou en Trouw" onder den adjudant Kessler. De „grootten" van de beweging zijn ook getuige van dit machtige schouwspel. d'Ansembourg, Woudenberg, Koster, Van Genechten, Feldmeijer en al die trouwe mannen die in de moeilijke jaren van strijd steeds achter Mussert stonden en nu hun oude W.A. in den nieuwen tijd zien voorbijmarscheeren. Het is aangrijpend mooi. Er trekken vendels langs die niet zuiver marcheeren en er zijn figuren bij waarvan je kunt zeggen: „dat worden nooit soldaten", maar we zien hier het geheel; de wil, moed en trouw. Ze zijn er en ze zullen er blijven. Deze W.A. is de goede kern van de N.S.B. Zondervan heeft met zijn mannen in een paar maanden iets geweldigs tot stand gebracht! Voort gaat het door de Vijzelstraat en terug door de Leidschestraat. Geen vlaggen uit de huizen, geen roepen en juichen, doch één fermen voetstap — armen gaan ten groet omhoog — de banleider groet terug. Zwijgend en stoer trekt vendel na vendel voort — voort, naar de nieuwe toekomst van ons vaderland.

▲

Links boven: De Leider neemt op den Dam te Amsterdam de parade af; links midden: De lijfgarde Hou en Trouw"; rechts boven: De W.A. op het Damrak; rechts midden: Het stond er zwart.

CHANCHE

nkt een marschlied van soldaten, wat zouden dat voor strijders zijn?

H32
H11

De aankomst van den Leider op den Dam

K18

D32

Fotonieuws
DE SPIEGEL DER BEWEGING
N S B
D9
In dit nummer:
Een speciale reportage van het
défilé der W.A. te Amsterdam
10 CT.
NFK
UITGAVE NATIONAAL FOTO KANTOOR FOTODIENST N.S.B.
CORN. SPEELMANSTR. 47 DEN HAAG TEL. 722276 GIRO 47060

Kam. Rost van Tonningen in het huwelijk getreden

De Nationale Jeugdstorm vormde een eerewacht.

De Leider en kameraad van Geelkerken waren tegenwoordig.

Voor talrijke Nederlandsche kinderen organiseerde de N.S.V.O. te Den Haag een Kerstmiddag. Het Kerstmannetje reikte persoonlijk vele geschenken uit.

Te Amsterdam werd de nieuwe vergrootte Bolwerkwinkel geopend. Een kijkje in de smaakvol ingerichte toonkamers.

LOSSE NUMMERS 6 CENT
PER POST MET PORT VERHOOGD

No. 11 — 1e JAARGANG
4 SPROKKELMAAND 1941

De ZWARTE SOLDAAT
BLAD VOOR DE W.A. IN NEDERLAND
CDT. MR. A. J. ZONDERVAN

Hoofdopsteller: Hopman Nic. Went, L. Majoorl. 33, Bussum, tel. 3137
Administratie: Stafkwartier W.A., Maliebaan no. 76, Utrecht
Advertentie-tarief: 15 ct. p. regel. Bij meerdere plaatsingen korting

Verschijnt elke 14 dagen. Prijs: per nummer 6 ct. Per post verhoogd met port. Per half jaar Gld. 1.15. Per jaar Gld 2.15 in Nederland. Leden W.A. gratis. Giro 400107 t.n.v. De Zwarte Soldaat, Utrecht Groot Duitschland per jaar R.Mrk. 4.50, per half jaar R.Mrk. 2.40.

ORDE EN TUCHT

Uit een toespraak van Heerbanleider H. C. van 't Hof op een vergadering voor het hoogere kader op Vrijdag 31 Louwmaand 1941

DE taak der W.A. zal o.m. zeer vermoedelijk zijn het machtsinstrument in handen van den Leider te zijn, teneinde hem en zijn medewerkers in staat te stellen hun staatstaak te vervullen. Maar daarboven nog reikt voor ons uit de opdracht om door de W.A. ons volk te doordringen van de beginselen van tucht en orde, om de jongere geslachten van ons volk op te leiden tot een gemeenschap van zelfbewuste menschen voor wie de begrippen tucht en orde weer zijn gaan leven en die naar die beginselen weten te handelen.

— — — — — — — — —

NAAR mijn meening is het uitgesloten, dat een commandant, die zelf in gebreke blijft de bevelen van zijn chef uit te voeren, in staat is de goede tucht en orde onder zijn troep te handhaven. Wij dienen ons ervan rekenschap te geven, dat onze weermannen tezamen een willekeurig deel van een volk, dat jaren lang de begrippen tucht en orde, die onmisbaar zijn voor de instandhouding van een volk, als met den zoogenaamden volksaard strijdige begrippen heeft verworpen.

Al zijn nu onze weermannen door ons ideaal, dat vooral een volk met tucht en orde als doelstelling heeft, gegrepen, dat neemt niet weg, dat onze weermannen deze erfelijke belasting met zich meedragen. Daarom is het voor elk onzer op de leidende plaats die ons werd gegeven, plicht in tucht en orde voor te gaan. En wel in dezen zin, dat wij tucht en orde van de onder onze bevelen staande weermannen onvoorwaardelijk eischen, maar vooral ook, dat we niet alleen in bevelen, maar niet minder in gehoorzaamheid weten voor te gaan.

Anderzijds bevinden zich onder de weermannen elementen, die niet in de W.A. thuis behooren. De ervaring leert, dat juist deze elementen het aanzien der W.A. naar buiten, ten zeerste schaden, onder het voorwendsel, dat hun optreden door politieke tegenstanders werd uitgelokt. Zonder aanzien des persoons zal dan ook ten aanzien van hen, die door gebrek aan tucht of om andere redenen de W.A. onwaardig zijn, moeten worden opgetreden. Het is uiteraard gemakkelijker en zeker, wanneer men voor zich zelf een goedkoope populariteit wil winnen, veel te ontzien en passief te blijven. Maar wanneer men zijn gezag ook werkelijk wil uitoefenen, dan schrome men niet het mes er in te zetten, indien het belang der W.A. zulks eischt.

HET is tóch immers niet mogelijk, dat een hoogere in rang, kameraadschappelijk kan optreden indien de lagere in rang zich niet door een inwendig tuchtgevoel gebonden voelt van dat kameraadschappelijk optreden een gepast gebruik te maken. In dit verband zij opgemerkt, dat wij er met alle middelen tegen hebben te waken, dat de tucht en orde zich slechts beperkt tot een uiterlijke houding, die ik met „hielenklapperij" zou willen aanduiden.

Het gevaar van deze uiterlijke tucht, welke ik een schijntucht zou willen noemen, ligt hierin, dat oogenschijnlijk de zaak in orde is, doch dat men, indien het erop aankomt, voor een open vuur staat, dat zich reeds verder op verborgen plaatsen heeft verbreid.

Bij een dergelijke tucht is kameraadschap zelfs uit den booze, vooral gezien onzen Nederlandschen volksaard. En aangezien wij de onderlinge kameraadschap begeeren, dienen wij het innerlijke tuchtgevoel van den weerman en van onszelf te bevorderen.

Willen wij in de richting van een goede onderlinge kameraadschap in de gelederen der W. A. streven, dan hebben wij, als behoorende tot het leidende kader, toch allereerst tot taak, dat die goede kameraadschap tusschen ons bestaat; zich ook daarin uitende, dat wij open, vrij met elkander van gedachten kunnen wisselen over aangelegenheden, waarover we natuurlijk van meening zullen verschillen; zonder dat dit onze onderlinge kameraadschap schaadt, omdat wij de dingen zien en zeggen, elk op zijn eigen manier, maar allen met hetzelfde doel voor oogen: de W.A. te doen zijn een alleszins betrouwbaar en gedisciplineerd instrument onder leiding van onzen Commandant en in handen van onzen Leider.

De Unie zet zichzelf in het zonnetje!

Het uitvinden van telkens nieuwe en goede slagzinnen is een moeilijk vak.

Dat wordt ten overvloede bewezen door het laatste nummer van „De Unie", waarin boven het hoofdartikel van het Driemanschap met groote letters prijkt:

In het eerste halfjaar:
DE MASSA.

In het tweede halfjaar
HET IDEAAL.

De geest van de Unie-propaganda wordt er inderdaad ten voeten uit in geteekend, maar het wil ons voorkomen, dat de propagandistische uitwerking van dergelijke bekentenissen een beetje averechtsche uitwerking heeft.

In ieder geval blijkt weer eens, hoe goed „Nederlandsch" de Unie is, hoe goed zij den nieuwen tijd begrijpt en hoeveel beter de heeren het eigenlijk weten.

Véél beter dan Hitler, dan Mussolini, dan Mussert, die beseften, dat éérst jarenlang gewerkt moest worden om het ideaal in geest en hart van een kleine minderheid tot-alles-bereide en tot-ter-doodgetrouwe kameraden te stampen, alvorens zij eens aan het winnen der massa's konden gaan denken . .

Maar die snapten ook niet zooveel van de hooge politiek als het Driemanschap!

Wij, W.A.-vrouwen

— Voor den zooveelsten keer heb ik mijn man gevraagd, of hij nu des avonds eens tijd voor mij had? En voor den zooveelsten keer was het antwoord: „Neen - ik heb dienst". Dienst — dat beteekent W.A.-dienst, Vendeldienst. Inplaats van eenige gezellige uurtjes met mijn man, ligt er weer een eenzame avond vóór mij.

Vóór ons huwelijk had ik mij dat heel anders voorgesteld. Toen droomde ik van gezellig, samen doorgebrachten vrijen tijd, met goede boeken en mooie wandelingen — en nu? Dag in dag uit hetzelfde. Mijn man komt van zijn werk, wij eten, een uurtje blijft hij nog, om het voornaamste te bepraten en een beetje uit te rusten — dan kleedt mijn man zich om en weg is hij weer, in het zwarte hemd, naar den dienst, naar zijn kameraden. En ik zit alleen en wacht, tot eindelijk, dikwijls laat, de voordeur open gaat en hij doodmoe thuiskomt. Ook den Zondag blijft hij soms niet vrij voor het gezinsleven. Mij aan deze omstandigheden aan te passen, viel mij in het begin niet gemakkelijk. — langzaam kon ik er mij slechts aan wennen, zonder het er geheel mee eens te zijn.

Een voorval hielp mij verder. Op een avond besloot ik mijn man van het Vendelhuis af te halen. Hij had gedacht dezen keer tegen 10 uur klaar te zijn. Wij konden dan tenminste samen naar huis gaan.

Behalve dat, was ik nieuwsgierig, dat beroemde Vendelhuis eens te leeren kennen. Ik werd door een wachtmeester der W.A. zeer model-militair ontvangen: mijn man was nog niet klaar, ik moest nog even wachten. Het was bijna half elf, toen een andere vrouw binnenkwam, de vrouw van een kameraad, die ook haar man wilde afhalen. „Het duurt vandaag weer lang!" zoo sprak zij mij aan. „Maar weet U, ik ben zoo blij, dat mijn man zoo graag zijn dienst doet, hij is altijd zoo bevredigd, als hij naar huis komt. Het is wel is waar niet prettig, altijd alleen te zijn — maar men weet immers waarvoor, en het gaat mij niet alléén zoo!"

Toen vertelde zij, hoe haar man reeds in 1933 voor de W.A. in de weer was. In dien tijd was het nog moeilijker. Zij waren zoo weinig in aantal en het gevaar, dat hij aangevallen zou worden, was ook veel grooter — wij zijn er nu ook nog niet — maar wij zullen het wel klaarspelen. Het fijnste vind ik, dat ik mijn man soms mag helpen, pamfletjes vouwen en zoo.

Een W.A.-man kwam naar buiten en groette haar. „Ja," die kennen mij allen van vroeger." Toen vertelde zij van den dienst, over verschillende kameraden, over groote défilé's — in alles leefde zij mee. Ik ging steeds meer nadenken bij dit gesprek. Deze vrouw begreep het veel beter dan ik, wat het beteekent, de vrouw van een W.A.-man te zijn. Toen wij scheidden, had ik veel geleerd.

Het is voor ons vrouwen niet zoo gemakkelijk onze mannen zoo dikwijls af te staan — vooral niet voor die vrouwen, die een groot gezin hebben, met vele zorgen.

Hoe moeilijk zou het echter voor onze mannen zijn, in de W.A. hun vrijwillige plichten te vervullen, indien wij vrouwen hen met verwijten ontvingen! Wij weten immers zelf het beste, dat het hen dikwijls niet gemakkelijk valt, na een vermoeiende dagtaak nog dienst te doen, laten wij het hen daarom niet nog moeilijker maken. Wij moeten probeeren hun opoffering te begrijpen. Zooals elke oprechte vrouw moet probeeren voor den dagelijkschen beroepsarbeid van haar man een beetje belangstelling te toonen, moeten ook wij in den W.A.-dienst belangstellen.

Niemand beter dan wij vrouwen, zien de uitwerking, welke de W.A.-dienst op onze mannen heeft. Wij zien, hoe de man een nieuw zelfbewustzijn krijgt en hoe zijn innerlijke en uiterlijke houding door den dienst straffer en flinker wordt, hoe hij vol energie van den dienst naar huis komt en hoe gelukkig hem het gevoel van een echten soldaten-kameraadschap maakt. De vrijwillige inzet van zijn persoon, voor zijn Leider en Volk, heft hem op uit zijn alledaagsche beroepsarbeid, toont hem verre doelen en geeft hem door een daadwerkelijk beleefde kameraadschap een houvast voor den dagelijkschen strijd om het bestaan.

DE VROUW IN DE NATI GEMEENSCHAP

In voorgaande nummers gaven wij een overzicht van sport en arbeidsdienst, waardoor de man in den nationaal socialistischen staat lichamelijk zal worden gevormd en waardoor moed en kameraadschap in hooge mate worden ontwikkeld.
Wij hebben, aan de hand van foto's laten zien, hoe de jongeman van de N.J.S., door de W.A. en den Arbeidsdienst in de Weermacht komt en tenslotte aan de maatschappij wordt afgeleverd.
Nu staat hij in het volle leven en zal hij zijn heele persoonlijkheid gaan inzetten voor zijn volk en vaderland. Hij werkt voor de gemeenschap!
Wij hebben in die artikelen nooit gepraat over de vrouw en we zien, dat deze nu vanzelf op 't tapijt verschijnt. De vorige keer eindigden wij met: „Hij weet, dat het gaat om de bescherming van zijn cultuur, om orde en solidariteit, arbeid en brood en het in stand houden van zijn sibbe." ... Daarvoor heeft hij een vrouw noodig, dat is duidelijk. En hoe moet deze vrouw zijn? De man ging door de nationaal socialistische scholen. Er werd aan zijn lichaam en zijn wereldbeschouwing gebouwd..... hij kan met hoofd en hand het leven tegemoet treden. Doch van dat leven zou misschien niets terecht komen als hij een vrouw zijn eigen zou mogen noemen, die lichamelijk en geestelijk niet eenzelfde ontwikkeling heeft gehad.
Daarom gaat in den nationaal socialistischen staat, de vrouw door eenzelfde school. Ze oefent haar lichaam in de sport. De vrouwensport heeft de laatste jaren geheel nieuwe vormen gekregen - lenigheid, soepelheid en gratie, zijn daarvan het resultaat. Ze ontwikkelt tot een moedige vrouw, die ook voor den man meer achting zal hebben, omdat ze zijn eigenschappen door haar eigen praktijk beter zal kunnen waardeeren.

Als kind komt ze in de N.J.S., waar ze marcheert en de grondbeginselen van orde en tucht leert. Ze volgt de leidster en krijgt achting voor haar. De kameraadskes volgen met haar één doel en gehoorzamen aan één commando.
Geldt de N.J.S. uitsluitend voor de nationaal-socialistische dochter en zoon, de vrouwelijke arbeidsdienst zal voor elke dietsche vrouw verplichtend worden. De man gaat door deze harde leerschool van de praktijk en waarom zou de vrouw, die hem straks in het leven terzijde moet staan, ook daarin niet met

NAAL SOCIALISTISCHE

n kunnen optrekken? Waardeering en eerbied voor arbeid en ontwikkeling van het gevoel van gen voor eigen land, bodem, volk.
gaat het z.g. „landjaar" in, waarbij ze de boer op land en de boerin of de huisvrouw thuis, zal eten helpen. De dochter van den boer en van den hitect slaan de handen ineen en het worden neraadskes voor het leven.
gaan voelen waarom het gaat, om hetzelfde, wat man wil: orde en cultuur, een eigen haard, een sibbe, familieleven - kinderen - leven! Ze is een sportieve jonge vrouw geworden en ziet de wereld anders dan wanneer ze uitsluitend achter moeder's naaidoos zou zijn blijven zitten, of haar jonge jaren rookend, op een dansvloer zou hebben doorgebracht. In den nieuwen tijd hebben wij vrouwen noodig. die hun man staan. Geen „Kenau" moet het zijn, doch 'n levenskameraad, die gevormd is naar lichaam en geest, passend in het geheel.
Als ze tijd over heeft, zal ze zich wijden aan het werk der N.S.V.O., de vrouwen-organisatie, die zorgt voor behoeftige vrouwen en kinderen. Op haar beurt zal ze leidster worden in de N.J.S. of als leerares voorlichting geven in de groote N.S.-school.
Het type mensch is volkomen veranderd. Tegenover het liberalistische „ik", staat het „vrij", het „samen", het „ons". Flink en sportief staan man en vrouw in de wereld, die nu nog vaak een chaos lijkt en ze zijn tegen hun opgaven opgewassen. Ze bouwen aan hun sibbe en daarmede aan hun volk en hun cultuur

Dit zijn oeroude eigenschappen geweest van de germanen, waartoe ook wij behooren. Deze geest is door joden ondermijnd en de volkeren zijn vaak ondergegaan in geestelijke armoede. De germaansche vrouw echter bezat door alle eeuwen heen de kracht en den moed, haar kinderen in gevaren bij te staan en de verdere ontwikkeling ondanks tegenspoeden, te doen plaatsvinden.
Adolf Hitler wekte de Duitsche vrouw opnieuw. De wiegen werden weer gevuld - het volk hief het hoofd weer op - de nieuwe tijd is aangebroken. Daarom zijn de foto's op deze bladzijde het logische vervolg op de voorgaanden. Ze geven een beeld van de lichamelijke ontwikkeling van onze vrouwen, een getuigenis van schoonheid, gratie en moed. Het zijn eigenschappen die de N.S.-vrouw zal moeten bezitten om met haar man schouder aan schouder op te trekken in den nieuwen tijd.
De vrouw naast den man en gezamenlijk eenzelfde wereldbeschouwing en een lichaam, dat bestand is tegen de hardheden van het leven. Het gezicht van de wereld verandert. Er ontstaat begrijpen, kameraadschap en orde. ▲

VRIJDAG 7 MAART 1941 — 9e JAARGANG No. 10

VOLK EN VADERLAND

NATIONAAL-SOCIALISTISCH WEEKBLAD

REDACTIE-ADRES: MALIEBAAN 35 - UTRECHT - TELEF. 16543

UITGAVE: NENASU - POSTBUS 2 - LEIDEN - TELEFOON 21545 - 21546

JE MAINTIENDRAI

Abonnementsprijs bij vooruitbetaling f 0.80 per kwartaal. Oost- en West-Indië f 1.-, Buitenland f 1.20 per kwartaal. Incassokosten f 0.15. Losse nummers 6 cent, in Indië 10 cent. Voor abonnement: Administratie „Volk en Vaderland" - Postbus 2 - Leiden - Telefoon 21545 - Postgiro 207915

Voor advertenties: Administratie „Volk en Vaderland" - Postbus 2 - Leiden - Postgiro 207915 Gewone advertenties 32 cent per regel - Tekstadvertenties 60 cent per regel. Bij contract reductie. Kameraadjes bij vooruitbetaling 50 cent. Minimum 5 regels. Elke regel meer 10 cent

DURE ROMANTIEK

EEN CADEAU VAN 18 MILLIOEN GULDEN

ONS Nederlandsche volk heeft door de eeuwen heen den roep van nuchterheid en werkelijkheidsbesef gehad. Wanneer men tot een Nederlander zegt, dat hij een idealist is, dan bedoelt men daarmede in onze rijke taal, iemand die idealen koestert en daarom hooge achting verdient, maar tevens proeft men daarbij een achtergrond van: maar hij staat

meer dan een maand scheen het gezond verstand te zijn teruggekeerd. Eilacie, toen begon het zweven nog erger dan ooit te voren; de tienduizenden natuurlijk niet te na gesproken, die besef hebben gekregen van de Europeesche revolutie van heden.

Het toppunt van phantasterij is verleden week bereikt, toen in Amster-

keer van het voortdurend geloei en geblaat van onze vredesmaniakken, die op de meest onbeschaamde en opdringerige wijze te Genève een rol probeeren te spelen".

Toen kwam het jaar 1935, waarin Mussolini Abessinië binnentrok en de lucht hier daverde van „leve de Negus", „leve de Volkenbond". Wij zeiden eenvoudig: Italië verovert kolo-

Zie zoo, dachten wij, twee voordeelen zijn er. Ten eerste heeft het kort geduurd en ten tweede heeft nu iedereen gezien, hoe ons volk bedrogen is. Nu zal het tot zichzelf inkeeren. Nu zullen de nuchterheid en de werkelijkheidszin terugkeeren. En inderdaad geschiedde zulks. Van 15 Mei, tot laat ons zeggen einde Juni, leefde ons volk in het juiste besef, dat het door de heeren democraten verraden was, dat het oude voorgoed was heengegaan en een nieuw tijdperk zijn intrede had gedaan.

◆

zooveel dwaasheid en vragen ons af, of het werkelijk de bedoeling is van de reactionnairen, de anti-nationaal-socialisten, om ons Volk geheel te gronde te richten.

Zijn de moeilijkheden van ons Volk nog niet groot genoeg? Moet dan letterlijk alles kapot gemaakt zijn, vóórdat wij als goede Nederlandsche nationaal-socialisten den opbouw zelfstandig kunnen leiden?

Hoofdartikel van Mussert

de betaling van twee kwartjes per jaar, maar door den volledigen inzet der persoonlijkheid. Wij willen bondgenoot, vriend en broeder zijn van het Duitsche volk in het nieuwe Europa. Wij gevoelen ons op leven en dood aan elkander verbonden.

In deze dagen van dure romantiek

Wanneer men zegt, dat hij romantisch is, dan is het goede al veel minder overheerschend, omdat de bodem van de werkelijkheid verlaten is en het zweven begonnen. De derde trap is, en nu wordt het bepaald verwijtend, dat men iemand beschuldigt een phantast te zijn. Dat is dan eigenlijk niet veel beter dan „hij heeft ze niet alle vijf" of „hij is een oplichter".

De mooiste combinatie is nuchterheid en werkelijkheidsbesef, gedragen door een groote mate van idealisme. Zoo dient een volk te worden geleid; daartoe dient een volk te worden omhoog gestuwd, dan is het tot groote dingen in staat.

Nu bijna tien jaren werken wij, nationaal-socialisten, aan deze combinatie van nuchterheid, werkelijkheidsbesef en idealisme, hetgeen goed begrepen en goed uitgevoerd nationaal-socialisme kan en moet zijn.

Wij weten, dat een volk een Godsgedachte is, die wij hoog moeten houden, die wij niet mogen laten aantasten door het gif der volksverdeeldheid, dat wordt gebrouwen door de politieke partijen en den klassenstrijd. Sociale gerechtigheid moet heerschen in een volk, wil er werkelijk sprake zijn van een Volk. Het geheele program der Nationaal-Socialistische Beweging is één stuk nuchterheid en werkelijkheidsbesef op den grondslag van hoog idealisme.

Ons Godsvertrouwen, onze liefde voor Volk en Vaderland, onze Eerbied voor den Arbeid, de drie bronnen van ons nationaal-socialisme — zij spreken dezelfde taal.

In al de jaren van ons bestaan hebben wij nimmer de nuchterheid en den werkelijkheidszin uit het oog verloren, noch ons idealisme verloochend. Toch konden wij slechts een minderheid van ons Volk bereiken, omdat een geraffineerd samenstel van leugen en bedrog het uitzicht op de werkelijkheid voor honderdduizenden onmogelijk maakte. De romantiek en de phantasterij, de dwaasheid en de oplichting, zij overheerschten de nuchterheid, den werkelijkheidszin en het idealisme. Het is wonderlijk, maar het is zoo. Van 10—15 Mei kwam de klap, die ons volk eigenlijk weer met de beenen op den grond had moeten doen belanden. En werkelijk, gedurende

Nederland werd gestaakt in voor de bezettende macht belangrijke bedrijven.

Daar is dan een Duitsch volk van tachtig millioen menschen, die in een strijd op leven en dood gewikkeld is en hier de macht in den meest volstrekten zin van het woord kan uitoefenen. In dit bezet gebied zijn er dan lieden, die eens zullen laten zien wat zij kunnen. Zij gaan staken ....

Een kind kan weten, dat dit niet kan noch zal worden geduld. Een kind kan weten, dat het waanzin is. De phantasten doen het tòch. Resultaat: 18 millioen gulden boete voor het Nederlandsche volk! Wat moet er van ons Volk worden, als het zich in zulk een harden tijd als wij nu beleven, zulk een dure romantiek veroorlooft? Het tragische wint het van de belachelijkheid.

◆

LATEN wij enkele grepen doen uit het verleden. Toen de N.S.B. in 1931 begon, zwijmelde Nederland in een Volkenbondsroes. De Volkenbond maakte leger en vloot overbodig, de gebroken geweertjes waren in hoog aanzien. Pal daartegen in komt de N.S.B. met de laconieke mededeeling: „Wij gevoelen een intensen af-

Overdrukken van dit artikel zijn vanaf a.s. Maandag in brochurevorm verkrijgbaar. Bestellingen Postbus 2 Leiden.

De solidariteit van het blanke ras gaat bovenal. De Volkenbond is een onzedelijk misbaksel tot niets in staat.

Groote woede bij de officieele volksvoorlichters. Binnen het jaar kregen wij voor 100 pCt. gelijk.

Daarna begon het gezwijmel in Oxford-beweging, E.d.D. en Bellamy eenerzijds en een weermachtsbedrog anderzijds. De weermacht, die onder leiding van alle politieke partijen van de S.D.A.P. tot en met Colijn van 1919 tot 1936 systematisch was kapot geslagen, zou in korten tijd als een machtig instrument worden opgebouwd tegen fascisme en naziïsme! Onzin natuurlijk! Om een weermacht op te bouwen moet er een geordend en offerbereid volk zijn en een krachtige doelbewuste leiding. Noch het één, noch het ander was voorhanden, zoodat het resultaat was een geldverspilling op ongekende schaal, minstens duizend millioen gulden, zonder ander resultaat dan verrijking van een aantal vriendjes.

Intusschen maakte men in de kranten en met behulp van preeken en films, ons volk wijs, dat Nederland onneembaar was en de hoogste regeeringspersonen tot den laatsten snik stand zouden houden. (Zij waren intusschen bezig de koffers te pakken, na het goud alvast vooruitgestuurd te hebben).

Toen kwam de „oorlog" van 10—15 Mei. De lucht daverde van de leugens over de geweldige hulp, die uit Frankrijk en Engeland onderweg was. Door de radio klonk „de oude vertrouwde stem", die tot taak had gekregen ons volk te bedriegen tot de heeren zich in veiligheid hadden gesteld. Men kan zonder de geringste overdrijving zeggen, dat honderden van onze jongens vielen met de leugens der regeering nog toeterend in hun ooren.

De enkele dagen „oorlog" bewezen de onmacht der democratie en haar schaamtelooze leugens. Met een plof kwam ons Volk uit de nevelen der phantasterij weer op den beganen grond. Geschaafd, geschramd, met vuile kleeren, bulten op den kop, maar overigens weinig beschadigd.

E spookverschijning de romantiek in den slechtsten zin van het woord — ja, de meest gevaarlijke phantasterij, alsof er geen 10—15 Mei geweest was. Met Bernard-anjers, kipperingetjes, ozo-tjes, begon het; daarna kwamen de ernstiger vormen van richtingborden vernielen, draden doorknippen enz. De meest onzedelijke uitingen als daar zijn moordbedreigingen tegen nationaal-socialistische volksgenooten en pleizier hebben in Oranje-bommen, welke zonder eenige militaire schade aan te richten, tientallen onschuldige Nederlandsche vrouwen en kinderen vermoorden, laten wij nog terzijde als uitingen van geestelijke verwording in een revolutietijd.

Wat nu de laatste weken geschiedde, is eenvoudig verbijsterend. Honderdduizenden werkloozen zijn met hun gezinnen jarenlang systematisch te gronde gericht; jonge gestudeerden konden geen werkkring meer vinden en geen gezin meer stichten. Dat alles gaf het Nederlandsche volk van 1934—1940 geen aanleiding tot eenig verzet.

Maar nu aan de Jodenoverheersching en de Jodenterreur ten behoeve van het welzijn van het Nederlandsche volk door de Duitsche bezettende overheid een eind wordt gemaakt, nu zullen de verdwaasden eens laten zien, dat zij er ook nog zijn. De studenten gingen in staking. Weg studie aan de Universiteit van Leiden, weg studie aan de Technische Hoogeschool in Delft.

De arbeiders in de bedrijven in Amsterdam, Hilversum enz. gingen in staking. Met een handomdraaien maakt de bezettende overheid daaraan natuurlijk een einde en legt het Nederlandsche volk een boete op van 18 millioen gulden!

Als wij, nationaal-socialisten, geen Nederlanders waren, die ons met iedere vezel aan ons Volk verbonden gevoelden, dan zouden wij alleen het belachelijke zien. Nu zijn wij getroffen door

Begrijpen de reactionnairen dan niet, dat Engeland den oorlog reeds verloren heeft, dat dit maar goed is ook, want dat de terugkeer van Engeland op het vasteland van Europa alleen den volledigen chaos in Europa ten gevolge zou hebben. Is er iemand zoo onnoozel om te denken, dat de Duitsche millioenenlegers zonder slag of stoot Frankrijk, België, Nederland zouden ontruimen? Is er iemand, die niet begrijpt, dat in zulk een geval de oorlogsdagen van 10—15 Mei honderdmaal zoo erg zouden terugkeeren? Het schijnt zoo, hoe onbegrijpelijk dit ook is.

Maar anderzijds wordt systematisch en met beleid aan den wederopbouw van ons Volk en ons Vaderland gewerkt op de eenig mogelijke wijze n.l. in nauwe samenwerking met het nationaal-socialistische Duitschland van Hitler. Er komt een nieuw Europa, het wordt gevormd in deze jaren. Hitler en Mussolini maken het. Wij Nederlandsche nationaal-socialisten wij vechten met verbetenheid, maar met een lichtglans in de oogen en onverstoorbaar vertrouwen in het hart voor ons Volk en ons Vaderland, om het een plaats te doen verwerven in dit nieuwe Europa. Wij doen dit niet door

tage door de verdwaasde reactionnairen, is een Nederlandsch bataillon gevormd van jonge mannen, die in den oorlog mede zullen optrekken, schouder aan schouder naast Duitschers, om te laten zien, dat wij niet alleen met woorden, maar door daden willen toonen, dat wij bereid zijn te vechten voor een eervolle plaats in het nieuwe Europa.

Ik doe een beroep op de tienduizenden nuchtere werkelijkheidsmenschen, die idealist zijn, die ons Volk en ons Vaderland lief hebben, en die nog niet toegetreden zijn tot onze gelederen om zich te keeren tegen de dure romantiek der verdwaasden, waardoor ons Volk wordt geschaad en naast en met ons te komen staan. Naast ons, de veel gesmaden, van wie de geschiedenis zal gewagen als van diegenen, die de werkelijke vaderlanders waren, hun plicht deden en offerden en daarom dragers zullen zijn van de Europeesche revolutie in de Nederlanden.

UTRECHT, 5 Maart 1941.

MUSSERT

Göring ontvangt Mussert

Langdurig onderhoud in Berlijn

Op Maandag 3 Maart j.l. heeft Rijksmaarschalk Göring onzen Leider ontvangen in zijn appartementen in het Luchtvaartministerie te Berlijn. Het onderhoud, dat in tegenwoordigheid van Rijkscommissaris Seyss-Inquart plaats vond, duurde ongeveer anderhalf uur.

52/23

Mevr. Mussert luistert vol aandacht naar de woorden van Kam. Müller, uitgesproken bij de intrede in zijn nieuwe functie.

51/2

52/7

Onder het gehoor bevonden zich o.m. de kameraden van 't Hof, Zondervan en van Vessem.

51/5

De Utrechtsche burgemeester ter Pelkwijk biedt den nieuwen functionaris zijn hartelijke gelukwenschen aan.

DE W.A. BEVRIJDT GRONINGEN VAN DE JODEN

Zaterdagavond om 8 uur staat de stoottroep Groningen aangetreden onder bevel van den Hopman Hommes in het Vendelkwartier.

We staan gereed om den slag te beginnen.

Het doel is om de joden uit het openbare leven te verwijderen.

We zullen gaan naar de „Faun", een van de bekendste groote café's in de binnenstad dat bekend staat als een zaak waar joden en menschen, die aan hun leiband loopen, n.l. de Unieklanten, gewoon zijn bij elkaar te komen om de N.S.B. en de Duitschers eens lekker te kunnen bekladden en belasteren.

Bij groepjes komen de Weermannen binnen, brengen stram de groet wat al eenig opzien verwekt want dat kennen ze hier in Groningen nog niet.

Nu klinkt er een lied, „Wij melden U de nieuwe tijd", de joden en hun geestelijke trawanten verdwijnen voor zoover ze al niet reeds gevlucht zijn.

Tot slot wordt de gerant geroepen en deze blijkt er absoluut geen bezwaar tegen te hebben dat zijn zaak voortaan voor joden gesloten zal zijn, hij is er integendeel blij om op deze manier op kalme wijze daartoe gedwongen te worden, zeer begrijpelijk, lieden die een heele avond aan één consumptie zitten te lebberen, het hoogste woord voeren, de beste plaatsen bezetten en tot slot nog den kellner zijn fooi misgunnen, ziet men liever niet in zijn zaak.

Nu hebben fatsoenlijke menschen ook weer eens een kans om rustig een kopje koffie te drinken zonder geërgerd te worden door brutale Oosterlingen.

Op Maandag gaat de Banleider vergezeld van zijn Staf naar de „Faun", om de plakkaten, die een kameraad Zondags voor ons gedrukt heeft, op te hangen en er wordt meteen maar besloten om de andere groote zaken ook maar af te werken; we hebben toch bordjes genoeg.

En achtereenvolgens stappen we de grootste zaken van Groningen binnen en als we weer opstappen verschijnt er kort daarna het bordje „Joden niet gewenscht".

Zonder eenig incident worden zoo op een enkele morgen de voornaamste zaken in de binnenstad ge-ariseerd.

Ook in Groningen is het nu niet meer mogelijk dat pseudo-Nederlanders de beste plaatsen in café's bezetten.

De lucht begint langzamerhand rein te worden.

Op Dinsdagmorgen hebben de eigenaren van enkele der voornaamste zaken, die de aanzegging hadden gekregen, dat in hun zaken joden niet gewenscht zijn, de koppen bij elkaar gestoken en een conferentie belegd, waarbij ook de Banleider der W.A., kam. Bresser en zijn adjudant uitgenoodigd werden.

Na een bespreking van $2\frac{1}{2}$ uur werd de hierbij gevoegde brief opgesteld die direct daarop aan de betrokkenen is toegestuurd.

De Banleider heeft enkele zaken aangewezen die het plakaat niet voor hun ramen zouden krijgen.

Op Woensdagmorgen zijn Weermannen de stad rondgegaan om de bordjes te bezorgen.

Overal werden zij voorkomend ontvangen; toch waren er nog enkele jodenvrienden, die er niet op gesteld waren hun zaken jodenvrij te maken, maar er hielp geen lieve moederen aan: ze moesten eraan gelooven.

Tevens werd afgesproken, dat de W.A. op ongeregelde tijdstippen zal controleeren, of het verbod gehandhaafd wordt en of er nog joden zijn, die de moed hebben het verbod te overtreden.

Daarbij zal ze niet aarzelen de strengste maatregelen te treffen.

Na de moord op wachtmeester Koot zullen wij geen medelijden meer hebben met dit tuig, wij zullen de Nederlandsche gemeenschap zuiveren van wezens, die door het plegen van zoo'n daad het recht op een plaats temidden van het Nederlandsche volk hebben verspeeld.

Woensdagavond ging de stoottroep onder persoonlijke leiding van Banleider Bresser op contrôle of het verbod wordt gehandhaafd.

Op één enkel geval na hebben alle café's de bordjes opgehangen.

Bij deze uitzondering, het café Bodega in de Guldenstraat, ging de stoottroep naar binnen om de bordjes hoogst eigenhandig neer te hangen.

De eigenaar, het leeuwenspeldje op de vooruitgestoken borst, weigerde ze op te hangen en wilde al naar de telefoon rennen om hulp te bellen, maar hier vond hij een W.A.-man op post.

Nu zag hij het hopelooze van zijn verzet in en in minder dan geen tijd waren ook hier de bordjes aangebracht.

Extra vermelding verdient nog het feit dat de geheele actie, uitgezonderd het geval bij Bodega, zonder eenig incident is verloopen, wat uitsluitend te danken is aan het gedisciplineerd en vastberaden optreden van de stoottroep Groningen, die ondanks het feit dat ze nog maar kort geleden werd opgericht, toch reeds dit opmerkelijke succes kon boeken.

In den loop van den Donderdag hebben zich reeds vele eigenaars van zaken aan den buitenrand van de stad uit eigen beweging op het Bankwartier gemeld om bordjes „Joden niet gewenscht" in ontvangst te nemen.

Ook in Groningen is er voor de joden geen plaats meer.

„Hou-Zee".

De stoottroep Groningen

Rrrrt.... de wekker. Slaperig wil ik me nog eens omdraaien, maar neen, het is Zondag, vanochtend oefent de Stoottroep, daar mag ik niet ontbreken. Ik kijk eens naar buiten; het regent, maar daarom niet getreurd: „Wij trekken uit, óók als het giet."

Als ik op de oefenplaats aankom, zijn er nog maar weinigen. De hopman is er al. Het weer is wat opgeklaard, af en toe spiegelt een waterig zonnetje zich in het natte asphalt.

Om tien uur is het aantreden; een paar minuten daarvoor is alles aanwezig. Kort en scherp klinken de commando's door de heldere vroege voorjaarsmorgen, dof stampen de laarzen op den grond.

Snel achtereen worden de verschillende onderwerpen van het oefenprogramma afgewerkt, excercitie, rijwielexcersitie, zelfverdediging wisselen elkaar af. Vlug, te vlug haast is de morgen om.

Als we door de, nog in Zondagsrust verzonken, stad marcheeren schallen onze liederen tegen de huizen. Een eenzame blijft staan, kijkt ons na, verbaasd. Hier en daar wordt een gordijn terzijde geschoven en kijkt een slaperig hoofd naar buiten.

Die menschen zien de mooie morgen niet, willen ook niet zien het nieuwe licht, dat voor ons volk zal schijnen.

Zij slapen, maar wij zullen ze wekken; wij zullen hen roepen tot ook zij meemarcheeren in de gelederen van een vrij volk.

Zij begrijpen niet, waarom wij marcheeren, als zij nog slapen, moe van het cafébezoek van de vorige nacht.

Zij beseffen niet, dat wij marcheeren, dat wij zingen, om hen te wekken uit dien slaap.

Wij beseffen dat en daarom marcheeren wij in de toekomst, onze toekomst.

Groningen, 12 Maart 1941.

M. H.,

Zooals U wel bekend zal zijn, is, zooals te verwachten was, hier ter stede, evenals in verschillende andere plaatsen van ons land, voor de Hotel-, café- en restaurantbedrijven het **„Jodenvraagstuk"** in behandeling genomen.

Helaas hebben zich hier en daar reeds eenige excessen voorgedaan en, om nu te voorkomen, dat deze zich zullen herhalen, hebben wij op verzoek een onderhoud gehad met verschillende **bevoegde autoriteiten en hoogere instantie's** die dit vraagstuk behan-

Uit dit onderhoud wat wij gistermorgen gehad hebben en wat zeer geruimen tijd in beslag genomen heeft, kunnen wij U het volgende mededeelen:

Ons is verzocht U mede te deelen, dat in de navolgende **zaken, in het centrum der stad „Joden niet gewenscht zijn."**

Al de zaken in de Heerestraat

Imminga	Frigge	Indië
De Faun	Willems	Metropole
Lusa	Suisse	Raven
Baulig	Lang	

Aan de Groote Markt

Lido	De Pool	De Unie
De Doelen	Woltjer	Victoria
van Duinen	Ninteman	De Waag

De Bodega, Guldenstraat
Bavaria, Guldenstraat
Schortinghuis, Vischmarkt
Riche, Vischmarkt
Bleker, Vischmarkt
Maas, Vischmarkt
De Beurs, Vischmarkt
De Harmonie, O. Kijk-in-'t Jatstraat
Astoria, O. Kijk-in-'t Jatstraat
Hofman, Poelestraat
Concerthuis, Poelestraat
Elzenga, Carolieweg
Expresbar, Carolieweg
Dijkstra, Carolieweg
Dijkstra, O. Ebbingestraat
Frascati, Emmasingel.

Wij geven U in ernstige overweging de desbetreffende bordjes, die U zullen worden bezorgd, **op een goed zichtbare plaats, bij den ingang,** neer te hangen.

Verwijdering van deze bordjes door onbevoegde handen, **zal streng worden gestraft.**

Het bovenstaande treedt in werking heden **Woensdagmiddag 2 uur.**

VOORSPELLING

IN MAART
roert Duitschland zijn staart.

IN APRIL
doet Hitler wat hij wil.

IN MEI
is Engeland erbij.

IN JUNI
is het gedaan met de Unie.

(Voor de juistheid der tijdrekening kunnen wij niet instaan).

Op het graf van Peter Ton werd een eenvoudige gedenksteen geplaatst

10 CENT

STORM SS

BLAD DER NEDERLANDSCHE SS

11 APRIL 1941 • EERSTE JAARGANG NUMMER 1 • VERSCHIJNT WEKELIJKS • UITGEVERIJ „STORM", HEKELVELD 15 A, AMSTERDAM-C.

DE NEDERLANDSCHE SS IN ONS VOLK

Het heeft de Nederlandsche SS sinds den 16en September 1940, toen ik de opdracht ontving haar te formeeren niet aan belangstelling ontbroken. Bijkans niemand of hij had een oordeel en in menige vertrouwelijke of openlijke gedachtenwisseling vormde de SS het onderwerp van gesprek.

Alleen reeds uit dit feit blijkt, dat eigenlijk niemand onverschillig aan het bestaan eener Nederlandsche SS voorbij kon gaan. Het gevormde oordeel gaf dan meestal meer een kijk op de politieke instelling of wereldbeschouwing van den oordeelveller, dan dat het inzicht verschafte in het wezen en de beteekenis der SS.

Wanneer iemand vol afgrijzen beweerde, dat nu ook in Nederland zoo'n stil en vaak onopvallend korps bestaat, dat overal oogen en ooren heeft en waarvoor niets verborgen blijft, dan beteekende dit meestal, dat deze spreker vaak iets zeide of deed, dat beter geheim bleef en niet zoozeer, dat de SS alleen maar een alom tegenwoordige en toch niet geziene macht zou zijn.

Of wanneer iemand zeide, dat de SS slechts een korps van lange kerels was en niets meer, dan getuigde dit oordeel eer van het onverstand van den beoordeelaar, dan dat het een gemis aan verstand bij de SS zou beduiden. En wanneer iemand mocht beweren, dat voor de SS de geschiedenis met het jaar 800 ophoudt, daar zij zich slechts met grafheuvels en dergelijke zou bezig houden, dan zei dit oordeel weinig over de echte belangstelling voor de historische ontwikkeling zooals ze bij de SS bestaat, des te meer echter over de wereldbeschouwing van den spreker, welke nu eenmaal slechts belangstelling heeft voor alles, wat na 800 kwam en dit gaarne zou doen vergeten, wat daarvoor bestond.

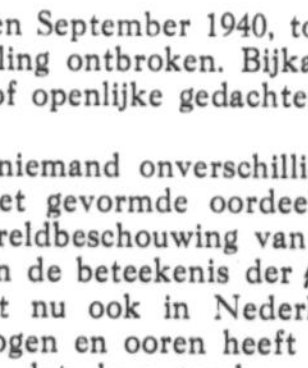

BLOED

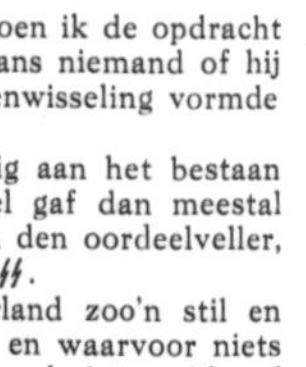

BODEM

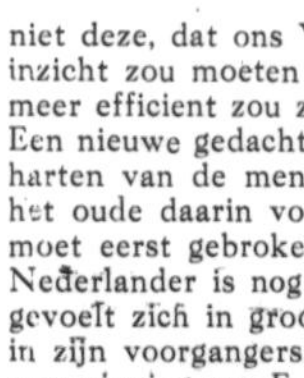

EER

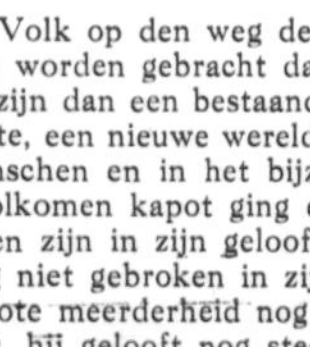

TROUW

En wanneer iemand vol venijn er uitgooide, dat de SS ons Volk aan Duitschland wil verkoopen, dan gaf dit oordeel niet het juiste beeld van de wenschen der SS ten aanzien van de toekomst van ons Volk, doch sprak veeleer van den angst van den spreker voor de toekomst.

Stellig, er zijn er ook, die anders en beter weten, die reeds hebben begrepen welke groote en belangrijke rol de SS zal hebben te vervullen in verre en nabije toekomst.

Zij hebben het niet misverstaan wat ik in September 1940 onder meer over het wezen der SS schreef:

Het grootste deel van ons Volk is zich niet meer bewust van zijn Germaansche afstamming. Het weet niet meer tot een ras te behooren, dat de wereld beheerscht. Wil ons Volk gezond en sterk zijn, dan moet het door dit bewustzijn gedragen worden.

Het is voor de toekomst van ons Volk noodzakelijk, dat zij, die zelf van goeden bloede zijn en reeds weer vanuit dit bewustzijn leven, als vastberaden mannen aaneengesloten staan in een uiterst gedisciplineerde gemeenschap.

In een gemeenschap, welke het karakter draagt van een orde, waartoe mede behooren de leden hunner sibben en waarin de waarden van ras, bloed en bodem reeds nu belichaamd worden. In deze Orde krijgt het oude woord Adel, nieuwe inhoud.

Een adellijke titel uit vroeger tijd biedt geen zekerheid van edel bloed. Te vaak werd de dochter van den Jood gehuwd tegen kwijting van schulden.

De boer, de arbeider, de zeeman, die weer leeft in het trotsche bewustzijn sinds eeuwen af te stammen van boeren, krijgslieden, handwerkers of zeevaarders, evenals hij geboren uit vrouwen van Germaanschen bloede, behoort tot den volkschen adel van dezen tijd.

Zulke mannen van het beste bloed behoeven nog slechts lichamelijke hardheid en voorlichting over de Volksche wereldbeschouwing, om geschikt te worden voor hun taak in de komende jaren: levend voorbeeld te zijn van Germaanschen aard, gezamenlijk een onverschrokken leger te vormen van betrouwbare strijders voor het Nationaal-Socialisme. Een dergelijke Orde en zulk een leger moet de Nederlandsche SS zijn."

Het zijn er nog niet velen, die in de rijen der SS vereend, deze beginselen vorm en gestalte wilden geven.

Het zullen ook nimmer geweldige aantallen zijn, die tot deze Volksche Ordegemeenschap kunnen worden toegelaten.

Maar wat wel kan is, dat deze Orde der SS, als draagster der Volksche wereldbeschouwing en als belichaming der beste waarden van ons bloed, in toenemende mate begrip en waardeering vindt in ons volk.

Wij willen niet staan als vijanden tegenover ons Volk, doch als mannen temidden van het Volk.

Als mannen wier moed en overtuiging onaanvechtbaar zijn en wier eerlijkheid en karakter boven alle twijfel zijn verheven.

Wij weten het, dit begrip en deze waardeering van ons Volk worden ons niet in den schoot geworpen, maar we zullen ze verdienen en het Volk voor ons winnen. Hetgeen beteekent, dat wij een moeizame worsteling hebben te voeren om de harten en de zielen van ons Volk, kort en goed om het vertrouwen van het Volk.

Het lust ons niet deel te nemen aan de vaak onvruchtbare debatten, waarin op het laatst ook onredelijke argumenten opgeld doen. Gelukkig is de politieke ontwikkeling niet deze, dat ons Volk op den weg der zoogenaamde „redelijke overtuiging" tot het inzicht zou moeten worden gebracht dat deze of geene nieuwe staatsvorm juister of meer efficient zou zijn dan een bestaande.

Een nieuwe gedachte, een nieuwe wereldbeschouwing heeft slechts dan toegang tot de harten van de menschen en in het bijzonder van Germaansche menschen, wanneer het oude daarin volkomen kapot ging en werd uitgeroeid. De Germaansche mensch moet eerst gebroken zijn in zijn geloof om nieuw geloof te kunnen aanvaarden. De Nederlander is nog niet gebroken in zijn geloof aan de waarden der democratie, hij gevoelt zich in groote meerderheid nog niet verraden in het vertrouwen, dat hij had in zijn voorgangers, hij gelooft nog steeds en wenscht nog steeds te gelooven in de overwinning van Engeland op Duitschland.

Zoolang dit geloof nog bestaat, is de Nederlander ontoegankelijk voor de waarden van het Nationaal-Socialisme.

Daarom hebben wij, als dragers van een nieuwe wereldbeschouwing ook niet de behoefte noch het verlangen om op een bepaald oogenblik een formuleering onzer gedachten te vinden, die een zoo groot mogelijk aantal volksgenooten bevredigt.

Het resultaat van een dergelijk pogen zou slechts zijn een tamelijk onsamenhangende en op vele punten met zich zelf in tegenspraak komende constructie, des te meer daar in den loop der tijden een dergelijke formuleering telkens herziening zou behoeven in verband met de gewijzigde omstandigheden of andere opportune overwegingen. Een dergelijk opportunistisch streven, waarbij aan veler smaak en richting concessies worden gedaan, met het doel aanhangers uit alle kampen te winnen, voert noodzakelijkerwijze tot een volledig gebrek aan vertrouwen bij de massa ten opzichte van de voorgestane beginselen.

Ons streven zal zijn: klaar en duidelijk onze wereldbeschouwing en haar grondslagen te formuleeren, niet vreezende tijdelijk een kleine groep te zijn, daar wij gedragen worden door het onwankelbare geloof, dat er eens een oogenblik komt, waarop het Volk zal zeggen: „zij hadden toch gelijk", — om dan in vertrouwen den weg naar een nieuwe toekomst te gaan. Dat oogenblik is gekomen, wanneer zich in alle democratische Volksgenooten een catastrophe voltrekt, wanneer in hun zelf, evenals in de wereld daarbuiten, met Engelands nederlaag de wereld der democratie ineenstort. Dan is de democratische mensch in Nederland gebroken in zijn geloof, zooals de democraat in Duitschland door de catastrophale ineenstorting van het gansche maatschappelijk leven in zijn land toegankelijk werd voor het Nationaal-Socialisme.

Ons geloof is sterk en zelfbewust. Rustig gaan wij onzen weg. Rustig en zelfverzekerd, doch bescheiden en terughoudend, door niets en niemand van de wijs te brengen, marcheerden sinds eenige maanden onze mannen door de straten onzer steden en dorpen. Hun aantal groeit met het getal dergenen, die ook reeds nú meer hebben begrepen van den wezenlijken en diepen zin van dezen tijd. Wij gelooven in het leven, wij eeren wat sterk is en gezond. Wij zijn niet angstig voor de geweldige verruiming van den politieken horizon van ons Volk sinds 10 Mei 1940. Wij zijn zoo zeer overtuigd van onze volkskracht, dat wij niet reeds bij voorbaat vreezen in een hoek te worden gedrukt. Ons Volk heeft zóóveel mogelijkheden, is in groote meerderheid nog zóó gezond van bloed, dat het in vol vertrouwen zijn plaats en taak kan opeischen in de Groot-Germaansche levensgemeenschap van morgen. Wij belijden de wezens- en lots-verbondenheid aller Germaansche Volken, onder leiding van Adolf Hitler. In deze eeuw zal zich deze verbondenheid in eenigerlei vorm verwezenlijken. Verband houdend met het historisch gegroeide en passend in den huidigen tijd herleeft de Rijksgedachte.

Grooter gemeenschappen, welke hun begrenzing slechts vinden in de grenzen van het bloed, ontstaan. Het zijn natuurkrachten, die hier werken. Met elementair geweld, dat kenmerkend is voor elk natuurverschijnsel, voltrekt zich deze ontwikkeling. Een ieder, die zich daartegen keert en met uitgestrekte armen den opkomenden vloed wil keeren, wordt overspoeld en zal spoedig zijn vergeten.

De SS zal echter deze ontwikkeling bevorderen en het hare er toe bijdragen. Zij vormt een ordegemeenschap van sterke en gezonde geslachten, waarin getracht wordt aan alle eischen te voldoen welke een Nationaal-Socialist zouden kunnen worden gesteld. De SS-mannen worden geschoold tot volkomen betrouwbare soldaten der gemeenschappelijke wereldbeschouwing, zoodat een ieder op zijn levensgebied als waardige vertegenwoordiger daarvan kan optreden, tot eens de geest, welke hen bezielt, ons geheele Volk zal bezielen en hun geloof, het geloof van allen zal zijn.

Feldmeijer

Voorman der
Nederlandsche SS

Unie-terreur en laffe overvallen op W.A.-mannen

Verschillende gewonden in het Noorden

Hoogezand, Sappemeer en Slochteren, 3 vrijwel in elkaar loopende dorpjes, zijn op het moment in de provincie Groningen het brandpunt van Unieterreur en laffe overvallen op W.A.-mannen, die daar zeer gering in aantal zijn en zeer verspreid wonen.

De eerste ongeregeldheden begonnen op Dinsdag 3 Zomermaand '41 te Hoogezand, alwaar een zangavond werd gehouden onder leiding van den Hopman Heins.

Na afloop hiervan werd een W.A.-man opgewacht door een groote menigte, gewapend met ijzeren staven en mishandeld, terwijl zijn fiets in het Winschoterdiep werd geworpen. De weerman liep verwondingen op.

Op verzoek van den Kringleider en den Vendelcommandant werd aan den Banleider Bresser verzocht om versterking voor den oefenavond op Donderdagavond 5 Zomermaand '41.

Geruchten deden de ronde, dat er een bloedbad bij de W.A. zou worden aangericht en de tegenstanders bewapend zouden zijn.

De Banleider zegde steun toe en in den vooravond van den 5en Zomermaand '41 fietste de Stoottroep „Groningen" Sappemeer aan de achterzijde binnen.

Overal stonden menschen in groepen van 20 à 30 man bijeen en opgeschoten jeugd liep met jonge, geschilde wilgenboompjes rond, waarmede men een stier zou kunnen vellen.

Stelt U voor: Deze dorpen, bestaande uit een kanaal, waar aan beide zijden een straat langs loopt, aan elkaar verbonden met heele smalle, zeer hooge bruggetjes.

Aan beide zijden stond het zwart van de menschen en ook de politie was goed vertegenwoordigd, alleen een tikje hardhoorend ten opzichte van het publiek.

De W.A. begaf zich in de pauze in kleine groepen van 6 à 8 man tusschen het publiek, maar toen het publiek zich niet langer beteugelen kon en de houding steeds dreigender werd, liet de banleider zijn mannen verzamelen.

De W.A. stelde zich inmiddels op en reeds bij het commando „Geeft Acht", steeg een woest gebrul en een getier uit de menigte omhoog, vermengd met kreten van „Oranje boven, leve de koningin, O.Z.O., leve de Unie en smeerlappen, vuillakken enz."

De Banleider sprak hierop een korporaal der Marechaussee aan en vroeg of er niets aan dat gejoel en geschreeuw gedaan werd, waarop deze „Vredesengel" antwoordde: „Wat moeten we dan doen". „Wel", sprak de Banleider, „Uw sabel trekken en de straat schoonvegen."

Waarop hij stomverwonderd herhaalde, „Mijn sabel?"

Maar het ging, zoo het ging, er gebeurde niets, terwijl het publiek steeds harder begon te brullen.

Nogmaals wendde Banleider Bresser zich tot de politie, met de mededeeling dat, wanneer de politie niet zou ingrijpen de W.A. het zou moeten doen, maar men scheen niet te weten hoe men zoo iets kon bestrijden.

Daarom heeft de Banleider de politie laten zien hoe wij zoo iets oplossen en inderdaad, er laaide een stofwolk op, fietsen kletsten tegen den grond en toen deze stofwolk optrok was de straat schoon leeg.

Nu eerst begreep de politie waarom het ging en inderdaad trad zij nu iets straffer op.

De W.A. marcheerde weer terug naar Sappemeer om de fietsen te halen want het begon inmiddels al te schemeren.

Zoo keerde de W.A. terug naar Hoogezand ,telkenmale opgehouden door steenen en scheldwoorden uit het publiek van het gemeenste kaliber, maar vastbesloten zich nimmer weg te laten jagen door scheldwoorden.

5 Man van het vendel Hoogezand waren reeds ver voor den troep uit gefietst, begeleid door 2 korporaals van de Marechaussee's en werden overvallen door een groote menschenmenigte.

Zij weerden zich als leeuwen, terwijl ook de beide Marechaussee's zich van hun beste zijde lieten zien, doch de overmacht was te groot en men kon niet verhinderen dat 3 weermannen gewond werden.

De konstabel K. Venema werd ernstig aan het gelaat gewond door een slagwapen en de weermannen M. Bottema en R. Bottema kregen wonden, veroorzaakt door scherpe steenen, aan rug, nek en polsen.

Hun fietsen werden in het Winschoterdiep geworpen, alwaar zij den volgenden morgen weer opgevischt werden.

Dienzelfden avond trok een tegenstander een gummiknuppel tegen een Marechaussee, die hem ontnomen werd. Er werd proces-verbaal tegen hem opgemaakt.

Het was reeds donker toen de stoottroep Groningen goed en wel zonder eenige onderbreking in Groningen aankwam.

Op Zaterdag 7 Zomermaand 1941 ging de stoottroep „Groningen" ten tweede male, ditmaal versterkt met enkele groepen uit de omliggende gemeenten naar Hoogezand om aldaar een propagandamarsch te houden.

Reeds waren ons weer allerlei schoone beloften ter oore gekomen, zooals: „We zullen de W.A. afmaken, in de pan hakken enz."

Er werd verzameld in hotel „Faber" in Hoogezand.

Weer waren honderden menschen op straat en er was nog meer politie dan vorige keer aanwezig.

Toen de W.A. zingend door de straten trok, werd het publiek nog talrijker, maar alles verliep zonder incidenten.

Enkele heeren die erg enthousiast waren over de W.A., en die zich niet konden bedwingen iets te zeggen, mochten van den Vendelcommandant enkele honderden meters meemarcheeren in het gelid, hetgeen als een frisch bad werkte.

Juist toen wij langs de R.K. kerk van Sappemeer marcheerden ging deze uit, de bezoekers keerden ons „en bloc" den rug toe, waarop Banleider Bresser het vendel „links uit de flank, halt" liet houden en „Het Scheepje liet zingen.

Bij het begin van het 2e couplet vluchtten de bezoekers de kerk weer binnen.

Eén jonge man riep verder nog „Leve de koningin, rotzakken", of hij nu de koningin bedoelde of ons was niet vast te stellen, maar wel dat hij als een pijl uit een boog op de fiets wegvloog, echter een 10 meter verder tegen een meisje met fiets opstoof en na een dubbele salto plat op straat neerkwam. (Het kwaad loont zijn meester).

De W.A. keerde weer huiswaarts en ondervond, dat kopspijkers op straat uitgestrooid een lastig obstakel zijn om op tijd weer thuis te komen.

Dienzelfden avond werden te Slochteren nog enkele W.A.-mannen lastig gevallen, door een menigte die hen opwachtte, doch na enkele schermutselingen werd het publiek door de W.A. uiteen gedreven.

Op Maandag 9 Zomermaand '41 was er een groepsvergadering te Kolham, na afloop hiervan werden 2 W.A.-mannen en 6 kam. van de P.O. meest oudere menschen opgewacht te Slochteren door een 40 à 50 personen, die hen ontvingen met steenen en stokken onder bedreiging met den dood.

De weerman H. Sanders kreeg hierbij een zware hoofdwonde en brak een sleutelbeen, terwijl weerman A. Bouma een polswonde opliep. Ook een kameraad van de P.O. liep inwendige kneuzingen op.

De daders werden herkend en er bleken vanzelfsprekend leden bij te zijn van de „Nederlandsche Unie".

Den volgenden morgen begaf Banleider Bresser zich met den districtsbeheerder, kam. Postma naar Slochteren om zich van den toestand der gewonden op de hoogte te stellen.

De toestand van de gewonden bleek vrij gunstig te zijn.

Vervolgens werd de Burgemeester van Slochteren met een bezoek vereerd, aan wien de Banleider met klem verzocht onmiddellijk in te grijpen, daar de namen en adressen van de daders ons bekend waren, wat hij na veel ontwijken tenslotte toezegde, doch wat tot op heden nog niet blijkt te zijn geschied.

Op Donderdag 12 Zomermaand 1941 marcheerde de stoottroep „Groningen" voor de derde maal in Hoogezand en Sappemeer.

Hoewel er pamfletten waren verspreid om bij politieke demonstraties thuis te blijven, stond het langs de straten zwart van de menschen.

De Stoottroep marcheerde zingend door de straten en maakte ongetwijfeld een uitstekenden indruk op het publiek. In Hoogezand reed echter EEN AUTO MET LEDEN VAN GED. STATEN OP DE W.A. IN, hoewel Banleider Bresser reeds op een afstand van 100 meter teekenen gaf tot vaart verminderen. In de auto zaten de heeren Mellema en Vink, terwijl het Statenlid Bolkestein achter het stuur zat. Hij gaf extra gas en reed met ongeveer 70 km. snelheid schuin op den troep in.

De Banleider en zijn adjudant sprongen nog tijdig opzij, maar konden niet meer verhinderen, dat de geheele troep opzij gedrongen werd en de laatste kameraden zelfs aangereden werden en verwondingen opliepen.

De Wachtmeester Vos liep hierbij verwondingen op aan zijn dijbeen en linkerarm, terwijl de wachtmeester L. Venema hierbij eveneens zijn dijbeen verwondde, verder reed de auto over den voet van een weerman.

De marechaussee's die met den motor achter den troep aanreden, deden niets, andere marechaussee's lachten en zeiden: „Laat hem er zelf maar achter aan gaan," hiermede den banleider bedoelende.

Een wachtmeester van de marechaussee reed echter direct achter de auto aan, doch zijn motor was afgesteld en hij zag geen kans de auto in te halen.

Daarom steeg hij over in een personenauto van de marechaussee en achtervolgde de daders, die hij dan ook te pakken kreeg. Proces-verbaal werd opgemaakt.

Allen lof voor het werk van dezen wachtmeester van de marechaussee.

Alles verliep verder zonder eenige incidenten, de tegenstand was gebroken, dit blijkt wel uit het feit, dat de menschen ondanks de Unie-waarschuwing toch wilden zien wat er gebeurde.

Soms had men beneden de gordijnen gesloten, maar dan stonden toch boven voor het venster de inwoners te kijken en toen wij ten tweede male voorbij kwamen, waren de gordijnen weer geopend. Deze arbeiders uit de veenstreken zijn nog lang niet zoo dom, als de stadsmenschen, die meenen dat ze de wijsheid in pacht hebben, maar met dat al de slaven zijn van Joodsche bankiers en Engelsche plutocraten.

De stoottroep „Groningen" had zijn taak weer volbracht, hulde aan hen die bijna iederen avond 40 k.m. fietsten, om hun kameraden uit de omgeving te helpen, bij hun strijd voor hun volk en vaderland.

Hulde aan de stoere W.A.-mannen van Hoogezand, Sappemeer en Slochteren die stand houden temidden van een zee van haat en onrechtvaardigheid.

**WIE ONS WEERSTAAT,
GAAT VAN DE STRAAT!!**

De W.A. marcheert door 's-Graveland en Kortenhoef

Op welke wijze men de jeugd al niet tegen ons tracht op te zetten, bewijst het volgende wat zich tijdens een marsch der W.A. afspeelde:

Onder commando van Opperhopman Bartels maakte de Gooische W.A. Vrijdagavond een marsch door 's-Graveland en Kortenhoef.

Half negen werd afgemarcheerd vanaf het huis van den burgemeester, die als een fel anti-man bekend staat; deze had zoodoende een mooie gelegenheid zich verdienstelijk te maken door op onze fietsen te passen.

Aanvankelijk ging alles uitstekend, doch dit was natuurlijk niet naar den zin van het gepeupel.

Daar 's-Graveland bestaat uit twee lange straten, aan iedere zijde van het water één, waren wij genoodzaakt eerst de ééne, daarna de andere zijde te nemen. Wetende dat wij ze toch niet konden bereiken, ging er een ware regen van scheldwoorden over ons heen.

Inmiddels hadden eenige „echte Nederlanders" kans gezien de jeugd tegen ons te misbruiken door hen barricades op den weg te laten werpen, want verderop gekomen zagen wij nog juist ettelijke jongens van 10 tot 15 jaar druk in de weer alles wat maar voor 't grijpen lag, zooals boomen, takken, rommel uit de slooten, steenen enz., op den weg te slepen, tot een circa 2 meter hooge hindernis. Dit alles gebeurde onder aanmoediging van de „helden" aan den anderen kant van het water.

De W.A. zou de W.A. niet zijn als deze obstakels niet vlugger dan zij dachten, door onze weermannen waren opgeruimd.

Onderwijl trachtten zij hetzelfde verderop nog eenige malen te herhalen, doch dit kon door snel optreden door ons worden voorkomen.

Intusschen waren wij aan de andere zijde van het water gekomen, natuurlijk verwachtte men, dat wij de belhamels een afstraffing zouden geven, waarom dan ook alles naar binnen stoof; doch uit volle borst onze mooie strijdliederen zingend marcheerden wij langs het nog op straat gebleven stom verbaasde publiek. Bij het einddoel van onze route meenden enkele „Unieklanten" hun neus voor ons te moeten dicht houden, doch dat hadden ze spoedig afgeleerd.

Maandag 23 Juni 1941 Extra nummer Prijs 6 cent No. 25a

VOLK EN VADERLAND

NATIONAAL-SOCIALISTISCH WEEKBLAD

REDACTIE-ADRES: MALIEBAAN 35 - UTRECHT - TELEF. 16543

UITGAVE: NENASU - POSTBUS 2 - LEIDEN - TELEFOON 21545 - 21546

Hoofdredacteur: M. MEULDIJK, Utrecht — Redacteuren: GEORGE KETTMANN Jr., Amsterdam; JAN HOLLANDER („Uit de Beweging"), Amersfoort; L. LINDEMAN („Opbouw en Vernieuwing"), 's-Gravenhage

Abonnementsprijs bij vooruitbetaling f 0.84 per kwartaal. Oost- en West-Indië f 1.-, Buitenland f 1.20 per kwartaal. Incassokosten f 0.15. Losse nummers 6 cent, in Indië 10 cent. Voor abonnement: Administratie „Volk en Vaderland" - Postbus 2 - Leiden - Telefoon 21545 - Postgiro 207915

Voor advertenties: Administratie „Volk en Vaderland" - Postbus 2 - Leiden - Postgiro 207915 Gewone advertenties 70 cent per regel - Tekstadvertenties dubbel tarief. Bij contract reductie. Kameraadjes bij vooruitbetaling 50 cent. Minimum 5 regels. Elke regel meer 10 cent

EINDELIJK

HOOFDARTIKEL VAN MUSSERT

EUROPA ZUIVERT HET OOSTEN

Zondag 22 Juni 1941 zijn de legermachten van Duitschland, Roemenië en Finland Rusland binnengetrokken. Dit is de grootste daad, die Hitler als strateeg, als bouwer van het nieuwe Europa en als idealist tot nu toe heeft verricht. Het is op één na de laatste phase van de wereldrevolutie, die in gang is.

Achtereenvolgens zullen wij bezien de strategische zijde, de Europeesche zijde en de geestelijke zijde van het geweldige gebeuren, dat de geheele wereld in ademlooze spanning volgt.

toekomst tegemoet zal kunnen gaan. Het beste bewijs daarvan is Frankrijk. Frankrijk dat nooit Europeesch, in den goeden zin van het woord, heeft kunen denken, dat een werktuig was in de handen van Engeland, is in een jaar tijd van vijand van Duitschland geworden tot een actieven militairen bondgenoot. De Fransche troepen strijden in Syrië tegen de Engelsche indringers. Dit kon alléén een staatsmansgenie van uitzonderlijke grootte bereiken, die bij den wapenstilstand, toen Frankrijk volkomen onmachtig was,

binnenzeeën en aan de Germanen vijandige machten kunnen daar niet geduld worden.

Roemenië heeft tol moeten betalen aan Rusland; een bolsjewistische vloot in de Zwarte Zee is voor dit land een voortdurende bedreiging.

Het gezamenlijk binnenrukken in Rusland van de legers van Duitschland, Finland en Roemenië is het tweede bewijs van de groeiende solidariteit in Europa. De strijd van de Franschen in Syrië tegen Engeland was het eerste symptoom daarvan; de gemeenschappelijke bestrijding van Sovjet-Rusland door de Europeesche nabuurstaten gaat in beteekenis verre daar boven uit. Een nieuwe phase is inge-

Rusland stond en staat aan de overzijde hand in hand met de kapitalistische en Joodsche machten in Engeland en Amerika. Met Engeland en Amerika maakt het deel uit van den ring, die Europa moet verstikken. De ring, die van Groenland loopt over Amerika en Afrika naar Mesopotamië en vandaar over Rusland naar de Noordelijke IJszee. Europa, of juister gezegd het in het Oosten actieve deel van Europa, zal dien kapitalistischen-bolsjewistischen ring doen springen.

atnwoordelijkheidsgevoel, dat zij dit zouden wenschen.

Aan ons aller deur klopt de vraag: Zijt gij vóór de Engelsche plutocraten, de Amerikaansche Joden en vrijmetselaars, de Russische bolsjewieken òf zijt gij vóór Duitschland, Italië, Roemenië, Finland, dus vóór Europa, dus vóór eigen Vaderland?

Wij Nederlandsche nationaal-socialisten hebben reeds lang gekozen en iederen dag worden wij gesterkt in het geloof aan de juistheid van onze keuze, zoo deze sterking nog van

Engeland van 1936 tot 1939 de vernietiging van Duitschland door militair geweld voorbereidde, volgde het de politiek van koning Edward VII van voor 1914, n.l. de omsingeling. Duitschland moest in het Westen worden aangegrepen door Frankrijk, in het Oosten door Polen en Tsjecho-Slowakijë met daarachter de Russische beer, waarvoor Tsjecho-Slowakijë de springplank was. In het Zuiden zouden een bolsjewistisch Spanje, een in zichzelf verdeeld Italië en een naar Rusland luisterend Joego-Slavië moeilijkheden moeten bezorgen. Aan Noorwegen en Nederland was de rol van Engelsche vazalstaten toebedeeld.

Het eerste antwoord van Hitler was een onverbrekelijken band te vormen tusschen Duitschland en Italië. Dit kon, dank zij de leiding in Italië van den genialen, trouwen, eerlijken staatsman Mussolini. Tot den dag, waarop Italië oprukte aan de Fransche grens heeft Engeland al het mogelijke gedaan om Italië tot ontrouw [illegible]gen. De extra boodschappen van [illegible] vrijmetselaar president Roosevelt [illegible] Paus in Rome was de laatste [illegible]opspoging daartoe.

[illegible] Hitler en Mussolini elkander ge[illegible] hadden, hebben zij samen de bolsje[illegible]ing van Spanje belet. Men zal zich [illegible]ren, hoe Engeland al het mogelijke [illegible] heeft om rood Spanje te steunen [illegible]nevrouw Roosevelt, de echtgenoote [illegible] Amerikaanschen president, zich [illegible] stelde aan de zijde der bolsjewie[illegible]panje. Het communisme in Spanje [illegible]kraakt.

[illegible] werd de springplank van Rus[illegible] in het hart van Europa, n.l. [illegible]lowakijë, keurig netjes afge[illegible], de Germaansche deelen bij [illegible]land gevoegd, Slowakije als apar[illegible] onder protectie van Duitschland [illegible]t en de Tsjechen onder toezicht [illegible]t.

[illegible] dacht Engeland dat het oogenblik [illegible] was om zijn vazallen aan te [illegible] Duitschland binnen te trekken. Het „[illegible]erde" Polen zoo, dat het eigenlijk [illegible]de: begin maar want ik help. De [illegible]den oprukken naar Berlijn, zooals [illegible]che leiders aan het volk hadden [illegible]aakt. Polen werd in een maand [illegible]d.

[illegible]rom kon dat zoo gauw? Omdat [illegible] Rusland had bewogen om niet [illegible] te doen. Hij moest zich offers [illegible]sten om Engeland's plan te doen [illegible]en, dat daarin bestond, om ook [illegible]r, zooals in 1914, Duitschland te [illegible]ken gelijktijdig te vechten aan [illegible] fronten, één in Frankrijk en één [illegible]land.

nietigd; alles kon zich wenden tot den vijand in het Westen.

De Engelsche vazalstaten Noorwegen en Nederland werden bezet, Frankrijk werd in zes weken militair verpletterd.

De Balkan was aan de beurt. Het leek onmogelijk dat Joego-Slavië daaruit niet de gevolgtrekking zou maken, die ieder normaal mensch zou maken, n.l. dat het waanzin is om tegen deze macht op te tornen. Daarom was het vanzelfsprekend dat het toetrad tot het pact van drie. Een verdwaasde officiers-clique verscheurde het tractaat waarvan de inkt nog niet droog was, op aanstoken van Engeland en Rusland. Op 6 April j.l. rukten de Duitsche troepen Joego-Slavië binnen. Diegenen onder mijn volksgenooten, die voorzien zijn van kinderhersens, keken dien dag triomfantelijk rond met een gezicht van: „Heb ik het niet voorspeld? Nu gaat Duitschland er aan!"

Onmiddellijk daarop schreef ik in Volk en Vaderland:

„Het vraagstuk Joego-Slavië is reeds opgelost. Het wordt militair vernietigd en daarna politiek verdeeld. Lees de oorlogsberichten uit Joego-Slavië met belangstelling, maar zie met nog grooter belangstelling uit naar berichten over Rusland en Turkijë, want zulke berichten kunnen veel belangrijker zijn."

En zoo geschiedde. Ook Griekenland tot en met Kreta werd van de Engelschen gezuiverd.

Het bereiken van Mesopotamië en de Arabische landen om de Engelschen vandaar te verdrijven, hetgeen noodig is voor de zuivering van de Middellandsche Zee, kon te land alleen door Turkijë of door Rusland. Vandaar dat deze landen onze aandacht gespannen hebben gehouden, totdat eenige dagen geleden het verdrag met Turkije werd gesloten. Toen was het duidelijk dat het Russische vraagstuk zou worden opgelost, als logisch sluitstuk van den oorlog op het vasteland van Europa.

• • •

Niet alleen militair was dit noodzakelijk, maar ook voor de vorming van Europa. Het zal nu langzamerhand een ieder wel duidelijk geworden zijn, dat, wat zich nu in Europa afspeelt, geen oorlog is die door Duitschland en Italië geleid wordt om andere volkeren te vernietigen, maar een oorlog als het eenige middel dat mogelijk is om een nieuw Europa te bouwen, dat op volkschen grondslag een gelukkige een unicum was, aan Frankrijk zijn vloot vrijelijk liet. Het eerste gevolg daarvan was, dat Engeland in zijn verwatenheid de Fransche vloot aanviel en daarmede den grondslag legde voor de mogelijkheid van militaire samenwerking van Frankrijk met Duitschland. Nu zijn in feite Duitsche en Fransche weermachten beide bezig om Engeland te bestrijden.

De solidariteit van Europa groeit met den dag. Dit is van de allergrootste beteekenis en het is alleen maar diep te betreuren, dat Duitschland genoodzaakt is geworden om ten koste van duizenden van zijn beste zonen dit groote en straks algemeen gewaardeerde resultaat te bereiken.

Toen op 1 December 1939 Rusland in Finland binnendrong om dit te vernietigen, gebruik makende van het feit, dat Duitschland niet bij machte was om het op dat oogenblik bij te staan, schreef ik in Volk en Vaderland van 8 December 1939 o.m.:

„Was er een Europa, bevolkt door menschen, die besef hadden van de saamhoorigheid der Europeesche naties, bezield met den wil, om vastberaden de Europeesche cultuur te handhaven tegen Aziatisch geweld, als één man zouden deze Europeesche volkeren te hulp snellen en den Russischen beer zijn klauwen afhakken.

Edoch, er bestaat nog steeds geen Europa; er bestaan Europeesche volkeren, die gewikkeld zijn in een strijd op leven en dood tegen elkander."

Anderhalf jaar zijn sindsdien voorbijgegaan. Anderhalf jaar waarin militair en politiek door Duitschland en Italië alles gedaan wat mogelijk is om een solidair Europa te bouwen. De grootste vijand daarvan, ja de macht die groot geworden is door het aanwakkeren van de verdeeldheid in Europa, n.l. Engeland, is practisch van het geheele vasteland van Europa verdreven. De vormen van het nieuwe Europa teekenen zich al duidelijk af, de solidariteit groeit met den dag en dus kan het niet anders of dit Europa moet in het Oosten beveiligd worden. Het communistische Rusland kan nimmer een veilige Oostgrens zijn van het nieuwe Europa en zeker niet zoolang het zeggenschap heeft in de Oostzee. In het nieuwe Europa zijn de Oostzee en de Noordzee Germaansche

• • •

In de derde plaats is de oorlog tegen Sovjet-Rusland van zoo groote beteekenis, omdat nu weggevallen is de onduidelijkheid voor den buitenstaander ten aanzien van de geestelijke fronten.

Sinds in het najaar van 1935 de Volkenbond door Engeland gebruikt werd om Italië op de knieën te dwingen, hetgeen mislukte, zooals te voorzien was, heb ik niet nagelaten om ontelbare malen aan ons Volk duidelijk te maken, dat de vele opwindende gebeurtenissen waarvan wij getuige waren, in wezen niet anders waren dan de botsing van twee werelden.

De oude wereld, gegrond op de beginselen van de Fransche revolutie, is die van het individualisme, de parlementaire democratie, en het kapitalisme met als consequentie het marxisme en uiteindelijk het communisme.

De nieuwe wereld, gegrond op de beginselen van het nationaal-socialisme en het fascisme, d.w.z. op de volksche waarden, die ieder volk wil doen leven naar eigen aard, zeden en gewoonten, in vrede en samenwerking naast elkander en in ieder volk afzonderlijk den inwendigen vrede wil herstellen door een einde te maken aan het brute kapitalisme en den allen schadenden klassenstrijd om daarvoor in de plaats te stellen den wil tot opbouw van een volksgemeenschap, die in den besten zin van het woord een arbeidsgemeenschap zal zijn, omdat de Gerechtigheid zal worden nagestreefd door het herstel van de eer van den arbeid.

Het zijn deze twee werelden die botsen. Amerika is het meest kapitalistische land ter wereld met zijn multi-millionnairs en zijn millioenen arbeidsslaven, zijn grenzelooze overdaad eenerzijds, zijn menschonteerende arbeidstoestanden en werkloozenhorden anderzijds. Dit kapitalisme is uit denzelfden geest geboren als het bolsjewisme. Amerika en Sovjet-Rusland zijn broer en zuster. Hun samenwerking vond plaats in den burgeroorlog van Spanje tegen Italië en Duitschland; hun samenwerking vindt sinds jaren plaats in China tegen Japan; hun samenwerking werd voorbereid aan de Oostzijde van Europa, omdat zij beiden in hun wezen doodsvijanden zijn van nationaal-socialisme en fascisme.

De botsing Rusland—Duitschland is in 1939 voorkomen omdat ieder van hen er belang bij had elkander op dat tijdstip niet in de haren te vliegen. Domme en misleide menschen dachten toen, dat Hitler zijn beginselen verloochende. In werkelijkheid bracht hij een zwaar offer omdat hij zijn Volk een strijd op twee fronten wilde besparen.

• • •

oog. Zelfs de meest eenvoudige van geest kan zich niet meer vergissen. Men heeft te kiezen: aan den eenen kant het kapitalisme, de plutocratie, het bolsjewisme; aan den anderen kant het nationaal-socialisme en het fascisme. Aan deze keuze valt niet te ontkomen.

• • •

Ook gij, mijne volksgenooten, voor zoover gij U niet willoos laat drijven op de levenszee, zult Uw houding hebben te bepalen of te herzien. Anderhalf jaar geleden was Finland in ieders gedachten en op ieders lippen. Wij, Nederlanders, leefden den heldenstrijd van dit kleine, dappere volk tegen den geweldigen kolos volkomen mede. In de kerken stroomden de menschen tezamen om God te bidden dat Hij uitkomst zou zenden voor het benarde Finsche volk.

Welnu, de bede is verhoord. Duitschland en Roemenië zullen Finland bijstaan om het land te herstellen en de Russen te verjagen. Diegenen, die deze bidstonden organiseerden en bijwoonden uit werkelijk innerlijken drang naar Gerechtigheid, uit liefde dus, zullen nu God danken dat Hij de bede heeft verhoord en Hitler heeft uitverkoren om het zwaard der Gerechtigheid te hanteeren.

De schijn-vromen, de politieke Christenen, die den strijd van Finland gebruikten als middel om de haat tegen Duitschland te vergrooten, die zullen God niet danken, maar die zullen God verwijten in stilte, dat Hij Hitler gezonden heeft inplaats van Churchill. Zulken zijn er en hun Godslastering schreit ten hemel.

Anderen zullen er zijn, de volwassenen met de kinderhersens, die in de veldtocht tegen Rusland, het begin van den ondergang van Duitschland zien. Zij herinneren zich de historie van Napoleon, zij zoeken in de atlas naar de Berezina. Tot dezulken moge ik de bescheiden opmerking richten, dat sinds Napoleons troepen naar Moskou liepen er iets veranderd is: er zijn n.l. automobielen en vliegtuigen gekomen en die gaan sneller dan een mensch of een paard loopen kan.

Voorts moge ik hun de vraag stellen of zij er wel eens over nagedacht hebben, wat er van Europa zou overblijven als het eerst werd uitgehongerd, daarna tot slagveld werd gemaakt en tenslotte werd overstroomd door bolsjewistische horden. De vraag stellen is haar beantwoorden n.l. van Europa zou niets meer overblijven dan een puinhoop en de Europeesche cultuur zou ondergaan in den chaos. Ik weiger te gelooven, dat er velen zullen zijn, zoo verblind door haat en zoo gespeend van verzijde van onzen grooten Germaanschen broeder, van Duitschland, niet alleen als geestverwanten, ook niet alleen omdat wij ons lots- en bloedverbonden weten, maar tevens als Nederlanders en Europeanen, die ons land liefhebben en de Europeesche cultuur willen behouden.

De millioenen Europeanen, die nu in Rusland optrekken tegen de bolsjewieken strijden ook voor ons Volk. Amerika en Engeland willen Europa uithongeren en afsnijden van de voorraadschuren van de wereld. Er is één voorraadschuur voor Europa, die nu geopend zal worden, de onmetelijke groote en vruchtbare korenvelden van de Oekraïne, waarvan het voedsel zal komen voor mensch en dier, dat Europa anders te kort zou komen. De brood- en vetvoorziening van Europa zal daardoor gewaarborgd worden. Nieuwe grondstoffen en mijnen zullen worden verkregen. De haard van geestelijk bederf, de bedreiging van Europa in het Oosten, zal worden vernietigd.

Dit alles geschiedt ook voor ons. Daarom ben ik van dankbaarheid vervuld, dat het ons vergund is, dat ook duizenden Nederlandsche mannen aan dien strijd deel zullen hebben. Zij staan in de ᛋᛋ Standarte Westland, zij werken in het N.S.K.K., zij zijn de voorposten van het komende nationaal-socialistische Nederland. Ik betreur het alleen, dat het slechts duizenden zijn en niet vele tienduizenden.

Deze duizenden zijn de werkelijke vaderlanders, die hun leven inzetten, opdat hun Volk een toekomst zal hebben in het nieuwe Europa, dat gebouwd wordt. Iederen dag wordt het duidelijker, dat wij de waarheid en niets dan de waarheid zeiden, toen wij tijdens de verkiezingen van 1937 ons Volk toeriepen: Zonder de N.S.B. heeft dit Volk geen toekomst meer.

Gij, mijne volksgenooten, die werkelijk goede Vaderlanders wilt zijn, begrijpt, dat gij aan uw Volk verschuldigd zijt het u doelbewust scharen om de vanen der N.S.B., want dit beteekent het bestrijden van de machten, die Europa willen vernietigen en het medebouwen aan het nieuwe Europa, dat ten koste van zoo groote offers gevormd wordt in onzen tijd. Wij willen geen parasieten zijn, die straks de voordeelen willen genieten van wat anderen ten koste van groote offers veroverden. Wij willen medestrijden, mede lijden, mede overwinnen. Volk sluit aaneén!

MUSSERT

DEN HAAG, 23 Juni 1941.

NATIONAAL-SOCIALISME OF C

MASSABYEENKOMST OP HET YS

Foto's Fotodienst N.S.B.: Koper 3

DE RIJKSCOMMISSARIS:

„Nederlanders, gij deelt Europa's bestel, gij zijt medeverantwoordelijk voor Europa's lot. Ikzelf beschouw deze betooging als het uitgangspunt van een reorganisatie op nationaal-socialistischen grondslag, ook voor Nederland. Nu de beslissing in het Oosten valt, moet deze ook hier aangepakt worden. Het Nederlandsche Volk moet in volledige gelijkgerechtigdheid en met erkenning van zijn waarden de hem toekomende plaats innemen. Het zal zijn eigen welvaart en geluk bevorderen indien het zich bevrijdt van den binnengedrongen Joodschen, plutocratischen en bolsjewistischen geest".

MUSSERT:

„Ik geef U de verzekering: He Nederlandsche Volk doet mee; maa 20 jaar stelselmatige vergiftiging kunnen niet in een paar maande krachteloos gemaakt worden. Tien duizenden echter marcheeren reeds ir onze gelederen. In naam van deze steeds meer groeiende, steeds krach tiger wordende kern zeg ik U, Mijn heer de Rijkscommissaris, het Duit sche Volk kan op ons rekenen, als op zijn trouwsten broeder".

OMMUNISME
LUBTERREIN TE
AMSTERDAM

404/33

MIT ADOLF HITLER IN EIN NEUES EUROPA!

LOSSE NUMMERS 6 CENT
PER POST MET PORT VERHOOGD

25 HOOIMAAND 1941
No. 30 — 1e JAARGANG

De ZWARTE SOLDAAT
BLAD VOOR DE W.A. IN NEDERLAND
CDT. MR. A. J. ZONDERVAN

HOOFDOPSTELLER: ONDERBANLEIDER J. J. v. d. HOUT Maliebaan 76, Utrecht, Tel. 20141. - Administratie: Stafkwartier W.A., Maliebaan 76, Utrecht, Giro 400107 t.n.v. De Zwarte Soldaat. Advertentie-tarief: 25 ct. p. regel. Bij meerdere plaatsingen korting.

Verschijnt elke week. Prijs voor Nederland: per nummer Gld. 0.06, p. kwartaal Gld. 0.80, p. ½ j. Gld. 1.60, p. jaar Gld. 3.20, ev. Gld. 0.15 incasso; voor Groot Duitschland: p. nummer 10 Pf., p. kwartaal R.M. 1.30, p. ½ jaar R.M. 2.60, p. jr. R.M. 5.20. Leden W.A. gratis.

Russische toestanden bij de politie te Nijmegen

Vervanging van deze ordeverstoorders door ordebewaarders dringend noodzakelijk!

Commissaris Veltman en zijn oranje-bolsjewisten

Zaterdag j.l. fietste een weerman in burger door Nijmegen.

Toevallig viel zijn oog op den kraag van een voorbijganger, die het noodig vond ondanks de uitdrukkelijke verboden van de Duitsche overheid uiting te geven aan zijn „liefde" voor eenige vluchtelingen door het uitgezaagde dubbeltje, dat zijn knoopsgat sierde.

De weerman vervulde zijn plicht en ontnam dit heer zijn „eeremetaal". Dit ging gepaard met een duw van den OZO-er, die prompt door een tik van den weerman werd beantwoord, waarop de held in een winkel vluchtte in afwachting van de dingen, die hij dacht, dat komen zouden, als de weerman temidden van een vijandig publiek zou trachten hem verder op de juiste wijze tot de orde te roepen.

Onze weerman deed, wat zijn plicht was en stelde zich vóór den winkel op teneinde te wachten, totdat politie zou aankomen om den held verder zijn verdiende loon te geven.

Terwijl zich langzamerhand het publiek verzamelde en trachtte een relletje uit te lokken, kwamen tenslotte twee agenten opdagen, die onmiddellijk op den weerman toegingen zonder moeite te doen het publiek te verspreiden.

De weerman legitimeerde zich en verzocht na uiteenzetting van het gebeurde den agenten den man in den winkel te arresteeren.

De beide ordebewaarders gingen naar binnen en namen daar volgens hun zeggen den dubbeltjesdrager een „verhoor" af.

Na dit verhoor kwamen zij naar buiten en... **arresteerden den weerman!**

Na deze moedige daad was het succes bij het publiek deze heeren blijkbaar dusdanig naar het hoofd gestegen, dat zij den weerman met een joelende menigte van honderden menschen achter zich, niet rechtstreeks **maar langs een omweg naar het politiebureau brachten!**

Hopman Manche, de vendelcommandant van Nijmegen, was intusschen op de hoogte gesteld van het gebeurde en begaf zich onmiddellijk naar het politiebureau.

Hij kwam daar eerder aan dan de arrestant met zijn begeleiders en wachtte dus hun komst af.

Toen de stoet aankwam, begaf hopman Manche zich onmiddellijk naar den arrestant, legde zijn hand op den arm van dezen man, terwijl hij met hem sprak en vroeg zijn onmiddellijke vrijlating.

Dit was voor een aantal agenten van politie onder aanvoering van den agent Bouwman het sein, zich met gummiknuppels op den vendelcommandant te storten!

De wachtmeester, die hopman Manche begeleidde riep daarop dezen toe: „Wil ik hulp halen? waarop deze zeer begrijpelijk in de omstandigheden, waarin hij dank zij den Russischen geest van deze Nijmeegsche agenten verkeerde, „Ja!" antwoordde.

Na afloop van dit gevecht, dat dank zij de overmacht en de wapens tamelijk eenzijdig moest worden gevoerd, verkreeg Hopman Manche een onderhoud met den commissaris, die al dien tijd in het gebouw aanwezig was, maar blijkbaar niets had gemerkt van het gebeurde!

Toen Hopman Manche de vrijlating van den arrestant vroeg en den commissaris het gebeurde vertelde, verliet deze een oogenblik het vertrek om zich nader op de hoogte te stellen.

Tijdens die afwezigheid hoorde de hopman plotseling een inspecteur van politie schreeuwen: „Daar heb je die kerels!", waarop hij zich naar buiten begaf en zag, dat daarmee de vijf weermannen onder leiding van een kompaan werden bedoeld, die inmiddels waren gearriveerd.

De aankomst van deze kameraden was het sein voor een wachtmeester der marechaussee om het hek te sluiten, waarbij hij niet kon verhinderen, dat de kompaan nog juist binnenslipte.

Daarop werd groot alarm gegeven!

Rolluiken werden neergelaten, helmen opgezet en in een oogwenk kwamen dertig tot veertig politiemannen naar buiten stormen, die zich als razenden op de twee ongewapende weermannen, (den hopman en den kompaan) wierpen, die zich binnen bevonden.

Met deze groote overmacht was 't niet moeilijk deze twee kameraden in korten tijd tegen den grond te slaan en o.a. den hopman bloedend aan het gezicht te verwonden.

De zich buiten bevindende vijf weermannen werden met de schietwapenen bestookt, waarbij het alleen aan de blijkbaar zeer slechte opleiding van de agenten te danken is, dat geen slachtoffers vielen.

Deze weermannen deden vergeefsche pogingen om door over het hek te klimmen hun kameraden te hulp te komen.

Het is niet aan de lankmoedigheid, maar eenvoudig aan de totale onbekwaamheid van dit politiecorps te danken, dat de gevolgen van minder ernstigen aard waren dan een dergelijke slaan- en schietpartij deed verwachten.

Het nauwkeurige onderzoek, dat Commandant Zondervan en Opperheerbanleider Van 't Hof zelf ter plaatse instelden, heeft uitdrukkelijk bewezen, dat in dit politiecorps sprake is van **een georganiseerde terreur tegen nationaal-socialisten, zoowel in als buiten het corps!**

Commissaris Veltman was o.a. niet in staat te antwoorden op de vraag van den Commandant, hoe het mogelijk was, dat tijdens zijn aanwezigheid in het gebouw de gewapende agenten met een dergelijke overmacht zich op onze twee kameraden hadden gestort, daarbij ten duidelijkste bewijzende, dat het niet ging om de vervulling van hun politioneele taak, die bestaat uit arrestatie en voorgeleiding, maar om de bevrediging van den haat van onze oranje-bolsjewisten tegen het nationaal-socialisme.

Rapporten van kameraden-agenten worden eenvoudig terzijde gelegd; als een der kameraden in het schaftlokaal komt, staan de andere ordebewaarders op en op tal van andere manieren geven deze heeren te kennen, dat zij in de huidige omstandigheden liever als ordeverstoorders dan als ordebewaarders optreden.

Zij zullen daarvan dan ook de gevolgen moeten ondervinden!

Van den eersten tot den laatsten verantwoordelijken man!

Een commissaris, die de „leiding" bij dergelijke gebeurtenissen overlaat aan steeds orders en tegenorders schreeuwende ondergeschikten, is evenmin geschikt voor zijn taak als een burgemeester, die zooals de burgemeester van Nijmegen, toestaat, dat in zijn aanwezigheid een heel café luidkeels het schoone lied: „Voor Koningin en Vaderland" brult, zonder dat hij daartegen optreedt!

Zij, die meenen van Nijmegen een klein Rusland te kunnen maken, zullen moeten beseffen, dat aan de wanorde in Nederland evengoed als in het Oosten een einde zal worden gemaakt.

En zoo niet goedschiks, dan maar kwaadschiks en met harder hand, dan waarmee die schoeljes nog in dezen tijd in strijd met alle vooral op nationaal-socialisten durven jagen!

OVERAL ONZE V's

Overal in de steden en dorpen zijn ze verschenen: **Onze V's.** Overal zijn de plakkaten met de oranje V aangeplakt en de menschen, die nog niet goed begrepen wat de Engelsche omroep met zijn V-actie bedoelde, weten 't nu!

V = **Duitschland wint voor Europa op alle fronten.**

V = het zinnebeeldig gebruikte letterteeken, waarmee het nationaal socialisme de kracht van elke vijandige tegenactie breekt.
Want **V** beteekent: de **vijand** van Duitschland en van het nationaal-socialisme, die elken dag opnieuw zijn valstrikken tracht uit te zetten om dit goede volk te vangen.

V = **Voor ons volk vangen wij dien vijand!**
Wie is de vijand? Dat zijn de plutocratische **voddezakken,** die **vergelding** eischen, omdat hun **vuns** en **vuil** spel van uitbuiting is uitgespeeld. Zij eischen een **verschrikkingsbewind.** Zij bepalen bijltjesdagen.

V = **Voor Volk en Vaderland vernietigen wij deze vadsige vagebonden.**
Wie is de vijand? Dat zijn de sluwe **vossen,** die zich als **vrome vrienden voordoen en zeer vertrouwelijk vergif verspreiden** en **valsche verhaaltjes vertellen.** Er is een spreekwoord, dat zegt: Als de **vos** de passie preekt, boer pas op je ganzen! Daarom:

V = **Verdelging van de verfoeilijke vossen, die zich vergenoegen in hun vuilspuiterij.**

V = de **vloek,** die rust op vagebonden en vossen, die verklaren, dat zij dit volk vertegenwoordigen.

V dat zijn de **verraders** van ons **Volk** en **Vaderland,** die met **volle** en **vette beurzen** naar Engeland **vluchtten.**

V = het **vandalisme,** dat de Engelsche **vrijheidshelden** en **vredesapostelen** bedreven op den Afrikaanschen boerengrond. - **26.370 vrouwen vermoordden** de **vredesengelschen** zonder vorm van proces.

V = is de voosheid en verwordenheid van het oude stelsel, dat verdwijnt door het krachtige nationaal-socialisme. **Wat voos is verdwijnt! Wat sterk is houdt stand.**

V = de **vrees,** die de oude machthebbers hebben voor het oprukkende nationaal-socialisme, dat in zijn **vaart** de rotte en duffe democratenkliek volledig verwoest. **Men vreest de vrijheid!!**

MAAR WAT BETEEKENT V NOG MEER???

OP A
BETEEKENT VICTORIE WANT DUITSCHLAND WINT VOOR EUROPA OP ALLE FRONTEN
V=DUITSCHLAND wint VOOR EUROPA OP ALLE FRONTEN
FOTODIENST N.S.B.

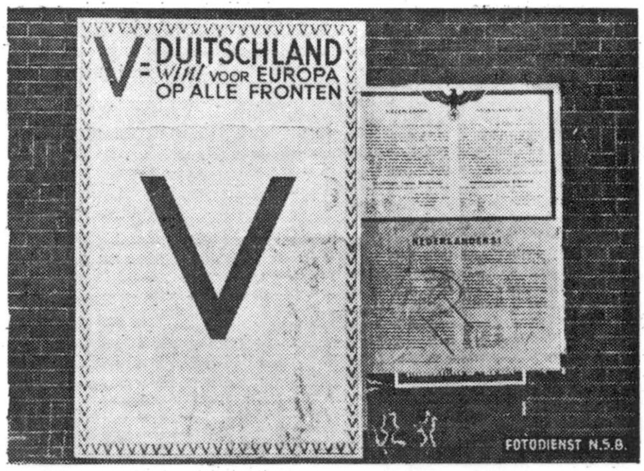
V = DUITSCHLAND wint VOOR EUROPA OP ALLE FRONTEN
V
FOTODIENST N.S.B.

V beteekent ook: **vrijheid!**
Het is de vrijheid, die U door het nationaal-socialisme gebracht wordt. Het is de vrijheid in gebondenheid. Kan een man vrij zijn als hij zich bindt aan kapitalisme, aan democratie, aan bolsjewisme of aan vrijmetselaars-Jodendom? Neen, nooit! Dat heeft het verleden duidelijk bewezen.
Vrij zijn beteekent: **verbonden met Uw volk; gebonden aan Uw bodem. Vrijheid in gebondenheid** is de **ware vrijheid!**

V beteekent ook **voorspoed!**
Voorspoed voor geheel Europa; voorspoed voor de geheele wereld! Voorspoed, die verkregen wordt door arbeid. Alléén voorspoed door het **nationaal-socialisme.**

V verkondigt ons vrede, die na de overwinning van het nationaal-socialisme zal weerkeeren over de aarde, omdat wij nationaal-socialisten het zinloos vinden, dat Europeesche volkeren tegen elkaar ten strijde trekken.
Wij vechten voor vrijheid, vrede en voorspoed!

V is de **vreugde.** Wie wenscht geen vreugde in zijn gezin? Wie wil geen vreugde na den arbeid? Vreugde in de vrije natuur; vreugde en ontspanning in de schoone kunsten. **Vreugde brengt U het nationaal-socialisme.**

V beteekent tenslotte **victorie.** Victorie is **overwinning. Duitschland wint voor Europa op alle fronten!**
Het nationaal-socialisme zegeviert over de duivelsche, bolsjewistische machten. Het nationaal-socialisme wint het van het plutocraten-Joden-Engeland. Victorie is overwinning van het werkende Europa! Boeren en Arbeiders! Volk van Nederland!

V = **de overwinning van het nationaal-socialisme. Die overwinning is zeker.** Omdat het goede altijd wint van het kwade! Omdat vrijheid en vreugde, voorspoed en vrede goede begrippen zijn, waarvoor Duitschland en het nationaal-socialisme en fascisme in de geheele wereld vecht.

Daarom dragen wij onze V. Heel Nederland moet overstroomd worden met V's.

V = HET TEEKEN VAN ONZE OVERWINNING!

V actie

De N.S.B. voerde samen met het Rijkscommissariaat en de N.S.D.A.P. de zoogenaamde V-actie. De V werd aanvankelijk door Churchill aan de Europeesche anti-nationaal-socialistische reactie als herkenningsteeken geschonken. De V beteekende Victory: de overwinning der Engelsche wapenen. De V werd onmiddellijk door alle nationaal-socialisten en fascisten in Europa geannexeerd. Binnen 3 weken was door een grootscheepsche propaganda-actie de V het teeken der Duitsche overwinning geworden, dank zij vooral, voor wat Nederland betreft, het initiatief van den Ministerialrat Fink, den Leider van de Propaganda-Abteilung van het Rijkscommissariaat, en de onvermoeide activiteit der kameraden van de N.S.B. en van de N.S.D.A.P. De V-actie is thans geëindigd.

V = DUITSCHLAND WINT
VOOR EUROPA
OP ALLE FRONTEN

Foto's Fotodienst N.S.B.: Brouwer (1), Peperkamp (1), A. G. Swart (2), Warburg Jr. (3), Wenniger Mulder (1).

BERICHT.

Onze hoofdredacteur, kameraad Wenniger Mulder, naar het oostfront.

Om mede te strijden tegen het bolsjewisme zal kameraad Mulder naar het front vertrekken en als P.K.-man dienst nemen bij het Nederlandsche Vrijwilligers Legioen.
Over de taak van de P.K. (Propaganda Kompanie) zal hij hieronder een uiteenzetting geven. Door het verzorgen van reportages in woord en beeld van de gebeurtenissen aan het Russische Front zal een nauwe verbondenheid ontstaan tusschen de strijdende kameraden en hen die kampen aan het thuisfront.
Fotonieuws zal zoodoende in staat zijn binnen afzienbaren tijd gebeurtenissen van wereldhistorische beteekenis onder den aandacht van zijn lezers te brengen.
Onze beste wenschen voor hem zelf en voor zijn arbeid vergezellen kameraad Wenniger Mulder op zijn wegen, waar deze ook heen mogen voeren.
Gedurende de afwezigheid van den hoofdredacteur zal kameraad v. d. Poll, hoofd van den Fotodienst, optreden als waarnemend hoofdredacteur.

HUGO BAAS,
Technisch redacteur.

Kameraden, trouwe lezers en Fotonieuws-enthousiasten!

Toen in 1939 de oorlogsfakkel in Europa ontbrandde, bleek al direct, dat de joodsch-plutocratische Amerikaansch-Angelsaksische misdadigerskliek „de bus had gemist", om deze oude koe nog eens uit de sloot te halen. Dit immers was Churchill's geliefde „hobby". Hitler zou dit namelijk overkomen zijn. De dief die „houdt den dief" roept, beschuldigt zichzelf. Het is echter een gaarne gebezigde methode om daarmede zijn eigen fouten te camoufleeren.
Vanaf dát oogenblik dus, de veldtocht tegen Polen, hebben de vijanden van Duitschland niet één strategisch, nóch politiek succes behaald. Alle veldslagen, of deze nu in Noorwegen, in het Westen, in Joegoslavië of in Griekenland geleverd werden, eindigden met een volkomen zege der Duitsche wapenen. Alle acrobatische toeren van Churchill ten spijt, waarin hij trachtte de verdrijving en vlucht van zijn legers om te tooveren tot fantastische moreele en strategische overwinningen, is de wereld toch wel tot de erkenning gebracht, dat de ondergrond van het Nationaal-Socialisme en Fascisme niet bestaat uit bordpapieren tanks, ondervoede soldaten en ontevredenheid, welke zeer spoedig tot contrarevoluties aanleiding zouden geven. Niet alleen heeft Duitschland de beste wapenen ter wereld, maar bovendien de beste soldaten. Daarbij zijn deze laatsten tevens bezield met den geest van het Nationaal-Socialisme, een geest, die een geweldige krachtsontplooiing teweegbrengt en zich terecht tooit met het aureool van onoverwinnelijkheid. Het is wel degelijk om gegronde redenen, dat de tegenpartij, dus de anti-nationaal-socialisten in het algemeen, zich uitputten om „onmogelijke" mogelijkheden te zoeken, teneinde de zége der Duitschers te verklaren.
De goedkoopste „verklaring" was de „verraads-questie". Ieder land, hetwelk Duitschland bezette, had, volgens hun zeggen dan, „verraders" die de overwinning bewerkstelligden, iets wat, alweer volgens hen, anders nooit had kunnen plaats hebben, en zeker niet in zulk een korten tijd. Alle linies, of deze nu Grebbelinie, Maginotlinie, Weygandlinie of Metaxaslinie heette, waren „onneembaar". Duitschland's geheime wapen was „verraad" in den rug van den vijand. Het is onnoodig om hier nogmaals een uiteenzetting te geven over de onhoudbaarheid van dezen lasterlijken kletspraat. De onvergelijkelijke dapperheid van den Duitschen soldaat, de meesterlijke legerleiding en Hitler's geniale veldheereigenschappen hebben genoegzaam bewijzen geleverd om te weten, dat alleen en alléén dáárdoor de zege op alle fronten in zoo korten tijd werd bevochten.
De verstandige, eenigszins militair-technisch ontwikkelde mensch is er van zijn kant dan ook van overtuigd, dat een eenmaal begonnen Duitsch offensief niet te stuiten is en tot een overwinning moet leiden. Het is echter zijn vooropgezette domme onwil om niet tot openlijke erkenning van de superioriteit van zijn tegenstander te komen, die hem leidt tot verbluffend kinderachtige verhaaltjes, waarmede groote menschen zich trachten in slaap te sussen, en om toch vooral maar niet de waarheid behoeven onder de oogen te zien. Want dát is het: de waarheid niet willen zien, niet willen hooren. Maar het spreekwoord: „Al is de leugen nog zoo snel, de waarheid achterhaalt haar wel", is nog nooit zoo krachtdadig bevestigd als heden ten dage; nog nimmer heeft de waarheid zich met zooveel onverbiddelijkheid in domme zelfzuchtige hersens gehamerd!
Evenzoo als de stoffelijke linies overhoop geloopen zijn, zoo zal ook iedere geestelijke tegenstand vandaag of morgen tot niets uiteenvallen. Tegen de bezieling, die het Nationaal-Socialisme wekt, is niets bestand.
Het klaaglijk gebedel van de zijde van Churchill om Amerika tot grootere en effectievere hulp aan de sporen, is het beste bewijs voor den hoogst ernstigen toestand, waarin zich het Britsche Rijk bevindt, nadat het eerst tallooze landen tot een oorlog tegen Duitschland heeft verleid. Het heeft niets mogen baten. Het heeft niet geleid tot een verarming van Duitschland aan oorlogsmateriaal, noch tot uitputting van de weermacht. Nadat het Europeesche vasteland van vijanden was gezuiverd, loerde alleen aan de Oostgrens als een sphinx het roode monster om met één slag te trachten Europa te vernietigen. Het was niet alleen tegen Duitschland dat de Sowjet-Unie zich op een oorlog voorbereidde, het gold het geheele nationaal-socialistische en fascistische front. Het was alweer de geniale vooruitziende blik van Adolf Hitler, die Europa voor het grootste onheil heeft gespaard. Door het in toom houden van de Sovjets door het niet-aanvals-pact had hij gelegenheid om stuk voor stuk de onrusthaarden en vijandelijke kernen in Europa te vernietigen en van Engelsche intriges te zuiveren. Reeds vijf en twintig jaar lang heeft het sadistische roode monster in de Sovjet-Unie rondgewaard en zijn vangarmen tot over zijn grenzen in de omringende landen laten doordringen, zich als vampyr voedend met het bloed van door massamoord uit den weg geruimde menschen.
22 Juni 1941, de dag waarop de veldtocht in het Oosten een aanvang nam, zal een datum zijn, die in de geschiedenis aan wereldhistorische belangrijkheid zijns gelijke nauwelijks zal aantreffen. Millioenenlegers staan in een strijd gewikkeld van een afmeting, die de wereld nog nimmer aanschouwd heeft. Aangespoord door de gemeenschappelijke plicht: het bezweren van het bolsjewistische gevaar, hebben verschillende landen zich in dezen gigantischen kamp bij Duitschland aangesloten. Het gaat om het behoud van

497/27

VICTORIE
DUITSCHLAND
WINT
VOOR EUROPA
OP ALLE FRONTEN

Ophaalbruggen boden een uitgezocht propaganda-object. 3294

DE NEDERLANDSCHE UNIE
VICTORIE!
DUITSCHLAND WINT
VOOR EUROPA

3218 Zelfs de voormalige Nederlandsche Unie ontkomt niet aan de Duitsche victorie!

V-DUITSCHLAND

473/3
Op landkaarten wordt Duitschland's overwinning op alle fronten aangegeven.

Voorafgegaan door een vaandelwacht van drie ϟϟ-soldaten marcheert het Legioen af naar het station, teneinde in Rusland, als het beste deel van ons volk, Nederland te vertegenwoordigen in den strijd tegen het bolsjewisme.

NEDERLANDSCHE VRYWILLIGERS NAAR HET OOSTFRONT

507/11a

Europa voor nu en de toekomst. Bijna alle landen van Europa zijn aangetreden of zenden hun Vrijwilligerskorpsen, óók Nederland.
Met onweerstaanbare kracht en niet te stuiten snelheid worden de Sovjetdivisies onder den voet geloopen en in de pan gehakt. Met onfeilbare zekerheid drijven de verbonden legers wiggen in het vijandelijk kamp en sluiten de troepen in in een ijzeren omsingeling, waaruit redding niet meer mogelijk is. Met de grootste krachtsinspanning tracht de Sovjetleiding den opmarsch te stuiten en brengt daarom alles in den strijd wat het ter beschikking heeft, alles wat ze heeft aan menschen en materiaal. Koste wat het kost moet de toegang tot het hart van Rusland, Moskou, versperd worden. Het zal echter niet baten. Groote gebeurtenissen werpen hun schaduw vooruit. Deze grootste strijd welke ooit gevoerd werd zal ook de grootste overwinning brengen, die de menschheid ooit beleefd heeft. Bij het gloren van een komenden dag zullen de zegetrompetten het uitschallen over landen en werelddeelen: Victorie, VICTORIE....!
Victorie op alle fronten, Duitschland wint op alle fronten, ja, want zonder Duitschland was Europa in een onvoorstelbaar bloedbad herschapen, daar had dan het bolsjewisme wel voor gezorgd. Aan den horizont schemert reeds het ochtendgloren, maar nog is het niet zoover, nog worden er offers gebracht en zullen nog gebracht moeten worden, óók door Nederland. En dit laatste geschiedt. Met vurig enthousiasme hebben duizenden zich vrijwillig gemeld om aan den strijd te mogen deelnemen, om daarmede den grondslag te leggen voor het innemen van een eervolle plaats van Nederland in de germaansche volkerengemeenschap. De vernietiging van het bolsjewisme is een Europeesche zaak, dus ook een Nederlandsche en daarom stemt het zoo tot vreugde, dat er ook hier talloozen zijn, die dezen roep hebben gehoord en er zonder meer gevolg aan geven. Er zal een dag komen, waarop het geheele Nederlandsche volk met trots en met diepe dankbaarheid vervuld deze daad van hun volksgenooten zal herdenken, omdat zij eerst dán ten volle zullen beseffen, dat deze daad van het grootste belang is geweest voor de eer van Nederland met de daaraan verbonden voordeelen. Het is niet de tijd om hierop vooruit te loopen, hoofdzaak is, dat er Nederlanders zijn, die het wél begrijpen en als pioniers voor Nederland's toekomst aantreden.
Wij (nationaal-socialisten) zijn het geweten der natie, heeft Mussert eens gezegd. Inderdaad, het beste bewijs is thans geleverd. Ferme jongens, stoere knapen, aantreden!
HIER!
Een duizendtal vrijwilligers van het Nederlandsche Legioen, zijn inmiddels vertrokken. Het was een ontroerend moment waarop Generaal Seyffardt tot de Legioen-soldaten sprak, getuigend van de grootte van het oogenblik. Velen zullen volgen, óók gehoor gevend aan den roepstem van hun geweten. Maar Nederland en het Nederlandsche volk zullen weten waar zij zijn en wat zij doen. Een band zal hen met het Vaderland verbinden; er zal den achterblijvers verteld worden van hun strijd, het zal te zien en te hooren zijn, overal, in de kranten en tijdschriften, in de bioscopen en door de radio door middel van de.... „P.K."
De „P.K." is de persaanduiding voor de berichten van de z.g. „Propaganda Kompanie". Om een juist beeld te geven van het wezen der „P.K." zij vermeld, dat de tot deze Propaganda Kompanie behoorende mannen *soldaten* zijn, geuniformeerd volgens het legeronderdeel waartoe zij behooren, uitgerust met wapens en munitie en alles wat een soldaat bij zich behoort te hebben. Dáárin onderscheiden zij zich in niets van de anderen. Hun taak is veelomvattend; deze behelst namelijk het natuurgetrouw weergeven van de gevechtshandelingen, onverschillig of deze zich in de lucht, op zee, met pantserwagens of waar en hoe ook afspelen. Voor

CAFE
WACHTJE

het eerst in de krijgsgeschiedenis heeft de Duitsche legerleiding in dezen oorlog van deze Propaganda Kompanie gebruik gemaakt. In tegenstelling met de vroegere oorlogscorrespondenten die, veilig gezeten achter hun schrijftafel, sensatieverhalen over de gevechten opdischten van „hoorenzeggen", liggen de huidige P.K.-mannen in de voorste linie en verdedigen zich, indien noodig, met het wapen in de hand. Alleen zoodoende is het mogelijk om een juist beeld te geven van den strijd. Buiten hun soldatenuitrusting dus sleepen de P.K.-mannen hun fototoestellen, filmcamera's en geluidsapparaten mede. Van Duitsche zijde hebben wij reeds in overvloedige mate met het werk van P.K.-mannen kunnen kennis maken; de oorlogsjournaals in de bioscopen zijn hun werk, de „Frontberichten" door de radio stammen van hen en de foto's in de geïllustreerde bladen dragen het merk P.K..... Het is een prachtig initiatief geweest om ook voor het Nederlandsche Legioen een dergelijke Propaganda Kompanie samen te stellen. Er wordt op die wijze een mogelijkheid geschapen om het wel en wee, het leven en den strijd van onze Hollandsche jongens aan het front aan de openbaarheid prijs te geven. Het „thuisfront", dat nog dagelijks een zwaren politieken strijd heeft te voeren, zal niet in onzekerheid verkeeren omtrent het lot van hen, die van hen heengingen om op te trekken tegen het monster, het bolsjewisme, en het voor eens en voor altijd te vernietigen. De taak van de P.K.-soldaten is een zeer verantwoordelijke en zij zijn er zich ten volle van bewust. Het komt er op aan om de belevenissen aan en achter het front dusdanig natuurgetrouw weer te geven, dat degenen voor wie de berichten, films en foto's bestemd zijn, een zoo volmaakt mogelijken indruk ontvangen en de omstandigheden zoo kunnen medeleven, alsof zij er zelf bij waren. Doch niet alleen voor hen die achterblijven, familieleden en vrienden is het bestemd, maar voor het geheele Nederlandsche volk. Zij allen zullen leeren beseffen welk offer er voor hén gebracht wordt, opdat Nederland leve en een toekomst hebbe. Ook zij, die thans slechts een minachtend schouderophalen (om niet iets ergers te zeggen) over hebben voor dit „gedoe" zullen eens inzien dat het inderdaad de beste zonen van ons volk zijn geweest, die zich als pioniers opgeworpen hebben in dezen strijd om het behoud van de christelijke beschaving.... Nogmaals, om hen tot dit inzicht te doen geraken, daarvan is een belangrijk gedeelte de taak van de P.K.
Kameraden en trouwe lezers van Fotonieuws, ook ik, en met mij verschillende kameraden van de afdeeling Propaganda, zullen als P.K.-man aantreden. Ge kunt ervan verzekerd zijn, dat wij onze beste krachten zullen geven voor Volk en Vaderland. Geen offer te groot wanneer het dáárom gaat. Dat mijn gedachten steeds bij ons blad Fotonieuws zullen zijn, behoeft geen betoog. Ik hoop, en ook mijn medewerkers, dat binnen niet al te langen tijd de eerste documenten van het grootsche gebeuren temidden waarvan wij leven, in Fotonieuws gepubliceerd zullen worden, hetgeen de belangrijkheid van ons blad in niet geringe mate zal doen toenemen. Overtuigd kunt ge er verder van zijn, dat gedurende mijn afwezigheid de waarnemend hoofdredacteur zijn gaven volledig in dienst van Fotonieuws zal stellen, opdat het bloeie en groeie. Het zal mij een groote voldoening zijn, dat, wanneer ik terugkeer, de oplage van Fotonieuws ettelijke malen verveelvoudigd is. Wij, legioen-soldaten, stellen het grootste vertrouwen in de strijdvaardigheid van het „thuisfront". Het werk, dat wij achterlaten, zal door u met verbeten fanatisme worden overgenomen en voortgezet, daar zijn wij zeker van! Tot weerziens in het Vaderland! Met Mussert, voor Volk en Vaderland,

HOU ZEE!
C. A. WENNIGER MULDER.

507/10a Het muziekcorps van de Ordnungspolizei zorgde voor pittige marschmuziek.

CAFE
WACHTJE

507/15a

Begeleid door naaste verwanten, onderweg naar het station.

499/15

Den vertrekkenden wordt een hartelijk vaarwel toegeroepen.

WIJ GAAN
STALIN
HALEN

499/8 De strijdlust zit er al in!

LOSSE NUMMERS 6 CENT
PER POST MET PORT VERHOOGD

8 OOGSTMAAND 1941
No. 32 — 1e JAARGANG

De ZWARTE SOLDAAT

BLAD VOOR DE W.A. IN NEDERLAND
CDT. MR. A. J. ZONDERVAN

HOOFDOPSTELLER: ONDERBANLEIDER J. J. v. d. HOUT Maliebaan 76, Utrecht, Tel. 20141. - Administratie: Stafkwartier W.A., Maliebaan 76, Utrecht, Giro 400107 t.n.v. De Zwarte Soldaat. Advertentie-tarief: 25 ct. p. regel. Bij meerdere plaatsingen korting.

Verschijnt elke week. Prijs voor Nederland: per nummer Gld. 0.06, p. kwartaal Gld. 0.80, p. ½ j. Gld. 1.60, p. jaar Gld. 3.20, ev. Gld. 0.15 incasso; voor Groot Duitschland: p. nummer 10 Pf., p. kwartaal R.M. 1.30, p. ½ jaar R.M. 2.60, p. jr. R.M. 5.20. Leden W.A. gratis.

MOBILISATIE DER N.S.B.

W.A. marcheert

De vorige week heeft de Commandant der W.A. mij voorgesteld met het geheele korps naar Rusland te vertrekken. Hij was er zeker van, dat, wanneer ik dit gewenscht acht, duizenden spontaan zouden marcheeren.

Inderdaad, wij allen weten, dat in het Oosten zich afspeelt het grootste drama van alle tijden. Vele millioenen zijn daar gewikkeld in een strijd op leven en dood. Daar wordt niet alleen beslist over het lot van Duitschland, maar over het zijn of niet-zijn van Europa. Sovjet-Rusland heeft zich, als zetel en kern van het wereld-bolsjewisme en met inspanning van alle krachten gedurende jaren voorbereid op de militaire verplettering van Europa. Wanneer Hitler, als geniaal aanvoerder en veldheer der Germanen, dit enorm gevaar niet nog juist bijtijds onderkend had, zouden over enkele jaren Europa's cultuur en godsdienst vernietigd zijn en op Europa's puinhoopen de Sovjetvlag zijn geplant. Alleen zij, die totaal verblind in dezen grootschen tijd staan, begrijpen dit niet.

Onze plicht als Nationaal-Socialisten, als goede vaderlanders, als goede Germanen, als goede Europeanen, is te doen al wat wij kunnen om te helpen. Wij verafschuwen het parasiteeren op de kracht der Duitsche wapenen, op de offers van het Duitsche volk. Wij willen zelf mededoen, zelf offers brengen. Daarom zijn wij dankbaar, dat reeds honderden van onze kameraden in de eerste linies aan het Oostfront staan - hetgeen wij danken aan den Rijksführer der S.S. Himmler - dat duizenden bij het N.S.K.K. werken, dank zij de medewerking van Korpsführer Hühnlein, en nu weet ik, dat duizenden van mijne kameraden vol ongeduld wachten om zich in te zetten.

Het voorstel van den Commandant der W.A. om met het geheele korps te vertrekken, is een voorstel der W.A. waardig. Ik weet, dat ik op mijn zwarte soldaten kan rekenen.

Er is echter ook een thuisfront, een front hier in Nederland, het front van onze tegenstanders, die nog altijd niet inzien, dat wij strijden voor de eer en de toekomst van ons vaderland. Tegenstanders, die zich niet ontzien om met de meest geraffineerde middelen gezinnen broodeloos te maken en aanslagen op ons te plegen. Daarom kunnen eerst dan opnieuw duizenden W.A.-mannen vertrekken, wanneer ik zekerheid heb, dat tenminste tienduizenden W.A.-mannen na hun vertrek hier overblijven voor den strijd aan het thuisfront.

Dientengevolge beveel ik dat alle manlijke leden der N.S.B. van 18 tot 40 jaar onverwijld toetreden tot de W.A.

Uitzondering hierop vormen zij, die daartoe lichamelijk ongeschikt zijn, zij die dienen als onmisbaar kader van den Jeugdstorm, zij die dienen in de Nederlandsche S.S. Het is niet toelaatbaar, dat in dezen geweldigen tijd waarin over ons leven wordt beslist, duizenden zich ten volle geven, terwijl er anderen zouden zijn, die jong en gezond zijn en tot niets anders bereid dan het lidmaatschap der N.S.B. zonder meer, gelijk zeer ouden van dagen.

De W.A. moet tot volle sterkte worden opgevoerd en dan kan uit deze groote W.A. een regiment worden samengesteld van vrijwilligers, dat als W.A.-regiment naar het Oosten zal vertrekken, onder de zinspreuk: Alles voor het vaderland!

Ik reken op de geheele Beweging, op al mijn manlijke en op al mijn vrouwelijke kameraden, dat zij dezen oproep zullen verstaan en spontaan hun volledige medewerking geven. Vrouwen en de oudere kameraden nemen in de administratie der politieke organisatie de plaats in van hen, die de W.A. roept.

Het is mijne bedoeling, dat binnen afzienbaren tijd drie volledige regimenten Nederlanders aan het Oostfront zullen staan: de eerste Nederlandsche divisie!

Van vijand tot vriend, van Engeland's knecht tot Duitschland's broeder, van tegenstander tot bondgenoot, van afzijdige tot lotsverbondene, van toeschouwer tot verantwoordelijke medewerker, daartoe moet het Nederlandsche volk komen, ter wille van zijn toekomst. Daarin gaan wij voor! Leve het vaderland!

Aantreden kameraden, ik roep U!

MUSSERT.

(Voor de eerste uitvoeringsbepalingen zie Volk en Vaderland van deze week.)

Weermannen!

Het bevel van den Leider is voor ons hoogste wet. Drieduizend man moeten in vier weken gereed staan om in ons eigen W.A.-regiment aan het Oostfront het nieuwe Nederland te vertegenwoordigen met de zevenduizend kameraden, die daar reeds staan.

Van de 1700 weermannen in Duitschland hebben 1300 zich aangemeld. Dat beteekent, dat nog minstens tweeduizend weermannen uit Nederland moeten komen.

Allen geven zich in dit geval rechtstreeks op aan: Stafkwartier W.A., Maliebaan no. 76 te Utrecht. Rechts onderaan op de envelop vermelden: DIENST XV. De aanmeldingen zullen op het Stafkwartier worden geschift en ik zal dan beslissen, wie mogen vertrekken.

In de aanmelding moeten worden vermeld:

1. Naam en voornamen.
2. Adres.
3. Onderdeel en rang in de W.A.
4. Bijzonderheden omtrent eventueelen militairen dienst, beroep enz.
5. Geboortedatum.
6. Stamboeknummer N.S.B. en W.A.

Ik verwacht alle aanmeldingen zooveel mogelijk in de komende week. Laat de W.A. ook hierin opnieuw een voorbeeld geven.

Kameraden uit de P.O., die in het W.A.-regiment wenschen te worden opgenomen, melden zich op dezelfde wijze.

Hou zee!

De Commandant,
ZONDERVAN.

WAAR HET OM GAAT!

Bij het vertrek van de mannen der Nederlandsche SS

Den Haag, 29 Augustus 1941

De Voorman neemt afscheid van onze kameraden, die uit de Algemeene SS in de Waffen-SS werden opgenomen. *(Foto: Stapf.)*

„Boer of soldaat — dat was de eenige keuze die er voor mij kon bestaan", zoo antwoordde de stoere SS-man uit het Geldersche, toen wij hem Vrijdag na het gemeenschappelijke middagmaal in het Wehrmachtsheim te 's-Gravenhage vroegen, of het hem zwaar was gevallen om toe te treden tot dit contingent Nederlandsche SS, dat te Sennheim en Klagenfurt wordt opgeleid in de Waffen-SS voor den strijd tegen de bolsjewistische horden. En wie hem hoorde vertellen over zijn boerderij en zijn land, begreep dat het inderdaad moeilijk geweest moet zijn om dit alles in den steek te laten, ook al stond het voor hem persoonlijk dan al vast, welk ideaal hij wilde volgen. „Maar de keuze houdt een groote verantwoordelijkheid in. Het zijn de boeren en de soldaten, die den oorlog voor Europa moeten winnen; wat moet je dan kiezen? Het soldatenleven trekt je natuurlijk geweldig aan, maar ook de productieslag moet gewonnen worden en het land, waar mijn vader en voorvaderen op geleefd hebben, waarvoor wij jaren en jaren gevochten hebben om het vrij en in eigen hand te houden, laat je niet los; je durft het niet in den steek te laten. Ik was blij, dat de leiding van de SS tenslotte, na rijp beraad besliste, dat ik toch mee kon naar het Oosten. Mijn broer behartigt nu de belangen van ons bedrijf."

De volgende, met wien wij spreken, is een Nederlandsche wielrenner van wereldvermaardheid. Het feit, dat hij thans meegaat met de Waffen-SS naar het Oosten, beteekent het einde van zijn carrière als beroeps-sportman, want zelfs al blijft hij maar een jaar of een half jaar weg — gedurende welken tijd hij niet zijn speciale training zal kunnen volgen, dan behoort hij tot de veteranen. „Maar ik kan toch niet doorgaan met baantjes rijden voor het publiek en om het geld, terwijl mijn andere kameraden van de SS lijf en leven inzetten voor den strijd van Europa tegen het bolsjewisme? Dat hou je niet uit en ik zou de rest van mijn leven met het zelfverwijt rond moeten loopen, dat ik anderen het groote werk had laten doen, waar ik ook toe in staat ben. De overwinning van de Germaansche wapenen is nu eenmaal belangrijker, dan onze persoonlijke aangelegenheden."

De directeur van een groote badinrichting in het Oosten des lands, bekend in het Nederlandsch toerisme; hij laat een vrouw en vijf kinderen, alsmede een bloeiend bedrijf achter. „Ik moest in mijn zaak jarenlang zeer veel omgaan met menschen van allerlei slag en wie er een beetje plezier in had om de menschen te bestudeeren, die moest wel tot de ontdekking komen, dat ons volk alleen gered kon worden door het nationaal-socialisme. Doch dat kan ook voor ons volk alleen komen, als de Germaansche, nationaal-socialistische wereldbeschouwing wint. En daarover wordt niet in mijn badinrichting, of ergens anders in Nederland beslist, maar op de slagvelden van Sowjet-Rusland. En daarom ben ik er geestdriftig voor om mee te gaan, hoewel ik veel achter moet laten en hoe zwaar mij dat ook valt!"

Waar twee Limburgers bij elkaar zijn, daar heerschen vroolijkheid en pret. In het Wehrmachtsheim zaten er ruim veertig aan hun lange tafel, mannen uit alle beroepen, tuinders, mijnarbeiders en intellectueelen, allen gekleed in de zwarte uniform der Nederlandsche SS. Hier vliegen de grappen en kwinkslagen een mensch om de ooren, ook al is het dan de dag van het afscheid. Bovendien hopen zij bij elkaar te blijven bij de opleiding en bij de Waffen-SS aan het front. „Er zijn er thuis nog zoo velen, die graag mee zouden willen, maar die niet kunnen. In onze streek zijn er vooral veel kleine, zelfstandige ondernemers, die reeds sedert jaren begrepen hebben, wat ons volk noodig heeft. Maar zij moeten wel bij hun zaken en bedrijven blijven, waarvoor zij jarenlang geploeterd hebben en waarvan hun gezinnen moeten leven. Zij kunnen dat nu eenmaal niet in den steek laten. Maar het afscheid uit Limburg was moeilijk toen die kerels je ook nog eens stuk voor stuk de hand kwamen drukken, terwijl zij zelf zoo graag schouder aan schouder mee zouden marcheeren."

„Je kùnt niet achterblijven", vertelt een collega, een redacteur van een der groote dagbladen, die ook de zwarte SS-uniform draagt, „terwijl de kameraden deelnemen aan den grootsten, meest eervollen strijd, welke Europa ooit gestreden heeft. Dan kunnen zelfs vrouw en kind je niet meer tegenhouden, evenmin als het beroep, waar je altijd zoo van gehouden hebt. Je kunt alleen nog maar hopen, dat je je ouden, trouwen vriend de schrijfmachine weer een keer noodig zult hebben om indrukken van den strijd weer te geven, maar niemand kan achterblijven, die heeft begrepen waar het om gaat."

Men kan niet achterblijven, als men eenmaal heeft begrepen, waar het om gaat.. dat is steeds weer de grondgedachte bij al deze mannen van de Nederlandsche SS, bij de stoere Friezen, bij de breede Geldersmannen, bij de vroolijke Limburgers, bij de boeren, de intellectueelen, de arbeiders, bij allen die de uniform van het keurcorps der SS dragen. Deze gedachte heeft hen geholpen, afscheid te nemen van veel dat hun lief was, zonder de zekerheid het ooit weer terug te zullen zien; deze gedachte heeft hen gedragen en heeft hun de kracht geschonken zich zelf te blijven, ondanks wanbegrip en ondanks de verliezen welke zij moesten lijden in den naasten kring van familie en vrienden. Want ontelbaar zijn de gevallen, waarin deze SS-mannen als eerste gevolg van hun besluit om aan den strijd deel te nemen, de banden met deze laatsten verbroken zagen. De strijd voor het ideaal is in deze dagen, nu eer en trouw van den SS-man inderdaad den inzet van zijn volle persoonlijkheid en geheele leven vergen, zoo moeilijk en zwaar als hij in den loop der eeuwen alleen was op het tijdstip eener Wende, wanneer de beslissing in den strijd van twee wereldbeschouwingen werd afgedwongen, om wederom eeuwenlang richting te geven en een doel te stellen aan het leven van volk en ras. Deze wetenschap heeft ook de familieleden en goede vrienden, die dezen dag van het afscheid met de Nederlandsche SS-mannen samen waren, gedragen, zoodat het scheiden niet sentimenteel werd.

In tegenwoordigheid van SS-Gruppenführer Rauter en van onzen Voorman hield de Leider der N.S.B. een korte toespraak. Hierin wees hij op de taak van den SS-soldaat aan het front in het Oosten: het dienen van eigen land en volk door mede te strijden voor het bestaan van de Germaansche Volksgemeenschap. Hij wees op het historisch oogenblik, nu opnieuw voor de zooveelste maal de reactionnaire machten trachten een nieuwe orde in Europa door omsingeling te vernietigen. Een nieuwe orde, zooals die in de Groot-Germaansche levensruimte zichtbaar wordt en die nu door de kracht der Duitsche wapenen onder leiding van den Führer Adolf Hitler overwint. Voor dit gemeenschappelijk belang der Germaansche volken te strijden met de wapens in de vuist is plicht voor ieder, die deze nieuwe orde tot werkelijkheid wil zien worden. Ook plicht van iederen Nederlander, omdat hij met het offer aan de Gemeenschap van het Noordras ook zijn eigen land en zijn eigen volk dient.

Ook al begrijpt een groot deel van ons volk dit nog altijd niet, toch kan slechts dit dienen van het Nederlandsche volk door het gemeenschappelijk strijden samen met onze Germaansche Wapenbroeders de oplossing voor de toekomst brengen. De offers, die daarbij gebracht zullen worden, zijn niet nutteloos. Integendeel, zij zijn de vervulling van de eeretaak ons aller toekomst te verzekeren.

Mussert droeg daarop de afdeeling over aan de SS-Standarte „Westland", aan den Reichsleiter-SS en aan Adolf Hitler. Een driewerf „Sieg-Heil!" voor den Führer bracht den vastberaden wil der kameraden tot uiting.

Tijdens den opmarsch van het contingent van het Vrijwilligerslegioen Nederland, dat dienzelfden dag vertrok, vormden de mannen van de Nederlandsche SS het sluitstuk. Uitsteekend gedisciplineerden indruk. Op het Buitenhof werd gedefileerd voor luitenant-generaal Seyffardt, commandant van het Legioen, SS-Gruppenführer Rauter en Voorman Feldmeyer.

AFSCHEIDSWOORDEN VAN DEN VOORMAN

29 Augustus 1941 — des ochtends stonden de vrijwilligers der SS in den tuin van het Wehrmachtsheim aangetreden. Nadat de troep door den stafchef SS-onderstormleider Van Etten, die zelf ook als vrijwilliger vertrekt, was gemeld, richtte de Voorman de volgende afscheidswoorden tot zijn mannen:

Na mijn oproep en na de woorden, welke ik in de afgeloopen weken op verschillende plaatsen in het land tot jullie sprak, is het overbodig thans nog eens over den achtergrond en de politieke beteekenis van jullie vrijwillige melding te spreken. Jullie staat aangetreden om af te reizen naar de Waffen-SS om soldaat te worden. Ons volk was in langen tijd geen soldatenvolk, wat ons ontbrak en ontbreekt in onze eigen geslachten is een soldatentraditie. Jullie bent de grondleggers van een nieuwe heldhaftige traditie in ons Volk. Soldaat zijn wil zeggen een hooge plichtsopvatting hebben. Maar jullie zult ginds naar den eisch van den Reichsführer-SS, welke hij aan elken SS-man stelt, meer dan je plicht moeten doen.

Bedenkt verder, dat je lidmaatschap van de Nederlandsche SS je geen voorrechten geeft. Integendeel, jullie eerst recht moeten voorbeeld zijn, zooals de ouderen die uit onze rijen gingen, reeds voorbeeld zijn geweest. Adel verplicht namelijk en wanneer wij de pretentie hebben het eerste begin van een nieuwen volkschen adel te zijn, dan moet dat uit onze daden blijken. Gaat dan heen met den vasten wil je soldatenplicht „tot en met" te vervullen en met het vaste voornemen gezond van lijf en leden terug te keeren. Er zullen er zijn, die niet terugkeeren, daarvoor is het oorlog. Maar het grootste deel zal terugkeeren om hier dan een kern te vormen, zoo hecht en sterk als een SS slechts kan zijn, doch ook moet zijn.

Na deze woorden nam de Voorman van elk der SS-mannen persoonlijk afscheid, waarna allen zich nog aan een gemeenschappelijken disch vereenigden.

ONBENUL

Pasquino, de „spotter" van „De Telegraaf", schrijft, sinds hij niet meer zijn venijn op onze oosterburen loslaten kan, nog altijd goedburgerlijke stukjes onder zijn ouden naam in zijn oude blad. Aan de tentoonstelling „In Holland staat een huis" wijdt hij nu al 25 artikeltjes, het eene al lieftalliger dan het andere. Onze kritiek op deze tentoonstelling is hem schijnbaar zeer onaangenaam, al durft hij dan ook „Storm" voor zijn lezers niet te noemen. Tenminste in No. 25 van zijn kilometer-geschrijf tracht hij ons betoog aan te vallen. En daar hij de juistheid van onze opmerkingen niet kan ontkennen, n.l. dat deze tentoonstelling slechts het hoog-aristo-pluto-interieur weergeeft, tracht hij het over een anderen boeg te gooien.

Hij beweert, dat het volksche binnenhuis niet meer bestaat, dat al deze meubels, al die voorwerpen verdwenen zijn en dat slechts een „reconstructie" op een tentoonstelling geplaatst zou kunnen worden. De hemel beware ons echter voor een reconstructie van het landelijke binnenhuis in den geest van de unie „Roëll-Pasquino-Telegraaf". Dit gebazel bewijst dat ook deze heer nog altijd niet het contact met het eigen volk teruggevonden heeft en tevens dat hij keuvelt over dingen waarvan hij niets weet. Laat ook deze man eens den boer opgaan, als hij dat tenminste met zijn nette colbertje durft. Laat hij zelf eens zien wat er nog van het werkelijk oud-Nederlandsche binnenhuis over is, welk een levensstijl nog altijd aanwezig is, niet alleen in gebruiken en kleederdrachten, maar ook in de woningen. Maar dat is niet deftig genoeg voor deze heeren. Het „staat" ook niet in een tentoonstellingscatalogus naast al die adellijke inzenders Boer Hoitink, Boer Pyma of Landbouwer Van Klaveren te vermelden. Dat zijn „mesaillances". Maar, Heer Pasquino, er is werkelijk nog genoeg van dit soort binnenhuizen te vinden, binnenhuizen waard op een tentoonstelling aan de stadsbevolking getoond te worden. Maar men moet durven zoeken, men moet daarbij geen flesch wijn, maar een kom koffie verwachten, men moet niet haagsch-deftig maar volksch praten kunnen. En dat is iets wat Pasquino niet kan en daarom ontkent hij maar liever het volksche leven. Dat is eenvoudiger.

1e JAARGANG — No. 1 1 OCTOBER 1941

HET WERKENDE VOLK

STRIJDBLAD VOOR DE NATIONAAL SOCIALISTISCHE BEWEGING IN AMSTERDAM

Opstelraad: Waldeck Pyrmontlaan 7, Amsterdam — Telef. 233 44—24564 — Verantwoordelijk Hoofdopsteller: JAN DE HAAS

WAAROM WIJ U NIET MET RUST LATEN!

„Probeer maar niet, mij om te praten: N.S.B.-er word ik nooit!"
„Laat me met rust, ik voel er niets voor!"
„Krantjes van landverraders lees ik niet!"
„N.S.B.-leugens gelooft toch niemand!"

De N.S.B. geeft in Amsterdam een nieuw blad uit, een propagandablad. Het wordt elke veertien dagen gratis bij tienduizenden gezinnen bezorgd. Duizenden N.S.B.-ers in Amsterdam brengen samen het geld ervoor bijeen. Dagenlang wordt er gewerkt om het klaar te maken. Honderden colporteurs en verspreiders offeren hun vrijen tijd op, om te zorgen dat het in alle brievenbussen komt.

Het komt ook bij U!

Wij weten het: U bent fel tegen tégen de N.S.B. Uw eerste gedachte is, om het blad met één van de bovenaangegeven zinnen in prullemand of vuilnisbak te deponeeren. U hebt immers andere inlichtingenbronnen: De naamlooze stencils, de radio in Londen, de verhalen uit den trein, de geruchten van Uw buren.

En toch komen wij wéér bij U. Ook al denkt U dat het verspilling van tijd en geld en werkkracht is.

U bent in Nederland geboren, Uw ouders waren Nederlanders, U werkt en leeft en strijdt in Nederland, Uw vaderland.

Ook wij zijn hier geboren, ook onze ouders waren Nederlanders als de Uwe, ook wij werken en strijden hier in Nederland, ons Vaderland.

Samen behooren wij tot het Nederlandsche Volk dat hier zijn vaderland heeft, tot „het werkende Volk".

Samen moeten wij hier leven, onzen arbeid verrichten, ons bestaan in stand houden, ons gezin verzorgen, onze kinderen opvoeden.

Samen moeten wij hier leven, niet alleen n u maar ook volgend jaar en alle andere jaren die wij, en onze kinderen na ons, zullen mogen beleven.

Daarom hooren wij bij elkaar. Daarom is ons geen moeite, geen werk en geen opoffering te groot om U te zeggen, telkens weer, wat gij weten moet.

Daarom laten wij U niet met rust!!
Het zou voor ons veel gemakkelijker zijn om U wèl met rust te laten. Wij zouden onszelf heel wat moeite, tijd en geld, heel wat haat en scheldwoorden besparen.

MAAR HET GAAT NIET OM ONS ALLEEN: HET GAAT OM ONS GEHEELE VOLK, OM ONZE GEZINNEN EN OM DE TOEKOMST VAN ONZE KINDEREN.

„Het werkende Volk" wil daaraan meewerken. Het wil de moeilijkheden bespreken die dezen tijd aan U èn aan ons brengt. Het wil U met raad en daad bijstaan. Het wil U duidelijk maken, wie en wat de nationaal-socialisten in Nederland zijn. Het wil U verklaren wat gij niet begrijpt, rechtzetten wat men U verkeerd heeft verteld. Het wil de kloven overbruggen, die door andere machten geslagen zijn tusschen U en ons, tusschen de werkende mannen en vrouwen van hetzelfde Volk.

Wij zijn niet bang voor Uw aanmerkingen en Uw critiek: Wij zullen er dankbaar voor zijn. Al wat wij doen heeft slechts één doel: Het levensgeluk van die negen millioen Nederlandsche mannen en vrouwen waartoe wij allen behooren, het belang van het werkende Volk van Nederland!

DIT is belangrijk!

Geschreven in 1931

LEIDEND BEGINSEL:

Voor het zedelijk en lichamelijk welzijn van een volk, is noodig een krachtig staatsbestuur, zelfrespect van de natie, tucht, orde solidariteit van alle bevolkingsklassen en het voorgaan van het algemeen (nationaal) belang boven het groepsbelang en van het groepsbelang boven het persoonlijk belang.

In 1941 onverminderd van kracht

U VRAAGT, SCHRIJFT, CRITISEERT! wij antwoorden!

Schrijft al wat ge op Uw hart hebt, ontlast Uw gemoed, vraagt wat ge wilt, critiseert wat ge wilt, wij zullen U antwoorden.

Adres: Opstelraad „Het werkende Volk", Waldeck Pyrmonlaan 7, Amsterdam. Onze vragenrubriek vindt ge in elk nummer op bladzijde 4.

Wij zijn niet „netjes"! Wij dragen geen fluweelen handschoentjes! Wij zeggen hàrde waarheden!

Het Werkende Volk 1 X 1941

HOOFDKWARTIER „DE

KAM. HUYGEN, Secretaris generaal.

KAM. KESSLER, Adj. van den Leider.

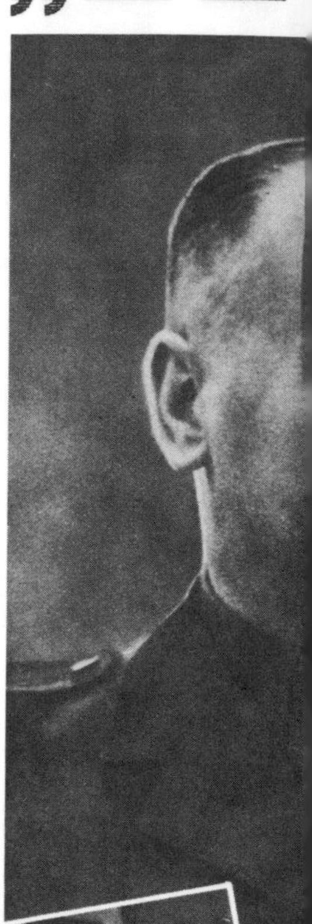

DE

15

372/4 Werkkamer van den Organisatieleider.

360/1 Kamer van den Secretaris-Generaal.

704/7 Kamer, waar de Hooge Raad van Discipline zetelt.

Kamer van de secretaresse van den Leider, kamske van Bilderbeek

360/4

Werkkamer v

MALIEBAAN" IN BEELD

MALIEBAAN 35

KAM. DE BLOCQ VAN SCHELTINGA, Algemeene zaken.

KAM. KARDOES, Organisatie.

ER

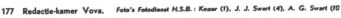

360/4 Wachtkamer.

730/3 Werkkamer van het hoofd afd. Algemeene zaken.

730/1 Kamer van den adjudant van den Leider.

Leider.

177 Redactie-kamer Vova.

Foto's Fotodienst N.S.B.: Koper (1), J. J. Swart (4), A. G. Swart (10

BRIEVEN

Op weg naar Rusland

29-7-'41.

Kameraden,

Het vertrek

Op 26-7 waren er in den Haagschen dierentuin 585 kameraden, die gemeend hadden hun leven in te moeten zetten in den strijd voor een nieuw, krachtig, vrij Europa en zich daarom vrijwillig gemeld hadden bij het Legioen Nederland. Ik was er God zij dank ook bij, en jullie weten, dat het voor mij ook een offer was, om alles te verlaten en mee te vechten voor de verwezenlijking van ons aller ideaal, een Nationaal-Socialistisch Europa. Voordat wij vertrokken, moesten de leden der N.S.B. (meer dan de helft) aantreden voor een tocht naar den Princesse-schouwburg, waar onze Leider ons samengeroepen had om afscheid te nemen. Hij sprak daar tot ons niet als Leider, maar als onze Vader, die trotsch is op zijn kinderen, maar tevens weemoedig, omdat zij, die hem dierbaar zijn, vertrekken naar een ver, vreemd land. Deze woorden van Mussert blijven mij in het hart gegrift en zullen mij in mijn soldatenleven het richtsnoer zijn.
Uitgeleide gedaan door mijn lief vrouwtje en de kameraden, die mee naar Den Haag waren gegaan, vertrok onze trein 's avonds om half zeven. Deze trein was door meter-hooge letters duidelijk kenbaar als de trein van het *Vrijwilligerslegioen Nederland.*
Tegen het vertrek van den trein kwamen Generaal ϟϟ Rauter en Generaal Seyffard persoonlijk aan ieder van ons de hand drukken. Kameraden! Daar stonden voor mij en we keken elkaar recht in de oogen, twee *Germanen*, Nationaal-Socialisten in hart en nieren. Ik jubelde uit het Hou Zee en Heil Hitler en wist en voelde, dat het goed was en verantwoord, dat ik meeging. De trein zette zich in beweging, ik groette mijn vrouw en kameraden voor de laatste maal..

Gebalde vuisten

Op onzen tocht door ons vaderland beleefde ik een van mijn treurigste ervaringen in onzen strijd voor het nieuwe Europa. Inplaats dat de menschen langs de spoorlijn, enkele goeden niet te na gesproken, in ons zagen mede-strijders tegen het bolsjewistenbeest, en ons toejuichten, of als dit niet kon, neutraal bleven, werden wij bijna overal beschimpt, gegroet met gebalde vuist, enfin, de hatelijkste opmerkingen moesten wij slikken. Het werd een Unie-manifestatie en wel een van de slechtste soort. Het verbod van de Unie-speldjes etc. werd ons als vergoeding als afscheidsgeschenk meegegeven.
We passeerden vele steden. Ik mag niet de namen noemen. Toch maak ik één uitzondering voor Leerdam. *W.A.!!* Wij, Nationaal-Socialisten, die naar het front trekken, vragen, nee, *eischen*, ga *daar* alle beleedigingen, die wij machteloos moesten slikken, wreken. De geheele bevolking was present en deed mee. Landverraders was een van de zwakste uitdrukkingen, die door de schoften gebruikt werd.
Dit afscheid van Nederland heeft mij verbetener gemaakt, deze schooiersbende haten wij.

Kameraden

Nu stel ik jullie voor ons gezelschap in de coupé. Ten eerste: *Kees.* Lid der N.S.B. Chauffeur van beroep. Oud N.S.K.K.-man. Een ronde jongen, die meegaat, omdat hij N.S.B.-er is. Een kameraad door dik en dun. Dan: *Maarten.* Geen lid der N.S.B. of andere partij. Getrouwd en twee kinderen (pl.m. 10 jaar). Gaat mee uit haat tegen het bolsjewisme en de democratie. Is dus Nationaal-Socialist. Een vent uit één stuk. Had goed werk voor de Wehrmacht. Verder: *Jaap.* Een kapper. Getrouwd, een kind. Aardige knul. Geen lid der N.S.B. Heeft zich voor zijn vertrek als sympathiseerende opgegeven. Dan nog *Frits.* Een jonge kunstenaar, die in hoogere sferen leeft. Lid der N.S.B. Had eigenlijk niet mee mogen gaan, want hij kan geen bloed zien. Zal probeeren een administratief baantje te krijgen. Lest-best: *Piet.* Een N.S.B.-er, tenger van postuur, bijna nietig, met rood haar, maar die door den W.A.-Hopman in Leiden gebruikt werd voor de moeilijkste opdrachten, en met reusachtig succes. Een vechter door en door, voor Mussert en het Nationaal-Socialisme. Met dit edele stel heb ik 63 uur in den trein gezeten. We hebben gekaart, gepraat en gelachen, zooals ik nog nooit gedaan heb.

Een jubeltocht

Zoo gauw we in Duitschland kwamen, waren wij de herinnering aan het optreden in Holland tegen ons kwijt en de reis is daar geworden één jubeltocht. Onze trein was versierd en honderdduizenden juichten ons toe. Nooit voelden we ons zóó lots-verbonden als op dezen triomftocht. Wij zijn immers ook Germanen. Wij hooren er ook bij en nooit, dat zweren wij, zullen Nederlanders ooit weer in een oorlog staan tegenover Duitschers. Wat in Mei gebeurd is, maken wij weer goed.
Op alle stations waren Roode-Kruiszusters aanwezig met eten, koffie, thee en limonade. Het was prachtig.
Wat ik jullie nu ga schrijven is ook voor sommigen van jullie misschien onbegrijpbaar. Maar het is waar. Ik zweer het bij mijn Nationaal-Socialistische eer. Wij hebben geheel Duitschland bij daglicht doorkruist. Wij hebben de grootste steden gezien. Wij hebben op de stations rondgekeken. *Nergens*, maar dan ook *nergens* heb ik ook maar één huis of fabriek gezien, dat sporen droeg van verwoesting door

otodienst N.S.B.-Warburg Sr. (2).

van het front

brand of bom-inslag. Ook stations, die door de ophitsers in Londen met naam werden genoemd, als zijnde verwoest, waren daarbij. Wat ik wèl zag, was een *rij op volle capaciteit werkende fabrieken en honderden kilometers bloeiende akkers*, waar de oogst door nijvere handen en door allerlei krijgsgevangenen werd binnengehaald, een oogst, voller dan ooit. Een belofte voor het volgend jaar, wat betreft onze voedselvoorziening. Dit Duitschland is één blok, één macht, sterker dan ooit. Onverwoestbaar. Overwinnaar in dezen gigantischen strijd.

Bolsjewistische krijgsgevangenen

Toen we weer een grens overtrokken, zagen wij vóór ons de eerste transporten bolsjewisten-gevangenen. Tienduizenden! Smoelen hadden ze nog afstootender dan op de film en in de kranten. Ik sprak met begeleidende Duitsche soldaten. Afschuwelijk is dat volk. Verpest door en door. Een gevaar voor de heele wereld. Juist op het goede moment trad onze Führer in het strijdperk tegen dit beest. En wij zullen het vermorzelen. Straks zal de heele wereld er dankbaar voor zijn. Den verblinden tegenstanders zullen de oogen opengaan.

JOH. WELLING, Eindhoven.

In de Bolsjewistische hel

Bad Berka, 30-7-'41.

Jullie zijn zeker verwonderd een brief te krijgen van een onbekenden kameraad. Toch ken ik Breda, waar ik den laatsten tijd gewoond heb, tot ik in de Waffen-ᛋᛋ ingetreden ben. Ik geloof daarom, dat het jullie interesseeren zal, hoe het met mij gegaan is.

Nou, ik heb gevochten tegen onzen grooten vijand, den communist, in Rusland. Ik heb gevechten meegemaakt en ik ben gewond geworden. Dit is eigenlijk niet het doel van mijn schrijven, want het is erg genoeg, niet meer bij mijn goede Duitsche kameraden te zijn, om nog mee te kunnen vechten tegen dien grooten vijand. Tegen de dierlijkheid der communisten. Tegen het gemeenste menschdier, den jood. Mijn doel is, jullie te schrijven hoe de communist in werkelijkheid is.

Zooals wij die in Holland gekend hebben, was het masker er nog voor. Al was het onze groote vijand ook al. Stalin's masker is gevallen. Lenin, de jodenvriend, is op alle manieren gekenmerkt. En de jood is overvallen geworden, omdat hij zijn daden te openlijk gemaakt heeft.

499/3a 607/16

Toen ik de eerste gevangen Russen zag, meende ik, dat het idioten waren uit een of ander gekkenhuis. Gemeen waren zij in hun gezicht, verwoed waren hun daden. Op de gemeenste manier waren zij er op ingesteld ons te dooden. En dan hun gedachten. Zij dachten, dat onze pantsers van papier waren en dat wij geen van allen schieten konden. Nu, dat hebben zij ondervonden.

Het Ruswijf is nog erger in het gevecht. Echt het communisme.

En nu de groote heldendaden van deze soldaten en joden. Op den terugtocht dorpen in brand gestoken en alles vernield, wat er te vernielen was. Gelukkig konden zij den oogst nog niet vernietigen. Dan kwamen die gemeene franc-tireurs, meestal in burger gekleed. Ook enkele joden kwamen wij tegen, in burger en bewapend met een revolver. Natuurlijk werd met hen korte metten gemaakt. Wij konden echt zien, dat jood en communist één waren en dat zouden wij nog beter ervaren.

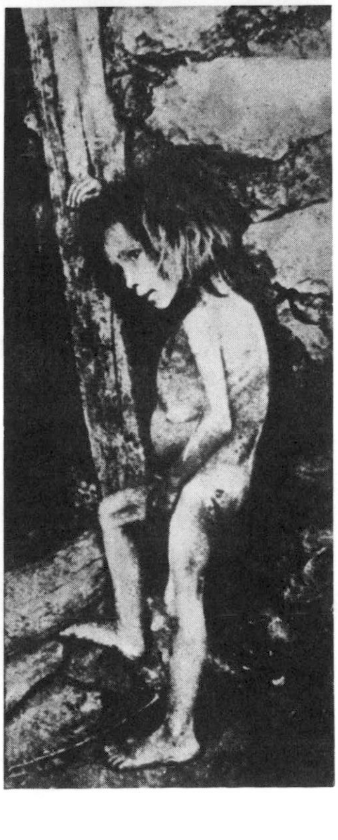

Beestachtige wreedheden

Wij kwamen in Lemberg aan en wat ik daar gezien heb, zou ik nooit kunnen gelooven, als men het mij vertelde. Maar nu heb ik het zelf gezien. Gelooven moet ik het en ik moet het vertellen. Ik voel het mijn plicht, jood en communist het masker voor iedereen weg te rukken. Lemberg, de stad, waar door joden en communisten 3 tot 4000 menschen op vreeselijke manier geslacht, mishandeld, gemarteld en gedood zijn. God straffe die bandieten, er zijn geen woorden te vinden voor zulke beesten.

Ik kan gerust schrijven: geen pardon aan communist of jood. Hun masker is in Lemberg gevallen. Ik ben vol, vol en die ellende maakt mij woedend, met de gedachte niet meer te kunnen meevechten tegen die onmenschen. Ja, verder kan ik gaan, ik kan nog meer vertellen van die groote bende onmenschen.

Wij kwamen in Tarnopol. Ongelooflijke daden van communist en jood zijn ons daar voor oogen gekomen.

Kinderen van twee tot drie jaren met tong en handen aan de tafel genageld. Aan den muur genagelde vrouwen, de borsten afgesneden. Jonge meisjes verkracht. Wat zij met zwangere vrouwen hebben gedaan, is met geen pen te beschrijven. Hoe kan zooiets nog op de wereld bestaan! De Führer Adolf Hitler heeft het goed gezien: een groot gevaar dreigde. Maar hij was de grootste veldheer aller tijden om ook dat gevaar te bezweren. En wij, weinige Hollanders, zijn er trotsch op, dat wij daaraan meegeholpen hebben, al is het dan zeer weinig.

Schütze ANDRÉ BOUWMAN.

Bad Berka, Thüringen.
Feld Lazarett, Bäckerheim.

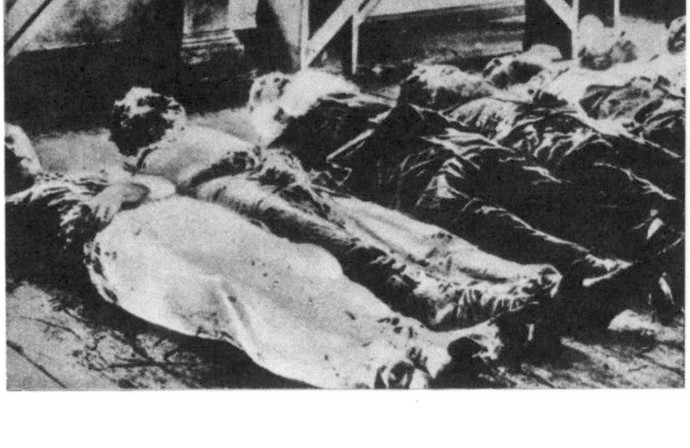

Bovenstaande brieven troffen wij aan in „De Opstand", orgaan van het District Noord-Brabant der N.S.B. (Red. Fotonieuws.)

EEN DAG O

Aangetreden. Het geweer aan den schouder, alle handen op gelijke hoogte, de geweren precies in lijn. Het lijkt eenvoudig, maar....

ϟϟ-Hauptsturmführer. Dr. Brendel verklaart de situatie in den Atlantischen Oceaan. Gespannen luisteren de ϟϟ-mannen.

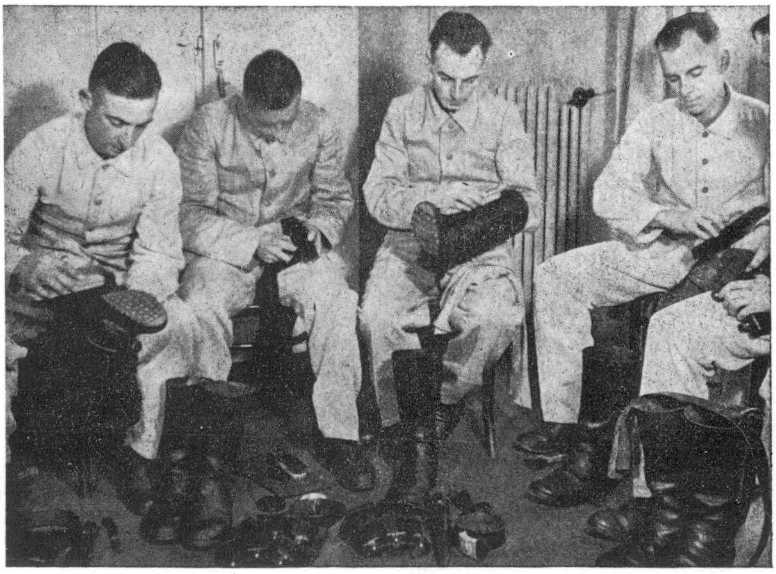

Schoenenpoetsen. Hier wordt alles tot in de puntjes in orde gemaakt. Op den grond de koppels en patroontasschen.

„Machen Sie den Mund zu, sonst kommt ein Loch im Bild". Deze woorden, die aan duidelijkheid niets te wenschen overlaten, waren een gevolg van ons bezoek aan Avegoor. Een bezoek, laten wij het dadelijk bij het begin vertellen, dat door de mannen, die in deze school een cursus van 6 weken doorloopen, ten zeerste begroet werd. Door de mannen, niet door de leiding. Want wij, dat zijn de fotograaf en de redacteur van „Storm" hebben daar het leerplan wel een beetje doorelkaar gegooid.

Donderdagmiddag vertrokken wij uit Amsterdam, Donderdagavond verschenen wij in de ϟϟ-School „Avegoor" te Ellekom, gelegen temidden van een prachtig park, dicht aan den straatweg Arnhem-Dieren. Dienzelfden avond hadden wij gelegenheid met onzen Voorman nog een kleine bespreking te houden over de reportage, die wij van plan waren over de school te schrijven en, wat niet minder belangrijk was, over de foto's die wij daar wilden maken. Het programma voor den Vrijdag bestond uit een marsch van ongeveer 15 km., van Avegoor naar Doesburg, daar over den IJssel, vandaar naar Bingerden, Giesbeek, bij het Rhedensche-veer weer over den IJssel en dan over de Steeg naar Ellekom terug. Men rekende dat, wanneer om halfacht opgebroken werd, men om ongeveer halfelf weer terug zou zijn. Daaraanvolgend zou dan een zangles gehouden worden, dan om 12 uur middageten en in den middag zelf schietoefeningen. Na den avondmaaltijd stond een film op het programma.

Om halfzes werden wij door den U. v. D. (den onderofficier van dienst) uit bed getrommeld om om zes uur bij de reveille aanwezig te kunnen zijn. Wij hebben met genoegen dit spel van nog half slapende mannen met het koude en warme water der waschlokalen meegemaakt. Hier en daar klonk een hartgrondige zucht, maar ook een lied uit de „Stuben", de kamers, waarin een man of zes hun slaapplaats hebben. Op de gangen was het een gedrang van mannen in alle stadia van ontkleeding, die zoo vlug het maar eenigszins kon naar de waschlokalen holden, want om halfzeven was het „aantreden voor het ontbijt" en vóór dien tijd moesten de kamers en de gangen opgeruimd en aangeveegd worden en nog veel meer. Maar toen de klok halfzeven sloeg en het fluitje van den U. v. D. snerpte, toen stonden zij dan ook allen in hun veldgrijze uniform aangetreden, was de slaap uit de gezichten verdwenen en waren zij klaar om een nieuwen, zwaren dag van plichten te beginnen.

De zware laarzen stampten de trap af, de gang door en de cantine in, waar in ganzenmarsch de kuch met boter op de borden, het mes en de koffiekop afgehaald werden. Daar stonden zij dan om de tafels, de bijna dertig man, in hun midden de voorman, die hier niet de geringste voorrechten heeft boven de anderen. Wij reikten elkaar de hand, een tafelspreuk werd uitgesproken, een hartelijk „Mahlzeit" klonk uit aller mond en het eten begon. Brood met boter en lampetkannen vol koffie, of liever wat heden voor koffie versleten wordt. Maar een ontbijt, dat staat in de maag. Een ontbijt, waarmee men een fundament leggen kan voor een langen, en niet bepaald lichten dag.

Twintig minuten later klonk het „aufgestanden", de borden werden weggeruimd, de tafels schoongemaakt en de mannen maakten zich klaar voor het aantreden. Buiten was het nog donker en daarbij ijzig koud. Wij, die niet op deze koude gerekend hadden, stonden te klappertanden op het grind voor het huis. En daar er toch met deze duisternis geen mogelijkheid was om foto's te maken, daar men ons bovendien een wagen ter beschikking gesteld had om den troep tegemoet te rijden zoodra er licht genoeg voor fotografeeren was, bleven wij op Avegoor achter, nadat de kommandant, ϟϟ-Hauptsturmführer Dr. Brendel ons de marschroute gegeven had. Te paard vertrok hij aan het hoofd van zijn troep; in de duisternis hoorden wij de marcheerende mannen hoe langer hoe verder trekken, totdat ook al het geluid verdwenen was en Avegoor weer in de stille bosschen lag, verlaten en slapend, alsof het leven daar al niet voor bijna twee uur begonnen was.

Om negen uur zouden wij vertrekken, dan konden wij zoo tegen half tien den troep ontmoeten en dan zou er wel licht genoeg zijn voor opnamen. De anderhalf uur, die wij dus tot onze beschikking hadden behoorden den fotograaf. En hij heeft ze vloekend besteed. Zijn toestel was namelijk niet in orde, het wilde niet zooals hij wilde, wat van zoo'n ding eigenlijk een brutaliteit is. Maar hoe hij ook prutste, hoe hij ook mopperde, er was niets aan te veranderen, de sluiter was en bleef onbetrouwbaar. Gelukkig konden wij een ander apparaat leenen en later nog een, dat van den commandant persoonlijk, zoodat de opnamen toch gemaakt konden worden.

Negen uur trokken wij weg en zooals afgesproken ontmoetten wij den troep om ongeveer half tien dicht bij Bingerden. Opnamen werden gemaakt en koud was het nog altijd; de wereld om ons heen was nog wit-bevroren, een lichte nevel en een venijnige wind maakten het niet bepaald aangenaam buiten. Tenminste niet in een open wagen of staande langs den weg in afwachting tot de troep genaderd zou zijn. Maar onder de marcheerenden was de stemming uitstekend. Zij schenen weinig last van de kou te hebben en hier en daar zagen wij zweetdroppels op de gezichten. Het marcheeren zelf ging nu nog niet bepaald militair, er was zeker nog het een en ander op aan te merken, maar wij mochten niet vergeten, dat dit de eerste marsch was, dien deze cursisten maakten en.... dat zij eerst een week onder militaire discipline stonden. Velen van hen hadden wel reeds in het Nederlandsche leger gediend, maar of dat een voordeel is, valt nog wel eens te betwijfelen.

Versterkt met twee man, die zich de voeten doorgeloopen hadden en die direct door den commandant naar den wagen gestuurd werden, reden wij naar het Rhedensche-veer, om daar opnieuw den troep op te wachten. Aan de overzijde zagen wij den Hauptsturmführer te paard verschijnen en weer verdwijnen en even later verscheen de troep. Lang moesten zij wachten voor de pont aan hun oever aangelegd had, maar toen zij eindelijk den Steegschen oever bereikten, hadden wij tenminste gelegenheid gehad een paar goede opnamen te maken. Een paar korte bevelen en verder trok het, nu echter huis toe.

Het resultaat van dezen marsch is geweest, dat velen blaren aan de voeten hadden. Het resultaat van deze en vele volgende marschen zal echter zijn, dat deze mannen marcheeren kunnen en wat dat voor belang kan hebben, dat bewijzen

Geweer-reinigen. De Spiess controleert de schoongemaakte wapens. Alles moet kloppen, iedere kleinigheid is belangrijk. Op den voorgrond de Voorman. (Foto's Fellinga).

AVEGOOR

wel de resultaten door het Duitsche leger in het Oosten bereikt en die zonder deze marschoefeningen zeker nooit bereikt zouden zijn. Deze oefening is voor iederen SS-man, voor iederen man zouden wij willen zeggen, een noodzakelijkheid, want wil hij ooit zijn volk meehelpen verdedigen, wil hij ooit „een man" zijn in den waren zin des woords, dan moet hij ook in staat zijn van zijn lichaam het zwaarste te vergen en dat kan hij slechts door oefening en nog eens oefening.
Stalen van het lichaam, stalen van den geest, dat beoogt deze opleiding, deze cursus van 6 weken, dat beoogt de geheele militaire opleiding want dit is geen opleiding tot oorlogvoeren, maar wel tot oorlog k u n n e n voeren, wanneer het leven van het volk dit eischt. Weerbaarheid van de mannen heeft nooit een volk te gronde gericht, integendeel, zij heeft er voor gezorgd, dat een volk ook in de moeilijkste omstandigheden nooit te gronde gericht kan worden. Weerbaarheid, dat is de grondslag, de hoeksteen, voor het voortbestaan van een volk en waar de Nederlandsche SS deze hoeksteen in ons volk wil zijn, moeten ook alle mannen, die zich tot deze grootsche gedachte bekennen, voor zichzelf de mogelijkheid scheppen deze weerbaarheid te verwerven. Dat dit gebeuren kan, zooals te Avegoor, met hulp en steun van de Waffen-SS, met hulp en steun van onze Germaansche broeders van de overzijde van de grens, het weerbaarste volk dus, dat op aarde bestaat, dat bewijst dat wij in hun oogen volkomen gelijkgerechtigd zijn deel te hebben aan den opbouw van het nieuwe Europa onder leiding van Adolf Hitler.

Na onze thuiskomst op Avegoor, toen de warmte der cantine ons weer omving, hebben wij middageten gegeten. Soep, purée met zuurkool en een stuk vleesch en twee peren toe. Weer eenvoudige, maar stevige, voedzame kost. Ik zag menig kliekje op de borden der mannen achterblijven. Ondanks den zwaren morgen, dien zij achter den rug hadden.
Des middags hebben wij onze fotografische lusten nogmaals botgevierd en — zooals reeds gezegd — hebben wij het programma danig in de war gestuurd. Menige lachende opmerking hebben wij van den Spiess, den Stabsscharführer gekregen. Maar zoo hebben wij, zij het dan ook in flitsen, het leven en werken van de school leeren kennen.
Wij hebben reeds zoo vaak in berichten uit Sennheim, uit Klagenfurt gehoord van den Spiess. En toch moet men zoo iemand eens meegemaakt hebben om te begrijpen, wat hij in een dergelijke gemeenschap beteekent. Natuurlijk is hij de eeuwige aanmerker, de eeuwige uitbrander-gever. Hij schijnt het te ruiken, wanneer er iets niet in orde is. Een man komt uit de „Stube" en voor wij hem nog goed gezien hebben

Het leeshoekje. Hier liggen de belangrijkste binnen- en buitenlandsche dagbladen en tijdschriften, waardoor de SS-mannen op de hoogte blijven van het dagelijksche gebeuren.

heeft hij al een verwijt te pakken over een niet gesloten zak in zijn tuniek, of over het een of ander, wat wij in het burgerleven als een kleinigheid zouden beschouwen. Hier wordt den mannen echter geleerd, dat kleinigheden in werkelijkheid zeer belangrijke grootigheden kunnen zijn, dat op iedere kleinigheid gelet moet worden. Van kleinigheden kan immers in den strijd om het leven te veel afhangen.
Maar de Spiess is niet slechts de driller, de kankeraar op alles, wat niet geheel volgens reglement gaat. Hij is bovendien de ziel van den troep, zijn uitvallen zijn zelden boosaardig, zij zijn scherp maar terecht en zij sluiten altijd een zeker clement van humor in. „Ik ben niet zoo boos als ik doe", en dat begrijpen allen. Daarnaast staat hij ieder bij, is hij een voorbeeld voor kameraadschap en dat hebben de mannen gauw door en daarom verdragen zij alles van hem. Want zij begrijpen, dat hij zijn plicht doet, dat wat hij zegt ook werkelijk noodig is. Het voorbeeldzijn treedt bij hem wel zeer sterk op den voorgrond.

Den middag hebben wij in zijn gezelschap doorgebracht en wij konden slechts zelden ons lachen bedwingen. De uitvallen, die hij tegenover de mannen deed maakten het moeilijk ernstig te blijven kijken. En ook de mannen zelf, die dit aanging hadden moeite hun gezicht in de juiste stramme plooi te houden. Maar wij hebben de mannen gezien bij hun verschillende werkzaamheden, bij het exerceeren, bij het geweerreinigen, bij het laarzenpoetsen, bij het theoretisch onderwijs, in hun vrijen tijd en bij hun oefeningen, en bij zooveel andere bezigheden meer. Wij hebben onze foto's kunnen maken, gegrepen uit het volle leven van deze kleine gemeenschap en wij hebben indrukken opgedaan van een scholing die in waarheid een vorming voor het leven is. Voor het leven van den SS-man speciaal, maar daarenboven voor het leven van den man in de maatschappij.
Zoo ging onze middag voorbij. Nog voor het eten hadden wij een lang gesprek met den Voorman en met den commandant SS-Hauptsturmführer Dr. Brendel. Hierover vindt men meer in een ander artikel in dit blad.
Na het avondbrood werd een film vertoond. Eerst natuurlijk de „Wochenschau" en merkwaardig was het, hoe deze mannen met een week opleiding achter den rug de gebeurtenissen in het Oosten reeds met heel andere oogen zagen dan wij civilisten. Hier zagen zij dat, wat zij leeren, in de praktijk, in de harde werkelijkheid. Maar hier ook zagen zij hoe deze praktijk deze voorbereiding eischte, hoe de Duitsche soldaten automatisch dat deden, wat zij nu nog met moeite van hun eigen lichaam moesten afdwingen. Daarna werd de film „Wuschkonzert" vertoond.
Na nog een half uur samenzijn in de cantine, waarvan de meesten maar heel kort gebruik maakten, werden de bedden opgezocht, want een vermoeiende dag was afgeloopen en de volgende zou weer even vermoeiend zijn.

Den volgenden ochtend half zeven trof ik allen weer aan het ontbijt. Nog waren de mannen stil, nog waren de tongen niet losgekomen, maar de stemming was als aldoor uitmuntend. Het programma van den komenden dag werd doorgesproken, allen gingen even kijken naar de aankondiging op het zwarte bord en toen namen wij afscheid met een kort „heil". Ons verblijf als gast op Avegoor was afgeloopen, de grijze uniformen trokken naar hun diverse werkzaamheden, het colbertje trok naar de bus om het verslag te schrijven. Een kort afscheid van den Spiess en de laatste woorden in deze SS-Schule werden gesproken: „Wir werden uns wohl bald wiedersehen". En dusdanig is de kracht van deze opvoeding, de geest die in deze ruimten leeft, de kameraadschap die al deze menschen bindt, dat nu reeds een verlangen naar een „Wiedersehen" in ons leeft.

Op mersch. Zingend trekt de troep langs de wegen aan den IJssel.

Dr. Brendel verklaart de eerste handgrepen aan het geweer. Op iedere kleinigheid wordt gelet, want deze bewegingen moeten automatisch goed worden uitgevoerd.

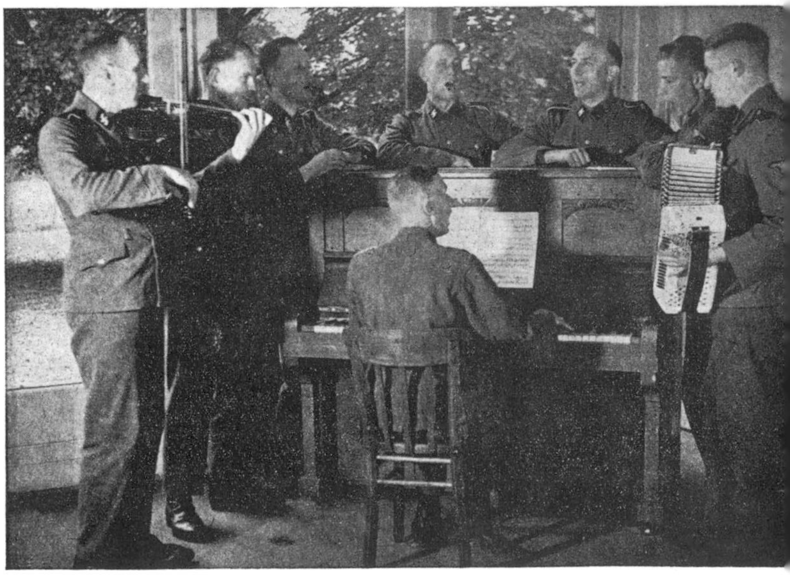

„Feierabend". Het soldaten-koor zingt en de heele zaal zingt mee.

LOSSE NUMMERS 6 CENT
PER POST MET PORT VERHOOGD

7 SLACHTMAAND 1941
No. 9 — 2e JAARGANG

De ZWARTE SOLDAAT
BLAD VOOR DE W.A. IN NEDERLAND
CDT. MR. A. J. ZONDERVAN

HOOFDOPSTELLER: ONDERBANLEIDER J. J. v. d. HOUT
Maliebaan 76, Utrecht, Tel. 20141. - Administratie: Stafkwartier W.A., Maliebaan 76, Utrecht, Giro 400107 t.n.v. De Zwarte Soldaat.
Advertentie-tarief: 25 ct. p. regel. Bij meerdere plaatsingen korting.

Verschijnt elke week. Prijs voor Nederland: per nummer Gld. 0.06, p. kwartaal Gld. 0.80, p. ½ j. Gld. 1.60, p. jaar Gld. 3.20, ev. Gld. 0.15 incasso; voor Groot Duitschland: p. nummer 10 Pf., p. kwartaal R.M. 1.30, p. ½ jaar R.M. 2.60, p. jr. R.M. 5.20.

DE POLITIEKE SOLDAAT

Een woord tot de W.A.
van
MAX BLOKZIJL

Zwarte soldaten! De hoofdopsteller van uw blad heeft me al zoo vaak om een bijdrage gevraagd, dat ik nu langzamerhand wel zeer het gevoel krijg, ernstig bij hem in de schuld te staan. Sedert dertig jaren heb ik aan schulden een broertje dood. Aan financieele, maar ook en misschien nog meer aan moreele. Daarom moet er maar eens afgelost worden.

Uit deze inleiding moogt u niet afleiden, dat het me moeilijk valt, iets in uw orgaan te zeggen. Dat is de reden niet. Eigenlijk is er geen steekhoudende reden voor te vinden. De dooddoener: „geen tijd", mag voor ons nationaal-socialisten niet gelden. Maar wel mag gelden, dat diegenen onder ons, die werkelijk meer of minder overbelast zijn met elken dag zwaardere plichten, er recht op hebben, en er ook goed aan doen, op een uurtje van even-tot-zich-zelf-komen te wachten, als ze eens werkelijk iets te schrijven hebben, dat zoo echt en heelemaal uit het hart moet komen.

Daar is nu alweer niet mee gezegd, dat ik zelf, als ik me tot schrijven zet — en dat gebeurt nog al eens, al heb ik het mooie journalistenberoep dan ook verlaten — in de meeste gevallen maar uit routine iets neerpen, zonder dat het hart er mee gemoeid is! Wij vechten voor een nieuw Nederland, zitten zoo boordevol met strijdlust en zijn zoo met energie geladen, dat wat we doen — als we 't tenminste zoo goed mogelijk willen doen — altijd iets met het hart, met het overvolle gemoed te maken heeft.

Maar in dit geval bedoel ik toch nog iets anders. Als ik iets tot u, zwarte soldaten van onzen Leider, zeggen wil, dan moet ik alle schrijfroutine van me afzetten, dan mag ik er niet meer aan denken, mooie, vlotte zinnen te bedenken om bij den lezer in het gevlei te komen. Dan moet ik, als soldaat onder soldaten, kort en krachtig zeggen, waar 't om gaat, hoe ik 't voel en waarom ik het neerschrijf. Veel liever zou ik 't u oog in oog zeggen. En misschien kom ik daar ook nog eens toe.

Ditmaal heb ik even zoo'n oogenblik van concentratie, en nu moet het dan ook maar eens geschreven worden.

In de eerste plaats dan dit: de tijd, toen ik zelf nog de uniform der weerbaren droeg, ligt achter mij. Ik was eens soldaat, korporaal, sergeant, officier, commandant eener compagnie. In Atjeh, in 1909, was ik „de eerste P.K.-man", in de uniform van de keurtroep van ons Indische leger, de marechaussée. In den wereldoorlog was ik frontberichtgever en beleefde de veldslagen aan Duitsche zijde in Rusland, in Italië, in Frankrijk, in Vlaanderen. In 1938 meldde ik mij bij ons Departement van Defensie voor werkelijken dienst als reserve-officier voor het geval ons land in oorlog mocht komen, maar werd afgewezen, omdat ik in Duitschland woonde.

In *d e z e n* oorlog was ik met de Duitsche regimenten in Polen en wederom in Frankrijk. Toen niet meer als soldaat, en te oud voor de P.K., of voor de Waffen-S.S. Zelfs voor de W.A. deug ik niet meer. Maar niemand kan me één ding ontnemen: mijn liefde en mijn bewondering voor den flinken kerel in uniform, den weerbaren man. En daarom gaat in het heden mijn zeer bijzondere neiging naar den zwarten, politieken soldaat.

De lange jaren, die ik in Duitschland heb doorgebracht, van 1917 tot 1940, hebben mij gelegenheid gegeven, den S.A.-man van Adolf Hitler te voorschijn te zien komen, den meer dan moedige in het bruine hemd, bespot, veracht, gemeden, dag en nacht in gevaar, zijn weg banend tusschen sluipmoordenaars en halsafsnijders; maar onverzettelijk door een overtuiging, een hartstocht, een wil, waarvan men zoo terecht pleegt te zeggen, dat er bergen mee verzet kunnen worden.

Als ik die kerels in steeds groeiend aantal in de steden en dorpen van het groote Duitschland zag opduiken, als ik ze dan later op de partijdagen in Neurenberg in heele regimenten met het dreunend stampen van hun zware laarzen voorbij zag marcheeren, langs dien bruinen soldaat, Adolf Hitler, die op dien eenen Zondag der S.A. weer uiterlijk — en het heele verdere jaar ook innerlijk — niets anders is dan „de gewone S.A.-man" in hetzelfde eenvoudige hemd, waarin hij kort na den wereldoorlog zijn ongeloofllijk-zwaren strijd begon; dan had ik telkens weer dien éénen wensch: ware het bij ons, in mijn eigen vaderland, maar zoo! Kán dat nou niet? Kun je nou niet op het Damrak in Amsterdam, of op het Lange Voorhout in Den Haag, of ergens in Groningen, in Arnhem, in Den Bosch, of in Alkmaar, midden tusschen de tienduizenden toeschouwers staan, en een brok in je keel krijgen, als je Nederlandsche politieke soldaten voorbij ziet marcheeren . . . ?

Ik wist te weinig van de ontwikkeling bij ons. Ik las van het grooter worden van de N.S.B., van de geboorte van de W.A., en dan weer van de inzinking. Maar ik was er niet zelf bij. Ik had zoo weinig gelegenheid, medestrijders in de oogen te zien en te peilen, hoe diep het nieuwe, groote, dat me in de Duitsche landen zoo vaak als een kind had doen huilen, bij ons thuis nu eigenlijk al zat.

Tot ik mocht terugkeeren, om te komen méévechten!

Sindsdien zie ik ze nu overal, de zwarte soldaten van Mussert, en ik moet bekennen, dat ik altijd weer, als ik er een ontdek, of een geheel vendel, of een nog grooter verband, dat ik er weer echt trotsch op ben, Nederlander te zijn. Wat doet het er toe, dat er wel eens onverstandige en politiek wat minder geschoolde mannen in deze mooie uniform van het ontwakend vaderland rondloopen. Moedig vind ik ze allen. Want er is echte, mannelijke moed voor noodig, een politiek soldaat in uniform te zijn, te midden van een volk, dat nog niet in de verste verte begrijpt, wat deze pioniers voor zijn toekomst beteekenen.

Hoe onberekenbaar groot is de beteekenis van het opduiken, overal en te allen ure, van deze zwarte uniformen in het leven van allen dag. Dat heb ik in de jaren van strijd in Duitschland gezien. De ingeslapen burger vervolgde met verschrikte oogen, hoe dagelijks die bruine S.A.-hemden en de zwarte gestalten der S.S. talrijker werden. Geen propaganda, in welken vorm ook, kon halen bij die demonstratie van de uinform van den politieken soldaat.

Vrees en spot veranderden in respect en bewondering.

Van duizenden werden het er tienduizenden en ten slotte honderdduizenden. Dat beteekende: macht. Dat wilde zeggen: de nieuwe staat. Hij komt, hij groeit, hij is hier en daar en overal. Voor de slappelingen en de wijfelaars werd het een nachtmerrie, voor de jongeren afgunst, daarop innerlijke strijd, tenslotte: een besluit voor eeuwig. En den dag daarop werd het hemd der Hitlergarde aangetrokken.

Nu ben ik terug in Nederalnd. Temidden van al die dappere kerels, die voor een groot ideaal vechten. Neen, ik wil niet voor de verleiding bezwijken, het „mooi" te gaan zeggen. Laat het gewoon, maar echt blijven. Laat ik u liever doodeenvoudig bekennen, dat als ik een van u, zwarte soldaten, midden in het stadsgewoel ontdek, vaak de gewoonte heb, een tijdlang zijn voetsporen te drukken. Ik blijf achter hem aanloopen. Ik zie hem voor mij uitgaan in zijn zware, bespijkerde laarzen. Elke stap een dag naar den nieuwen tijd. Een stuk oud- en tegelijk nieuw-Nederlandschen moed. Eén enkele slanke figuur, naar alle kanten zichtbaar en opvallend, dwars door de duizenden spotters en haters, de menschen van gisteren, heen. Een Hollandsche jongen, een Nederlandsche man. Een die durft, een die weet wat hij wil, z'n land dienen, z'n volk dienen, door z'n Leider te dienen.

Ik loop zoo maar achter 'm aan. Hij weet niet, dat er een achter 'm aanloopt, die niet spot en niet haat, maar bewondert en benijdt. Ik wil 't hem alleen maar eens verklappen. Misschien zal hij dan morgen, als hij weer als een van die eenzamen in de kille massa zijn plicht gaat doen, er zich van bewust worden, dat ook achter hem iemand aanloopt, die hem met de oogen volgt en daarbij denkt: het nationaal-socialistische Nederland is geen droombeeld, het marcheert, eerst alleen, dan met honderden, dan met regimenten, het is overal, niets kan het tegenhouden. Niets kan het meer tegenhouden.

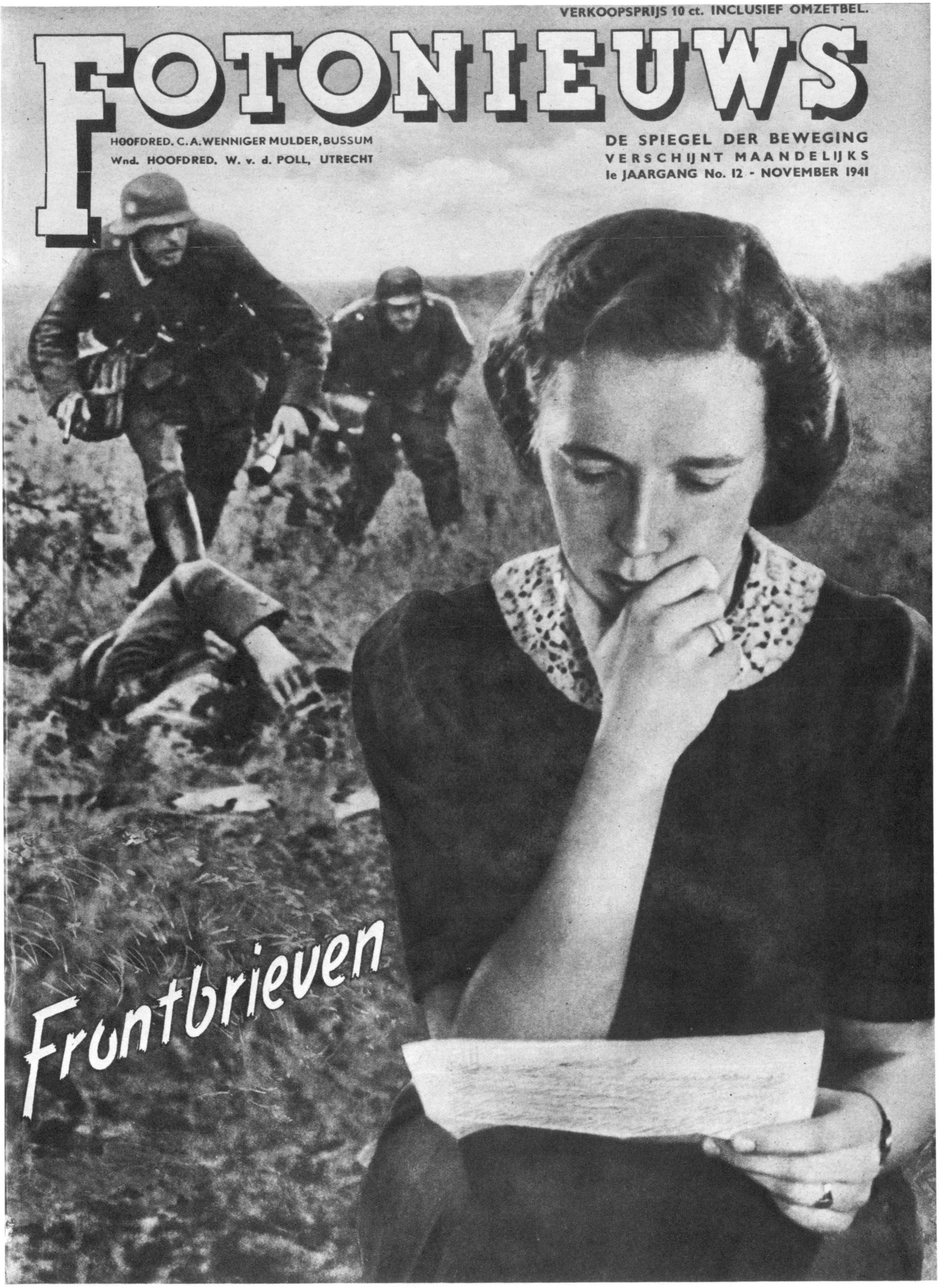
VERKOOPSPRIJS 10 ct. INCLUSIEF OMZETBEL.

FOTONIEUWS

HOOFDRED. C. A. WENNIGER MULDER, BUSSUM
Wnd. HOOFDRED. W. v. d. POLL, UTRECHT

DE SPIEGEL DER BEWEGING
VERSCHIJNT MAANDELIJKS
Ie JAARGANG No. 12 - NOVEMBER 1941

Frontbrieven

Brieven van het Front

Mannheim 24—9 '41.

LIEVE ALLEMAAL,

Reeds uit Lemberg schreef ik jullie een Veldpostkaart, maar voor het geval dat jullie haar nog niet ontvangen hebben, schrijf ik de geheele geschiedenis nog maar eens. Den 8sten September 's avonds om 8 uur staken wij bij Dnjepropretowsk of Jekaterinenslaw de Dnjepr over. Reeds de eerste honderd meter op den anderen oever hadden we een zwaren vlieger-aanval te verduren. We marcheerden zes Km. in het donker, waarvan drie Km. in volkomen geruischloosheid. Toen groeven we ons vlak bij een kazerne, die door de Russen bezet was, in. Den volgenden morgen in alle vroegte begon het geknal. Granaat op granaat suisde in onze stellingen, maar ook bij de Russen vloog er menige voltreffer. Zoo nu en dan liet ook ons machinegeweer zich hooren. Tegen den middag kwam het bevel van den aanval. We haalden ons machinegeweer uit elkaar en ieder nam het deel, dat hij te dragen had. Ik had twee stalen patroonkasten te dragen, die aan een band over mijn schouder hingen. Toen kropen wij uit onze graven vandaan den granatenregen in. Na een paar honderd meter kruipen en springen hadden we de eerste gewonden. Van tevoren hadden we in de graven ook al een paar licht gewonden en een zwaar gewonde gehad, want die granaatsplinters sprongen zelfs in onze diepe, uitgegraven gaten. De gewonden, onder wie eenige onderofficieren, werden teruggevoerd, en het ging verder tegen de Russische stellingen. De Russen hadden zich in een spoordam ingegraven en we gingen er op af. Op een gegeven oogenblik was het Russische vuur zoo hevig, dat wij bevel kregen om in volle dekking te gaan. Dan zoekt ieder een goede dekking, liefst een gat of zooiets in den grond. Bij mij in de buurt was geen gat te vinden en overal ontploften de granaten en floten de kogels. Toen legde ik mij twintig meter verder in een trechter, die juist door een granaat was geslagen. Ik zette de twee kasten aan beide zijden van mijn hoofd en duwde mijn neus in het zand.

Toen maar afwachten. Na een tijdje sloeg, misschien een paar meter van mij af, een granaat in. Ik vond twee groote gaten in m'n patroonkast en een kleinen splinter in m'n rechter bil. Op dat oogenblik ben ik vlak bij den dood geweest. Als ik die patroonkasten niet naast m'n hoofd had gehad, was ik er geweest, en dat buiten die twee splinters maar één splinter in m'n lichaam is gekomen, is een wonder. Na een tijdje hoorde ik in de verte iemand roepen: „3e Zug folgen". Ik stond op, voelde eens aan m'n achterwerk en keek uit naar mijn voorman. Daar zag ik hem al loopen en ik volgde hem op den vereischten vijftien meter afstand. — Eindelijk zagen we de Russen de stelling al verlaten en wij gingen in looppas op den spoordam af. Plotseling hoorde ik een granaat vlak achter mij ontploffen en ik voelde me tegen den grond gegooid. Tegelijk voelde ik een stekende pijn in m'n elleboog. Ik bleef versuft liggen; toen hoorde ik achter me gekreun. Ik keek om, en vlak achter me lag een kameraad van mij, zwaar gewond. En daarachter lagen nog twee van mijn kameraden: dood. Van de vijf man van ons machinegeweer waren vier man uitgevallen. Ik sleepte me in de inmiddels door de Russen verlaten stellingen, waar men m'n jas losknoopte en m'n arm verbond. M'n kameraad hadden ze ook verbonden. En toen moesten we zien terug te komen. We namen beiden onzen helm en ons geweer en gingen terug. Uren hebben we er over gedaan: in ieder gat bleven we een kwartier liggen. Onderweg hadden we nog een gevecht met een zestigjarigen Heckenschütze met een langen baard, die ons vanuit zijn huis beschoot. M'n kameraad kon heelemaal niet schieten en ik probeerde 't met m'n eenen arm te doen. Ik raakte natuurlijk niets. Nergens was een soldaat te zien, alleen maar brandende huizen. Eindelijk kwam er een aan die den kerel wegschoot. Toen gingen we verder. Ten slotte kwamen we op de verbandplaats, waar ik na een tijdje wachten verbonden werd. Toen kwam er een reis: eerst met een motorfiets, dan een boot over de Dnjepr, toen een ambulance-auto, daarna een omnibus, weer een ambulance-auto met goederenwagens met stroo er in en eindelijk waren we in Lemberg. Daar bleef ik eenige dagen; heerlijke dagen van rust, na de zes dagen in de veewagens. We hadden er ook zeer goed te eten. Na drie dagen ging het verder. Er was een lazarettrein aangekomen voor vijfhonderd zittende gewonden en honderdtachtig liggende. Ik was bij de liggende gewonden ingedeeld. We lagen in heerlijke bedden, telkens twee boven elkaar in mooie wagons. In zoo'n trein is het gewoon als in een ziekenhuis. Alles krijg je: warm eten, koffie, thee, enz. Den 23sten kwam ik 's avonds hier aan in Mannheim en nu schrijf ik snel in de hoop, dat ik spoedig antwoord krijg. Van m'n arm is een Röntgenfoto gemaakt. De splinter is in m'n arm uit elkaar gesprongen, zoodat er nu ongeveer zeven splinters in m'n elleboog zitten. M'n arm is in gipsverband en lijkt net een poopenarm. Schrijf gauw terug en stuur foto's, want ik ben alles kwijt, ik bezit niets meer.

Ooltje.

Hollandsche jongens van de Waffen SS ontmoeten een kameraad, die bij den inzet aan het front gewond werd. Vol belangstelling volgen zij zijn relaas.

Een brief naar huis.

1e JAARGANG no. 7 — 24 DECEMBER (WINTERMAAND) 1941

't WERKENDE VOLK

STRIJDBLAD
VOOR DE NATIONAAL-SOCIALISTISCHE BEWEGING
IN AMSTERDAM

K 1675

Opstelraad: v. Waldeck Pyrmontlaan 7, Amsterdam — Telefoon 23344—24564 — Verantwoordelijk Hoofdopsteller: JAN DE HAAS

MUSSERT'S WERK:

VRIJ NEDERLAND!

Vragen en antwoorden:

In verband met de bijzondere omstandigheden, veroorzaakt door de vele uiterst belangwekkende gebeurtenissen in binnen- en buitenland moeten wij de voortzetting van onze vragenrubriek tot het volgende nummer uitstellen.

Nieuwe vragen en opmerkingen kunnen gewoon worden ingezonden. Zij worden naar binnenkomst afgewerkt!

Wij brengen in dit nummer:

Groote belangstelling

In de drie maanden dat „Het Werkende Volk" thans in Amsterdam is verschenen is de belangstelling voor ons blad in alle lagen der bevolking steeds grooter geworden.

Hier en daar liet de geregelde verspreiding iets te wenschen over, omdat de oplaag te klein was, om elke veertien dagen alle Amsterdamsche gezinnen te voorzien.

Daarin is thans verandering gekomen: „Het Werkende Volk" zal regelmatig bij U worden bezorgd.

Wij leveren daarmee het bewijs, dat de N.S.B. zich niet tevreden stelt met het behalen van een zeker aantal leden of van een een zekere machts-positie in Nederland, maar dat het er ons om te doen is, ALLE mannen en vrouwen van Neerland's stam tot eenheid te brengen. Aleen daarin zien wij de redding van ons Volk en Vaderland!

Géén inlijving
Géén kolonie
Géén protectoraat

GELIJKWAARDIGE STAAT IN HET NIEUWE EUROPA!

De Nationaal-Socialistische Beweging heeft in Utrecht haar tienjarig bestaan herdacht.

Op deze herdenking hebben de Leider der Beweging en de Rijkscommissaris zeer belangrijke redevoeringen gehouden.

Uit deze redevoeringen blijkt, dat de N.S.B. op haar tienden verjaardag aan ons volk het grootste geschenk heeft aangeboden, dat er aan te bieden was: ZIJN STAATKUNDIGE VRIJHEID IN HET EUROPA VAN DE TOEKOMST!

HET WERK VAN MUSSERT:

In Mei 1940 bleef ons Volk, bij de bezetting door de Duitsche Weermacht achter:
Militair overwonnen in $4^1/_2$ dag.
Zonder regeering.
Zonder goud.
Zonder aanspraken op de toekomst.
In binnenlandschen nood.

Terwijl anderen scholden, saboteerden of in het geheim wroetten, heeft MUSSERT doelbewust gewerkt aan het belang van elken Nederlander.

Mussert zag de toekomst: Een nieuw-geordend Europa. Een gemeenschap van Germaansche volkeren, die krachtens hun afkomst en hun ligging bij elkaar behooren. Een nationaal-socialistisch Europa, geordend volgens de beginselen, waarin de ARBEID van den werkenden mensch de eereplaats inneemt. Een eensgezind Europa, dat geen inmenging kan dulden van landen of staten, die buiten Europa liggen.

Deze toekomst komt steeds meer naderbij. Zij is voor een deel reeds werkelijkheid, omdat het grootste deel der Europeesche landen reeds volkomen vrijwillig en uit eigen beweging daaraan meewerkt.

Nederland's eenige kans was: Meewerken in dit nieuwe Europa.

Mussert heeft bij den Führer gepleit voor ons Volk. Hij heeft gewezen op de kracht van ons Volk, die nog bestáát, al schijnt het soms ook anders. Hij heeft gepleit voor de vrijheid van ons Volk, om onder eigen leiding het nieuwe Europa in te gaan.

Mussert werd gesteund door honderdduizend mannen en vrouwen van Neerland's stam, strijders voor nieuw Nederland.

Mussert werd gesteund door tienduizend jonge Nederlanders, kerels uit één stuk, die zich vrijwillig opgaven om deel te nemen aan den Europeeschen strijd voor het behoud van cultuur en beschaving, tégen het bolsjewisme, die door hun deelname daaraan duidelijk maakten dat Nederland zijn plaats wilde verdienen!

Mussert heeft zijn doel bereikt: Nederland zal niet worden ingelijfd, zal geen kolonie, geen protectoraat en geen gouw worden. Nederland zal Nederland blijven. Er zal een nationaal-socialistische staat komen in ons vaderland, vrij en zelfstandig, onder Nederlandsche leiding, die volkomen mee zal werken aan den opbouw van ons werelddeel.

Dàt deed Mussert, dàt deed de N.S.B. voor Nederland.

Gij, tegenstander, gij afwachter, gij moedelooze, wat hebt gij voor Nederland gedaan in deze laatste anderhalf jaar?

Hebt gij den toestand van ons vaderland in de wereld verbeterd door Uw scheldwoorden, door Uw sabotage, door Uw weigering van medewerking? Hebt gij met Uw actie tégen dit en tégen dat, iets bereikt vóór ons vaderland?

Kom tot Uzelf! Zie de feiten! Verander Uw houding! Haal Uw schade in! Ons Volk zal er U eens dankbaar voor zijn, zooals het in zijn geheel de Beweging van Mussert dankbaar zal zijn, voor het grootsche werk, dat zij aan de toekomst van land en volk heeft gedaan.

Als Nederland straks vrij is en in eere hersteld, hebt gij daar dan ook aan meegewerkt?

JAN SLUYTERS EN DE NIEUWE TIJD

Uit „Storm" van 16 Mei 1941:

Over de „boeren", „vrouwen" en „moeders" van den schilder
Het begrip „volksch" naar onze en naar . . . . . (?) opvatting

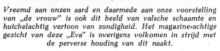

Vreemd aan onzen aard en daarmede aan onze voorstelling van „de vrouw" is ook dit beeld van valsche schaamte en huichelachtig vertoon van zondigheid. Het magazine-achtige gezicht van deze „Eva" is overigens volkomen in strijd met de perverse houding van dit naakt.

„De bruid" is in de visie van Sluyters een weekdierachtig ontaard wezen: ziekelijk, zonder ruggegraat of geestkracht, de slapheid en lamlendigheid ten top gevoerd. Wat beteekent het heilige Moederschap ten overstaan van zùlke misselijke verbeeldingen?

„Als Sluyters zich te Staphorst voornam „boerengestalten te schilderen, dan zal niemand ontkennen, dat hem dit gelukt is en dat de nawerking ervan ons als een hallucinatie bijblijft, waarin de wrange smaak van een dieptonig palet elke hoop laat varen", schrijft de aarts-burger prof. Huib Luns over zijn collega. Ja zelfs het „rose van de wangen van een idiote dochter vermag geen glimpje ware hoop te wekken" bij dit heerschap. (Bladz. 30 van „Jan Sluyters" door prof. Huib Luns — uitgave H. J. W. Becht.)
Dezelfde geborneerde reactionnair ziet in Sluyters' laatste zelfportret „de vreeze van dezen bewogen tijd" . . . . wij vreezen het ergste voor den „geest" van dergelijke lieden in den komenden, gezonden tijd!

„Storm" van 16 Mei 1941:

In het bijzonder willen wij nog zien, welke plaats de vrouw in zijn werk inneemt, wanneer het geen portretopgaaf is. Zonder meer kunnen wij zeggen, dat zijn kijk op „de" vrouw en de verbeelding daarvan pervers is, al is het ook met die perversiteit minder erg gesteld dan de schilder ons om redenen van bravour zou willen doen gelooven. Maar dat neemt niet weg, dat dit alles volksvreemd en volkomen overbodig werk is. Hij heeft de vrouw gezien op een wijze, die haar verlaagt tot een willooze harempop, die in valsche schaamte haar oogen neerslaat en zich daarbij quasi „hult" in een of anderen sluier. Oostersch zondegevoel kenmerkt deze slappe, ruggegraatlooze ledepoppen, zooals „De Bruid". Dit doek laat niet alleen een weekdierachtig ontaard wezen zien, dat hier voor levensgezellin wil doorgaan, maar ademt bovendien een verdrietige rouwstemming.

God! zullen zóó onze bruiden zijn? Ziekelijk, pitloos, gelaten afwachtend de dingen die komen zullen — of zullen zij zijn fier, open, zelfbewust en levensblij! Staande op den drempel van het Nieuwe, laten wij deze „bruiden" achter ons, mitsgaders alle min of meer talentvolle verbeeldingen daarvan.

Het lichtelijk perverse, de sensatie, het gewild ongewone — het stoot ons alles evenzeer af, vooral hier, waar het om dingen gaat, die ons heilig zijn.

De kijk op de wereld van dezen schilder is vreemd aan onze wereldbeschouwing. Dit spreekt het duidelijkst uit zijn kijk op de vrouw. Maar ook in zijn visie op het landleven en den boer openbaart Sluyters zich als een materialist. Als enghartig burger veracht hij in zijn hart den boer (Staphorster familie). Hij ziet hem als deel van een armzalig proletariaat en kiest dan ook de minst gezonden tot onderwerp (Staphorst).

Noch onze bodem, noch onze natuur hebben hem dan ook maar iets gezegd. Hij kleurde en vormde alles om tot opzienbarende koopwaar voor het bezittende burgerdom en voor de snobs der plutokratie.

Wat is de zin van deze tentoonstelling — thans?

Een jonge schildersgeneratie kan er niet van leeren. Een jong publiek kan er door bedorven worden. Wat moeten de menschen met dit werk, dat overbluffen wil, waar het niet overtuigen kan?

Moet dit alles nog worden opgehangen, zonder commentaar, aangeprezen als werk van een onzer grootsten?

Moet het publiek hieruit leeren wat de ontwikkelingsgang van een kunstenaar is? Interessant, nietwaar?

Wij vragen aan het slot van onzen rondgang nogmaals: Is het echt en blijvend? En ons antwoord is: hier en daar een enkel werk wellicht. Maar het geheel is toch niet anders dan de vergiftige kunstbloem eener ondergaande decadente beschaving — het meeste is waardelooze kermisinventaris van de jaarmarkt der individualistische ijdelheid — goede export voor Amerika.

Prof. Dr. T. Goedewaagen in zijn rede op 9 December 1941 over „Kultuur-Politiek:

Wie in ons land nationaal-socialistische kultuurpolitiek wil maken, zal moeten erkennen, dat de Nederlandsche stijl in volksvoorlichting en kunsten niet anders is, dan een uiting van Germaansch en tenslotte Noordsch scheppingsvermogen op Nederlandsche wijze.

De nationaal-socialistische kultuurpolitiek in Nederland weet zich gebonden en geborgen in de oerwaarden van het Noordras, den Germaanschen stam, het Nederlandsche volk. Ze bevordert en stuwt dit bewustzijn der bloedgemeenschappen.

Dezelfde in zijn rede over het werk van Jan Sluyters op 19 December 1941:

Kenmerkend Nederlandsch is dit werk doordat het ontelbare invloeden van buiten op zich heeft laten inwerken, maar na een tijd van wachtend experimenteeren, den eigen volkschen vorm en inhoud vond.

Zoo heeft hij de groote thema's van het menschelijk leven verbeeld: boeren in hun verwrongen door harden strijd om het bestaan geteisterde menschelijkheid: geen „ontaarde kunst", maar sociale ontaarding door een nobel en gezond kunstenaarsoog gezien, het wonder de vrouw en van moeder en kind.

Daarom danken wij Sluyters voor wat hij ons volk gaf: een teeken en een beeld van zijn beter zelf, dat uit de woeling onzer dagen straks positief, sterk en breed zal oprijzen. Zulk een beeld hebben wij thans noodig en dengeen, die het schept, wenschen wij de kracht ons nog langer te verrijken.

Gevolgtrekking?

Aan den lezer hieruit een gevolgtrekking te maken en de stippeltjes in het titel-kader in te vullen!

STORM:

REDACTIE: HOOFDREDACTEUR: NICO DE HAAS, HEKELVELD 15 A, AMSTERDAM-C. TEL. 37800 (drie lijnen).

ADMINISTRATIE: UITGEVERIJ „STORM". DIRECTEUR: REINIER VAN HOUTEN, POSTBUS 20, AMSTERDAM. HEKELVELD 15 A, AMSTERDAM-C. TEL. 37800 (drie lijnen). GIRO: 411000.

STORM verschijnt iedere week. Leesgeld ƒ 1.25 (R.M. 2.50) per kwartaal. Losse nummers 11 cents (R.M. 0.20). Advertenties: 20 cents per m.m. regel. Korting voor contract. Tekstadvertenties 10 cents per m.m. regel.

gedáán worden en liefst „afdoende stappen". Het lijkt ons het beste, dat de heer Jos. W. de Gruyter dan maar dadelijk met die stappen begint en bijvoorbeeld zijn fraaie opstellen over Picasso met een beleefd briefje erbij opstuurt naar de Reichsführung ϟϟ om dit aesthetische geraaskal als nieuwe richtlijnen voor de ϟϟ aangenomen te krijgen.

„Het moet" — om met den heer De Gruyter te spreken — „toch mogelijk zijn, maatregelen te treffen tegen wat de grenzen van het betamelijke te buiten gaat."

Inderdaad, dit is mogelijk en wel op velerlei manieren. Maar wij denken niet in dagen, maar in jaren en zij die gelooven haasten niet...

Eén ding moeten wij echter nog even vaststellen: de anoniemiteit van „Storm" is geen uitvinding van ons, maar een ϟϟ-gebruik en dienstvoorschrift, dat voor de heele ordegemeenschap der ϟϟ geldt, waar die ook in de Germaansche wereld staat. Wie daarom minder waarde aan onze artikelen wil hechten, staat daarin geheel vrij. Ook dat is een aangelegenheid, die niet onze belangstelling heeft, omdat wij dergelijke individualistische bijzonderheden volkomen te boven zijn. In „Storm" spreekt de ϟϟ — wie dit geen „naam" vindt, kan ons blad rustig terzijde leggen. Als iemand vindt, dat wij daardoor „een rol achter de schermen spelen", komt dit ons vreemd voor, want wij trachten juist zooveel mogelijk met „Storm" vóór het front van volk en ordegemeenschap te treden, opdat iedereen wete, waar hij met ons aan toe is.

Wij meenen, dat er op deze wijze weinig aan duidelijkheid te wenschen overblijft, ook voor de „ongeruste kunstenaars"...

Waarborgen

Tenslotte wil de heer De Gruyter gaarne weten, of hij niet een „waarborg" kan krijgen, dat onze „nationaal-socialistische visie" thans niet en in de toekomst niet „de" ware visie zal heeten. Dit zou ongetwijfeld voor de heeren critici groote voordeelen hebben en is dan ook bijzonder koopmansachtig gedacht.

Voorloopig is dit begrip echter voornamelijk in de advertenties van textielfabrikanten van kracht.

Wie onze wereldbeschouwing ook maar een beetje verstaat, zal begrijpen, dat nòch wij nòch iemand anders kunnen „waarborgen" of deze of gene gedachte al dan niet zal zegevieren. Welke gedachte tenslotte den opgang van ons ras zou kunnen verwezenlijken is aan geen twijfel onderhevig. Of en in welken vorm deze gedachte zal worden verwezenlijkt, hangt echter niet alleen van onzen wil af, maar ook van onze kracht, onze taaiheid en onze offerbereidheid, want zij zal moeten worden doorgevochten tegen al de krachten der duisternis en der vernietiging in.

Wellicht dat dèze volksvijandige elementen de overwinning van hùn bedoelingen wèl willen „waarborgen" — aan die zijde is men daar in den regel heel vrijgevig mee!

VERGIFTIGD ONDERWIJS

TE HAARLEM

Lustige verheerlijking van het jodendom.
Een stortvloed van smaad over de Germanen.

Er bestaat in ons land nog steeds „Het Schoolblad", orgaan van het Nederlandsch Onderwijzersgenootschap. Het staat onder redactie van een viertal heeren en wordt nog steeds uitgegeven bij de firma Noordhoff. Wij hebben ons evenwel bij het lezen der laatste nummers afgevraagd, of genoemde heeren wel voor een dergelijke verantwoordelijke positie geschikt zijn en of het verschijnen van „Het Schoolblad" wel juist genoemd mag worden. „Het Schoolblad" beleeft zijn 70en jaargang, zou dat geen geschikt oogenblik zijn om het te pensionneeren?

In de nummers van 4 en 11 December 1941 troffen wij een vervolgartikel aan van de hand van den heer H. M. W. Bandel, getiteld: „De gang der beschaving in de 6e klas der volksschool verteld". Welnu, deze verteller van den gang der beschaving in de *volksschool* is een volksvergiftiger van de ellendigste en beroerdste soort, die men zich maar kan denken. Men hoore het begin: „'t Is mijn gewoonte, als ze uit 5 in klas 6 gekomen zijn, daar opnieuw met de Vaderlandsche Geschiedenis te beginnen. Ze zijn dan al in groote stappen geweest tot 1648. Ze begonnen met 100 j. voor Christus en.... even iets uit het nog vroegere verleden, over hunebed- en koepelgrafbouwers. Ze hoorden ook iets over.... Urnenveldbouwers. Maar.... de Germanen, Batavieren, Friezen en andere stammen, dát was dan toch het eigenlijke historische begin." En nu komt de strekking van het betoog in de zesde klas van de volksschool van dezen „volksgenoot" Bandel: „'t Primitieve in levenswijze, woning, kleeding, ook der godsdienstige voorstellingswereld herinneren zij zich goed. En nu juist door de groote tegenstelling spreken die oude, hooge beschavingen in Egypte, Mesopotamië, Israël, Klein Azië, Griekenland en Rome (hier zijn we bij onze Batavieren aangeland) onze kinderen héél sterk aan". Daar is het dus, het volksvergif, gedruppeld in ontvankelijke kinderzielen: het primitieve van onze voorouders en dan, om de tegenstelling goed te doen uitkomen, de oude, hooge beschaving van *Israël!* En daarop gaat deze man nog prat! Een dergelijk minderwaardig, volks- en voorouder-onteerend gedoe, dat hij jaar in, jaar uit aan de kinderen van elf jaar vertelt, durft deze schenner onzer volksche waarden nog openbaar te maken! En de redactie van „Het Schoolblad" durft deze gemeene sabotage nog in wijderen kring bekend te maken!

Maar we zijn er nog niet! „Jongens, al eeuwen voordat de Germanen, Batavieren e.a., in ons land in *hutten* woonden, zich kleedden in dierenvellen, in *„holle boomstammen"* ronddobberden op 't water en.... hun goden vereerden in „heilige bosschen", waren er op de wereld al *hoogbeschaafde* volken en landen". Ja, ja, de tegenstelling, waarop Bandel wijst! De heele oude inventaris van Tacitus is weer compleet! Gloednieuw! En dan gaat Bandel uitspinnen over Egypte, over de sphinxen enz. En hij voegt daaraan toe: „Heemkunde! eischen ze tegenwoordig".

> **H. M. W. BANDEL**
> *een saboteur voor de klas*

Dat eischen we inderdaad! Maar de sfinx heeft naar ons begrip met heemkunde weinig te maken! En dergelijke vuile opmerkingen kan Bandel beter voor zich houden!

En Bandel vertelt onze elfjarigen over de Egyptische letterteekens. „De Egyptenaren konden dus schrijven. De Batavieren ook? Neen". Men hoort zijn juichkreet!! En hij vertelt over de gebouwen der Egyptenaren. „Bij een bezoek aan het Britsch Museum in Londen had ik een serie prachtkaarten ervan meegebracht." En over papyri. „Ook deze kaarten zaten in het mapje „Postcards" van het Britsch Museum. Dat ook Jozef gebalsemd werd en ze „70 dagen rouw(!) over hem dreven" wordt nu concreter voor onze leerlingen". Heel veel van de geestesgesteldheid van Bandel wordt ons ook concreter! Primitieve voorouders, het Britsch Museum en de postcards en Jozef. Het verwondert ons heelemaal niet, dat deze bederver van onze jeugd na de vernietiging van ons eigen voorgeslacht Engeland en Juda in één adem noemt!

Men luistere verder, als Bandel spreekt over Mesopotamië bij onze leerlingen. „Hier in dat hoogbeschaafde Mesopotamië woonde ongeveer 2000 v. Chr. ook.... Abraham. Niets is gevaarlijker, dan den bijbel te beschouwen als een groep verhalen „uit het verre verleden", zoo heelemaal los van het *heden.* Dan hebben „de joden" Jezus gekruisigd en.. wij, menschen van 1941, die bovendien „niet-Joden" zijn, hebben er niets mee uit te staan. Hier komen Rembrandt † 1669 en zijn tijdgenooten Revius † 1658 en Paul Gerhardt † 1676 ons waarschuwen. Rembrandt schildert bij een „Oprichting van het Kruis" zichzelf als een der meest actieve „deelnemers", Revius dichtte: „En 't zijn de joden *niet,* Heere Jesu, die u cruysten. Ick ben 't." *Geen* rassenbeschuldiging bij alle drie, maar een besef van het *universeele* der schuld."

Ons wil het voorkomen, dat wij na den laatsten zin niet meer behoeven te twijfelen aan de geestesgesteldheid van dezen volks- en kindervoorlichter Bandel!

„Van Egypte en Mesopotamië verplaatst de beschaving zich naar 't Westen. Palestina is een ontmoetingsoord der groote beschavingen. Toch komt Israël pas veel later tot een hoogere kultuur. Door de „Wetgeving" van Mozes, later door de klassieke(!) Hebreeuwsche literatuur o.a. van de *Psalmen* en *Profeten* (o.a. die van David) en den tempelbouw van Salomo (pl.m. 1000 v. Chr.) bereikt Israël een godsdienstig-zedelijke beschaving, die torenhoog uitsteekt boven die der omringende volken, zelfs van het hoogbeschaafde Babel". En dan weer de tegenstelling, niet waar?

Daarna komt deze „onderwijskracht" te spreken over Griekenland. De groote beeldhouwer Phidias is.... „een groote heiden". En daarna: „Als zóó Griekenland behandeld is, treedt in de Bijbelles „Paulus te Athene" later in een juister milieu op dan wanneer men géén contact met Griekenland gehad heeft. Ook verstaan onze leerlingen direct dat de sfeer van hunebed- en koepelgrafbouwers in ons eigen land toch wel een totaal-andere was dan die sfeer der Grieken uit de 5e eeuw vóór Christus." Men ziet het, hier wordt *doelbewust* en *opzettelijk* het eigen voorgeslacht omlaag gedrukt, ten behoeve van het volksvreemde en vooral ten behoeve van Israël. Hier is geen onkunde in het spel, hier is een volks- en rasondermijner aan het woord, die het zich tot taak heeft gesteld om onder zijn leerlingen te Haarlem het besef van het eigene („Heemkunde! eischen ze tegenwoordig") volkomen en grondig te vernietigen! Hierop past slechts één antwoord! Deze minderwaardige „opvoeder" zoo snel mogelijk en zoo grondig mogelijk uit zijn verantwoordelijke functie te ontzetten.

Maar daarmede zijn wij er nog niet! De redactie van „Het Schoolblad", namelijk W. van Ackooy, L. F. Kleiterp, J. van Wijngen en A. C. Zevenbergen, zijn niet minder verantwoordelijk. In datzelfde nummer van „Het Schoolblad" staat een hoofdartikel, waaruit we dezen zin lichten: „De school vraagt mannen en vrouwen met zelfvertrouwen, gepast zelfvertrouwen, en ze vaart zelfs beter bij leerkrachten, wier aanvoelen van eigen kennen en kunnen iets buiten de normale proporties is uitgedijd, dan met dienaren, die als vaste persoonlijkheid te kort schieten."

Welnu, het aanvoelen van eigen kennen is bij Bandel stellig buiten de normale proporties uitgedijd. Hij weet van onze voorouders niets af! Maar de redactie vindt zoo iemand ideaal. Hij is een vaste persoonlijkheid! Hij knoeit, verminkt, hij haalt omlaag wat volksch is, hij verheerlijkt wat joodsch is. Zoo iemand moeten we voor de klas hebben! Hij weet, wat hij wil! Leve Bandel! juicht de redactie van „Het Schoolblad".

Uit het tweede gedeelte van het artikel, verschenen op 11 December 1941, volstaan we met enkele grepen. Sprekende over Rome en de gebouwen aldaar: „Zonder veel woorden spreekt ook deze plaat tot de kinderen. Zoo'n Romeinsche woning en.... een Germaansche hut!", en even verder: „Nu wordt het wel zeer begrijpelijk, dat de primitieve stammen onzer voorvaderen véél, ontzaglijk veel geleerd hebben van die Romeinen." En nog verder: „De innerlijke rust en verheven moed der martelaren spreekt ook onze kinderen aan. Het *is* dus in deze wereld mogelijk, volkomen rustig en vol innerlijke vrees den dood in te gaan."

Wij behoeven niet mede te deelen, dat onder de hand natuurlijk reclame wordt gemaakt voor de platenatlas van de jodin Zadoks—Josephus Jitta, want dat behoort bij zulk een geschrijf. En dat tenslotte het „ex oriente Lux" voor den dag komt, verbaast ons niet. Alleen het slot nog: „Kwam aanvankelijk de beschaving uit *'t Oosten,* en maakte ze haar indrukwekkenden gang naar 't Westen, ook thans werpt het Oosten nog menigmaal een verrassend licht over veel wat het Westen aan kultuurgoederen bezit. Voor onze kinderen is het voldoende als ze den kultuurgang in groote lijnen zien en *niet* vergeten, dat vier grootmachten onze West-Europeesche kultuur hebben gefundeerd en gebouwd, het zijn: *Israël,* Griekenland of Hellas, Rome en het Christendom. Daarom rekenen we die, met Allard Pierson, tot onze geestelijke voorouders."

Het is een schandaal, dat in onze dagen zulk geschrijf, dat openlijk propaganda maakt voor alles, dat onze volksche waarden stelselmatig heeft willen vernietigen, nog kan worden gedrukt! Wij zullen dit niet **toelaten**! Wij eischen, dat hieraan terstond een einde worde gemaakt! „Het Schoolblad" verdwijne! Want de voorlichting van de toekomstige dragers van ons volkseigene wordt niet gediend door minderwaardige publicaties van individuen, die zich tot taak hebben gesteld ons volk tot in zijn wortels toe te vergiftigen. Van Haarlem beginne deze keer de victorie!

En wat den heer Bandel betreft: zijn artikel bevat ook voldoende zuiver *politieke* insinuaties, als bijv.: *„De kinderen beseffen, dat ze hier in aanraking komen met een totaal ander rijk, dan het Romeinsche wereldrijk. Machteloosheid en macht, geweldloosheid en geweld, rust en onrustige activiteit, vrede en gejaagdheid, het onzichtbare en pompeus zichtbare staan tegenover elkaar!"* Daarom zal hij in zijn zoo geprezen „machteloosheid" misschien toch binnenkort eenige onrustige activiteit aan den dag kunnen leggen in de niet zeer pompeuze omgeving van zijn aangebeden israëlieten achter prikkeldraad!

En daar zullen wij dan genoegen mee nemen, want wij zijn humaan genoeg om hem niet aan zijn eigen slinksche giftigheden te houden, zooals aan den volkomen misplaatsten zin: *„Het is dus in deze wereld mogelijk, volkomen rustig en vol innerlijken vrede den dood in te gaan"*

Ja, dat is mogelijk, onze kameraden bewijzen dit dagelijks, maar wij willen dezen saboteur niet eens vragen, zelf deze levensregel wáár te maken. Zijn lafheid stinkt ons uit dit vuile geschrijf al tegemoet.

STORM:

REDACTIE:
HOOFDREDACTEUR: NICO DE HAAS
HEKELVELD 15 A, AMSTERDAM-C.
TEL. 37800 (drie lijnen)
ADMINISTRATIE:
UITGEVERIJ „STORM"
DIRECTEUR: REINIER VAN HOUTEN
POSTBUS 20, AMSTERDAM
HEKELVELD 15 A, AMSTERDAM-C.
TEL. 37800 (drie lijnen) GIRO: 411000
STORM verschijnt iedere week. Leesgeld f 1.25 (R.M. 2.50) per kwartaal. Losse nummers 11 cents (R.M. 0.20). Advertenties: 20 cents per m.m. regel. Korting voor contract. Tekstadvertenties 40 cents per m.m. regel.

GEDENK
HENDRIK KOOT

Sterk was zijn strijd en zijn eer was trouw,
Heft nu de handen ten groet van rouw.

Wij herdenken, dat in Sprokkelmaand van verleden jaar onzen medestrijder, wachtmeester Hendrik Evert Koot zijn leven offerde voor zijn nationaal-socialistische idealen, voor zijn Beweging en zijn Leider. Hij deed zijn dienst als een plicht in het belang van zijn volk.

Reeds op Zaterdag was het rumoerig geweest in de stad en zoo ook op Zondag. Des Maandags vertelde men: „De joden zijn op moord uit" en er kwamen berichten binnen, dat bij ijzeropslagplaatsen in de jodenbuurt staven en al wat maar van hun gading kon zijn, aan joden uitgedeeld werden.

Maandagavond heeft een groot aantal joden een weerman opgejaagd, gegrepen, mishandeld en in een gracht geworpen, waar hij zich tusschen de ijsschotsen boven water kon houden, ondanks de pogingen der joden hem met stokken en palen onder te duwen. Onze kameraad werd door Duitsche soldaten ontzet.

Op Dinsdagmorgen vervolgen joden in de Uilenburgerstraat een jongen, die lid was van de N.S.N.A.P. Een N.S.B.-er, die hiervan getuige was, poogde de aanvallers af te leiden, doch trok uiteindelijk de geheele bende op zich. De geheele Uilenburgerstraat door zetten de joden hem na. Toen hij even ontsnapte, vingen ze hem toch weer op en nu wilden zijn vervolgers hem over een brugleuning heen in het water werpen. Onze kameraad, die niet zwemmen kon en anders onder de ijsschotsen verdronken zou zijn, wist zich in zijn doodsangst nog aan een der spijlen van de brugleuning vast te grijpen, tot hij door enkele Nederlanders ontzet werd.

Ook op Dinsdagmiddag heeft het jodengespuis zich laten gelden. Zij vernielden in de jodenwijk de winkels van eenige kameraden, ramden de deuren en maakten kapot wat maar in hun bereik was. Hierbij werden enkele van onze kameraden, die zich in een huis hadden verzameld om zoo nog eenigen tegenstand te kunnen bieden aan de honderdvoudige overmacht, zwaar en licht gewond.

Het leven va

Ons ten voorbeeld

Een levensbeschrijving kan dor zijn, maar kan ook veel inhouden, zooals die van het leven van den wachtmeester der W.A., Hendrik Evert Koot. Het was een leven, dat spreekt tot het Nederlandsche volk, want Hendrik Koot wás een man uit zijn volk, een echten Nederlander. Hij was één van de gezonde krachten van onzen stam, een man met idealen, waarvoor hij het grootste offer bracht.

Koot, Hendrik, Evert - in leven winkelier - Vijzelstraat 88, Amsterdam-C. Geboren: 5 Grasmaand 1898 te Amsterdam. Ouders: Willem Koot en Geertruida Luberta Johanna Zijlstra. — Roomsch-Katholiek. Onderwijs: L.O. Gehuwd: 12 Zomermaand 1920 met Elisabeth van Groningen. Uit dit huwelijk zijn acht kinderen geboren.

Koot heeft een harde jeugd gekend. Reeds op jeugdigen leeftijd, totdat hij zijn dienstplicht vervulde, was hij in betrekking en hielp bovendien zijn ouders als melkbezorger.

Van 1917 tot 1919 was hij onder de wapenen bij het 7e Regiment Infanterie.

Na zijn diensttijd werd hij stoker voor de centrale verwarming bij een instelling te Amsterdam. Zijn doel was echter zelfstandig te worden. Dit gelukte hem door hard werken en sparen. Zoo kon hij in 1930 een zaak openen in manufacturen.

Koot was een flink sportsman en organiseerde meerdere wandeltochten of nam hieraan deel, zooals bijvoorbeeld aan de Vierdaagsche te Nijmegen.

HENDRIK
WACHTMEESTE
DER W.A. - STAMB

Gevallen in den strijd voo
van het joodsche gepeup
Hij was een trouw en
de zwaarste opgaven in
Wij deelen in de diepe
kinderen, die een man e
verloren.

Zijn geest blijft bij ons. -
Een Beweging, die zulke
winnenen!

Het was een feit: de jood was op moord uit. Hun nomadennatuur zocht een uitweg. Op vele plaatsen in de stad was het rumoerig.

KAMERADEN IN GEVAAR

Koot meldde zich voor de bescherming

De bedreigde kameraden in de jodenwijk zouden dezen nacht in gevaar verkeeren. Zij moesten ontzet worden en een wacht van de W.A. zou moeten zorgen voor de bescherming van hun lijf en goed.

Op Dinsdag 11 Spr
om half zeven 39 man
ken zij naar de plaat
verkeerden. Bij het V
SS-man Strasters op
nam, omdat hij naar
troep de redding gew
Zij trokken nu verd
schuwd door een pers
werd en in gevaar ve
verdrinking op Maand

Hendrik Koot

Strijder voor het nationaal-socialisme

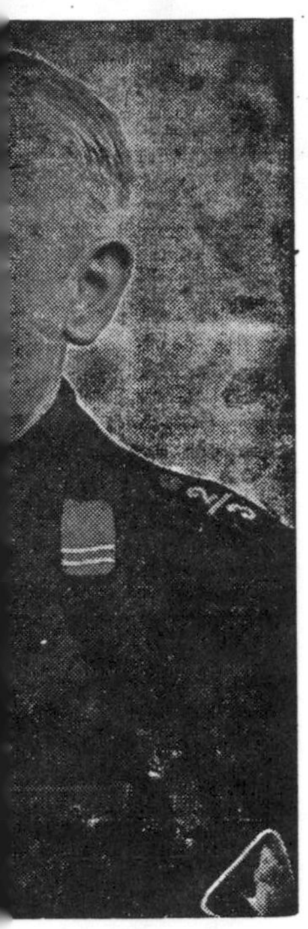

ERT KOOT

ENDEL 3 VAN BAN 2
MMER DER W.A. 3431

en vaderland, als slachtoffer
n ouderdom van 42 jaar.
kameraad, altijd bereid om
der Beweging te vervullen.
an zijr vr· :w en zijn acht
en een trouwen kameraad

uw blijft ons ten voorbeeld.
n voortbrengt, moet over-

Op 12 Grasmaand 1936 trad Koot toe tot de Nationaal-Socialistische Beweging, stamboeknummer: 68722 en nam direct actief aan het leven der Beweging deel. In Bloeimaand 1940, direct na de oorlogsdagen, werd hij opgenomen in de W.A. in vendel 3 van ban 2 met het nummer 3431. Door ijver en plichtsbetrachting ontving hij spoedig zijn benoeming tot wachtmeester. Op 31 Louwmaand 1941 werd hij voorgedragen voor de rang van opperwachtmeester.

Deze voordracht spreekt voor zijn persoon. Het oordeel over hem was: plichtsgetrouw, eerlijk en ijverig, moedig en beheerscht in zijn optreden.

Over het offer van Koot geeft zijn vendelcommandant een rapport.

Wachtmeester Koot was met ons uitgetrokken, zijn plicht doende als steeds. Hij was weer bij de eersten, zooals ook zijn wacht, die altijd volledig aantrad.

De avond tevoren nog had hij griep, maar hij wilde niet thuisblijven en kwam toch op den vormingsavond in het vendelkwartier. Hij wenschte een voorbeeld te zijn voor zijn mannen en was dat ook in alle opzichten.

Op dezen avond om half zeven was Koot met zijn zoon, lid van den Jeugdstorm, aanwezig. Koot marcheerde mee aan het hoofd van de troep en bij het ontzet van een in nood verkeerenden kameraad was hij één der eersten, die de zoo volkomen ongelijken strijd aanbond met de bloote vuist.

Vanaf den dag, dat hij volgeling van Mussert werd, droeg hij zijn overtuiging uit, broodroof trotseerend. Het portret van den Leider nam de eereplaats in zijn winkel in gedurende vijf jaren. In dezen tijd adverteerde hij in de nationaal-socialistische bladen, de terreur ten spijt.

Hij was een man, die recht door zee ging en voor wien vrees onbekend was.

naand verzamelden zich
en in marschorde trok-
r kameraden in gevaar
oplein passeerde hun
s, die een korteren weg
g. Dit is voor de kleine
zooals later bleek.
aar werden nu gewaar-
dat iemand aangevallen
le. Na de pogingen tot
nd en Dinsdagmorgen,

en de aanvallen op Dinsdagmiddag, hadden de joden nu een nieuwe prooi in hun klauwen. Onmiddellijk viel de W.A. aan tot ontzet van den SS-man. Door dit plotselinge optreden weken de joden. Het onderwereldgepeupel, dat uit alle hoeken en stegen te voorschijn gekomen was, week voor een oogenblik.

Ik merkte reeds op, dat het vooruitgaan van SS-man Strasters voor de W.A.-troep de redding was. Er is namelijk gebleken, dat de joden het W.A.-troepje anders met duivelschen list, verder in hun buurt hadden laten komen om hen dan in een nauwe

ᛦ 14 SPROKKELMAAND 1941

straat, waar zij van alle kanten ingesloten geweest zouden zijn, te overrompelen.

Toen de menigte van den eersten schrik van den W.A.-inzet bekomen was en bemerkte, dat het kleine getal weermannen daarenboven geheel onbewapend was, kwam deze weer opzetten met bijlen, knotsen, lange ijzerstaven. Van verschillende zijden werd geschoten.

Alle mannen werden gewond. Om te voorkomen, dat zij afgeslacht zouden worden, want iedere man was door een heele gewapende troep omsingeld, gaf de hopman bevel tot den terugtocht. Bij het verzamelen werd wachtmeester Koot vermist. Achttien man, die minder ernstig gewond werden, konden optrekken om Koot te ontzetten. De moordbende roerde zich echter nog.

Wachtmeester Koot bleek te zijn gevallen. Een heele bende had zich daarna op hem gestort. Eén jood lag bovenop hem, wurgde zijn keel en beet hem in het gezicht. Men sloeg, trapte en danste op hem.

Koot en Strasters werden naar het ziekenhuis vervoerd. Aanvankelijk liet zich de toestand van den SS-man het ernstigst aanzien. Bij Koot waren hoofd en handen verbrijzeld en verminkt. Gelukkig herstelde Strasters zich langzaam. Koot overleed in den nacht van Donderdag op Vrijdag in de kracht van zijn leven.

Hendrik Koot is gevallen in een strijd, waarbij de W.A. zich inzette met het doel kameraden te beschermen in de eerste plaats en daarna om een in levensgevaar verkeerende SS-man te ontzetten.

Een mensch zet zijn leven in en sterft slechts voor idealen, waarin hij oprecht gelooft. Daarin ligt de beteekenis van Koot voor de Beweging. Daarom is Koot voor ons een symbool geworden. Het offer van Koot zegt, dat er nog mannen zijn, die zich willen inzetten voor de toekomst van hun volk. Het getuigt van de dadendrang, die er onder ons, nationaal-socialisten, leeft.

Wanneer wij onzen kameraad gedenken en het lied zingen ten laatsten groet, dan beleven wij de slotregels:

Maar boven nood en dood stijgt
eeuwig Dietschland,
Zijn geest bezielt ons in 't vuur
van den strijd!

WAT WILT GIJ
VRIJHEID
OF KNECHTSCHAP
VRIJHEID
ALLÉÉN DOOR DE
NSB

1

VRIJHEID - RECHT - WELVAART
NSB

2

MET MUSSERT
HOU-ZEE

3

CURAÇAO
SURINAME
NU VERRADEN
EN VERKWANSELD
GEEN WAARACHTIG NEDERLANDER ZAL
DEZE SCHANDDAAD AANVAARDEN...

4

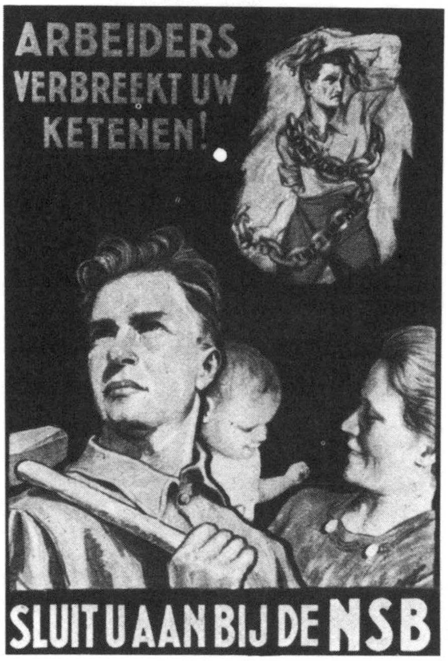
ARBEIDERS
VERBREEKT UW
KETENEN!
SLUIT U AAN BIJ DE NSB

5

DE HAND
AAN
DEN PLOEG
Voor de nieuwe orde
Voor Volk en Vaderland
SLUIT U AAN BIJ DE NSB!

6

VOLKSGENOOTEN!
De stoet trekt langs den volgenden weg:
Singel (vertrek Singel 400 te 10.00 uur), Koningsplein, Singel, Vijzelstraat, Ferdinand Bolstraat, Ceintuurbaan, Sarphatipark, Ceintuurbaan, Amsteldijk, Zorgvlied.

13

MUSSERT
SPREEKT
Mijn geheele politiek voor mijn volk en mijn vaderland is al die jaren gebouwd geweest op het geloof in het nationaal-socialisme
De gerechtigheid herstellen beteekent de verzorging van den arbeidenden mensch die zich geborgen weet in eigen volk
Het nationaal-socialistisch tijdperk begint. Dat wil zeggen dat er geregeerd zal worden voor het welzijn van het volk en niet meer voor het welzijn van een bepaalde klasse
STRYDT DAAROM MEE IN DE N.S.B.

12

Mussert heeft het voorspeld!
Amerika heeft Suriname bezet!
DAT AMERIKA ER NIET AAN DACHT OM NEDERLANDSCH GRONDGEBIED TE BEZETTEN.
Strijdt met Mussert!

11

Foto's Fotodienst N.S.B.; A. G. Swart (10).

DE TROSSEN LOS
HOU ZEE!
VOOR VOLK EN VADERLAND
SLUIT U AAN BIJ DE N.S.B.
7

BOUW MEE
AAN DE NIEUWE ORDE, VOOR VOLK EN VADERLAND
SLUIT U AAN BIJ DE N.S.B.
8

IN DIENST VAN
ONS VOLK
EN GIJ?
WORDT WA MAN
KOOPT EN LEEST DE ZWARTE SOLDAAT
9

EEN NIEUW NEDERLAND
IN EEN NIEUW EUROPA
strijdt mee in de
N·S·B
10

ENGELSCHE
HONGERBLOKKADE
Nederlanders!
WEET U, DAT HET UW
ZOOGENAAMDE
BONDGENOOTEN ZIJN,
DIE NU TRACHTEN U EN
UW KINDEREN
uit te hongeren?
14

Vrouwen van Nederland!
Gij voelt U verbonden met Ons Vaderland en Ons Volk.
Ook WIJ leven en werken slechts voor dit Volk en voor ons geliefde Vaderland.
Maar WIJ weten, dat het lot van ons Volk vast verbonden is aan het lot van den Germaanschen stam en van Europa.
In dezen grooten tijd kunnen wij ons land en de toekomst van onze kinderen niet redden door mokkend afwachten en lijdelijk toezien.
Europa strijdt voor het Behoud van zijn Cultuurgoederen en voor de Bevrijding van het Kapitalisme.
DE NATIONAAL-SOCIALIST STAAT OP DE BRES VOOR DE BESCHAVING!
Indien het Communisme, gesteund door het groot-kapitaal zou winnen ... HOE ZOU EUROPA ER DAN UITZIEN?
Wij doen een beroep op Uw HART:
Wilt gij dat het gezinsleven vernietigd wordt?
Wij doen een beroep op Uw GEWETEN:
Wilt gij dat Uw godsdienst te vuur en te zwaard wordt uitgeroeid, dat het Godloochenend Communisme hier zegeviert?
Wij doen een beroep op Uw GEZOND VERSTAND:
Denkt gij, dat Nederland een onaantastbaar plekje grond is, dat noch door het Communisme, noch door het Nationaal-Socialisme beroerd zal worden?
Wij allen staan nu voor deze eene keus:
MET EUROPA OF TEGEN EUROPA!
Het laatste beteekent zelfmoord, het eerste medewerking, inzet van ALLEN voor ons VADERLAND, verzoening tusschen ALLE Nederlanders en tusschen ALLE Europeesche Volken, VERGETEN wat ons SCHEIDT, BESEFFEN wat ons BINDT.
LATEN WIJ NEDERLANDSCHE VROUWEN HIERIN VOORGAAN!
15

Vóór of tegen
de Europeesche
Beschaving
OOK GIJ zult moeten kiezen nu de groote gigantische eindstrijd om Europa's bestaan en beschaving begonnen is.
OOK GIJ zult U vóór of tegen den chaos van het Bolsjewisme moeten verklaren.
OOK GIJ zult U met Uw heele persoon achter het Nationaal-Socialisme van
ORDE, GERECHTIGHEID EN BESCHAVING
moeten stellen, of...... verraad plegen aan Uw eigen bloed, Uw eigen Volk, Uw eigen Vaderland, Uw eigen Cultuur en Beschaving.
De goede Vaderlander strijdt aan de zijde van het Nationaal-Socialisme
De Nationaal-Socialistische Eenheid onder Leiding van Mussert waarborgt
DE TOEKOMST VAN HET VADERLAND
16

MET
DUITSCHLAND
TEGEN
HET
BOLSJEWISME
TEGEN HET BOLSJEWISME • TEGEN HET BOLSJEWISME
17

TEGEN HET KAPITALISME • TEGEN HET KAPITALISME
MET
DUITSCHLAND
TEGEN
HET
KAPITALISME
18

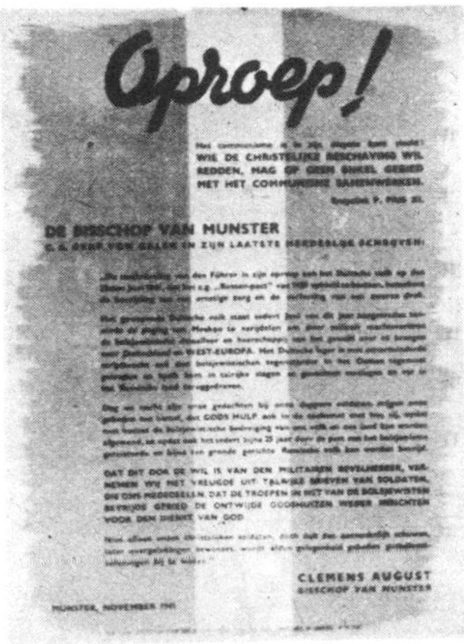
Oproep!
WIE DE CHRISTELIJKE BESCHAVING WIL REDDEN, MAG OP GEEN ENKEL GEBIED MET HET COMMUNISME SAMENWERKEN.
DE BISSCHOP VAN MUNSTER
CLEMENS AUGUST
BISSCHOP VAN MUNSTER
22

MET
DUITSCHLAND
VOOR
NIEUW
EUROPA
19

MET
DUITSCHLAND
VOOR
VRIJ
NEDERLAND
20

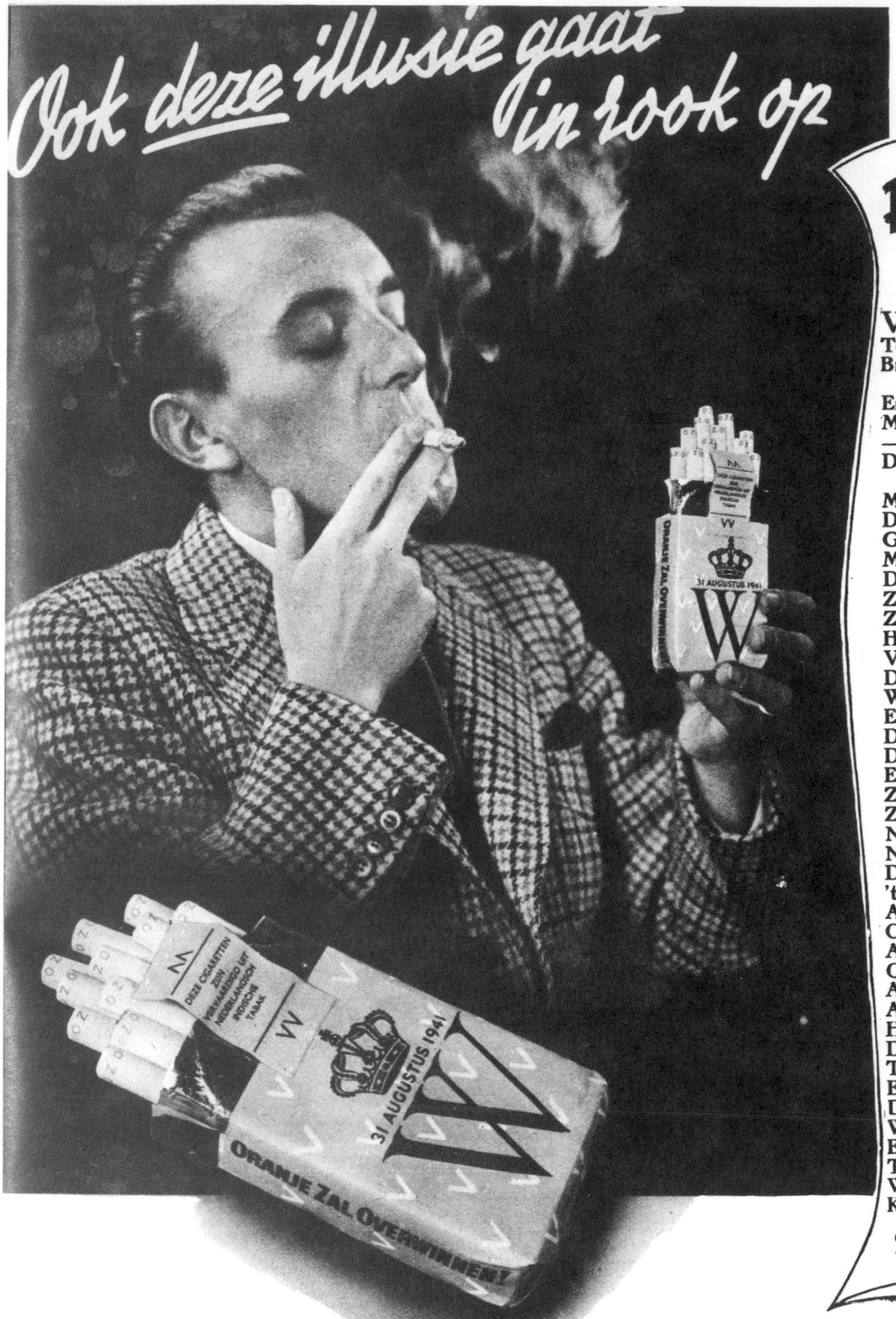

Ook deze illusie gaat in rook op
31 AUGUSTUS 1941
ORANJE ZAL OVERWINNEN!

ROOKERTJES...

DOOR
WYBE DE VRIES

Wat Engelands luchtmacht op ons land
Tot nu toe vallen liet,
Bracht Nederland meestal niets dan [rouw
En schade en verdriet.
Maar enk'le keeren was men gul,
— Misschien uit medelij!? —
Dan maakt' ons 't vliegtuig van daar= [ginds
Met sigaretten blij!
Die vielen zoo maar uit de lucht,
Gratis, voor niets, cadeau!
Met een Oranje hempie aan,
Dat was pas fijn! — O, zóó!
Zóó hielp men ons er bovenop,
Zoo werd bewezen wat
Het emigrantencomité
Voor Neerland over had!
Die goede gaven uit de lucht —
Wat werd er naar gezocht!
En och, we zijn toch kooplui, niet?
Dúúr werden ze verkocht!
Dat waren oorlogssouvenirs,
Elk pakje een relikwie!
Zoo heilig, hoog=verheven en ...
Zoo kostbaar dus, — maar zie:
Nu springt de duivel uit de doos,
Nu blijkt dan plots, o wee! ...
Die „heilige relikwieën" zijn ...
't Product der ... N.S.B.!
Ach, haal ze nu maar uit uw lijst,
Of uit de brandkast weer,
Al telde ge voor 't kostbaar stuk
Ook een'ge tientjes neer!
Al wordt ge nu ook nóg zoo kwaad —
Al vindt ge 't nog zoo'n strop —
Het geld wordt nu pas goed besteed,
Die dertigduizend pop!
Toe, Nederlanders, weest sportief,
En lacht er toch maar om,
De móp is goed, — en de moraal?
Weest voortaan niet zoo dom!
En denkt eens na, daar deze grap
Toch ook een les beduidt:
Wie goeds uit Engeland verwacht
Komt steeds bedrogen uit!

(Uitgezonden door de Nederlandsche Omroep)

Geen Unie of OZO-Man
Maar Houzee en W.A. Man
In 't „jasje" alleen het verschil
In Holland verdeeldheid?
'n Paskwil!

STEUN N.S.B.
31 AUGUSTUS 1941

EERBEWIJZEN

Met dit nummer te beginnen, zullen wij geregeld één of meerdere hoofdstukken afdrukken van het „Voorschrift Eerbewijzen" van de W.A., zooals dit is vastgesteld door het stafkwartier.

Het is van zeer groot belang, dat ieder W.A.-man niet alleen kennis neemt van dit voorschrift, maar het ook met aandacht bestudeert en de verschillende hoofdstukken in een schrift plakt om het op deze wijze te bewaren, zoolang het nog niet in zijn geheel in druk is verschenen.

A. De groet van het afzonderlijk W.A.-lid.

1. De groet bestaat uit het recht naar voren brengen van den — in elkaars verlengde liggende — gestrekten rechterarm en hand met aaneengesloten duim en vingers, handpalm naar beneden, zoodanig, dat de toppen der vingers zich ter hoogte van de oogen bevinden. Stilstaande blijven de linkerarm en hand als in de houding. Te voet, in beweging zijnde, worden de linkerarm en hand recht langs het lichaam gestrekt, zonder het dijbeen te raken. Het hoofd wordt met een korten ruk gewend in de richting, waar de meerdere zich bevindt en deze wordt met opgeheven hoofd aangezien. Bij het beëindigen van den groet wordt de rechterarm vlug omlaag gestrekt en wordt weer rechtuit gezien.

2. Allen, die tot de W.A. behooren, moeten, of zij al dan niet in uniform zijn gekleed, den groet brengen aan alle meerderen. Indien de meerdere in burgerkleeding is, alleen voorzoover de mindere geacht kan worden den meerdere te kennen. Iedere meerdere is verplicht den hem door een mindere gebrachten groet te beantwoorden. In burgerkleeding zijnde, wordt de groet op dezelfde wijze uitgevoerd als gekleed zijnde in uniform.

3. Stilstaande wordt tot het brengen van den groet tijdig de houding aangenomen, nadat front is gemaakt naar den persoon, wien men den groet brengt en de meerdere tot op 6 passen is genaderd. De groet eindigt, wanneer de meerdere den mindere is voorbijgegaan.

4. In geval de meerdere en de mindere elkander tegemoetkomen of indien eerstgenoemde stilstaat, groet de mindere, na voor zooveel noodig te zijn uitgeweken, wanneer hij den meerdere tot 6 passen in de bewegingsrichting is genaderd. Nadat de mindere den meerdere is voorbijgegaan, eindigt de groet.

5. De mindere, die door een meerdere wordt ingehaald en voorbijgegaan of die een meerdere inhaalt en voorbijgaat, handelt overeenkomstig het bepaalde in het voorgaande lid, behoudens, dat de groet eerst wordt gebracht bij het voorbijgaan.

6. Hij, die een klein voorwerp in de hand draagt, neemt, alvorens den groet te brengen of te beantwoorden, het voorwerp in de linkerhand. Bij het dragen van grootere voorwerpen, zooals koffers, blijft, ook al worden ze in de linkerhand gedragen, de beweging van de rechterhand achterwege.

7. Laat de omvang van het aantal der voorwerpen, welke hij draagt, niet toe de rechterhand vrij te maken, dan blijft bij het brengen van den groet de beweging met de rechterhand achterwege. De meerdere wordt evenwel met opgeheven hoofd aangezien, waarbij het hoofd met een ruk in de richting van den meerdere wordt gedraaid.

8. In den regel moet de mindere, indien hij gezeten is, alvorens te groeten, opstaan en de houding aannemen. In meerdere gevallen echter, bijvoorbeeld in café, restaurant, bioscoop, tram, trein, autobus en dergelijke is het voldoende, dat hij — gezeten zijnde — het bovenlijf strekt, den meerdere met opgeheven hoofd aanziet, terwijl dit met een ruk in de richting van den meerdere wordt gedraaid en de beide handen tegen de dijbeenen brengt; indien dit laatste niet mogelijk is, worden de handen aan den rand van de tafel gebracht.

9. Wanneer een mindere te voet of te paard, die een paard aan de hand geleidt, moet groeten, blijft de beweging met den rechterarm achterwege.

10. De mindere, die te paard in versnelden gang rijdt, doet vóór het brengen van den groet zijn paard in stap vergaan.

11. Komt een mindere, te paard gezeten, een bereden meerdere achterop, dan mag hij dezen niet voorbij rijden, zonder daartoe vergunning te hebben gevraagd en verkregen.

12. Is de mindere op een rijwiel gezeten, dan rijdt hij bij het brengen van den groet in gematigden gang. De beweging van den rechterarm blijft achterwege.

13. Wandelt de meerdere of mindere heen en weer, dan wordt de groet denzelfden meerdere slechts eenmaal gebracht, b.v. op het perron van een station.

14. Van een troep wordt alleen de commandant en in voorkomende gevallen eveneens de stormvlag gegroet.

15. Bestuurders van automobielen en motorrijwielen behoeven gedurende het rijden niet te groeten; mocht het verkeer niet in gevaar worden gebracht dan moet de meerdere met opgeheven hoofd worden aangezien.

16. Bevindt een mindere zich, zonder bestuurder te zijn, in een automobiel of ander voertuig, of op een motorrijwiel, dan gaat hij, gezeten zijnde, rechtop zitten en ziet den meerdere met opgeheven hoofd aan. De beweging met den rechterarm blijft achterwege.

17. Bevindt zich in een automobiel of eenig ander voertuig een meerdere, die als geleider is aan te merken, dan groet alleen deze, terwijl de overigen rechtop blijven zitten.

18. Het is den W.A.-leden, in uniform gekleed, verboden in het openbaar gearmd te loopen.

19. Het is den W.A.-leden, in uniform gekleed, verboden op den openbaren weg te rooken.

Fout — Artikel A-6 en A-7 — Goed

Fout — Artikel A-18 — Goed

Fout — Artikel A-2 — Goed

Fout — Artikel A-12 — Goed

IN GODSVERTROUWEN

NEDERLANDSCH
OOST - INDIE.
LEIDEN,
D. NOOTHOVEN van GOOR.
RESIDENTIE
BANKA.
BILITON

Dag aan dag hebben wij hier in het Moederland, zoo goed als ons dat in de gegeven omstandigheden mogelijk was, de krijgsverrichtingen in Indië gevolgd. Het zal U gegaan zijn als mij; het was alsof zich een greep gelegd had om ons hart en het bloed daaruit meer en meer werd weggedrukt. Het pijnlijkste zal dit geweest zijn voor hen, die hun leven in Indië hebben doorgebracht en voor wie de Indische plaatsnamen gekoppeld zijn aan vele herinneringen. Een onafgebroken reeks van hopelooze verdedigingsacties: Tarakan, Minahassa, Banjermasin, Makasser, Ambon, Palembang, Bali, slag in de Java-zee, slag in de straat Lombok, Rembang, Bantam, Batavia, Soerabaja, Bandoeng; het einde, de overgave, de volledige bezetting.

De marine, de luchtmacht, het leger, zij hebben zich tot het uiterste gegeven, zonder eenige kans op succes. Duizenden zullen gesneuveld of gewond ter neer liggen of met de aan flarden geschoten oorlogsschepen zijn ondergegaan. Zonen van ons volk, bloed van ons bloed, dat geofferd werd. Wij begrijpen de bekommernis van hen, die verwanten hebben in Indië; zij hunkeren naar berichten uit Indië. Zal de verbinding nu hersteld worden; zullen wij elkander weer kunnen bereiken, wij Nederlanders hier en aan den overkant? Ik heb hier nu voor gepleit, daar, waar men wellicht invloed ten goede zal kunnen uitoefenen.

Het gevoel van verbondenheid met onze volksgenooten is nooit zoo sterk geweest als in deze dagen van gemeenschappelijk lijden.

Naast het tot uiting brengen van dit gevoel, moet ik uiting geven aan mijn diepe verachting voor het perfide Albion. Engeland kon de Vereenigde Staten alleen tot den oorlog brengen door, in samenwerking met President Roosevelt, Japan tot den oorlog te dwingen. Dit geschiedde door de economische omsingeling, de boycot, het afsnijden van Japan van de grondstoffenvoorziening. Nederl.-Indië deed daaraan mede (de vrouw van den Gouverneur-Generaal is een Amerikaansche) op last van de gevluchte zoogenaamde Nederlandsche Regeering in Londen. De ophitsing van Nederlandsch-Indië tegen de asmogendheden was grenzenloos; het vertrouwen, dat Engeland en Amerika Indië zouden beschermen, was onbeperkt. Naast de diep treurige militaire berichten uit Indië kwam de voortdurende stroom van betuigingen uit Engeland en Amerika over de ontzaglijke hulp, die onderweg was. Niets dan leugen en bedrog. Wij, hier te lande, wisten dat.

Wij hadden hetzelfde immers hier medegemaakt in de Meidagen van 1940. Wij wisten wat Engelsche hulp in werkelijkheid was, nl. 150 man in IJmuiden geland om de sluizen van IJmuiden te vernielen en de petroleumtanks in Amsterdam in brand te steken en dan snel er van door te gaan. Wij wisten dus, dat die aan Indië iederen dag weer beloofde hulp niet zou komen opdagen, dan in den persoon van generaal Wavell met een handvol militairen om orders tot vernietiging van eigendommen te geven en dan snel er van door te gaan.

Zoo geschiedde het ook.

De ratten verlieten het zinkende schip en onze mannen gingen door hun leven te geven voor een verloren zaak.

En tenslotte onze gevoelens voor de z.g. Regeering in Londen, die Japan den oorlog verklaarde. Nemen wij voor hen aan, het allerbeste wat wij aannemen kunnen, dat het geen schobbejakken en geen misdadigers zijn, maar dat het alleen maar zijn zwakke, onnoozele halzen, die, nadat zij hier in de Meidagen hadden ondervonden hoe Engeland hen in den steek liet, die wisten hoe Polen, Noorwegen, Frankrijk en Griekenland in den steek gelaten waren, toch in onbegrensd vertrouwen op Engeland en Amerika Indië in den oorlog joegen. **Hoe zij zich verantwoorden kunnen tegenover God en ons Volk, is mij een volkomen raadsel. De geschiedenis zal hen oordeelen zwarter dan de zwartste figuren uit ons vaderlandsch verleden.**

Gij vraagt nu, mijne volksgenooten, hoe ons standpunt is? De feiten zijn deze: Nederland is bezet door Duitschland; Curaçao en Suriname door Amerika; Insulinde door Japan. Het heeft geen zin speculatieve beschouwingen ten beste te geven, noch in optimistischen zin, noch in pessimistischen zin. Wij zijn in diepen rouw om de dapperen die vielen, zoowel om hen van de marine, als om hen van de luchtmacht, als om hen van het Nederlandsch-Indische leger, die de eer van ons volk hebben hooggehouden in een hopeloozen strijd ver van het Vaderland.

Voorts is het mij een behoefte nog een enkel woord te spreken tot de geloovigen, tot de kleinmoedigen, tot de strijders en tenslotte tot allen van Nederlandschen Stam.

TOT DE GELOOVIGEN.

Ik weet het, Gij vraagt U af of een Godsgericht over ons Volk gekomen is. Voedselschaarschte, uitzonderlijk strenge winter, geestelijke verdeeldheid, verlies van have en goed, bombardementen en wat nog erger is: de bezetting der koloniën. Alle plagen komen over ons. En inderdaad, honderdtallen millioenen kg. voedsel zijn vernietigd in de jaren vóór 1940; honderdduizenden werkloozen zijn met hun gezinnen vernederd en verkommerd; zoo koud ontkennend is beantwoord de vraag „ben ik mijns broeders hoeder". Zooveel onrecht, schijnvroomheid en hoovaardij tierden welig. Maar heeft dit Volk dit alles gewild? Op deze vraag kunnen wij antwoorden: neen! Het Volk kon alleen niet zien het net van leugen en bedrog, waarmede het omsponnen was door hen, die in hoogheid waren gezeten en het had een onbegrensd vertrouwen in hen, die het voorgingen op den weg naar het verderf. Laat ons vertrouwen hebben in rechtvaardigheid en goedertierenheid en gelooven, dat dit alles over ons komt als noodzakelijk om tot inkeer te komen, tot loutering en tot herrijzenis.

TOT DE KLEINMOEDIGEN,

die bij de pakken willen blijven neerzitten, hebben om zich te laten gaan, maar dat ook op hen deze plicht rust om te zwoegen en te ploeteren voor een volk in nood, opdat het weer een toekomst zal hebben. Denkt aan de spreuk: het is niet noodig om te overwinnen, om door te kunnen zetten. Echte Nederlanders zetten door juist als het moeilijk is, juist als het er hopeloos uitziet.

TOT DE KAMERADEN:

Tot U, mijn oude kameraden, met wie ik nu reeds jaren in den strijd sta, is het mij een behoefte om te zeggen, dat ik weet, dat deze slagen U meer treffen dan anderen. Want wij hebben met elkander dit alles reeds jaren tevoren zien aankomen; wij hebben dag en nacht gewerkt om te bereiken dat ons Volk zou terugkeeren van den weg naar den afgrond. Wij zijn er om gehoond en gesmaad, om uitgebannen en vervolgd en nu is alles gekomen, zooals is voorspeld en wij weten, het had niet behoeven te zijn. Laat geen verbittering zich daarover van U meester maken. Wij hebben het goede gewild doch helaas het kwade niet kunnen tegenhouden. Maar wat wij hebben bereikt, is dit, in deze tien jaren van onzen strijd is de grondslag gelegd voor de wederopstanding van ons volk en op dien grondslag zullen wij voortbouwen met alle kracht en vastberadenheid die wij in jaren van strijd hebben verkregen.

Mijne volksgenooten! In dit voor ons volksbestaan zoo tragisch uur, wend ik mij tot U en vraag U geen wilde uitbarsting van haat en woede tegen hen, die ons Volk naar het verderf hebben geleid, maar vraag van U om eindelijk, maar dan ook radicaal, te ontwaken uit den roes van misplaatst vertrouwen en geloof, die zoo misbruikt worden. Diep is onze val als natie.

De bodem van den put is bereikt, tenzij, nu Engeland ons niet meer noodig heeft in Indië, ons land wordt behandeld als Frankrijk na zijn capitulatie. Denkt aan Oran en Dakar, denkt aan het jongste bombardement van Parijs met 700 dooden en 1000 gewonden. Dat kan ook nog hier komen, want een Engelschman erkent geen andere belangen dan de zijne. Als dat gaat geschieden, is het diepst van den put nog niet bereikt, maar dicht bij den onderkant zijn wij in ieder geval.

Nu zijn er twee mogelijkheden. De eene is ondergang als Volk, maar dan ook totaal! De andere is opgang, een moeizame maar trotsche worsteling tot herrijzenis. Wij gelooven aan deze herrijzenis, omdat ons Volk in millioenen eerlijke, werkzame,

ALLES VOOR HET VADERLAND

WESTELIJKE
KLEINE SOENDA-EILANDEN
INDISCHE OCEAAN
LOMBOK
SOELOE OF CELEBES
RESIDENTIE TERNATE
GOUVERNEMENT
RESIDENTIE AMBOINA
MOLUKSCHE ZEE
PHILIPPIJNSCHE EILANDEN
Soembawa
Flores of Endeh
Boeton
Tidor

fatsoenlijke en begaafde werkers, een volk met een groote traditie en een schat van ervaring en bekwaamheid, te goed is om ten gronde te gaan. Hoe trotsch en zelfbewust dragen niet honderdduizenden de ontzaglijke lasten van dezen tijd!

Wij staan te midden van de grootste revolutie van alle tijden, een wereldrevolutie zonder voorbeeld. Uit de worsteling van dezen tijd herrijst een nieuw, eendrachtig Europa, het besef der saamhoorigheid en lotsverbondenheid der Germaansche volkeren. Dit is noodig, anders gaat Europa te gronde. In dat nieuwe, sterke Europa zal een herboren en gelouterd, een eendrachtig en kameraadschappelijk, een ijverig en bekwaam, een eerlijk en geloovig Nederlandsche volk een plaats te vervullen hebben en een roeping te volgen.

Laat nu ieder Nederlander zijn plicht doen, nu ons Vaderland in nood is en zonen van ons Volk bij duizenden hun leven hebben gegeven in getrouwheid aan hun Vaderland, zoowel aan den Grebbeberg als in de onmetelijke vlakten van Rusland, zoowel in de Java-Zee als op het plateau van Bandoeng. Plicht doen, beteekent nu met man en macht werken aan een nieuw Nederland in een nieuw Europa.

Ons Volk heeft wel meer voor heete vuren gestaan en wij zijn er altijd doorgekomen, omdat op het beslissend oogenblik altijd mannen en vrouwen bereid gevonden werden op leven en dood te worstelen voor ons Volk. Zoo zal het ook ditmaal zijn.

Schouder aan schouder, vereenigd tot een eensgezind en vastberaden Volk, zullen wij ons inspannen onder het devies van den Jeugdstorm:

„In Godsvertrouwen, alles voor het Vaderland".

MUSSERT.

Utrecht, 10 Maart 1942.

IK BEN ANTI-ENGELSCH EN ANTI-N.S.B.,

zegt Jansen, ik heb wel zooveel verstand, dat ik, na twee jaren bedrogen te zijn, ga begrijpen, dat de Engelsche zender maar kletspraat verkoopt en de Britten den oorlog zullen verliezen. Maar ... ik blijf toch anti-N.S.B. En wil je weten waarom, zwarte meneer? Omdat ik de Vrijheid lief heb! Stel je voor, dat ik in zoo'n dwangbuis zou loopen als u. Dat ik mij zou laten zeggen, hoe ik leven moet en hoe niet, dat ik mij vernederde als krantenverkooper! Neen! Ieder rechtgeaard Nederlander bemint de Vrijheid boven alles! Ozo.!

– Kijk eens om, Jansen. Daar komen drie rechtgeaarde Nederlanders, die zooals u de Vrijheid beminnen. De eerste is fabrikant Goudbuik. Hij heeft zooveel geld, dat ie geen bonnen noodig heeft om zich overdadig te voeden. Hij had de Vrijheid zich schatten te vergaren door zijn zwoegend personeel voor een hongerloon te laten werken. Dan volgt de weleerwaarde Droogstoppel, die de liefde behoorde te dienen, maar die de Vrijheid neemt om het woord van haat te prediken als hij politieke tegenstanders wil treffen. Nummer drie is jonkheer Leeghoofd, die werken beneden zijn stand vindt, maar die als aandeelhouder en commissaris van een N.V. de Vrijheid heeft te leven ten koste van harde werkers. Achter hem komen nog meer liefhebbers van de Vrijheid, maar ik hoef ze niet allen te noemen. U kent hen zelf wel, meneer Jansen.

Een steen suist door de lucht, rakelings langs Jansen. Jansen schrikt, keert zich om en roept tegen een belhamel: Pas op, vlegel! Dat is een drommelsche kwajongen, zwarte meneer. Hij heeft mijn ruiten bevuild, mijn aschemmer op straat leeggesmeten...

– Hij bemint ook de Vrijheid, meneer Jansen.

– Hm., ja, die jeugd...... ! Orde en tucht moet er zijn in 't leven. Maar de N.S.B. .... neen, dat is niks voor ons volk.

– Kent u werkelijk het streven der N.S.B.?

– Neen, dat niet. Misschien is de N.S.B nog zoo kwaad niet, maar ik zal toch nooit lid worden. Je buren, de heele straat kijkt je dan scheef aan, de winkelier pest je, je collega's treiteren je! Ik stap op, zwarte soldaat, want als kennissen mij met u zien, verdenken zij me nog van N.S.B.-sympathieën. Houdt uw krantje maar, ik blijf toch Anti. Om anti te blijven heb je geen moed noodig en dan vinden ze je juist toch wel moedig!

COR vD

(Gelukkig telt ons land reeds vele Jansens, die meer karakter toonen.)

WAAROM DRAAGT DE JOOD de Davidster?

4594 Zandsteenen reliefs uit het Centraal-Museum te Utrecht bewijzen, dat er niets nieuws onder de zon is. Reeds plm. 1400 waren de Joden verplicht speciale hoornachtige hoeden van grijzen kleur te dragen.

De joden zijn gemerkt.
Menigeen heeft met verbazing waargenomen, dat de gele ster niet alleen door uitgesproken jodentypen wordt gedragen, maar ook door tal van lieden, die zich op het eerste gezicht niet of nauwelijks van Ariërs onderscheiden. Hierin ligt voor een deel reeds het antwoord besloten op de veel gestelde vraag: Waarom draagt de jood een Davidster? Voor wie duidelijk is waartoe de penetratie van den joodschen geest in ons volksleven heeft geleid, is het immers vanzelfsprekend, dat den joden nu eindelijk de gelegenheid wordt ontnomen ons Volk onopgemerkt te beïnvloeden. Want wie herkende in den brutalen praatjesmaker in de treinen en in den vriendelijken „zakenman"-zwarte-handelaar den jood, als hij niet de bekende gestalte had of dien verraderlijken neus? Het buiten-Europeesch rassenmengsel, dat het Joodsche volk vormt, is wezensvreemd aan de Germaansche volken en dus ook aan het Nederlandsche Volk.

De joden zijn zich daarvan bewust, ook al beweren sommigen (sommigen!) hunner het tegendeel. Zij hebben zich trouwens in den loop der tijden niet met ons Volk willen vermengen dan in betrekkelijk weinige gevallen en wel slechts voor zoover dat met hun doeleinden strookte.

Zij, die er zich altijd op lieten voorstaan een uitverkoren volk te zijn, wisten in enkele steden hier te lande en elders zelfs te bedingen, dat zij bij wijze van privilege in een afzonderlijke stadswijk zouden mogen wonen. Dat deze wijken, de ghetto's, later een slechten naam kregen, hebben de joden aan zichzelf te wijten, evenals het feit, dat de naam „jood" een scheldnaam werd. Maar... niet alleen het joodsche volk, doch ook de Europeesche volken achtten het gewenscht dat er een strenge scheiding zou zijn tusschen hen en de joden, zij het dan ook uit andere overwegingen. Zij beschouwen hun joodsche gasten door de eeuwen heen minstens als vreemdelingen, die bijvoorbeeld geen burgerrechten konden verkrijgen. In Nederland, waar zij zich o.m. door hun verregaande heb- en heerschzucht gehaat hadden gemaakt, hadden de joden zich in vele plaatsen aan beperkende bepalingen te onderwerpen. Langen tijd werden zij zelfs verplicht een speciale jodenkleeding te dragen, opdat men hen overal onmiddellijk zou kunnen herkennen en... mijden.

In 't begin van de vorige eeuw kwam langzamerhand een einde aan den uitzonderingstoestand van de joden als gevolg van de Fransche revolutie met haar valsche beginselen van vrijheid gelijkheid en broederschap.

Van de hun verleende vrijheid heeft het wereldjodendom en hebben ook de joden in ons land schromelijk misbruik gemaakt. In ons volgend nummer zullen wij gelegenheid vinden nader uiteen te zetten op welke wijze dit is gebeurd.

Zeker is, dat zij gepoogd hebben en helaas ook ten deele er in zijn geslaagd den joodschen geest op alle gebieden des levens te doen doordringen en... te doen heerschen! De rampzalige gevolgen daarvan ondervinden wij Nederlanders nog elken dag. Daarom werd het hoog tijd de joden opnieuw een merkteeken te geven.

Niet alleen voorkomt men hierdoor in vele gevallen, dat onze volksgenooten de dupe worden van de practijken van deze heeren, niet slechts kan men zich hierdoor gemakkelijker onttrekken aan den funesten invloed, welke deze vreemdelingen op ons volksleven uitoefenen, maar ook de joden zelf worden door dezen maatregel beschermd tegen de duistere handelwijzen van zekere joden, die zich niet ontzagen zich als Ariërs voor te doen en daarvan listig gebruik wisten te maken om hun joodsche volksgenooten te bedriegen en te bestelen!

Een jood gaat er fier op jood te zijn. Daarom ook is hij juist met het nationaal symbool van het joodsche volk, de Davidster, geteekend. Op zichzelf is dit teeken niet vernederend voor den jood en wij van onzen kant kunnen niet de bedoeling hebben hem daarmede te krenken.

Maar zooals zij zelf de ghetto's tot krottenwijken en erger verlaagden en den naam „jood" tot een scheldnaam maakten, zoo vreezen wij, dat de joden deze Davidster tot een teeken van schande zullen maken...

Anton Boïn

UIT HET LEVEN V

Het is moeilijk, het aantal koppen te tellen, die reeds in het verleden hun bevruchtend aandeel namen in de vorming van een groote gedachte.

Het geheele beeld van onze opvattingen ontstaat voor het overgroote deel uit het resultaat van de geestesarbeid in het verleden en voor een klein gedeelte op grond van eigen inzicht.

Beslissend is slechts, dat één het geestesbezit, dat overgeleverd wordt van de groote koppen uit vroeger tijden, verstandig en doelmatig ordent en de daaruit voortvloeiende logische gevolgtrekkingen maakt.

Adolf Hitler

Toen Mussert met Van Geelkerken in Wintermaand 1931 de N.S.B. oprichtte, bestonden in ons land vele partijtjes op nationaal-socialistischen en fascistischen grondslag. Paleisrevoluties waren aan de orde van den dag en de nieuwe gedachte, die voor alles de eenheid van het geheele volk beoogde, viel daardoor ten prooi aan bespotting. In dezen tijd stelde Mussert zich aan het hoofd van wéér een nieuwe Beweging en het heeft hem tot Leider bestempeld, dat hij juist op dit moment zijn geheele persoon en de goede naam, die hij bezat, inzette. Spoedig reeds herkenden velen in hem den Leider onder wien de strijd voor de vernieuwing van ons volk gestreden moest worden. De vele leden van de andere groepen, die geenszins verstarde partijmannen waren, doch warme vaderlanders, die de verwezenlijking van hun idealen het hoogste stelden, schaarden zich achter Mussert's vanen. Reeds van den aanvang af kenmerkte de N.S.B. zich door haar uitstekende organisatie en in de lange jaren van zwaren strijd was Mussert de man, die alle Nederlandsche deugden bleek te bezitten, terwijl zijn heldere kijk en scherp oordeel ten aanzien van bepaalde gevallen en van de algeheele ontwikkeling op binnen- en buitenlandsch politiek gebied, herinnert u zich het geval Abessinië en de ontwikkeling van den Volkenbond slechts, steeds weer vriend en vijand, die hiervoor de oogen geopend hadden, deed verbazen om de juistheid en niet minder om de oprechtheid, die daaraan ten grondslag lagen.

Hierdoor werd Mussert voor ons, Nederlandsche nationaal-socialisten, de Nederlander bij uitnemendheid. Hij is die „ééne", waarvan Adolf Hitler spreekt, die het geestesbezit van de besten onzer verstandig en vooral doelmatig ordent en uit de juistheid van zijn gevolgtrekken bleek steeds weer zijn Leiderschap.

De Leider tijdens de mobilisatie van 1914-1918 als korporaal.

(Foto: Fotodienst der N.S.B.-c)

De jeugd en opvoeding

van Mussert drukten een stempel op zijn verdere leven. Op 11 Bloeimaand 1894 werd hij te Werkendam geboren aan Neerland's grootste rivier, aan den rand van de uitgestrekte Biesbosch. Zijn vader stamde uit het Zuiden en zijn moeder uit een Westfriesch geslacht.

Zijn schooltijd bracht Mussert door temidden van de jongens en meisjes uit de gezinnen van boeren, landarbeiders en de werkers uit het drukke scheepsverkeer en van de werven en hoepelmakerijen. In zijn jeugd werd hij omringd door een omgeving, die arbeidzaamheid uitademde, waarvan ook de scheepshamers in de werkplaatsen en de sirenes van de sleepbooten een duidelijke taal spraken. Hij stamt uit het land van de vervaardigers van zinkstukken, die een wereldnaam bezitten.

De vader van Mussert was schoolhoofd en deze leerde zijn vijf kinderen reeds spoedig de arbeid te eeren, want in zijn gezin werd niet stil gezeten, ieder moest de handen uit de mouwen steken. Steeds stelde hij eischen aan zijn jongens en meisjes en dit deed de in hen sluimerende krachten tot ontwikkeling komen. De Leider werd dus met krachtige hand opgevoed, hij leerde daarbij de harde werkelijkheid van het leven kennen en naast het sociaal gevoel groeide in zijn H.B.S.-tijd de liefde voor het volk, waartoe hij behoorde.

Mussert, die van karakter een man van de daad is, voelde zich zoodoende het meeste aangetrokken tot de officiersloopbaan. Hij was echter bij de keuring te klein. Merkwaardigerwijs begon hij daarna nog weer sterk te groeien. Hij zette zich toen op zijn achttiende jaar aan de studie voor civiel ingenieur, hetgeen, nu hij geen officier kon worden, het beste met zijn aanleg overeen kwam. De studie aan de Techn. Hoogeschool te Delft beëindigde hij in Zomermaand 1918 na een onderbreking, als gevolg van vrijwillige aanmelding voor den militairen dienst op 1 Oogstmaand 1914. *Een jaar te voren verwierf hij den Bährprijs voor uitnemendheid in de wiskunde. Hij studeerde met lof (cum laude) af, welke onderscheiding slechts aan één op de 50 civiel ingenieurs is toegekend.*

In zijn studietijd werkte hij practisch bij de Rotterdamsche Gemeentewerken en in den mobilisatietijd werd hij als vrijwilliger nog korporaal. Aanvankelijk leefde in hem nog de hoop op deze wijze toch nog officier te worden, maar na een ziekte werd hij afgekeurd.

Verdiensten van den Leider

Den voortreffelijken jongen ingenieur werden reeds dadelijk na het einde van zijn studie verscheidene aanbiedingen gedaan. Hij koos een loopbaan bij den Waterstaat en werd te werk gesteld bij den bouw van de groote sluis te IJmuiden, als tijdelijk ingenieur van den Rijkswaterstaat. Dit was in dien tijd een der grootste werken van Europa. Na twee jaar ging hij over naar den Provincialen Waterstaat van Utrecht en in 1927, op slechts 33-jarigen leeftijd, werd hij benoemd tot hoofdingenieur van dien dienst.

Zeven jaar is hij hoofdingenieur geweest en in dien tijd heeft hij vrijwel alle vraagstukken van waterbouwkundigen aard tot een oplossing gebracht. Dat was de eeuwenoude moeilijkheid van *de afwatering van de Geldersche vallei*, voorts het *verbeterde plan van een sluizenloos Merwedekanaal*, dat Amsterdam een goede verbinding met den Rijn geeft. Het wegenvraagstuk had zijn bijzondere aandacht en hij loste dit op in denzelfden trant als dit door Dr. Ing. Todt in Duitschland geschiedde, met een algeheel behoud van het natuurschoon. Zijn laatste werk als hoofd-ingenieur was den bouw van een brug over de Vecht, die het landschapsschoon van deze streek ongerept liet.

De L

Een grooten naam verwierf de Leider met zij **inpolderingsplan voor het zuidelijk deel van d Zuiderzee.** Dit bracht een aanzienlijke verbeterin en bovendien een besparing van 40 millioen.

Op water- en wegenbouwkundig gebied leverd Mussert dus opmerkelijke prestaties.

De eerste kennismaking met de politiek

Mussert's politieke werkzaamheid begon in 192 met de bestrijding van het Belgisch Verdrag, da onze zelfstandigheid in gevaar bracht. Hij was d organisator van het verzet tegen het Moerdijk kanaal, dat een eisch was van Fransche en frans kiljonsche machtspolitiek, hetgeen ook Vlaminge hebben ingezien. Dit verdrag bedreigde ook de be staanszekerheid van Rotterdam. De Leider en an deren, waaronder Mr. Van Vessem, bestreden d verdrag, dat sprak van een anti-nationaal belei van het Ministerie van Buitenlandsche Zaken. D geheele Nederlandsche pers juichte nog over d genialiteit van den minister toen Mussert geheel a leen naar Den Haag ging om zich op de hoogte t stellen van den inhoud van het verdrag en zich i volle verontwaardiging inzette tot de bestrijding Het „Nationaal Comité van actie tegen het verdra

AN ONZEN LEIDER

gesprek met een boer.
(Foto: Fotodienst der N.S.B.-c)

et België", dat hij oprichtte, voerde een heftigen
ijd, die bijna twee jaren duurde. Nadat de Tweede
amer het ontwerp reeds had aangenomen ontstond
n algemeen volksverzet en hierdoor werd bereikt,
t de Eerste Kamer, ondanks de buitenlandsche
ak; die werd uitgeoefend, het onnederlandsche en
waardige verdrag verwierp. Een politiek succes
or Mussert, die de ziel was van dezen nationalen
ijd.

In de daaropvolgende jaren bleef de lauwheid en
krompenheid heerschen. Onze buitenlandsche po-
iek bleef getuigen van een slaafsch volgen van
tgeen de overwinnaars van Versailles eischten. In
29 beleefden wij de schande van den overval op
raçao.

In dezen tijd werd het den Leider duidelijk hoe
ep ons volk was afgezonken, hoe krachteloos het
worden was. Hij zag dezen neergang en als goed
ederlander stemde hem dit uitermate somber en
rgelijk.

Een groote krachtsinspanning zou noodig zijn om
wederopstanding van ons volk te verwezenlijken
hij heeft niet geaarzeld deze zware en ondank-
re taak op zijn schouders te nemen.

**Van Geelkerken heeft den Leider er van overtuigd,
t hij als zoon van zijn volk, zijn geheele persoon
oest inzetten in den strijd tegen de volksondermijning en voor de grootheid van ons volk. Op 14
Wintermaand 1931 stichtte de Leider zijn Beweging.**

De man, algemeen geacht om zijn kundigheden en zijn karaktereigenschappen, voor wien een groote toekomst was weggelegd en waarvoor de plaats van Minister van Waterstaat tot de bereikbare mogelijkheden behoorde, stelde zich in dienst van zijn volk.

Zijn organisatietalent en vermogen tot het scheppen van orde maakten de N.S.B. reeds in twee jaren tijds tot de krachtige draagster der nationaal-socialistische gedachte in Nederland. Andere fascistische en nationaal-socialistische partijen vormden slechts kleine groepen van op zichzelf staande personen.

Nadat in Sprokkelmaand 1933 het schandaal met de Zeven Provinciën plaats vond, schaarden de de nationaal voelende Nederlanders zich bij duizenden achter Mussert.

Daarop zette de terreur, laster en verdachtmaking in. Een vloedgolf van vuil werd over den Leider uitgestort. Hij mocht de uitroep van een Michiel de Ruyter aanhalen, die, toen hij weigerde met een vloot van wrakke en onvoldoende bewapende en bemande schepen uit te varen en voor laf werd uitgemaakt, uitriep, dat dit voor een eerlijken dienaar van den staat droevig was te verdragen.

Op 1 Bloeimaand 1934 werd de Leider uit zijn ambt ontslagen.

Zijn reis naar Indië, waar hij twee maanden verbleef, had tot resultaat, dat zich hier een krachtige nationale kern vormde, die zich wilde inzetten voor het herwinnen van het zelfrespect der natie.

Niets brengt hem meer van zijn stuk en kameraad Goedewaagen schrijft over dezen tijd: „Regeering en kerken spannen, niet begrijpend, wat de tijd zou brengen, tegen zijn beweging samen. Na de verkiezingen van 1937 volgt een storm: de tegenstanders juichen en begraven zijn beweging al; de kameraden, de zwakkeren onder hen, beginnen te twijfelen en vallen af. Het zijn moeilijke jaren, te midden van het verveelde en verwende Nederlandsche volk.

Maar terwijl in heel Europa het stelsel van democratie en Volkenbond zienderoogen ondergaat, rijpt in Mussert de idee van een herboren Nederland in een herboren Europa. Met die idee als leidend gesternte boven zich, koerst hij naar zijn doel. Hij bouwt zijn beweging om en op, bij belicht de voosheid der binnen- en buitenlandsche wanpolitiek onzer regeeringen en wijst allen den weg naar zuiverder en rechtvaardiger verhoudingen in Nederland en Europa.

Mussert is bouwer, strijder, geloover

Zijn hart en geest staan in dienst van het Nederlandsche volk, dat hij op Nederlandsche wijze wil, en ook zal, opbouwen, daarvoor borgen zijn kenmerkende oernederlandsche eigenschappen, zijn hooge begrip voor fatsoen, eerlijkheid en nuchterheid.

In de lange jaren van strijd, waarin wij onzen Leider volgen, leerden wij steeds meer beseffen, dat hij alle echt Nederlandsche eigenschappen in bijzonder sterke mate bezit.

De Leider is een harde werker, die, omdat hij alles van zichzelf vergt en daarbij bij voortduring het Nederlandsche algemeen belang helder voor oogen heeft, het recht bezit om eischen te stellen aan allen, die met hem verbonden, het belang van ons volk kennen.

In den persoon van den Leider zien wij het beste, dat in ons volk leeft, terug. Hij is de verpersoonlijking van onzen volksaard. Daarom is Mussert onzen Leider. Wij volgen hem in onbeperkt vertrouwen!

Mussert bouwt aan onzen staat, hij strijdt voor ons volk en gelooft aan een groote toekomst van Nederland.

De Leider dient het volk, het volk dient zijn Leider.

Met Mussert voor volk en vaderland!

Den Leider trouw!

Den Leider trouw!
Wat stormen ook nog woeden,
Daar ginds in 't oosten,
Of op verren oceaan,
Slechts hij kan Nederland behoeden,
En waken voor ons volksbestaan!!

Den Leider trouw,
In werkplaats en kantoren,
Ter zee, op d'akkers
Of op verren buitenpost:
Eens zal de nieuwe toekomst gloren,
Eens wordt dit volk door hem verlost!!

Den Leider trouw!!
Wij heffen onze handen
Tot God omhoog, dat Hij hem
Zegen geven mag....
Tot heil van onze Nederlanden,
En nieuwe glorie onzer vlag!

HUUG JOBS.

„Gij betreurt met mij, dat broederbloed heeft gevloeid, dat duizenden jonge mannen hun leven hebben gelaten. Gij denkt met weemoed daaraan en hebt bij U zelf de gelofte afgelegd, om te zorgen, dat N O O I T meer een 10den Mei 1940 gemaakt kan worden."

11 CENT

STORM SS

BLAD DER NEDERLANDSCHE SS

22 MEI 1942 • TWEEDE JAARGANG NUMMER 7 • VERSCHIJNT WEKELIJKS • UITGEVERIJ „STORM", HEKELVELD 15A, AMSTERDAM-C.

DEN EED GEZWOREN

17 MEI 1942

Op een stralenden dag in Mei, op den zeventienden van Bloeimaand 1942, heeft de Nederlandsche SS te Den Haag den eed op den Führer afgelegd. Het was voor iederen SS-man de grootste dag van het SS-leven en zeker een van de belangrijkste gebeurtenissen uit het bestaan van iederen man afzonderlijk. Daarbovenuit was het een plechtigheid, die, behalve voor de aanwezige vrouwen en ouders, ook voor allen die niet aanwezig konden zijn, ja, voor ons heele volk van diepe beteekenis zal blijken.

Op dit derde groote appèl van de Nederlandsche SS hebben wij, SS-mannen, opgeroepen door onzen Voorman, ten overstaan van den Leider der N.S.B. en in tegenwoordigheid van onzen Reichsführer SS onze oude trouw aan Adolf Hitler bezegeld.

Rijkscommissaris Dr. Seyss Inquart, Reichsleiter-SS Himmler en de Leider der N.S.B., Ir. Mussert, bij de parade der SS op de Plaats te Den Haag. *(Foto Fellinga.)*

Dit alles te doen op een wijze, die de SS waardig is, heeft van iederen man het uiterste aan strafheid en discipline geëischt. Geestelijk en lichamelijk hebben wij ons in moeten stellen op het oogenblik, dat wij als het ware oog in oog zouden staan met den Führer: onbeweeglijk, samengebald, tot het uiterste gespannen en medelevend met dit eene onvergetelijke oogenblik. Menigeen zal het gevoel gehad hebben, dat hem zintuigen ontbraken om dit grootsche moment geheel te verwerken, in al zijn aspecten op te nemen en vast te houden.

Men voelt: nu gebeurt het — nu is het gebeurd — nu verglijdt het alweer naar de onvolledige herinnering.

Maar onvergetelijk en diep brandend is dat eene: de Führer heeft ons aangenomen, wij zijn één met onze SS-kameraden door heel de Germaansche levensruimte.

Daarom zal deze herinnering een dierbare en aangrijpende herinnering zijn, waard om te worden opgeteekend met sterke letters in het sibbeboek van den SS-man, opdat ook het nageslacht zal mogen weten: toen heeft de Reichsführer-SS hen opgenomen in de Germaansche soldatenorde en Sibbengemeenschap.

Het gevoel de Germaansche eenheid en de Germaansche ruimte nader te zijn gekomen heeft de zwarte kolonnen die door de Meizon schreden, bezield. Was het niet, alsof boven onze hoofden de trotsche adelaar der vrijheid vloog — der vrijheid voor heel de eeuwenlang gepijnigde en tegen zich zelf verdeelde — en daardoor dubbel gemartelde — Germaansche wereld?

Voelden wij geen nieuwe stootkracht in onze rijen van jonge nationaal-socialistische voorhoede?

Ja, hier werd het Idee gesteld tegenover het Dogma, het leven ingezet tegen den dood, het Rijk in ons tegen den chaos.

Want dit is de wendetijd, de revolutie van het bloed, tegen de universalistische machtsaanspraken in de wereld, de heilige rebellie van den eeuwigen Germaanschen geest.

Deze revolutie is ingezet met de militaire krachtsontplooiing van Germanje's hartland, een inzet, die door vrijwilligers uit alle Germaansche landen tot Grootgermaanschen oorlog tegen de vijanden van ons ras, tegen de uitbuiters van onzen arbeid en de vervalschers onzer zeden is geworden. Aan dezen eersten, militairen inzet zal de SS zich zeker niet onttrekken. Zij zal zich niet ervan afmaken met dien burgerlijk-perversen „oorlogsgeest" van cineac-klanten, die de P.K.-opnamen nog al maar niet dichtbij en bloedig genoeg vinden, noch met die verdachte heldenvereering van lieden, die in hun clubfauteuils de geweldigste wapenfeiten met alle technische termen en bijzonderheden, rangen en onderscheidingen zoo geestdriftig kunnen navertellen uit de weekbladen, maar die men nimmer aan het front zal zien.

Neen, de SS zal zich in dezen eersten, militairen inzet van de revolutie geven met alle kracht die in haar is en zij hééft dit reeds gedaan, zooals onze gevallenenlijsten getuigen!

De zin van dezen soldaten-dood is, dat er steeds nieuwe SS-mannen over de graven zullen heenschrijden in de vuurlinie, totdat de ordening van Germanje en van de onder de hoogheid van het Rijk levende volken beveiligd en bevestigd is. Het is bij dezen inzet, dat een roemrijke Germaansche, n.l. Nederlandsche traditie wordt voortgezet, want ook onze voorvaderen wisten te strijden en te bouwen. Voor beide bezigheden biedt het Oosten gelegenheid te over: Azië's horden zoowel als de vruchtbare Zwarte Aarde liggen gereed om beheerscht te worden! En daar, ver buiten onze grenzen, in deze geweldige toekomstige levensruimte, heeft het pas waarlijk zin om Nederlander, d.w.z. om een koppige vechter en ontginner te zijn. Daar, in den vreemde komt het er op aan om niet een willekeurig iemand, maar om een nakomeling van kerels als De Ruyter, Coen en Leeghwater te zijn, allen ten voorbeeld, door geen geëvenaard.

Daarnaast heeft de SS haar Grootgermaansche taak: haar zending als pioniersgroep der nationaal-socialistische Gedachte in ons volk, uitzaaiend de Idee van Bloed en Bodem, van de Grootgermaansche verbondenheid en eenheid naar lichaam en ziel van alle Germaansche volken.

De Grootgermaansche taak van de Nederlandsche SS is om in deze lage landen de enge grenzen van blinde bekrompenheid, van reactionnair chauvinisme en ijdele verbijzondering te doorbreken.

Het moet langzamerhand uit zijn met de dwaze trotsch zich als de Chineezen van Europa te willen gedragen. Het gaat niet aan om te gelooven, dat men eeuwig teeren kan op den spaarpot van een lang bezweken verleden. Indien wij niet realistisch genoeg kunnen zijn om te beseffen dat alleen Germaansche arbeid, uitsluitend Leistung, ons zal kunnen bewaren voor armoede, indien wij niet op tijd ons aandeel opeischen in de vorming en het benutten van de met veel bloed gewonnen nieuwe levensruimte, dan zijn wij als volk uitgeteld.

En ook daarom legden wij den eed af op den Führer, omdat wij niet alleen als soldaten, maar ook straks als boeren en arbeiders zonder zijn genie met leege handen op de wereld zouden staan.

Of zijn er nog naieve stumpers, die meenen, dat Engeland, àls het zou kunnen winnen, ook nog van zins of bij machte zou zijn om onze koloniën weer onder Japan uit te scheuren?

De toekomst zal ons eelt in de handen bezorgen, maar wij zullen dit eelt met dezelfde vreugde en eer in onze palmen voelen groeien, als wij het geweer opnamen om onze vijanden te verpletteren. En terwijl in de ghetto's in het Oosten het jodendom — na vele eeuwen vergeefschen omgang met westersche kultuur — in schrikwekkend tempo omlaagstort tot schier oud-testamentische zedenverwildering en schrikwekkende bestialiteit, worden op de kale vlakten van Europa's vruchtbaarste broodland reeds de grondslagen gelegd voor een nieuw Germaansch boerendom, voorbereid en aangevangen door hen, die als soldaat hun plicht deden.

Boeren, arbeiders en soldaten bezwoeren hun trouw aan den Führer, omdat zij wisten, dat dit alles in zijn wezen besloten ligt, omdat slechts hij dit geweldige bouwwerk van de toekomst geheel kan overzien en als bouwmeester van de nieuwe orde tevens de opperste breker is van alles wat dit stralende en toekomstige in den weg staat.

Adolf Hitler, Breker en Bouwer, U volgen wij!

Beëediging

VAN HET KADER DER BEWEGING OP DEN LEIDER: UTRECHT 20 ZOMERMAAND 1942

4899 Onder ontroerende stilte groet het overvolle Stadion den Leider, die de monumentale trap afdaalt, om over het middenpad, tusschen de ter beëediging opgestelde formaties, het podium te bestijgen.

4878 De vaandelopmarsch was één imposante kleurenpracht.

4874 In zijn rede gedenkt Kameraad v. Geelkerken de gevallen kameraden.

Foto's Fotodienst N.S.B.: Schild (1), Franse (1), Otto (5), Swart (2).

DE WAARHEID OVER DE JODEN IN NEDERLAND

De joden vormen in getal slechts een zeer kleine minderheid in ons land. De invloed, welke deze volksvreemde minderheid echter op ons volk heeft uitgeoefend, is buitengewoon groot. De joden kozen namelijk vooral die beroepen, door middel waarvan zij over het volk zouden kunnen heerschen. Dat is hun maar al te zeer gelukt, tot schade van ons Volk. Deze werkelijkheid blijkt duidelijk uit de gegevens, welke den Commissaris-Generaal voor bestuur en justitie ten dienste staan.

Op 27 Augustus 1941 bedroeg het aantal in Nederland toevende personen van Joodschen bloede 160.820, waarvan 140.552 joden, 14.549 half-joden en 5.719 kwart-joden. Dat is op een bevolking van 9 millioen inwoners zeer weinig. Voor het grootste gedeelte vestigden de joden zich in de steden. In de tien groote gemeenten wonen er 123.800, waarvan alleen in Amsterdam reeds 85.495, in Rotterdam 10.935 en in Den Haag 17.041. Op het platteland komen zij niet veel voor. De provincies Zeeland, Limburg en Drente bleven practisch jodenvrij. Het is belangwekkend na te gaan op welke wijze zij zóó grooten invloed op ons Volk hebben kunnen uitoefenen, dat het politiek hoorig werd en zedelijk verwilderde. Dit was alleen mogelijk, omdat zij er in slaagden allerlei sleutel-posities te bezetten, zoowel internationaal als nationaal.

De internationale machten met het geld, waarvan de democratische regeeringen afhankelijk waren, werden door joden gedirigeerd. Ook in Nederland werd het geldwezen en al hetgeen daarmede onmiddellijk verband houdt, goeddeels door joden beheerscht. De besturen van de Amsterdamsche Bankiersvereeniging, de Rotterdamsche Bankiersvereeniging, de Haagsche Bankiersvereeniging en de Coöperatieve Vereeniging Bankiers Incasso-Centrale te Rotterdam, waren deels uit joden samengesteld. Dit was eveneens het geval met de Vereeniging voor den Wisselhandel, de Commissie voor Incasso-Zaken en de Prolongatie-Vereeniging.

Op de koopmansbeurs gaven zij den toon aan, evenals op de effectenbeurs en de diamantbeurs. Hier hadden zij immers alle gelegenheid om hun speculatie-zucht bot te vieren.

Een van de machtigste middelen om de zoogenaamde „openbare meening" te vormen is de pers, welke voor velen immers het eenige geestelijke voedsel is. Dit is korten tijd voor het uitbreken van dezen oorlog wel zeer duidelijk aan den dag getreden. De groote pers was een willig instrument in de handen van groot-kapitalisten en joden. De neutrale provinciale pers wilde voor haar groote zus niet onderdoen. De marxistische pers stond geheel onder joodsche leiding. De katholieke en protestantsche pers deed dapper met de anderen mede en had niet zelden rekening te houden met de „wenschen" van joodsche commissarissen en aandeelhouders. In elk geval beschouwde de geheele democratische pers het blijkbaar als haar taak de pro-Engelsche en pro-joodsche stemming aan te wakkeren en den haat tegen Duitschland en het nationaal-socialisme te voeden. Op handige wijze wist de pers het zoover te brengen, dat ons volk bijna uitsluitend de berichten van het Reuterfiliaal A.N.P. (vroeger Vaz Dias) als geloofwaardig werden voorgezet en dat de berichtgeving van het D.N.B. a priori als onwaar werd bestempeld. Voor wie misschien ietwat ongeloovig de schouders ophaalt, mogen de volgende gegevens een duidelijk bewijs leveren:

De Directie van het Algemeen Nederlandsch Persbureau (A.N.P.), het bureau dus, dat Nederland via pers en radio van nieuwsberichten voorzag, bestond uit de joden Mr. J. Belinfante, Lissauer, Oppenheim, Cohen en Salomonson, terwijl de redactie vijf joden telde. De voorzitter van den Nederlandschen Journalistenkring was een jood.

Het Algemeen Handelsblad had niet minder dan 15 joden in de redactie te Amsterdam en vier in het buitenland. De meest bekende aan dit blad verbonden joden waren L. Aletrino, A. E. Garf, A. E. Moldert-Zuiderberg, Dr. J. A. Zeerink, F. Mechanius, Mr. L. Meyer, Mej. E. J. Belinfante, A. Izaks, L. M. van Strien, S. de Vries, J. E. v. d. Wielen.

INVLOED!
De diamantbeurs in Amsterdam.

De koopmansbeurs in Amsterdam.

JODEN
Jules E. Gerzon.

Saal. v. Zwanenberg.

E. Fuld
F. v. Mendelsohn.

Effectenbeurs in Amsterdam.

De Telegraaf had slechts (!) 12 joodsche redacteuren, o.a. Mr. H. v. d. Bergh, Mr. S. Davids, G. Tuldauer, G. Hiltermann, E. Spier, P. Pinkhof, Gotschalk en Nijkerk.

In de redactie van „Het Vaderland" waren de joden E. en G. Polak-Daniëls en H. Levy werkzaam. Acht joodsche redacteuren verleenden aan de Nieuwe Rotterdamsche Courant medewerking, o.w. I. Leman en D. J. Wessel.

De Arbeiderspers spande echter de kroon. In haar dienst werkten 21 joodsche journalisten, van wie de meest bekende zijn: Henri Polak, Meyer Sluysser, J. Spier, A. B. Kleerekooper, Sam de Wolff, de Miranda, A. van Kollen, J. A. Polak, K. Polak, S. Staal, S. Witteboon, H. Danz, J. Paauw, J. de Roode, R. Sanders, H. Schaag, Sam Smit.

Het Utrechts Dagblad werd vermaard om zijn „humanistische" houding door den jood Dr. M. v. Blankenstein, die ook de Haagsche Post, een stichting van den jood S. F. van Oss, bekend en berucht maakte. Zoo zouden we nog andere dagbladen kunnen noemen, die joden in de redactie hadden opgenomen.

De bekende tijdschriften „Haagsche Post" en „De Groene Amsterdammer" moeten ook als joodsche bladen worden beschouwd. Laatstgenoemd blad, dat geheel onder invloed van de joden Prof. Dr. A. C. Josephus Jitta en Dr. Mozes Kann stond, heeft de pro-joodsche en anti-Duitsche stemming onder de intellectueelen zeer in de hand gewerkt. Zoo werd dus de openbare meening door volksvreemde en volksvijandige voorlichters stelselmatig vergiftigd. De joden hebben ons land en ons volk op deze wijze onberekenbare schade toegebracht.

De film is voor vele menschen de eenige vorm van ontspanning. Daarom maakte de Jood ook van de film zich meester, waaraan hij tevens schatten gelds wist te verdienen. In de meeste producten kwam men tegemoet aan den smaak van het publiek, welke door de verregaande versteedsching van het leven reeds bedorven was. De zwoele sfeer van deze films werd oorzaak, dat de geestelijke gezondheid, de werklust en de levenskracht van onze jeugd werden gebroken. De Amerikaansche film was wel het meest verjoodscht. Vooral deze film maakte propaganda voor den eenheidsmensch, den ontwortelden mensch, den mensch der internationale groote stad. Dit was ook zoo in Nederland. Aanvankelijk werd in Nederland niet geproduceerd, maar reeds aanstonds maakten de joden zich meester van de verhuur en de theaters. In de directie der groote ondernemingen speelden de joden de eerste viool. Men denke aan den Poolschen jood, den vroegeren kleermaker A. Tuschinsky, aan de vele theaters van Blom, de theaters van het City-concern in de drie groote steden (de jood Alter). Loet Cohen Barnstein, zich noemende Loet C. Barnstein, had vele bioscooptheaters en concerns en beheerschte den import der films.

Hij had een typisch joodsche manier van zaken doen. Voor 10 Mei 1940 had hij 12 N.V.'s o.a. de N.V. Lopalo, die zijn huis en zijn auto's beheerde. Hierdoor wist hij aan financieele debacles te ontkomen. Loet C. Barnstein is ook de producent van verschillende „Nederlandsche" films. Hij poogde veelal de Amerikaansche film te imiteeren. Er was natuurlijk geen sprake van een waarachtig Nederlandsch product. Deze films speelden in society-kringen of in de Amsterdamsche volksbuurten. Er werden echter geen sociale of andere problemen gesteld en er werd niet getracht een cultuurbeeld te geven. De hoofdzaak was de platvloersche lol der grootsteedsche menschen.

Enkele grepen uit deze productie mogen duidelijk maken, dat ook hier weer de Jood zijn verderfelijken invloed uitoefende. „De Kribbebijter" werd gebracht door de Afa, directeuren de joden Gabriël Levi en Parel. Regisseur was de jood Herman Costerlitz. Een der spelers was de jood Louis de Bree.

De mentor van „Veertig Jaren", de film ter gelegenheid van het regeeringsjubileum der vroegere koningin, was de jood D. van Staveren, productieleider was de jood G. Ostwald, cameraman de jood O. Heller. „Oranje Hein" werd geproduceerd door Monopolefilm, waarvan o.a. de jood M. A. Sprecher directeur was. Achter deze film stonden als mentor de joden gebr. Müllrat. Regisseur was de jood Max Nosseck, productieleider de jood Leo Meijer.

Vadertje Langbeen was een product van Filmex onder de joden de Wind en Feitsma. Regisseur was de Tsjech Carl Lamar, een der spelers de jood Theo Frenkel. Na 1933 vluchtten de Joodsche regisseurs uit Duitschland. De besten trokken naar Hollywood. In ons land vestigden zich o.a. Leo Meier en J. Speier. De dictator van de Nederlandsche bioscoopwereld was de jood A. de Hoop. Voorzitter der Nederlandsche Bioscoopbond was de jood D. Hamburger Jr. en verder bestond het bestuur uit de joodsche verhuurders. Het gevolg was, dat de Bioscoopbond, evenals de productie en de theaterexploitatie, zijn taak zuiver commerciëel opvatte en geen artistieke en cultureele maatstaven aanlegde. Een tweede gevolg was het voor de joden vanzelfsprekende elkaar toespelen van den bal. Zelfs de commissie voor de filmkeuring stond onder joodsche leiding; de voorzitter was n.l. D. van Staveren, die er wel voor zorgde, dat in de Keuringscommissie slechts zij zitting hadden, die naar zijn pijpen wisten te dansen. Het valt te begrijpen, dat films, welke een probleem stelden, dat niet geboren was uit de humanistisch-liberale gedachtensfeer, niet of slechts danig gecoupeerd voor ons land in aanmerking kwamen. Ook de kleinfilm en de reclame waren in Joodsche hand.

Ook in de wereld van het tooneel wisten de joden sleutelposities in te nemen en den geest van het tooneel te veranderen in een geest van joodsch-liberalistisch internationalisme, zoodat de smaak van het publiek daardoor grondig werd bedorven.

Dat het tooneel volledig werd verjoodscht is te verklaren uit het feit, dat zich onder de 250 tooneelspelers in den lande niet minder dan 50 joden bevonden. Van de overigen waren de meesten met jodinnen getrouwd. De communist van Dalsum was gehuwd met een joodsche danseres. De fel anti-nationaal-socialistische getinte leider van de tooneelgroep „Het Masker", Co Arnoldi, leefde in concubinaat met de jodin Lize Servaas (Wafelman). Het Residentietooneel was een stichting van den jood Daniël Wolff. In dit gezelschap speelden de joden Max Croiset, Bob de Lange, Maarten Kapteijn (is J. A. Fresco), A. Engers en Fie Carelsen.

In het Centraal-Theater, directeur de jood David Sluyser, speelde de groep Cees Laseur nooit een Nederlandsch of Duitsch tooneelstuk, maar altijd Fransch en Amerikaansch society-werk. Hierin speelden Jan Teulings, gehuwd met de joodsche tooneelspeelster M. S. Natusius en de joodsche actrice Lies de Wind. Het gezelschap „De Vereenigde Schouwspelers" speelde in de provincie sensatiestukken. De leider Pierre Mols was gehuwd met de jodin Emmy de Leeuwe, terwijl voorts de joden Felix Beckers en S. de Vries van dit gezelschap deel uitmaakten. De jood Rob Geraerds (alias de Haas) exploiteerde het „Nederlandsch Jeugdtooneel" en was uitgever van het officieele orgaan van het Nederlandsch Tooneelverbond en de Nederlandsche Tooneelunie „De Tooneelrevue".

Wat de kleinkunst betreft: we herinneren slechts aan de banale liedjes van Louis Davids, Henriette Davids en Sylvain Poons, aan het gevaarlijk politiek karakter van de cabarets der Duitsche emigranten, o.a. W. Rosen en R. Nelson, aan de inhoudlooze operettes, welke het joodsche gezelschap Fritz Hirsch opvoerde, aan de revue Bouwmeester, waarvan de zakelijk leider, de balletmeester en zeer vele leden van ballet, orkest en koor joden waren.

De muziek, zooals de joden deze opvatten, brak met de tradities en met den geest van wat de Europeesche volkeren als muziekcultuur beschouwden. Ook Nederland heeft zoo'n componist gekend in de figuur van den jood Sam Dresden, muziekleeraar aan het Conservatorium in Den Haag, koordirigent en directeur van de „Nederlandsche Nationale Opera" in Amsterdam.

Archieffoto's Fotodienst N.S.B.

Vaz Diaz. — Joh. Belinfante. — Jo Spier. — Henri Polak. — Josephus Jitta.

A. Tuschinski.

A. de Hoop.

Loet C. Barnstein.

Lien Deijers, gehuwd met den Joodschen regisseur Zeisler.

Henriette Davids in „De Jantjes"

Louis Davids.

S. Poons.

Bernard Drukker.

Sam Dresden.

Jacob Hamel.

Albert van Raalte.

Rudolf Nelson.

In het Concertgebouw-orkest in Amsterdam waren 18 joden, in het Residentie-orkest in Den Haag 10, in het Rotterd. Philharmonisch orkest 11, in het Utrechtsch Stedelijk Orkest 4, in de Groninger Orkestvereeniging 5, in de Arnhemsche Orkestvereeniging 7. Ook in de radio, waar de honoraria hoog waren, hoorde men veel joden, o.a. Albert van Raalte. Als solisten traden op Imre Ungar, Ré Koster, Jacob van der Woude, Jo Hekster, Boris Lensky e.a.

Vele joodsche musici maakten zich bekend door de eigen manier van voordracht, d.w.z. zij verminkten een compositie onherkenbaar door hun bizarre spel. Dit was verderfelijk voor onze muziekcultuur, daar joodsche opvattingen in haar binnendrongen.

Gevaarlijker en sterker was de joodsche invloed misschien nog in de amusementsmuziek, waardoor het volk invloeden onderging, die vreemd zijn aan den aard van ons volk.

Ook de jazz werd sterk door de joden geprotegeerd. Deze klanken en dit rhythme stompten vooral in de jeugd elk gevoel voor echte muziek af. De leiders der meeste „wereldberoemde bands" waren joden. Het feit, dat een groot deel onzer jeugd de scheppingen onzer eigen en aanverwante muziekcultuur van de hand wijst en slechts behagen schept in de negerklanken van een jazz-orkest, is aan den invloed der joden te wijten.

HET RECHTSWEZEN.

Onder de advocaten in Nederland bevonden zich 21% joden. Dat is dus ruim tienmaal zooveel als evenredig zou zijn met het percentage joden in Nederland. Van de 380 advocaten en procureurs bij den Hoogen Raad der Nederlanden waren 70 joden, dus 18%. Bij de Arrondissementsrechtbanken was het percentage der joodsche advocaten en procureurs in Den Bosch 7%, in Breda 10%, in Maastricht 10%, in Arnhem 15%, in Zwolle 13%, in Zutfen 11%, in Den Haag 19%, in Dordrecht 25%, in Middelburg 18%, in Amsterdam 41%, in Alkmaar 30%, in Haarlem 31%, in Utrecht 17%, in Leeuwarden 12%, in Groningen 20%, in Assen 20%.

De cijfers wijzen op een algeheele verjoodsching van het rechtswezen, waartoe trouwens het formalistische karakter van de oude Romeinsche wetgeving alle aanleiding gaf.

DE VOLKSVERTEGENWOORDIGING.

Ofschoon de joden niet tot het Nederlandsche Volk behooren en amper 2% van de bevolking van Nederland uitmaken, waren zij in de volksvertegenwoordiging onevenredig groot in aantal.

In de Eerste Kamer zetelden gemiddeld vijf joden, dus 10%, in de Tweede Kamer gemiddeld zeven joden, dus 7%.

Via de partijen kwam de jood op hooge posten. In Amsterdam waren vier van de zes wethouders joden en drie van de vijf kantonrechters. Zij maakten 9% der bevolking uit, maar ze bekleedden er meer dan 60% van de hoogste bestuursfuncties.

Via de S.D.A.P. en de Vrijzinnig Democraten wisten vele joden zich die posities te veroveren, welke hun macht verschaften. Liever namen zij bezit van posities, welke naar buiten minder opvielen, maar toch duurzaam en het meest invloedrijk waren. Zoo waren zij b.v. niet voorzitter van een partij, maar wel bestuurslid; niet minister, maar wel secretaris-generaal.

Ook in de Departementen vielen zij niet zoo zeer op door hun aantal, maar wel door de vereeniging van verschillende belangrijke functies in één hand. Zoo was bij voorbeeld in het Departement van Buitenlandsche Zaken de referendaris der afdeeling Juridische Zaken, de jood Mr. H. Daniëls tevens secretaris der commissie, belast met het onderzoek naar bekwaamheid en geschiktheid voor den diplomatischen dienst, tevens secretaris der examen-commissie voor gezantschaps-secretaris, tevens hoofd van het Permanent Bureau der Haagsche conferentie betreffende het internationale privaatrecht.

Door de joden werden de partijleiders, kamerleden en hooge functionarissen ingeschakeld in de anti-nationaal-socialistische, pro-joodsche propaganda. Deze lieden, die zich in het bijzonder door de opkomst van de N.S.B. in Nederland in hun bestaan bedreigd voelden, deden alles om het Nederlandsche Volk bewust te misleiden. De rampzalige gevolgen hiervan zijn niet uitgebleven!

MITCHELLS BAND

De Jazz werd sterk door de Joden geprotegeerd.

De gemeenteraad van Amsterdam tijdens een vergadering. De Joden drs. E. Boekman en S. R. de Miranda zullen met hun trawanten mede beslissen over den Nederlandsch-Germaanschen arbeider.

De voortvretende invloed van de Joden op de volksvertegenwoordiging. — Prof. Slotemaker de Bruïne kijkt met vereering naar den jood S. v. d. Bergh, den margarinekoning, terwijl Mr. Oud zich wonderwel op zijn gemak voelt in Jodengezelschap.

De 2e kamer vergadert. De gang van zaken hangt ook af van de stem der Joden!

Archieffoto's Fotodienst N.S.B.

Eenige Joden, wier namen een bekenden klank hebben verkregen: links E. v. Praag (radiotooneel), rechts Mr. Mendels. Onder van links naar rechts: David Wijnkoop (communistisch volksvertegenwoordiger), A. B. Kleerekoper (journalist), Henri Ban... (bankier), Dr. B. Premsela (arts, berucht door zijn voordrachten voor de Vara) ... Asscher (volksvertegenwoordiger).

In dit nummer

Ick Dien

De wnd. algemeen leidster van den Arbeidsdienst voor Meisjes, dra. J. T. Hylkema.

Op den derden Mei van dit jaar marcheerden door Den Haag de mannen van den Nederlandschen Arbeidsdienst. Vlaggen wapperden, trommen roffelden, forsch klonk het gezang door de Haagsche straten. Daar getuigden honderden mannen van den nieuwen geest van een nieuwen tijd, een tijd, welke onder het devies „Ick Dien" het eigenbelang wil doen wijken voor het gemeenschapsbelang. Op dezen dag was het echter niet alleen de mannelijke Arbeidsdienst die in grootsche demonstraties op Houtrust van zijn idealen blijk gaf: er was ook een kleinere groep van den A.D.M., de Arbeidsdienst voor Meisjes.

De Nederlandsche Arbeidsdienst heeft veel onverstand en wanbegrip ontmoet bij hen die niet onmiddellijk konden begrijpen dat het tijdperk voorbij was, dat arbeid een lastig doch noodzakelijk kwaad was, waarvan de waarde afhing van vraag en aanbod. Tot hun verrassing hebben echter de velen die den zin van den Arbeidsdienst niet inzagen, die meenden dat het hier om een nutteloos „soldaatje spelen" ging, moeten ervaren, dat de mannen die na eenige maanden uit den N.A.D. terugkwamen, veranderd waren. Zij gingen als individualisten, zij keerden weer als gemeenschapsmenschen die hadden geleerd te dienen en daardoor leiding te geven, die weer eerbied hadden voor den arbeid als eenigen waardescheppenden factor in een volk dat trotsch is op zijn cultuur. Dit onverstand ten aanzien van de taak van den Nederlandschen Arbeidsdienst gold in nog sterker mate voor den Arbeidsdienst voor Meisjes. Stel je voor, meisjes in uniform, vrouwelijke soldaten! Wat een dwaasheid.

„Wat wij niet willen," zoo vertelt dra. J. T. Hylkema, de waarnemend algemeen leidster van den A.D.M., „is een soort vrouwelijke soldatenopleiding. De taak van de vrouw ligt in het gezin, de kern van het volk. En voor het juist vervullen van haar taak in het gezin willen wij de meisjes opvoeden."

„Op welke wijze geschiedt dat?"

„Op 20 Maart 1941 werd de A.D.M. opgericht met vier kampen. Thans beschikken wij over acht kampen en een leidsterschool. In deze kampen komen de meisjes van zeventien tot vijf en twintig jaar die zich daarvoor vrijwillig aanmelden een half jaar bijeen. Allengs zal men gaan inzien dat dit half jaar van de grootste beteekenis is voor de opvoeding van de jonge vrouw. Zij leert daar gemeen-

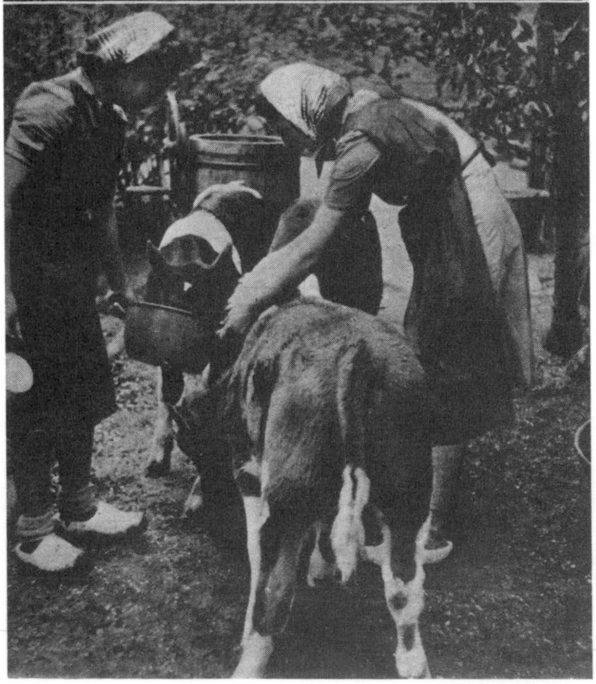

Tijdens den diensttijd zijn de meisjes niet altijd in het kamp. Beurtelings hebben zij buitendienst. Dan gaan zij helpen bij den boer .....

Foto links boven: .... zij assisteeren bij kweekers op de z.g. „spitstijden" ..... Foto rechts boven: .... zij verrichten de velerlei werkjes die op het land en op de boerderij gedaan moeten worden. Foto links onder: Vooral ook kan het arbeidsmeisje hulp bieden in kinderrijke gezinnen. Zoo bewijst zij daadwerkelijk haar offervaardigheid. Foto rechts onder: Bij de opvoeding van de meisjes wordt groote aandacht besteed aan de beoefening van de sport.

schapszin, offervaardigheid en plichtsbesef. Veel aandacht wordt besteed aan sport, aan zang, aan les in alle takken van huishoudelijk werk, als koken, waschbehandeling, schoonhouden van het huis enz. Ook leeren de meisjes hoe met eenvoudige middelen gezelligheid in de woning wordt gebracht, zij leeren het onderscheid tussen waardevolle dingen en „kitsch", zij krijgen begrip voor sfeer en stijl. Men vergeet over het algemeen dat het de vrouwen zijn die de cultuur overdragen."

„Zijn de meisjes altijd in het kamp?"

„Neen, juist niet. Speciaal de buitendienst, die regelmatig met den binnendienst wordt afgewisseld is van belang. Het grootste deel van de meisjes vindt haar werk buiten het kamp. Zij helpen b.v. in boerengezinnen, zij werken, wanneer het noodig is, op het land, zij nemen de zorg over voor de kinderen in groote gezinnen waar moeder de handen vol heeft, zij gaan naar tuinders en kweekers om b.v. in de z.g. „spitstijden" te helpen. Zoo verrichten zij een dubbele taak: met wegcijfering van zichzelf bieden de meisjes hulp aan het volk en de meisjes bewijzen tevens daadwerkelijk hun gemeenschapszin."

„Bent u tevreden over de bereikte resultaten?"

„Over het algemeen ben ik zeer tevreden. De nuttige uitwerking is zeer groot gebleken."

„En hoe is het met de belangstelling?"

„Die is enorm groot. Zoo zelfs, dat de lichting voor October nu al vol is en wij reeds bezig zijn met de lichting voor April van het volgende jaar. Wij kunnen, door schaarschte aan materiaal niet zoo snel uitbreiden als wij zouden willen. De meisjes moeten nu lang wachten voordat zij aan de beurt zijn. Ook is er door den grooten toeloop gebrek aan kader. Speciaal oudere meisjes, die leiding kunnen geven, hebben wij noodig. De groote belangstelling is verheugend want zij bewijst, dat het wanbegrip snel verdwijnt."

Zoo groeit naast den Nederlandschen Arbeidsdienst de Arbeidsdienst voor Meisjes. Jonge vrouwen worden in kameraadschappelijken geest opgevoed, en zij leeren inzien dat zij een uniform kunnen dragen en toch vrouw blijven!

JAN VAN EK

En terwijl het grootste deel der meisjes buitendienst heeft, zorgen de thuisblijfsters in het kamp voor het aardappeljassen ....

(Foto's N.A.D. - Van der Werf - Pellinga 11 / Hans Retslaff 1)

Door het werk op het land wordt den meisjes liefde voor de dieren bijgebracht. Of het nu een mummelend konijntje is ....

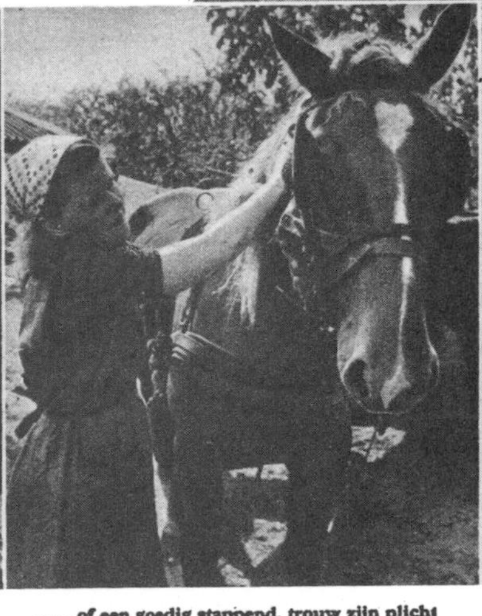

.... of een goedig stappend, trouw zijn plicht doend paard,

.... dan wel een eigenwijs, piepend kuikentje: steeds weer blijkt de wereld van het dier nieuwe geheimen te openbaren.

„TE WAPEN!"
ECVO
VOOR EUROPA'S BESCHAVING

Ook gij moet inzien, dat het bolsjewisme een bedreiging van geheel Europa beteekent en dat zijn bestrijding een gemeenschappelijke Europeesche plicht is.
Duizenden van Uw Kameraden strijden reeds aan het Oostfront tegen de bolsjewistische horden.
Maar nog vele duizenden Nederlanders weifelen of zij den grooten stap zullen doen en actief zullen deelnemen aan de verdelging van Europa's bedreiger.
Toont U een waarachtig Nederlander, waar het Vaderland trotsch op kan zijn.
Meldt U nog heden bij het Vrijwilligerslegioen Nederland!
Koninginnegracht 22 Den Haag.

VRIJWILLIGERSLEGIOEN NEDERLAND

DE DIRECTEUR IS ER TEGEN!

— Moge, moge, baas Willems.

— Goeie morge, meneer de directeur.

— Steek eens op, Willems, wij hebben toch pas een extra rantsoen gehad.

— Wel bedankt, meneer, da's een fijn sigaartje, nog geen surrogaat. Met het rooken is 't zoo slecht nog niet gesteld, maar wij mochten wel eens een extra rantsoen brood, vet en aardappelen hebben.

— Tja, baas Willems, wat zal ik daarvan zeggen. Je hebt groot gelijk, enfin je weet wel, waarom het niet gaat.

— De Duitschers, meneer, de Duitschers...

— Oh, vrind Willems, dat mag je feitelijk niet zeggen, dat klinkt als sabotage....

— U zult mij toch geen ongelijk geven?

— Dat heb ik ook niet gezegd, maar zeg eens, waarom kijk je zoo naar mijn buikje. Een familiekwaal, Willems, wij zijn allen even dik en daar kunnen wij niets aan doen. Ik benijd de menschen die mager kunnen worden. Maar ter zake, hoe staat het met 't werk voor de firma Bruins? Komt dat deze week klaar?

— Dat zal wel lukken, meneer de directeur, al zijn tien man uit de werkplaats ziek.

— Vertel eens, Willems, hoe is het met het werk van dien N.S.B.-er?

— Ik heb geen aanmerkingen op zijn werk, directeur.

— Vervloekt onaangenaam. Ik wou, dat ik een reden had om dien kerel te ontslaan. Maar denk er om, als je hem op een fout betrapt, direct melden.

— Kunt u hem niet ontslaan op zijn oproerkraaien?

— Baas Willems, ik dacht dat je verstandiger was. Alle N.S.B.-ers zijn, om het zoo eens te zeggen, oproerkraaiers. Met een mooi woord gezegd: revolutionnairen. Hem aanklagen wegens oproerkraaien, zou gelijk staan met bij den duivel te biecht gaan. De hoogsten in den lande zijn oproerkraaiers.... psst, dat is onder ons gezegd.

COR.D.

— U zoudt een aanklacht tegen hem kunnen indienen wegens beleediging.

— Wat? Hoezoo?

— Hij beweert dat u hamstert. Uw huisknecht zou hebben verraden, dat er zoo het een en ander in uw kelder ligt verborgen.

— Wat? Wat? ... uh... Willems, dat geloof je toch niet. Praatjes, daar kan ik slechts om lachen.

— Die N.S.B.-er beweert meer onaangename dingen, mijnheer de directeur. Herinnert u zich de staking van vier jaren geleden?

— Ja, wat is daarmee?

— De arbeiders wonnen de staking. U beloofde vijf cent per uur opslag, maar andere arbeidsvoorwaarden hebt u zoo herzien, dat de werkers na de gewonnen staking minder inkomen hadden dan vóór de staking. Enne.. dat is zoo...

— Zeg eens, Willems, het lijkt er op, dat jij en de arbeiders onder den invloed komen van dien vervloekten landverrader. Ik heb je niet tot werkbaas benoemd om mij hier dergelijke hatelijkheden te komen vertellen. Jij hebt toch zeker niet over je salaris te klagen. Ben jij ontevreden?

— Ik neen!

— Dat is je geraden ook, anders kon ik jouw plaats in de fabriek wel eens door een ander laten bezetten. Maar misschien voel je meer voor.... salarisverhooging?

— Salarisverhooging?

— Ja, maar onder één voorwaarde. Dat je een middel vindt om dien verdraaiden N.S.B.-er te ontslaan. Wij moeten het nationaal-socialisme uit de werkplaatsen houden.

— Het nationaal-socialisme deugt niet.

— Juist wel, idioot, daarom is het gevaarlijk. Het algemeen belang is niet mijn belang en daarom zul jij je arbeiders steeds voorhouden, dat het nationaal-socialisme den godsdienst vertrapt, de menschen tot slaven maakt.... begrepen?

— Jawel, meneer de directeur.

— Ik reken op je, meneer Willems, houd je van ham?

— Ham, nu en of, meneer de directeur!

— Kom dan vanavond maar even bij mij aanloopen, ik heb nog wel een hammetje over.... maar mondje dicht!

N.S.B.-adressen in Amsterdam

Voor inlichtingen, aanmeldingen, brochures e.d. kan men zich in Amsterdam wenden tot de volgende kringhuizen:

IN WEST:
Admiraal de Ruyterweg 92 huis
Eerste Constantijn Huijgensstraat 120

IN CENTRUM:
Bloemgracht 182
Vijzelstraat 65

IN ZUID:
1e Jan Steenstraat 131
Koninginneweg 155c

IN OOST:
Hoogeweg 58

IN NOORD:
Kievitstraat 54 boven

De „vergadering" in de huiskamer bijeen.

ZWARTHEMDEN IN DE HUISKAMER...

PAS OP VOOR DIE N.S.B. ERS!

Pas op voor die N.S.B.-ers! Ze probeeren niet alleen je naar hun vergaderingen te lokken. Ze stoppen niet slechts je brievenbus vol met strooibiljetten of overvallen je op den hoek van de straat met hun: „Volk en Vaderland mijnheer?" Ze maken zich niet slechts meester van de luisterprogramma's en de krantenpagina's. Neen, ze dringen zelfs door in je huiskamer of trachten je over te halen in hùn huiskamers te komen, zoogenaamd om „eens te praten", in werkelijkheid om je krachtigste argumenten te ontzenuwen en je meest vastgeroeste overtuigingen aan het wankelen te brengen.
Gevaarlijke kerels, die N.S.B.-ers!

Van alle propagandavormen waarvan de N.S.B. gebruik maakt, is de mondelinge propaganda zonder twijfel de machtigste. Een boek, een brochure, je verkoopt ze niet zonder voorafgaande, vaak langdurige, aanprijzing. Een strooibiljet, het haalt weinig uit, als het daarin behandelde niet terstond tot het onderwerp van alle gesprekken gemaakt wordt. Een propagandaplaat — men loopt er langs heen, wanneer de daarin verwerkte slagzin niet met alle denkbare varianten en variaties door de treincoupé's, de café's, de vergaderzalen, de radiokwartiertjes weerklonken heeft. Zonder mondelinge propaganda geen schriftelijke en geen beeldende propaganda. Het is het voetstuk waar alles op staat. — En, het zal duidelijk zijn, deze mondelinge propaganda kunnen we niet aan onze propagandasprekers overlaten: het is ons aller dagelijksche politieke werk: **ieder lid van den N.S.B. is in zijn omgeving propagandaspreker.**

* * *

Je kunt 's avonds tegenwoordig nog lang bij elkaar zitten, zonder dat je de lamp behoeft op te steken. Moeder de vrouw vindt het nu wel gezellig, al die menschen in haar huiskamer. Eerst had ze er tegen opgezien. Wat 'n rommel, al die mannen! En dat geeft natuurlijk ruzie, als ze eenmaal goed en wel bezig zijn. Die felle anti-man van op den hoek is waarachtig ook uitgenoodigd. En nu met die duurte kun je niet eens voor 'n bloemetje zorgen, en moet ze nu wéér 'n paar B-bonnetjes afstaan voor kaakjes bij de surrogaat? Het valt allemaal niet mee.

In 't begin zitten ze er ook erg onwennig bij elkaar. Kameraad Pieterse, die 't woord zou doen, weet niet precies hoe-ie al die verschillende typen aan zal pakken. Hij stelt 't telkens maar uit, z'n inleiding. En zonder dat ze 't merken, hebben ze 't over de distributie, en daar zitten ze al tot over hun nek in de politiek. Pieterse probeert de leiding te houden, maar 't lukt niet erg. Iedereen wil meepraten. Daar zit Maarsman al tien minuten op z'n eentje te boomen met dien rooien loodgieter. Eens even luisteren, waar ze 't over hebben.
„Man," zegt Maarsman, „vrijheid van organisatie heeft nooit bestaan."
„Jawel," zegt de loodgieter, „dat heeft-ie wel. Ik kon me organiseeren bij wie ik maar wou."
„Dat dacht je maar," komt Maarsman weer, „jij was lid van de S.D.A.P., en dan mocht je je niet communistisch of roomsch of weet ik hoe organiseeren. En láten we nou eens aannemen, dat je vrij was ...."

Het gaat wel goed zoo. Het is misschien niet allemaal volgens de regelen van de kunst, maar 't is een gezellige avond geworden, vindt moeder de vrouw. Daar zit me die dikke anti-man rustig met 'n sigaar in z'n hoofd 'n boom op te zetten met haar man, alsof ze mekaar niet iederen morgen als verscheurende dieren aankeken, wanneer ze naar hun werk stappen. En de rooie loodgieter heeft besloten dan tòch dat N.A.F. maar eens te probeeren. Kameraad Pieterse heeft er ook schik in gekregen, dat kun je 'm

Zij geven zich niet zoo snel gewonnen! Doch hun argumenten worden veelal ontzenuwd.

Foto's Fotodienst N.S.B. *A. G. Swart.*

1165/31A

zóó aanzien. Hij draait nog eens zoo'n stinksigaret en morst nog eens op moeder's goeie vloerkleed, en hij is best in z'n nopjes. Nu komt de groepspropagandist met z'n brochures op de proppen, en daar begint 't lieve leventje weer van voren af aan. Maar nu maakt moeder de vrouw er een eind aan.
„Jullie komen nog maar eens terug" zegt ze, „maar nu er uit. We moeten allemaal vroeg aan ons werk morgen."
En daar zegt me waarachtig die verstokte anti-man: „Nou, ik voor mijn, ik hoop 't nog eris mee te maken. Je mot me nog eens komen halen, als je weer zoo'n avondje heb."

't Komt in orde, anti-man. We laten je niet meer los. Want ook jij bent 'n Nederlander, en niet van de kwaadste soort. Daarom hoor je bij ons.

Er is weer 'n huisvergadering voorbij. Eén in de bijna ontelbare reeks van huisvergaderingen overal in den lande. Zóó winnen we ontelbare harten, zóó dragen we de boodschap van den Leider uit tot in de binnenkamers.
En de N.S.B. groeit . . . . Arn. Etman

1165/30A

Aan de hand van brochures wordt tekst en uitleg gegeven omtrent een vraag, die zij graag beantwoord zagen. Nu is de gelegenheid daar, in een huiselijke omgeving!

1165/33A

Punt voor punt wordt het Leidend beginsel verklaard.

...EN OP STRAAT

Week in, week uit ziet men ze op straat, onze colporteurs. Zij vormen het directe contact tusschen Beweging en Volk.
Dikwijls komen zij in gesprek met Volksgenooten, en weten aldus vele misvattingen recht te zetten. Het uiteindelijke resultaat is, dat de Vova van eigenaar verwisselt. Het komt ook wel eens voor, dat sommige Volksgenooten struisvogelpolitiek bedrijven, en met afgewend hoofd voorbij gaan, om toch vooral geen getuige te zijn van de resultaten, die onze colporteurs boeken!

WERKERS VAN HET THUISFRONT stuurt uw Fotonieuws naar STRYDERS AAN HET OOSTFRONT

NEDERLANDSCHE VRI...
ZITTEN BOLSJEWIST...

Hier en daar knalde nog een schot van een boomschutter achter de linie ....

Eindelijk is het dan toch zoover gekomen. De ketel waarin de vijand zit opgesloten moet opgeruimd worden en de troepen vernietigd of gevangen genomen. Er is geruime tijd van ongeduldig wachten aan vooraf gegaan en de sovjets hebben ons het leven meermalen trachten zuur te maken. De ring van stellingen die om dezen ketel heen ligt en waarvan de onzen een deel uitmaken, hebben zij vaak in wanhopige uitvalspogingen probeeren te doorbreken, maar het bleef tevergeefs.
De waakzaamheid en de afweer waren te groot dan dat zij ook maar een schijn van kans kregen. O zeker, zij hadden er enkele zwaardere stukken geschut staan die onze bunkers en de daarachter liggende door ons bezette dorpen zoo nu en dan met een hardhandig cadeautje tracteerden, maar dat mocht toch geen naam hebben. Uit de enkele malen dat dit plaats vond en uit de enkele schoten die zij dan afvuurden moest worden afgeleid, dat zij over nog maar weinig munitie beschikten, anders hadden zij wel meer van zich laten hooren. De moerassige bodem verkeerde bovendien voor eventueele proviandeering en aanvoer van munitie in de meest ongunstige omstandigheden. Het sneeuwsmeltwater, dat tevens van de er omheen liggende hoogten tot in het hart van den ketel stroomde, had de daarin liggende bosschen nauwelijks doorwaadbaar gemaakt. Verkenningsvliegers hadden vastgesteld, dat er in het vijandelijk kamp nog maar sporadisch verkeer plaats vond over enkele door hen aangelegde knuppeldammen; het bleef bij een enkele auto of een paar met paarden bespannen voertuigen per dag. De omstandigheden teekenden zich thans gunstig af om den bolsjewieken den genadestoot te geven.
De eerste operatie van grooteren omvang van onzen kant was een volledig succes geworden. Ze was ingeleid door duikbommenwerpers, onze trouwe kameraden van het luchtwapen, en door zwaar artillerievuur; een stuk of wat pantsers kwamen er aan te pas ter ondersteuning van onze infanteristen en na een kort maar hevig gevecht werd het eerste vijandelijk dorp bezet en de sovjets, voor zoover niet gedood of gevangen genomen, naar het binnenste van den ketel teruggedreven. De ring, dien zij als een knellenden band zouden gaan voelen, was wéér zooveel nauwer geworden. Het moeilijkste zou echter nog komen, want het terrein werd steeds ontoegankelijker. Met de vooruitrukkende troepen alleen — die met het hoogst noodige slechts zijn uitgerust opdat zij in hun bewegingen zoo min mogelijk belemmerd worden — was men er niet. Zij moesten geregelde aanvoer van munitie, proviand, water, verplegingsartikelen en andere materialen hebben. Van onzen kant werd daarvoor de grootste zorg aan de vervoerswegen gesteld; er werden waterafvoergeulen gegraven, met behulp van boomstammen werden knuppeldammen op den moerasbodem gelegd, waarover zelfs zware stukken geschut vervoerd konden worden, doch de sovjets schenen zich om al deze zaken niet te bekommeren. Het gevolg was, dat bij het binnendringen in vijandelijk gebied de verzorging van den voorstootenden troep een uiterst precaire zaak was. Wat daarom hier door de pioniers en de bouwtroepen gepresteerd werd, grenst aan het ongeloofelijke. En dàt onder omstandigheden waarvan zich een buitenstaander geen voorstelling kan maken! Doch hier werd weer eens getoond, wat enthousiasme en een goede geest vermag teweeg te brengen. Al was er door den modder bijna niet meer heen te komen en al liep het drabbige water ook boven in de laarzen, waardoor het leder kromp en de „Stiefels" broeierig knelden, al bleven ook de trekkarretjes waarop de telefoonkabels waren gerold, achter wortels in de dikke brij steken, waardoor een snelle verbinding soms dreigde in gevaar te komen, al brachten de milliarden muggen, die zich als bloeddorstige aasgieren op ieder levend wezen stortten, den mensch vaak tot razernij, het mocht den bolsjewieken niets baten. Ze werden achtervolgd, waar ze zich vertoonden of waar ze zich voor een oogenblik trachtten vast te zetten.
Veilig hadden ze zich gewaand in deze ondoordringbare djungel, dat bleek al spoedig, want reeds tijdens de eerste voormarschdagen werden geheele opslagplaatsen buitgemaakt met alle mogelijke militaire goederen en munitie. In allerijl hadden ze deze moeten verlaten, het was een wilde warboel, ze ademden nog de paniekstemming van de volkomen verraste sovjets. Hier en daar knalde nog een schot van een boomschutter achter de linie, die niet meer had weten weg te komen en meende op deze wijze van zijn aanwezigheid te moeten kennisgeven. Veel genoegen placht hij niet te hebben van deze daad, want menige legionair was in de gelegenheid een dergelijk individu onschadelijk te maken.
Bij talrijke in het bosch verspreide bunkers en onderkomens stonden geweren met de bajonet in den grond geplant, ten teeken dat de bezetting zich wilde overgeven of had overgegeven zonder verderen strijd. Dat ook zij waren overrompeld bleek hieruit, dat op de nog smeulende vuurtjes potjes met etensresten stonden. En wàt voor eten! Ons hart draaide in ons lijf om bij het aanschouwen van een dergelijke spijs!

Ze werden achtervolgd, waar de bolsjewisten zich vertoonden ....

Een stuk of wat pantsers kwamen er aan te pas ....

[V]ILLIGERS OP DE HIELEN

De waakzaamheid en de afweer waren voor de bolsjewisten te groot...

Op de meest onverwachte oogenblikken kwamen er thans ook geheele groepjes sovjet-soldaten uit de bosschen te voorschijn, zij kozen den wijsten weg. Zij wisten geen ontkomingsmogelijkheid meer, bemerkten overal onze soldaten om zich heen en kwamen ten slotte met de handen in de hoogte en met van ontzetting verstarde gezichten, zich overgeven.
In het midden van den ketel ontspon zich inmiddels een hevig vuurduel. Onze artillerie en granaatwerpers, die met inspanning van alle krachten telkens naar voren verlegd moesten worden, legden roffelende salvo's in de vijandelijke stellingen. Het werd echter door de sovjets steeds minder beantwoord, alleen enkele granaatwerperinslagen dreunden krakend tusschen ons in, maar werden grootendeels afgedempt in den modderbodem. De vijandelijke staf bevond zich in het centrum van den ketel en het was te voorzien, dat zij aldaar hun krachten hadden geconcentreerd om in een laatste wanhopige poging te trachten den ijzeren ring om hen heen, te doorbreken. Ook van werkelijk groote hoeveelheden oorlogsmateriaal, proviand en voertuigen, was nog betrekkelijk weinig te merken geweest, hoewel met zekerheid verondersteld kon worden dat er zeer belangrijke hoeveelheden moesten zijn in verband met het niet geringe aantal rood-armisten, die zich in den ketel bevonden.
Zij waren er ten slotte in geslaagd een deel van het zware geschut met zich mede te voeren om ons daarmede zoo lang mogelijk te beschieten.
Na den buitensten versterkingsgordel doorbroken te hebben veranderde het landschap aanmerkelijk en werd ook de bodemgesteldheid veel gunstiger. Open vlakten en groen-glooiende weidjes wisselden af met laag en hooger struikgewas en de grond was hard en droog, hetgeen een ware opluchting was. De verraderlijke boomschutters kregen hier practisch geen kans en de machinegeweren hadden een mooi gezichts- en schootsveld om de voortrukkende infanteristen te ondersteunen. Ze lieten zich dan ook niet onbetuigd en ratelende salvo's uit hun loopen ontsnapten in die richting, waar een kleine terreinverhooging of een struik teekenen gaf van vijandelijke aanwezigheid. Geen macht ter wereld leek op dit oogenblik in staat om onze troepen tot staan te brengen; met gejuich werden telkens weer bunkers en kleine veldversterkingen overrompeld en de nog aanwezige bezetting gevangen genomen, waarvan het aantal gestadig en aanzienlijk groeide.
In een zich door het landschap slingerende beek namen onze jongens, indien ook maar eenigszins mogelijk, de gelegenheid te baat om hun vermoeide voeten in het koele stroomende water te verfrisschen en het ergste vuil van gezicht en handen te verwijderen. Maar lang tijd gunden ze zich niet, want de slotapotheose naderde, een ieder wist het, een ieder voelde het. Het artillerievuur concentreerde zich meer en meer, de ring werd steeds kleiner.
Twee dagen later.
Links en rechts van den knuppeldam, de eenige weg dwars door den ketel waarlangs de bolsjewieken met de buitenwereld in verbinding konden komen en ze de benoodigde proviand en het materiaal konden verkrijgen en waarover ze ook gehoopt hadden het veege lijf te kunnen redden, liggen, weggezakt in het moeras, voertuigen, personenauto's, vrachtwagens, tractors, tankwagens en stukken geschut, ten deele kapotgeschoten of verbrand. In paniek hadden allen getracht den reddenden weg te bereiken, die op deze plotselinge overbelasting heelemaal niet berekend was. De balken bogen door en braken onder het gewicht, de modder perste zich naar boven en zoog wielen en assen vast in omklemmenden greep. Daarenboven hadden onze granaten metersgroote trechters geslagen, waarin menige wagen voor goed zijn einde vond en tevens het eenige nog mogelijke verkeer geheel belemmerde. Het historisch geworden beeld van Duinkerken, na de vernietiging en de vlucht van het Engelsche expeditieleger, vond hier, zij het dan ook een verkleind, evenbeeld. In de bosschen rondom, waar de staven en commandoposten geweest waren, lag alles in de rondte. Geheele autoparken stonden er onder de boomen om ze te onttrekken aan het zicht onzer vliegers; de vrachtauto's stonden beladen met vaten olie en benzine; stafkaarten, administraties, kleeren en munitie-opslagplaatsen vielen geheel in onze hand. Ze hadden niets kunnen redden! Voor de zooveelste maal had een doodelijke greep de bolsjewieken omvat. Een onafzienbare grauw-bruine rij gevangenen komt ons tegemoet; zij gaan den weg dien reeds vele millioenen voor hen gegaan zijn. Zij kunnen niet meer helpen Stalin's bloeddorst te bevredigen.
Uit het open raampje van een boerenhuis, waar kameraden een quartier hebben, klinken fanfares uit een luidspreker. Het zijn bekende klanken; hoe vaak hoorden we ze niet reeds. Weer zullen zij konde doen van een groote zege, zooals altijd. Weer zal een „Extra-tijding" klinken! „....de sovjet-troepenmacht in den Wolchow-ketel werd geheel omsingeld en ten slotte vernietigd.... door troepen van het leger, de Waffen-SS, met daarbij eenheden van Spaansche, Nederlandsche en Vlaamsche vrijwilligers.... 32.759 gevangenen.... 171 pantsers vernietigd.... de bloedige verliezen van den vijand overtreffen het gevangenen-aantal meervoudig.... het doorbraak-offensief over den Wolchow, met het doel Leningrad te ontzetten, is mislukt. Het werd een zware nederlaag voor den vijand...." De maandenlange, onder de meest ongunstige weers- en terreinomstandigheden gevoerde hevige gevechten hadden wel geen mooiere en meer voldoening schenkende bekroning kunnen krijgen. De Nederlandsche vrijwilligers zullen er ten eeuwigen dage trotsch op zijn, in dezen zegenrijken slag zóó'n belangrijk aandeel te hebben gehad.

SS-Kriegsberichter

C. A. WENNIGER MULDER

.... daar liggen langs den reddenden weg de stukgeschoten wagens, vrachtauto's, tractors, tankwagens....

Over knuppeldammen naar voren naar de strijdende troepen....

Fotodienst N.S.B. — Wenniger Mulder.

Arbeidsdienst VOOR ME

Over den Arbeidsdienst voor Meisjes zijn nog altijd de meest fantastische verhalen in omloop. Hoewel er toch den laatsten tijd hier en daar reeds artikelen in de pers zijn verschenen, schijnt de groote massa van het Nederlandsche publiek nog steeds niet in te zien, welk een mooi en nuttig werk hier wordt verricht..

Immers van de Nederlandsche meisjes wordt, niet minder dan van de jongemannen, verwacht, dat zij haar plaats in het nieuwe Europa op waardige wijze zullen weten in te nemen. Ook onze meisjes hebben het noodig den nieuwen tijd mee te beleven en te doorleven. Alleen daar, waar een ieder zijn plicht tegenover zijn naasten, dus tegenover de geheele volksgemeenschap, doet, kan gesproken worden van een geordende samenleving.

Ook de meisjes moeten leeren zien, dat arbeid, op welk terrein ook, geen schande of last is, maar eer en plicht, een plicht, die door ons allen met vreugde moet worden aanvaard.

Dit streven nu, om onzen meisjes eerbied voor eerlijken arbeid bij te brengen, vindt zijn uiting in den Arbeidsdienst voor Meisjes, waar allen, welken rang of stand ook vertegenwoordigende, haar schouders onder een zelfde werk zetten. Alleen reeds het samenzijn met vele andere meisjes zal voor de meesten van groot nut zijn, daar hierdoor geleerd zal worden het eigen „ik" niet altijd op den voorgrond te plaatsen, maar het algemeen belang te behartigen.

Het werk waar voorheen wellicht minachtend over werd gedacht, zal ons lief worden, omdat wij dagelijks zien, wat door eendrachtig streven tot stand gebracht kan worden. Wat weten velen van ons van het werk, dat dagelijks b.v. op het land en in het groote kinderrijke gezin moet worden verzet? Wanneer wij er eenmaal aan hebben meegewerkt en met onze eigen handen iets tot stand hebben gebracht, zullen wij voorgoed de waarde van den Arbeid, welke dan ook, kunnen waardeeren. Zoo zal een vrouw, die het voorrecht heeft gehad, in haar jeugd „arbeidsmeisje" te zijn geweest, in den werkelijken zin van het woord, ook wanneer zij zelf in haar gezin of waar elders ook een taak heeft te vervullen, steeds een open oog en een goed begrip hebben voor den eerlijken arbeid van anderen.

Het werk, dat door de arbeidsmeisjes zoowel binnen als buiten het kamp wordt verricht is van velerlei aard. In het kamp worden allerlei
werkzaamheden door de meisjes zelf verric
b.v. koken, waschbehandeling, schoonhouden
het huis, enz. enz. Het belangrijkste deel van
werk ligt echter buiten het kamp. Het groot
deel van de meisjes gaat 's-morgens uit het ka
naar den z.g. „buitendienst".

De aard van het werk in de verschillende buit
diensten kan sterk uiteenloopen. In de eer
plaats dan het werk in de boerengezinnen, w
hulp voor den boer op het land noodig is, om
hij niet in staat is, personeel aan te nemen, ter
toch de arbeid op het land op bepaalde tijd
vraagt om helpende handen. Vaak gaan er
ook, al naar gelang het werk dit eischt, m
meisjes tegelijk naar een boerderij om het we
op tijd te kunnen beëindigen. Ook voor de boe
kan het arbeidsmeisje een groote steun z
vooral waar veel kinderen de handen van de boe
binden. In zulke gevallen neemt het arbeidsmei
de zorg voor de kinderen over, zoodat de vro
zich geheel aan het bedrijf kan wijden. Ook
tuinders en kweekers is heel nuttig werk
verrichten, b.v. voor het uitpoten van jon
plantjes of, zooals nog dit voorjaar is bewezen,
het werk in de druivenkassen. Een bijzonder da
baar arbeidsveld vinden wij steeds weer in de ar
kinderrijke gezinnen, waar de moeder vaak hand
vol werk heeft om man en kinderen een beho
lijke verzorging te geven. In een dergelijk ge
heeft de vrouw meestal haar tijd alleen al noo
om het eten en alles wat daarmee samenhangt
tijd klaar te hebben. Vaak is er dan geen tijd genc
over om de kleertjes van de kinderen behoor
te wasschen en te verstellen; dat hier voor o
spanning van de kinderen heelemaal geen t
overschiet, behoeft zeker geen betoog. Wann
dan 's morgens het arbeidsmeisje komt, de k
deren behoorlijk wascht en aankleedt, de kleert
verzorgt en dan ook nog tijd vindt om de kleint
eenige levensvreugde, b.v. door het doen van e
spelletje of het maken van een wandeling,
bereiden, dan is het overduidelijk, hoe nuttig
noodig het werk van den Arbeidsdienst vo
Meisjes hier is, temeer waar dan ook de Moed
door de verlichting van haar taak, tijd wint vo
geestelijke en lichamelijke ontspanning.

Uit het bovenomschrevene blijkt wel duidelijk h
belangrijk hier het gedrag van het arbeidsmei
is. Gedraagt zij zich slecht, dan schaadt zij hierdo
het geheele werk van den Arbeidsdienst. Daar

Buitendienst op een boerderij

Bij het melken op de boerderij.

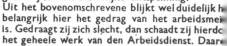

De dorpsjeugd wordt een feestmiddag aangeboden. Arbeidsmeisjes voeren een sprookje op.

JES

Waschbehandeling in een der kampen.

Buitendienst in een arm gezin.

Buitendienst bij een kweeker.

egen kan zij door een correct en vriendelijk optreden de meest verstokte „anti-klanten" voor ons werk winnen. Doch ook de kampleidster, die door het geregeld bezoeken van de buitendiensten nauw met deze gezinnen in contact staat, kan in dit opzicht wonderen doen of heel veel verknoeien.
Natuurlijk is het noodig, dat in de kampen van den A.D.M. een strenge discipline heerscht, hierbij staat echter op den voorgrond, dat het „eeuwig-vrouwelijke" de bovenhand moet houden.
Een plechtige, dagelijks weerkeerende ceremonie vormt het hijschen en strijken van onze nationale driekleur. Hierdoor worden de meisjes steeds weer herinnerd aan haar verplichtingen tegenover en liefde voor het vaderland. Hierbij wordt door allen gemeenschappelijk een lied gezongen en de kampleidster spreekt de leuze van den dag uit.
Het werk van de kampleidster, die uiteindelijk de volle verantwoording draagt voor den goeden gang van zaken in het kamp, zoowel als voor de geestelijke en lichamelijke verzorging van de onder haar gestelde leidsters en arbeidsmeisjes, heeft een lang niet altijd makkelijke taak. Daarom is het noodig, dat meisjes, die zich voor het beroep van leidster in den Arbeidsdienst aanmelden, zich ten volle bewust zijn van de verantwoordelijke taak, die zij op zich nemen. Gaan zij niet geheel op in het werk en gevoelen zij geen liefde voor het werk, dan zal dit altijd in de practijk blijken. Daarnaast is een behoorlijke scholing en opleiding natuurlijk een eerste vereischte. Een leidster toch, moet aan alle voorkomende gebeurtenissen het hoofd kunnen bieden, terwijl zij daarbij ook in staat moet zijn den meisjes op allerlei gebied voorlichting en raad te kunnen geven.
Om een juist overzicht te verkrijgen is het noodzakelijk, dat iedere toekomstige leidster zelf eerst arbeidsmeisje is geweest. Daarna kan zij dan, na gebleken geschiktheid, voor een cursus op de Leidstersschool worden opgeroepen.
Degenen, die nu reeds midden in het werk staan, kunnen ervan getuigen hoe mooi en veelzijdig het beroep van leidster in den Arbeidsdienst is. Het betreft hier zeker een van de mooiste vrouwelijke beroepen. Om op deze plaats in kleinigheden uit te weiden over de opleiding voor leidster zou teveel plaatsruimte vorderen.
Diengenen, die oprecht belang hierin stellen, zullen wij echter steeds gaarne alle gewenschte inlichtingen verschaffen en wel op den

STAF ARBEIDSDIENST VOOR MEISJES,
PRINSEVINKENPARK 16, TE 'S-GRAVENHAGE.

Het Nederlandsche arbeidsmeisje stelt er prijs op goed gekleed te gaan. Het ondergoed wordt gestreken en de kapotte kleeding versteld.

Stapf 1. — Fotodienst N.S.B. v. d. Poll 1 — Archief N.A.D. 10

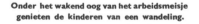

Ieder op haar beurt verzorgen de meisjes het menu in de keuken.

Onder het wakend oog van het arbeidsmeisje genieten de kinderen van een wandeling.

1210/25. De Zangers nemen afscheid van den Leider

1208/26. Nederland zingt weer !

WEEST MET MIJ-D

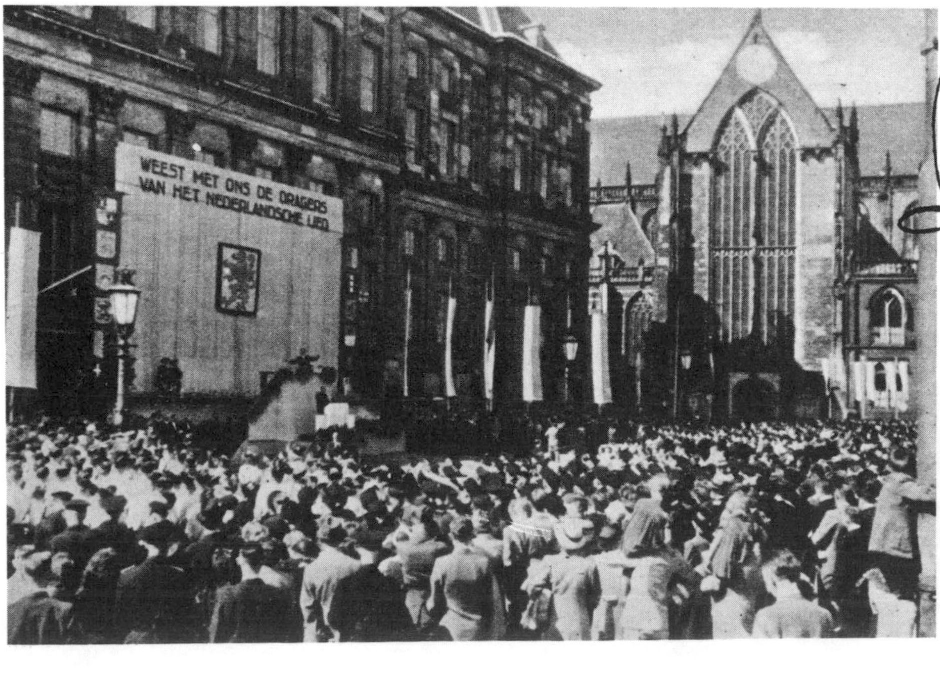
WEEST MET ONS DE DRAGERS
VAN HET NEDERLANDSCHE LIED

1208/13. De Leider b de gewonde kam raden

Zangfeest te Amsterdam 6 Sept. 1942

Nederlandsche Liederen weerklinken op den Dam

RAGER VAN 'T HOLLANDSCHE LIED

1208/39. De Jeugd zingt.

1210/17. Uit volle borst.

1208/22. Krd Plekker, Burgemeester van Haarlem en organisator van dit zangfeest, bij zijn rede.

MET ONS DE DRAGERS
VAN HET NEDERLANDSCHE LIED

1210/33. Arbeidsdienst voor meisjes zingt mee.

1210/1. Gewonde Kameraden. Hoog het hart, hoog het lied . . .

POLEN
POUWELS

DE JOOD VERDWIJNT – EEN KWALIJKE HERINNERING BLIJFT...

FOTONIEUWS

DE SPIEGEL DER BEWEGING

VERSCHIJNT MAANDELIJKS

HOOFDR.: C. A. WENNIGER MULDER

Wnd. HOOFDRED.: W. v. d. POLL, UTRECHT

2e JAARGANG No. 10

OCTOBER 1942 WIJNMAAND

EEN GEZONDE GEEST
IN EEN GEZOND LICHAAM

DE SLAG OM

Stalingrad, October.

PK. Nu is het wel zeker. Van deze stad zal niet meer overblijven dan een chaos. Zwaar zou de strijd om Stalingrad zijn — dat hadden wij allen verwacht. Dat hij zóó zou zijn, dat kon niemand vooruit weten. Slechts weinig heldhaftige tochten uit dezen aan onsterfelijke daden zoo overrijken veldtocht zullen op gelijke hoogte staan als de offergang van Stalingrad. Alleen al wat betreft de beteekenis in grooter verband, die de overwinning in dezen slag heeft voor den afloop van de Europeesch-bolsjewistische worsteling.

Wij hebben lang om de stad geworsteld. Als doel aangekondigd lag zij al wel op onze marschroute, toen de groote achtervolging van Juli ons in den roes der verreden kilometers den adem benam. Wij zaten toen, eigenlijk voor het eerst op adem komend, midden in de bloeiende steppe, snoepten van den honing, dien zij ons in rijke hoeveelheid bood en vonden voor de eerste maal na hitte, gloed en stof, in den zinkenden avond uitziende, deze oostelijke wereld vol van merkwaardige harmonieën. Toen een van ons in deze stille uren tusschen uitputting en herstel de vraag stelde, waarheen deze jacht, deze tocht, deze anabasis leidde, liet de generaal als terloops, bijna te zakelijk, het woord vallen: „Stalingrad..."

Dat was werkelijk geen nieuwtje, want wie de kaart kon lezen en wie de zwevende pijlers kende, waarop deze militaire kolos nog rustte, die kende zonder dat ook den weg en wist waar hij eindigde.

Maar in dit avonduur van rust vóór den aanval, begon onze strijd om Stalingrad. Voor ons lag, achter den Tschir en de vele kleine riviertjes, nog de breede, stille Don, die ons als een barrière verhinderde op te marcheeren. In zijn groote bocht hebben wij in vele heete, genadelooze dagen Stalingrad weer leeren vergeten. De omsingelingsslag in de bocht van den Don had een geheel eigen zwaarte. Doch toen wij daarmede in een breed front aan den Don stonden, overviel ons des te feller de zekerheid: deze slag gold Stalingrad. Maar de verhoudingen hadden zich gewijzigd. Wij waren den voorhof van Wolga en Stalingrad binnengetreden. De 500, 600 kilometer, die in enkele dagen afgelegd waren, konden niet vergeleken worden met de zeventig of tachtig, die wij nu van den rand der stad verwijderd stonden. Eindeloos veel verder leek ons reeds nu de weg naar den overkant, dan het reusachtige stofspoor achter ons. De vijand had, op zijn minst precies als wij, de beteekenis van Stalingrad en de Wolga in zijn berekeningen opgenomen. Wij zouden spoedig bemerken hoeveel meer hij het nog had gedaan dan wij.

De eerste stoot op Stalingrad

Van den 21sten Augustus dateert de slag om Stalingrad, want toen trokken wij de rivier over. Wij trokken er niet zoomaar over: wij moesten hard en bitter om het bezit ervan strijden, ofschoon er slechts twee plaatsen waren waarlangs wij naar binnen wilden dringen. Aan den Oostelijken oever van deze beide overgangsplaatsen, voornamelijk van de Noordelijke, heeft de tooverachtige vrede, de wateren ontstegen, zich weer over het witte zand en om de groene oeverboschjes gelegd. Hij speelt om een aantal met groen omwonden kruisen. Deze jonge mannen, die in de stormboot getracht hadden den anderen oever te bereiken, of deze ook bereikt hadden, vielen reeds in den aanloop tot den gigantischen strijd om Stalingrad.

De volgenden, op wie de oorlog dadelijk zwaar en drukkend zijn lasten legde, waren de mannen der pantserdivisie, die twee dagen later tot voor den door de infanteristen gebaanden rivierovergang waren opgerukt en, dezen in moedigen strijd verbreedend, regelrecht tot aan den Wolga waren doorgestooten. Het was een sterke, dragende, wondermooie pontonbrug, die de pioniers dadelijk op den eersten dag van den overtocht over den breeden Don hadden geslagen. Het was alsof de vurige vaart van haar bouw den pantsers bij hun eigen rhythme nog dat van den veerkrachtigen afzet verleende en zoo waren zij, door den voor het oogenblik eenigszins uit het veld geslagen vijand heen, enkele kilometers benoorden de stad tot aan den stroom der stroomen voortgerold. Wat konden voor pantsers, wier rupsen er duizenden vermaald hadden, deze 70 kilometer ook beteekenen?

De infanteristen intusschen ondergingen het lot, dat hun immer beschoren was: zij waren het eerst over den Don, doch hadden nauwelijks tijd en gelegenheid zich van de vermoeienissen te herstellen, die deze overgang voor alle anderen onnoodig had gemaakt, of de snelle eenheden, hen op souvereine wijze voorbijstrevend, waren reeds weer aan de Wolga. Zij echter hadden nu den moeizamen strijd van man tegen man voor zich, hadden 50, 60 kilometer doodelijk vijandigen grond voor zich liggen, die een eeuwigheid zou duren. Doch dit keer was de weg van de pantsers, die den Noordelijken ruggesteun moest vormen, niet alleen het resultaat van doelstelling en breed opgezette strategie — hij werd, als had hij eigenlijk pas de daemonie van den om Stalingrad opgestelden vijand ontketend, tot het begin van een veelzijdigen stormaanval op deze pantsereenheden.

Verbeten Sowjettegenstand

Het was niet de eerste maal, dat achter den bruisenden opmarsch der pantsers van deze divisie, de sowjeteenheden zich op de heirbaan stortten en hen hermetisch van allen aanvoer en achterwaartsche verbinding trachtten af te sluiten. Ditmaal stond voor den tegenstander alles op het spel. De stalen klem, die hij hier om de tot de Wolga opgerukte mannen sloot, scheen vaster en sterker dan bij al zijn vroegere experimenten. Want er kwam nog bij, dat hij de Duitsche infanterie, die de verbinding met de eigen troepen tot stand moest brengen, doch zich tegelijkertijd in relatief nog smalle bruggehoofden nu eens naar het Noordoosten, dan naar het Zuidoosten naar voren moest werken, een tegenweer kon bieden, die sinds weken en maanden in den tusschen Don en Wolga gelegen bodem vol scheuren en kloven, onzichtbaar, doch verderf brengend op den Duitschen aanval wachtte. Dag na dag verliep, waarop de groote slag op volkomen van elkander gescheiden strijdtooneelen plaats vond. Want ook in het Zuiden der stad worstelden pantsertroepen van een ander leger en Roemeensche infanterie-eenheden om terrein. Aan den Noordelijken uitlooper van den Don bestormden de sowjets nu met wilde onstuimigheid de rivier, om deze naar het Westen toe over te steken. Daar gevoelden de eigen steunpunten, die reeds ver van het strijdtooneel verwijderd waren, den seismograaf van den strijd niet minder heftig uitslaan. Hoever de afzonderlijke slagvelden in die dagen ook uiteen lagen, zij hadden alle hun plaats in het groote bestel van den beslissenden slag, die met den overgang over den Don was ingezet.

Toen het September werd, waren de slagvelden langzamerhand tot één groot panorama samengevloeid. De Schütze, die drie dagen in hetzelfde gat gezeten had, daarna drie kilometer vooruit gestormd en gelukkig ontkomen was en die nu in een der vele door de bolsjewisten geraffineerd aangelegde en gecamoufleerde loopgraven wachtte op den volgenden stormloop door het vuur der automatische geweren, hij zag het nog niet. Het landschap, dat zijn oog over het hoopje aarde heen nog juist kon waarnemen, was niet anders dan de vorige dagen. En interessant was eigenlijk slechts het eeuwig gelijk blijvende: of dat nietige heuveltje 400 meter voor hem uit een vijandelijk nest was of niet. Dat het hun divisie na vele dagen eindelijk gelukt was definitief de brug te veroveren, die de verbinding met de pantsers tot stand bracht en zoo de doorloopende beschermingslijn van Don tot Wolga te waarborgen, dat was wel een enorm belangrijke grondslag voor hun verdere gevechten in de onmiddellijke omgeving der stad, doch bracht weinig verlichting in den heeten, dompen, uitputtenden dagelijkschen strijd van den infanterist.

Dan hadden de pantserbemanningen daar boven in het Noorden het al beter.

Zeker, de muskaatdruiven en de meloenen in het wijndorp Winowka aan den Wolga kon je slechts met gewaagde sprongen gaan halen en wilde je van het Wolgalandschap genieten, dan moest je in ruil daarvoor steeds klaar zijn in dekking te vallen. Overdag was het niet geraden rechtop te staan, daar de vijandelijke pantsers uit het Noorden en de flakkanonnen uit de stad voor elk afzonderlijk Duitsch slachtoffer dankbaar waren. En 's nachts was het liggen, zelfs onder den pantser, niet bijzonder gezellig, daar de Sowjetvliegers d't Duitsche legerkamp nu eenmaal niet erg waardeerden. Doch de mannen hadden één ding voor op alle anderen, die aan de gevechten deelnamen: sinds 23 Augustus lag de stad, waar alles om ging, zoo dicht voor hen, alsof ze haar konden grijpen. Wel hadden zij de zwaarste bolwerken der bolsjewis-

Het bergachtige gebied van den Kaukasus stelt hooge eischen aan de vaardigheid van de pantsermannen van de Waffen-SS. *(Foto: SS-P.K. Fritsch — O.H.)*

De eierhandgranaten worden in den bunker op scherp bij het eerste alarm.

STALINGRAD

ten voor zich: het uitgestrekte fabrieksgedeelte. Daar strekten zich de groote vechtwagenfabrieken uit — zij zagen de hallen in de middagzon glinsteren —, waar een belangrijk deel van de stalen mammoethgevaarten uit naar buiten gestroomd was, die zij in de lente en zomer van dit jaar bij duizenden tegen de Duitschers in het veld hadden gebracht. Sinds 23 Augustus staan de machines er stil. Daar stond ook de reusachtige kanonnenfabriek „Roode October", het andere bewapeningsarsenaal aan den Wolga. Daar rees de machinefabriek „Roode Barricade" voor de oogen der mannen op, die nu midden in het stervende eene oog van den vijand zagen. Dat alles was er. Maar honderden hinderpalen verhieven zich nog op den weg erheen. Het was een vreemde gewaarwording, te voelen, dat heel deze apparatuur van den bolsjewistischen oorlog alleen door de aanwezigheid van de weinige pantserwagens voor den Noordelijken ingang der stad verlamd was. Doch wij bemerkten bijna lichamelijk, hoe daarvoor in de plaats een tot de wildste verdedigingswoede opgedreven massa gereed stond, de vernietiging tot een triomf te verheffen. Als een elementair bastion deed de stad hier nog eenmaal een uitval.
Hier was, voor wie naar binnen wilde, slechts een honderdvoudige dood weggelegd. Dus moesten de pantsers de wacht houden en, als in een kokende zee, de steeds grimmiger, meedoogenloozer aanstormende tankhorden uit het Noorden afslaan, die sinds 24 Augustus bijna zonder onderbreking dag na dag poogden naar hun stad door te breken. Op het veld der achtergebleven en vernietigde pantsers werden op den dag, toen de infanterie vooraan voor den aanval klaar stond, reeds meer dan duizend omgevallen, verbrande, kapotte gevechtswagens geteld. Zij werden tegengehouden door de wapens van een pantser- en een gemotoriseerde divisie. Het begin der aanvallende gevechten was voor hen het grootste succes van hun afweer.
Welk een onbeschrijfelijke strijd had het echter gekost, ondanks deze beveiligende Noordelijke flank, de ruimte onmiddellijk voor de stad te overwinnen! Terwijl de eene der beide infanteriedivisies intusschen nog voor hulp bij de flankdekking afgetrokken was, was daarvoor in de plaats een andere, die na vele veldslagen al zeker was van haar rust, over Kalatsch naar den Don vooruit gestooten en had toen ongeveer 40 kilometer voor den buitenrand der stad verbinding met haar Noordelijke buren gemaakt.
Maar de bataljons aan de spits moesten verder in zeer dunne lijn optrekken. Er waren maar een beperkt aantal mannen beschikbaar. En naar het Zuiden lag alles nog open. Eens, dat wist men, zouden de troepen van het andere leger uit het Zuiden toch wel in den zich vormenden kring treden.

De wereldstad bereikt

Nog voor het einde der eerste week van September was het zoo ver. De soldaten van den uitersten rechtervleugel der zich aansluitende divisie zagen in hun stellingen, die ze zoojuist, met zweet en vuil bedekt, hadden bereikt, door de hoogten voor hen iets schemeren en stralen.
Ja, dat was Stalingrad. Als een sprookje van suiker zagen zij de witte wolkenkrabbers in den zinkenden dag glinsteren, zagen daarnaast langgerekte gebouwen, waaruit dikke rookwolken opstegen, een stompe koepel op zij en daarachter, melkachtig troebel, het lint der rivier, van den Wolga. Wie op dit oogenblik in hun gezichten keek, waarop doorstane ellende en harde strijd hun diepe sporen hadden achtergelaten, dien doorliep voor het eerst weer een huivering. De een keek sprakeloos, met vochtige oogen, de ander zei, als opgelucht: „Die vervloekte stad". En daarop scheen een dagenlange afgestomptheid, een bijna bovenmenschelijk uitgeteerd zijn los te komen, zich vrij te maken. Het doel was er. Nu schenen allen te weten, dat zij dit heele offensief slechts voor dit doel hadden doorleefd en doorleden.
Toen bovendien den volgenden morgen de zwarte lijven van onze pantsers uit het Zuidelijke leger op de hoogten naast hen naar voren schoven, scheen het bereiken van het doel wel zeker.
Nu stonden wij rondom de stad.
Maar wij hadden de stad niet. Wie had haar trouwens ooit betreden! Alleen, dat het een monstrum was, waar de diepe, natuurlijke verdedigingskloven overal in uitliepen en dat zij zich 35 kilometer langs den Wolga uitstrekte en nergens een goed aangrijpingspunt scheen te bieden; maar ook, dat de stad een boosaardige, honderden bronnen tellende Vesuvius was, waaruit van alle kanten dood en verderf sproeide, — dat was bekend. Ook het andere, dat met de beschikbare krachten den stormloop ondernomen moest worden, dat van de steeds sterker bedreigde Noordelijke flank niet één man mocht worden afgenomen, dat voor het gaan van dit laatste stuk van den weg slechts vermoeide mannen ter beschikking stonden, die reeds in tientallen vuren hadden gestaan.
Het was een nuchtere, eenvoudige rekensom. De hoogste waarde erin werd gevormd door den Duitschen moed en de Duitsche dapperheid.
Toen op 13 September de aanval begon, ving de slag aan om een stad, die in dezen oorlog zijn weerga wel niet zal hebben. Op den 12den waren in het Zuiden pantserwagens reeds een Zuidelijke voorstad binnengedrongen. Zij kwamen niet ver; want toen de huizen dichter bijeen kwamen te staan en er geen open plaatsen meer tusschen waren, bleken gebouwen en fabrieken bunkers en stellingen te zijn. In het midden echter trok een regiment van onze infanteriedivisie op den 14den September over een breedte van ongeveer anderhalven kilometer dwars door de stad. Op zijn weg lag het centrale spoorwegstation en aan het einde van den vermetelen stormloop door de stad, zooals nog vele malen in de komende dagen: de Wolga.

Een langdurige worsteling

Toen wij daar in het late middaguur onderaan de banen van het station stonden, en links en rechts van ons nu eens de bommen der Duitsche, dan die van de Sowjetvliegers neerhagelden, toen het vlugge, zachte gesjirp der geweerkogels ons voorbijsiste, en het infernale georgel van het salvogeschut ons steeds weer dwong, in de gaten te kruipen, toen wisten wij, dat Stalingrad nog niet overwonnen was. Wij waren hier trouwens de eersten. Wel patrouilleerden de onzen op den Wolga ten Noorden en Zuiden van de stad, maar hier midden in haar hart een blik te slaan op haar dof-olieachtig watervlak — dat maakte dit oogenblik al belangrijker dan menig ander. In het hart stonden wij. En wij zouden het vanzelfsprekend gevonden hebben, wanneer nu het lawaai van den veldslag als door een bestiering van hooger hand verstomd was....
Maar wat de hemel schonk, was slechts een bovenaards gloeiende regenboog, die zich na de milde huiveringen van den dag in een magisch halfrond welfde boven de dikke, grijsblauwe naphtawolk, waarmee een kostbaar bezit van het land in het niets wegzweefde. De branden in het G.P.Oe.-huis, winkels en scholen zonden hun flakkerend licht naar zijn kleuren op. De wereld doorleefde een van haar daemonische uren van vernietiging.
Doch van dien dag af stierf de stad. Iederen dag meer puinhoopen. Iederen dag grooter chaos. Het was een dood zonder grenzen. Niet als een reus stortte Stalingrad ineen, doch als een levenlooze, versteende massa, die geen vuur kan doen smelten, doch waarvan brok na brok moet worden afgeslagen. Nooit was de strijd onzer mannen zoo vol gevaren geweest, zwanger van onheilen en verschrikkingen. Zij, die in de straten der stad vielen, stierven in het doel. Maar den tegenstander hebben zij meestal niet gezien. Het was als bestreden de mannen in Stalingrad nog slechts een masker: Het masker van een regime, dat zich hier aan den Wolga zijn belangrijkste representatie had geschapen. Wie door de puinhoopen gaat, doorkruist wat definitief vernietigd is. Van het Zuiden en midden uit braken de dapperen, weinig in getal en onontkoombaar in aantal afnemend, den burcht Stalingrad in stukken. En zij veroverden den Wolga.
De bolsjewisten hebben in Stalingrad hun eigen oordeel geveld. Maar vóór hun einde toonden zij nog eenmaal, als wel nooit tevoren, tot welk een zelfvernietiging zij in staat zijn. Met Stalingrad wankelde het Sowjetfront. Een symbool gloeit zwak na in een eindeloos veld van ruïnes. En een macht heeft den beslissenden stoot ontvangen. Deze dank der wereldgeschiedenis geldt den weergaloozen helden van Stalingrad, — hoelang zij ook strijden moeten om dit monstrum volkomen te berooven van zijn macht, die nimmer daemonischer aanzien had dan in dezen strijd om de stad.

r den volgenden aanval. Steeds weer staat men klaar (Foto: ϟϟ-P.K. Nussbaumer — O.H.)

De loopgraaf stortte door vijandelijk geschut op een bepaalde plaats in, maar in het vuur van den strijd herstelde deze soldaat de schade weer zoo snel mogelijk. (ϟϟ-P.K. Nussbaumer — O.H.)

DE VOOR HET GEHEELE NEDERLANDSC
VERKLARING VAN DE

De Rijkscommissaris sprak als volgt:

Mijnheer Mussert, Nederlandsche nationaal-socialisten!

Wij Duitsche nationaal-socialisten, verheugen ons, dat wij dit uur met U, Nederlandsche nationaal-socialisten, kunnen doorbrengen, want in toenemende mate en steeds sterker is wel in elk onzer de overtuiging groot en krachtig geworden, dat onze weg en onze strijd gemeenschappelijk is en dat onze overwinning gemeenschappelijk zal zijn. Daarom verheugen wij ons, als thans na elf jaar arbeid en strijd uw getalsterkte in Nederland dusdanig is en wij deel kunnen nemen aan dit feest.

Maar in bijzondere mate neemt aan uw lot en uw werk de man deel, op wiens schouders thans niet alleen het lot van Europa rust, maar die als wel nauwelijks ooit een mensch de gebeurtenissen in de geheele wereld voor de toekomst in de hand heeft en vormt. Leider, U kon U immers enkele dagen geleden overtuigen met welk een belangstelling de Führer de toestand in Nederland volgt, in welke mate hij rekening houdt met U. Nederlandsche nationaal-socialisten. Ik kan derhalve U, mijnheer Mussert, en U, Nederlandsche nationaal-socialistische kameraden op dezen elfden verjaardag van uw strijd vooral en in de eerste plaats de groeten en gelukwenschen van onzen Führer overbrengen. Deze elfde herdenkingsdag valt in een tijd, die zijns gelijke niet heeft.

Gij verkeert in een strijdsituatie van een omvang als tot dusverre niet heeft bestaan. Wij leven allen in dezen tijd met zijn spanning, zijn taak, met zijn verplichtingen en — laten we het eerlijk zeggen — met zijn zorgen en met den last der verantwoordelijkheid. En ziet u, dan beschouw ik het als mijn taak waartoe de Führer mij hierheen gezonden heeft, tegenover u niet zoozeer hierde staatkundige leiding te beschouwen, ofschoon wij juist hiervoor de verantwoordelijkheid op ons genomen hebben. En zoolang nog om de beslissing wordt geworsteld en alles onzeker is, zullen wij ons niet aan deze verantwoordelijkneid onttrekken. Maar ik acht het vooral mijn taak u met politieke ervaring en met politieke raad terzijde te staan.

Ik ben uit de oude Oostenrijksche monarchie gekomen — het doorgangshuis was toen de z.g. bondsstaat Oostenrijk — de bekroning en vervulling van den weg voor ons, Oostmarkers, was het binnengaan in het Groot-Duitsche Rijk. Maar tot op dit oogenblik der vervulling op 11 Maart 1938 stond ik en stonden mijn landslieden en intiemere kameraden voor het feit, dat de staatsvorm, waarin wij leefden in een crisis was geraakt, dat de handhaving en de naleving van het volksche beginsel ons uit deze crisis hebben geholpen. Toen het oude Oostenrijk in den oorlogstijd van 1914—1918 was bezweken, kwamen wij in den kleinen staat van zeven millioen menschen, die men ons heeft aangepraat en er zijn er geweest, die meenden zich daarin te kunnen schikken.

Maar weldra werd algemeen ingezien, dat deze kleine staat slechts een speelbal in de handen der groote mogendheden was, dat vrijheid, zelfstandigheid en onafhankelijkheid slechts een voorwendsel waren om ons in onze zwakheid des te meer in bedwang te houden, bovendien verkommerden wij in onze levensomstandigheden en daarom was het een volkomen rechte en onvermijdelijke weg, een weg, dien wij eenvoudig hebben volgehouden tegen alles in, dat wij het groot-Duitsche rijk binnengetrokken zijn.

In dezen tijd verwierf ik een inzicht — en dat zou ik u willen meedeelen — dat is het inzicht, dat wie zich en zijn lot in handen van onzen Führer heeft gelegd, zeker kan zijn van succes en overwinning

En zoo liep de weg destijds van Maart 1938 verder en in ons leefde reeds een voorgevoel, dat het tot een groote worsteling zou komen, want wij zagen, dat hetgeen, dat wij hier thans volgens den wil van den Führer mede konden oprichten, te zeer haat en nijd zou opwekken bij de machten, die als voortdurende vijanden van een volksch en een nationaal beginsel optreden, de machten van bolsjewisme en de machten van grootkapitalisme, jodendom en vrijmetselarij.

De Führer

Het was eind Augustus 1939. Toen was ik boven in Dantzig en beleefde weer hoe Duitschers terugkeerden tot het Rijk, tot hun moeder. Ik bevond mij toen in den nacht van 31 Augustus op 1 September in de onmiddellijke nabijheid van den Führer. Destijds was het zoo, kameraden, dat wij in dit groote uur allen duidelijk voelden, welk een ontzaglijke beslissing op de schouders van dezen man lag. Want dat kan ik u zeggen, er gebeurt niets, dat de Führer destijds niet als mogelijkheid heeft vermoed. En ondanks dezen ontzaglijken last der gebeurtenissen, die daar voor hem stonden, is hij zijn weg gegaan juist met de verantwoordelijkheid, die slechts een begenadigde, een heel groote kan bezitten.

Thans weten wij het, destijds heeft hij voor het bestaan van Europa, van dit avondland en al zijn kultuur en om deze in stand te houden zijn grootste werk, zijn grootste goed, Groot-Duitschland in de weegschaal der geschiedenis geworpen.

Nederlandsche nationaal-socialisten, gij kent den verderen weg en ik wil slechts een gebeurtenis op den voorgrond brengen, die u in het middelpunt stelt; dat was destijds die

HE VOLK ZOO UITERST BELANGRIJKE N RIJKSCOMMISSARIS

opmarsch hier toen ik namens den Führer had aangespoord tot den strijd tegen het bolsjewisme. Dat was destijds een groote, eendrachtige belijdenis, dat was het opnemen van u, nationaal-socialisten, in het groote front, dat thans Europa heet, en dat is een gebeurtenis geweest, die eenmaal in de dankbaarste herinnering van alle Nederlanders zal voortleven. Want met dezen stap zijt ge uwen Leider gevolgd en hebt den weg tot een betere orde in Europa voor Nederland ontsloten. Bij u was het inzicht aanwezig.

Dat dit West-Europa, ik mag wel zeggen een paradijs is, dat dit paradijs uiteraard de horden uit de oostelijke steppen aantrekt, weten we. Er mag derhalve ook in het geheel geen twijfel bestaan en dit moet ons volstrekt duidelijk zijn, dat deze horden er steeds op hebben gerekend op zekeren dag hierheen te komen. Als niet de Duitsche soldaat het bolsjewisme tegen hield, andere soldaten zouden dat niet kunnen.

Derhalve is het belachelijk geklets als men aan den overkant op het eiland of in Amerika beweert, dat men, als Duitschland eens niet meer bestaat, het Westen tegen het bolsjewisme kan beschermen.

Millioenen en nog eens millioenen zouden niet alleen op het slagveld maar op de slachtbank te gronde gaan en vermoord worden. Niemand zou verschoond worden, ook niet degene die dit thans niet wil inzien. Misschien zouden uwe mannen in de steppen van Moermansk, Archangel en Siberië op zekeren dag versmachten. De heer Churchill kan nog zoo vaak van het bolsjewisme spreken als een kwestie van verdraagzaamheid of humaniteit, naar uw dorpen en steden zouden de horden uit de binnenlanden van Azië worden geworpen.

Wij weten, dat het thans om het geheel gaat en dat het eigenlijk geen politieke conflicten zijn, maar dat het tenslotte is een strijd tusschen werelddeelen.

Het gaat erom, of weer eens als in den tijd van Hunnen, Mongolen en Tartaren een Centraal-Aziatische menschenmassa over Europa losbreken kan en of zij in dat geval Europa zal verdelgen of niet. Daarbij komt, dat als medespeler van het bolsjewisme het Amerikanisme de scherpste vorm van het grootkapitalisme, zich in het Westen en ginder aan de overzij van den Atlantischen Oceaan gereed maakt om zich eveneens op Europa te werpen.

Het is thans een tijd, die zijn weerga slechts vindt in de volksverhuizing met al het ontzaglijke van de gebeurtenissen, met al de hardheid, met al de onverdraagzaamheid en vooral met heel den nasleep. Wat thans geschiedt, is een definitieve vervorming van de laatste eeuwen in een nieuwe gestalte, geestelijk, politiek en op elk terrein des levens. Ziet, dat geeft ons kracht, dat wij weten, dat geen humanistische, liberale en confessioneele orde, zooals zij wellicht eens bestond, in staat is thans dit Europa in stand te houden.

Met deze vormen van orde komen wij niet meer tot een harmonische schikking van de gemeenschappelijke betrekkingen tusschen de volkeren van Europa en onder de volkeren van Europa. Dat kan slechts het nieuwe Europa tot stand brengen. Want anders zou dit Europa als continent afgedaan hebben en nog slechts een aanhangsel van Azië blijven.

Door den veldtocht tegen het bolsjewisme heeft de Führer het geweten van Europa gewekt en thans, nu wij de fronten in het Oosten en in het Westen duidelijk zien afgepaald, moet ik het steeds maar weer herhalen: hier klopt het hart aan de harten der Europeanen, opdat zij tot besef komen van hun gemeenschap, tot een zinrijke gemeenschap, waarin ieder afzonderlijk en elk volk zijn plaats heeft volgens zijn kultureel vermogen, zijn militaire kracht en zijn economische prestaties voor deze gemeenschap.

En het kan niet in de bedoeling der Voorzienigheid liggen, dat dit Europa, dat de uitsluitende drager en schepper van alle kultuur op aarde is, vergaat. Dat kan niet in de bedoeling der Voorzienigheid liggen en daarom weten wij, dat wij overwinnaar zullen blijven.

Nationaal-socialisten! Op dit oogenblik wordt de vraag gesteld: aan welken kant staat Nederland in dezen strijd. Dat is de vraag, die gij moet beantwoorden en tot de beantwoording daarvan brengt uw Leider u.

Het deelnemen aan dezen nieuwen strijd, dezen strijd voor het Nieuwe Europa, komt voornamelijk tot uiting in den strijd met de wapenen. Maar het deelnemen geschiedt ook door den arbeid.

Deze opperste deelneming met de wapenen levert, zooals men weet Nederland, als geheel bezien, nog niet. Maar toen de Führer den roep heeft doen weerklinken, heeft deze roep weerklank gevonden en wel zeer sterken weerklank in de harten der Nederlandsche nationaal-socialisten.

Deze mannen, die erop uit getrokken zijn, en die ginder deel uitmaken van Legioen en Standarte, zij zijn de dragers van de belijdenis der Nederlanders ten gunste van de nationaal-socialistische idee en het Nieuwe Europa. Dat zijn de mannen, wien het Nederlandsche volk eens ten zeerste dankbaar zal zijn, want hun dapperheid heeft bewezen en bewijst dagelijks, dat de Nederlander een volwaardige strijder is en dat hij allen aanleg bezit om zelf eens op de voorste plaats in dit Nieuwe Europa medeverantwoordelijk drager te zijn.

Nederlands positie in Europa

Op het ruimere gebied van den arbeid hebben de Nederlanders hun taak op zich genomen. Ik zou hier slechts een enkel ding willen opmerken: gelooft U niet, dat degenen van Uw volksgenooten, die thans moeten worden ingeschakeld in de fabrieken van Duitschland, omdat zij daar noodig zijn en hun krachten kunnen ontplooien, daardoor nu zullen worden onttrokken aan het Nederlandsche volk. Dit is een zuivere oorlogsmaatregel, die slechts zoolang deze oorlog duurt, gerechtvaardigd zal zijn. Zij zullen derhalve het Nederlandsche volk niet worden ontnomen, maar voor dit volk bewaard blijven. Hier in Nederland zullen beslist die industrieën en productiebedrijven in stand gehouden en opnieuw opgebouwd worden, die volgens hun ligging en volgens de bekwaamheden der Nederlanders hier hooren.

Het beginsel, volgens welk wij ons nieuwe leven willen ordenen, is vrijheid van beweging laten voor de uitwisseling van goederen en de vrijheid van beweging laten voor de uitwisseling van krachten in het toekomstige Europa.

Opdat deze taak wordt voorbereid en vervuld, heb ik gelast, dat het Nederlandsche Arbeidsfront en het departement van Sociale Zaken inzonderheid, de behartiging van de belangen van al deze Nederlanders op zich nemen. Taak van de partij is het aan deze organen en organisaties de impulsen van politieken aard te geven, opdat zij hun taak kunnen vervullen.

Nog een tweede belangrijke taak hebben de Nederlanders te vervullen en wel het waarborgen van hun voeding. Dit is de zwaarste taak, waarvoor in Europa op dit gebied iemand is gesteld, want gij zijt het land, dat het grootste aantal inwoners op de kleinste oppervlakte moet voeden.

Onze volksvoeding

Daaromtrent wil ik u in dit verband slechts een ding zeggen: er bestaat reden voor de verwachting, dat het peil, dat wij in dit land hebben, wordt gehandhaafd tot op het oogenblik, waarop eenmaal ook de graanstroom uit de Oekraine Nederland bereikt.

Als hij eerst in Duitschland komt, dan zult ge dat begrijpen, daar de Duitscher thans de steunpilaar van den strijd is en de Duitscher de zwaarste offers heeft te brengen.

Maar ik ben reeds thans met de verantwoordelijke instanties in Duitschland overeengekomen, dat gij, als ge hier door extraprestaties op het gebied van tuinbouw, kultuur van zaden enz. Uw met graan bebouwde oppervlakte vermindert, hiervoor vergoeding zult krijgen door leveranties van graan uit het Oosten. Daaruit moet u vooral een ding duidelijk worden en wel, dat gij voor ons niet object zult zijn, maar dat gij steeds meer zult opgroeien tot en in de kameraadschap en de gemeenschap van ons lot.

De militaire situatie

Nationaal-socialisten, het betaamt thans nog een korten blik te werpen op de militaire situatie, waarin wij ons bevinden. Wij hebben immers zes weken geleden weer een der beroemde, maar in werkelijkheid nog nooit ingetreden „keerpunten van den oorlog" beleefd. Er kwam een geconcentreerde aanval uit Egypte, over Noord-Afrika en toen ook aan het oostelijk front. Thans zijn er zes weken voorbij en het is eigenlijk al erg stil geworden op dit „keerpunt".

Vorigen winter hebben de bolsjewieken onafgebroken versche divisies en legers, die uitstekend waren uitgerust, tegen ons in het veld gebracht. Ditmaal is het anders.

Ditmaal hebben zij het grootste deel der troepen, waarvan zij op de beide aanvalsplaatsen gebruik maken, aan andere gedeelten van het front moeten onttrekken. En onder deze troepen bevinden zich mannen, d.w.z. men moet het eigenlijk kinderen noemen, van het zestiende jaar af tot grijsaard van zestig jaar toe. Ik geloof, dat men thans zonder overdrijving kan zeggen, dat in het gebied Kalinin-Toropets een Russische nederlaag ontstaat en dat daar reeds talrijke divisies zijn omsingeld.

Wat Stalingrad betreft, u kunt ervan overtuigd zijn: de vuist zit vast om den strot. Wij hebben geen der wijken in Stalingrad opgegeven, geen der 22 wijken van de 24, die de Duitsche soldaat heeft veroverd. Wij hebben ze allemaal vast in handen.

Het zal eenmaal verwondering wekken met hoe geringe verliezen Stalingrad veroverd is. Ieder verlies is voor de betrokkenen zwaar en pijnlijk. Van het standpunt van het volk bezien moeten wij ook het oog houden op het aantal. Wij kunnen dat getal thans nog niet noemen om den bolsjewisten geen conclusie mogelijk te maken. Maar het is een getal, dat men het eerste oogenblik niet wil gelooven, zoo overweldigend en nauwkeurig traden de wapenen van het Duitsche leger tot bescherming van zijn soldaten op.

Nationaal-socialisten! Iets wordt thans reeds bewezen door den veldtocht in het oosten: de volstrekte superioriteit van den Duitschen soldaat en van de soldaten der verbondenen en van de volstrekte superioriteit van het materiaal.

Als op een dag in een betrekkelijk kleinen frontsector 170 tanks kunnen worden kapotgeschoten, dan behoeft men hieromtrent verder geen verklaringen af te leggen.

Een ding geloof ik en dat kan men ook afleiden uit opgevangen radioberichten: Stalin heeft al vreeselijk spijt van het avontuur, waarin hij zich heeft gestort. Maar als men zich in het Hoofdkwartier bevindt dan ademt dit hoofdkwartier slechts een ding: volkomen rust en zekerheid tegenover alles, wat in het Oosten geschiedt.

Ik wil niet veel over het Zuiden spreken, maar een ding zou ik wel willen zeggen: het feit dat thans Tunis, dit bruggehoofd bij uitstek met zijn vestingen, bovendien Corsica en daarbij het onbezette Frankrijk en Toulon zich in onze handen bevinden, dat staat gelijk met strategische overwinningen van de eerste orde. Dan mogen de anderen gerust duizenden woestijnkilometers hebben, Tunis, Corsica en het onbezette Frankrijk zijn meer waard.

En tenslotte is er nog een ding, waaraan men moet herinneren en wel de strijd van onze duikbooten op de wereldzeeën. De anderen hebben eens, namelijk in den vorigen oorlog, het groote voordeel gehad, dat zij de zeeën hebben beheerscht. Thans blijken de verbindingen ter zee een van hun zwakste plekken te zijn. Zij moeten Engeland van het noodige voorzien. De Amerikaansche bewapening is nl. de eenige hoop, waaraan onze tegenstanders zich nog vastklampen. Als zij deze verwachting der Amerikaansche bewapening niet hadden, zouden zij in het geheel geen hoop meer hebben zich ooit tegenover ons te kunnen stellen, deze hoop hangt grootendeels eveneens van de aanwezigheid en het verkeer der schepen af.

Daarbij komen de fronten in Oost-Azië en Egypte, de voorziening van Rusland. Nu hebben ze er Noord-Afrika ook nog bijgekregen. En ik geloof, als wij de balans van een jaar opmaken en zelfs de cijfers gelooven, die ginder zoogenaamd worden gehaald in het scheepsbouwbedrijf, dan komt men toch altijd nog op omstreeks 4, misschien 5 millioen ton achteruitgang in den loop van dit jaar.

Het hoeft dan misschien niet bedenkelijk te zijn als men 48 millioen ton heeft, maar als het aantal eenmaal in de buurt van 20 millioen is gekomen en men metéén weer een vierde of een vijfde verloren heeft, weegt dat zwaar. Bovendien hebben wij reeds het bewijs, dat onze tegenstanders het niet eens meer konden wagen tot Tunis of zelfs tot Toulon door te varen. Daartoe hadden zij overigens nooit den moed gehad, daar is een Adolf Hitler voor noodig, die vaart de geheele Engelsche vloot voorbij en bez. Narvik.

Ja, kameraden, het jaar 1943 zal een zwaar en moeilijk jaar worden. Maar dit Europa is een zoo geweldig ding, zoo'n heerlijk succes, dat men daarvoor ook wel iets groots in de waagschaal mag stellen, want anders zal men tegenover het lot geen recht hebben.

Dit jaar zal de wind ons fel om de ooren blazen en we zullen ons schrap moeten zetten, zooals Frederik de Groote in den Zevenjarigen Oorlog zei de. Dat willen wij ons zelf nu ook voorhouden en dan zullen we het zelfde succes hebben als hij.

VERDEDIGINGSMAATREGELEN

Wij moeten voorzorgsmaatregelen treffen in dit land, zooals overal waar wij ons bevinden. Derhalve moeten wij bepaalde voorzieningen nemen, waarvoor u wel begrip zult hebben. B.v. de maatregelen der evacuatie. Ook in het voorterrein van onze steunpunten moeten wij gebouwen slechten, dat is harde oorlogsnoodzaak.

Het is beter, dat wij dit tijdig doen dan dat wij verrassingen beleven of onze strijd bemoeilijkt wordt. Maar u kunt van een ding overtuigd zijn, dat wij al deze maatregelen zoo uitvoeren als maar kan om zooveel mogelijk te ontzien.

Dat zullen u uw mannen bevestigen, die met mijn bureaux te maken hebben, hoe daar over elk gezin en over elk huis wordt gesproken, of het noodig is dat gezin nog van de kust te verwijderen of dit huis werkelijk af te breken. Ik ben ook besloten enkele van mijn bureaux te verplaatsen. Ook enkele Nederlandsche bureaux zullen moeten worden verplaatst. Dit heeft een zeer een-

Foto's: Otto 1 — Hazewinkel 1

Bij 5999 De frontstrijders onder het gehoor

voudige reden. Den Haag ligt aan de kust, het is met bommenwerpers terstond te bereiken en ook van schepen uit te beschieten. Het kan dus heel gemakkelijk worden uitgeschakeld. Ik hecht er evenwel de grootste waarde aan, dat het Nederlandsche bestuur functionneert, juist in het belang van het Nederlandsche volk. De Rijkscommissaris met zijn verantwoordelijke instanties blijft in Den Haag.

Zooals deze oorlog is begonnen, in die situatie zal hij niet eindigen. Waartoe zouden wij dan gestreden hebben? Wij komen tot een reorganisatie van Europa en dan komt weer de vraag naar voren: aan welken kant staan de Nederlanders? Ik moet zeggen, het zou slecht gesteld zijn met de Nederlanders, als zij geen Mussert en geen Nationaal-Socialistische Beweging hadden gehad en zouden hebben.

Ik heb 29 Mei 1940 gezegd: het Nederlandsche volk zal door de vervulling van de taak, die voortvloeit uit het gemeenschappelijke lot, zijn land en zijn vrijheid voor de toekomst vermogen te waarborgen. Kameraden, daarbij blijft het. Ik neem van deze woorden niets terug.

Ik heb ze met goedkeuring van den Führer uitgesproken. Het hangt van de Nederlanders af de taak, die uit het gemeenschappelijke lot voortvloeit, te vervullen. Door deze vervulling is de vrijheid van het land, de vrijheid van het volk gegeven, ja, meer nog, daardoor is het gelijkberechtigd toetreden tot de nieuwe, groote taak van Europa gegeven.

Bij den Führer

Wij hebben juist deze week een onderhoud gehad in het hoofdkwartier van den Führer. De heer Mussert, mijn kameraad Schmidt en ik zijn bij den Führer geweest, die omgeven was van zijn naaste, verantwoordelijkste raadslieden, en in dit onderhoud zijn de grondslagen voor de toekomst door den Führer vastgesteld.

De eerste grondslag, die de Führer heeft verkondigd, was deze: Hij wil de Nederlanders niet als overwonnen behandelen. De Nederlanders moeten in volstrekte gelijkgerechtigheid deel hebben aan alle mogelijkheden, die dit nieuwe Europa biedt. Zij zullen hieraan deel hebben door tegelijkertijd de taak en de plichten op zich te nemen, die den dragers van dit nieuwe Europa te wachten staan en die een drager van deze verantwoordelijkheid op zich zal hebben te nemen.

En hierbij behoort als tweede grondslag de taak, die uw Leider zich steeds heeft gesteld, en die hij u, nationaal-socialisten, in Nederland heeft opgedragen, n.l. het Nederlandsche volk het nationaal-socialisme bij te brengen. En wat is thans nationaal-socialisme op het oogenblik, waarop het om de continenten gaat? Thans is nationaal-socialisme: geloof en strijd voor dit Europa en voor de gemeenschap van deze Europeesche volken, voor onze Europeesche kultuur en onze toekomst en in engeren zin het ordenende bijeenhouden van onze Germaansche bloedsgemeenschap ten Noorden van de Alpen.

En als derden grondslag heeft de Führer uitdrukkelijk erkend, dat de N.S.B., de Nationaal-ocialistische Beweging der Nederlanden, de draagster dezer politieke ontwikkeling is, en dit zou ik met allen nadruk en uitdrukkelijk willen verklaren, dat Mussert als Leider der Nationaal-Socialistische Beweging de Leider van het Nederlandsche volk is

Kameraden, daaruit volgt de vierde grondslag, die de toekomstige opneming van de Nederlanders in de Europeesche orde en in de Germaansche orde betreft: de Führer heeft gezegd, dat deze orde thans nog niet kan worden vastgelegd, want de toekomstige orde van Europa zullen wij eerst dan kunnen vaststellen, als we de grenzen van dit Europa hebben vastgesteld. Deze grenzen moeten op vele plaatsen nog verder worden verschoven. Ik denk daarbij slechts aan Afrika en aan onze dappere bondgenooten in het Zuiden. Eerst als alle Europeesche vraagstukken zijn opgelost, zullen wij ons met deze aangelegenheid bezighouden.

Maar één ding is zeker, dat heeft de Führer ook gezegd, als eenmaal deze nieuwe opbouw komt en deze nieuwe orde, dan zal ik U, mijnheer Mussert, bij mij roepen. U zult door deze nieuwe orde niet worden verrast, U zult tot mij komen en wij zullen haar bespreken.

Ik geloof, dat hiermede de grondslagen zijn vastgelegd, volgens welke de Nederlandsche nationaal-socialisten nu met volle overtuiging en vastbesloten aan den arbeid en ten strijde kunnen gaan.

Ik zelf wil voor mij hieruit in dezen zin een gevolgtrekking maken, dat ik den politieken wil, die tot uiting komt in de Nationaal-Socialistische Beweging, ook toonaangevend betrek bij het bestuur van dit land.

BESLUIT VAN DEN RIJKSCOMMISSARIS.

Ik heb derhalve besloten aan mijn bureaux een decreet te doen toekomen dat luidt als volgt

Het is in overeenstemming met de taak, mij door den Führer opgedragen, het Nederlandsche volk te doen deelen in de verantwoordelijkheid voor het bestuur van dit land. Drager van den politieken wil van het Nederlandsche volk is de N.S.B. Ik gelast derhalve, dat ter waarborging van harmonie tusschen bestuur en taak van de Nationaal-Socialistische Beweging alle mijn ondergeschikte instanties bij de uitvoering van belangrijke maatregelen van bestuur, maar vooral in alle personeelskwesties overleg hebben te plegen met den Leider der N.S.B., den heer Mussert, resp. met de door den heer Mussert aangewezen partijinstanties der N.S.B. Voor zoover bij deze beslissingen onder de gegeven omstandigheden bij uitstek en in de eerste plaats rekening moet worden gehouden met het standpunt der bezettende macht, behoud ik mij de eindbeslissing voor.

Hierdoor is de N.S.B. verantwoordelijk betrokken bij het bestuur van dit land.

Kameraden, wat hier geschiedt, is slechts een eisch der rechtvaardigheid. Toen wij in het land kwamen, keken wij om ons heen en wij zagen van alles, maar wij hebben bovenal geconstateerd, dat hier 35.000 mannen en vrouwen waren, die met ijzeren vastberadenheid en als soldaten hebben volgehouden als volgelingen van hun Leider. Daarbij gaat het niet zoozeer om politieke bijkomstigheden. Die vloeien voort uit de situatie, de ervaring en den strijd. Het essentieele is evenwel, dat er hier 35.000 mannen en vrouwen waren, die ondanks alle benauwenissen van de zijde van het systeem besloten waren vol te houden en het was ons duidelijk, dat dit de mannen en vrouwen zijn, met wie wij vorm willen geven aan de toekomst van dit land.

Dat waart gij. Ziet, nationaal-socialisten, wat voor de anderen een oorzaak van onrust en bedruktheid is, voor ons, nationaal-socialisten, is dat altoos slechts aanleiding tot grooter levensaanvaarding en activiteit: de strijd.

Dat is de vader van alle vormgeving en zoo zien wij het ook thans. Zeker, de situatie kan moeilijk zijn, maar daar zien we ze weer, de oude strijders, die rondloopen in hun uniform, die het partijinsigne dragen, dat zijn altijd nog belijders. Dat is het mooie, het sterke, het trotsche van hen. Zij moeten juist thans steeds ieder afzonderlijk als prediker voor het nationaal-socialisme uittrekken.

Dat is het, wat ik U thans toewensch. In de nauwste gemeenschap met ons Arbeitsbereich vormt ge thans reeds een gemeenschap, die — er kome wat komen wil — de draagster der politieke ontwikkeling zal zijn. Gij, nationaal-socialisten, gij zijt als volgelingen van uw Leider Mussert de dragers der ontwikkeling, die volgens wil en wensch van den Führer, den grootsten staatsman en veldheer van Europa en den genialen bouwmeester van den nieuwen tijd, gevormd zal worden! Hou Zee!

8 JAAR Jeugdstorm

1247/33 Dr. J. Smit, Wethouder van Amsterdam houdt een rede op het Museumterrein.

1245/10 Uitreiking van trompetvanen door Opperhopman Zilver, streekleider van Amsterdam.

WOLTE

1243/24 De luchtvaartschaar defileerde mede.

1245/12 2 meeuwen en 2 stormsters kwamen te Amsterdam in aanmerking voor het eeredraagteeken.

Foto's Cino 7

2e Jaargang No. 5 (31) Woensdag 25 November 1942 (Slachtmaand)

't Werkende Volk

STRIJDBLAD VOOR DE „NATIONAAL-SOCIALISTISCHE BEWEGING DER NEDERLANDEN"

Verantwoordelijk Opsteller: JAN DE HAAS — Adres Opstelraad: J. W. Brouwersplein 5—7, Amsterdam-Zuid — Telefoon 23344, 24564

OOK DE RIJKELUI'S ZOONTJES!

Het kan niet geduld worden, dat de uitzending naar Duitschland door plutocratische ambtenaren terwille van eigen belang gesaboteerd wordt!

Op de bijeenkomst van de Nederlandsche zeelieden te Rotterdam heeft Mussert o.m. gezegd dat de uitzending van arbeiders naar Duitschland inderdaad is geworden tot een werkelijken arbeidsdienstplicht.

Wij, Nederlandsche nationaal-socialisten, verhelen ons niet dat deze uitzending voor zeer vele Nederlandsche gezinnen een beproeving is. Wij weten dat, meer nog dan de mannen, de vrouwen en kinderen, die achterblijven er de gevolgen van moeten ondervinden en dat zij vaak voor groote moeilijkheden worden geplaatst. Wij weten ook, dat de huisvesting en de voeding van de mannen hier en daar wel te wenschen overlaten en dat het geen aangename opgave is, zes maanden of langer uit het vaderland weg te moeten zijn.

Wij erkennen de noodzakelijkheid van deze uitzending. Het gaat om het naakte leven van alle volken van Europa en het gaat dus ook om ònze toekomst, als Nederlanders in Europa. Het is niet denkbaar, dat millioenen mannen daarvoor op de slagvelden zouden staan, terwijl hier honderdduizenden Nederlanders weinig of nutteloozen arbeid voor onze toekomst zouden verrichten. Maar wanneer wij deze noodzakelijkheid erkennen en wanneer wij begrip hebben voor de oorlogsomstandigheden, die het niet mogelijk maken de kampen zóó in te richten als dat in een normalen tijd wel wenschelijk ware, dan stellen wij daarnaast den eisch van absolute gerechtigheid bij deze uitzending.

Wat zien wij gebeuren?

Wij zien, dat terwijl tallooze handarbeiders moeten vertrekken, terwijl vrijwel alle groote bedrijven contingenten moeten afstaan, er wederom een bepaalde groep is, die zich aan de uitzending en aan den arbeidsplicht met min of meer succes tracht te onttrekken. Dat is de groep der rijkelui's-zoontjes, de groep van de lanterfantende luilakken, die nog nooit iets anders gedaan hebben dan sigaretten rooken, kwasi-sportief doen, bars bezoeken en het geld van hun ouders op te maken. Deze jongetjes zijn voor een groot deel „gedekt" doordat zij in naam in de zaken van papa zijn opgenomen, terwijl ze in werkelijkheid niets maar dan ook niets uitvoeren!

Waaraan ligt dat? Natuurlijk aan bepaalde democratische heeren in Den Haag, die door de Duitsche overheid op hun plaats zijn gelaten en die nu meenen de verordeningen en voorschriften inzake de uitzending, naar hartelust te kunnen saboteeren, met geen andere reden dan het grofste eigenbelang.

Het zou doodeenvoudig zijn, aan de hand van den Burgerlijken Stand na te gaan welke jongelieden het eerst voor uitzending in aanmerking komen. Wanneer dat niet geschiedt, wanneer zelfs sommige Gewestelijke Arbeidsbureaux daarin van hooger hand (van zgnd. Nederlandsche zijde in Den Haag) worden gehinderd, dan weten wij dat de heeren ambtenaren en hoofdambtenaren er niet veel voor voelen hun zoontjes en die van hun rijke vrinden de reis naar Duitschland te doen aanvaarden. Dan weten wij, dat deze lieden, die nog nooit iets beters hebben gedaan dan parasiteeren op het werkende Volk, thans wederom de arbeiders de kastanjes uit het vuur willen laten halen. Dan weten wij, dat daar grove sabotage wordt bedreven, die n i e t de Duitsche overheid of de Duitsche industrie-belangen treft, maar wèl de belangen van de arbeidersgezinnen.

Het wordt tijd, dat aan deze sabotage een einde komt! Het wordt hoog tijd, dat er recht gedaan wordt aan de werkers, hun vrouwen en hun kinderen. Het wordt tijd, dat deze hooge heeren eens op het matje worden geroepen en op hun plicht gewezen. Willen zij deze niet vervullen, dan dienen zij te verdwijnen.

Het werkende Volk van Nederland kan daaruit de gevolgtrekking maken, dat hierin geen verandering zal komen, vóór Nederlandsche nationaal-socialisten aan de democratisch nog onaantastbare positie van deze kapitalisten en kapitalisten-knechten een einde zullen maken!

MEISJE, LUISTER EENS....

„Opvoedende" Roomsche viezigheden

Het zijn vooral Roomsche kringen, die zich met hand en tand verzetten tegen een opvoeding, die, voor alle gezindten gelijk, niet door kerk en geestelijkheid beïnvloed kan worden. Roomsche kindertjes, dan Roomsche opvoeders, is het standpunt. Velerlei motieven weet men aan te voeren om dit standpunt te verdedigen. Eén van die motieven, soms wordt het rondweg uitgesproken, soms slechts listiglijk geïnsinueerd, is, dat andersdenkenden het niet zóó nauw met de zedelijkheid zouden nemen als de Roomsche uitverkorenen. U kènt de smoesjes: gymnastiek in kleeding, die het lichaam niet voldoende (d.w.z. van hals tot teenen) bedekt; zwemmen in lichtzinnige zwembroekies, gemèngd zwemmen, enfin, noem maar op! Als meneer pastoor zijn zinnetje kreeg, was knielen de eenige geoorloofde vorm van lichaamsoefening, en wijwater het eenige water, waarmede het zondig en zinnelijk lijf in aanraking kwam. Vaak hebben wij ons afgevraagd, wat de reden was, dat men in roomsche kringen zóó benauwd was voor de zedelijkheid. Een eenvoudig, doch liefelijk boekske heeft ons het antwoord op deze pijnlijke vraag gegeven....

Meisje, Luister Eens.... heet het boekje, dat geschreven werd door Albertine Schelfhout—Van der Meulen, en dat, voorzien van een voorwoord door een heuschen professor — Prof. Dr. Fr. Feron — het licht zag bij de Uitgeverij J. J. Romen en Zonen, Roermond-Maaseik. De omslagteekening werd vervaardigd door Lodewijk Schelfhout, opdat het geld in eigen kring gezelligjes besteed zou worden!

Gevaarlijke voorlichting

Meisje, luister eens.... werd sinds 1937 in duizenden exemplaren verspreid onder de R.K. meisjes van 17 jaar of ouder, voor wie het blijkens het titelblad bestemd is. In het voorwoord schrijft Professor Dr. Fr. Feron, die óók al te Roermond woont: „Hier hebben de moeders nu een boekje, dat haar kan leeren hoe een verstandige moeder over deze delicate dingen denkt en er met de rijpere dochters over spreekt.... Dit boekje kan veel nut hebben voor meisjes en voor moeders. Voor meisjes. Voor haar is het geschreven. Op haar past het als de vervulling op een verlangen. Want het meisje wil en moet weten, wat in dit boek staat. Zonder die wetenschap blijft het voor zich zelf een raadsel en gevaar, voor anderen nog grooter gevaar."

Het op deze luisterrijke wijze de goedgeloovige roomsche menigte aangeprezen geschrift, is een van de meest kleffe staaltjes van pornografie, dat wij ooit in onze handen hebben gehad. En het verwondert ons dan ook niet, dat de schrijfster in haar voorwoord zegt: „Dit kleine, stille boekje, dat heelemaal niet ziet of je wat bloost, dat maar een bescheiden plaatsje vraagt in je linnenkast, achter slot...." Want sinds jaar en dag pleegt de liefhebber van pornografische lectuur zijn spullen achter slot en grendel te houden. En als zij haar voorwoord beëindigt met: „....ik hoop maar, dat het je tevreden stelt en niet veel vragen voor je open laat...." kunnen wij onze Albertine met een gerust geweten antwoorden, dat het dàt zeker niet zal doen. Integendeel, meisjes van zeventien jaar en ouder zullen in dit boekske alles vinden, waarmede zij haar normale sexueele aanleg kunnen verwringen tot een trieste caricatuur!

Bloedschande — doodgewoon

Broers, heet het zesde hoofdstuk. En mevrouw Schelfhout—Van der Meulen vindt het noodig haar zeventienjarige lezeressen op de volgende wijze voor te lichten: „Het gebeurt wel eens, dat broers neiging voelen om met hun intiem te doen. Vooral als ze nog jong zijn en geen ander meisje hebben, kan het voorkomen, dat ze probeeren hun zuster lastig te vallen. Tegenover zulke dingen moeten ze dan altijd iemand in jou vinden, die beslist en standvastig afwijst. Vooral niet meteen nijdig worden, want de arme jongen heeft ook strijd met zijn natuur (waarmee bloedschande dus meteen maar tot een natuurlijke neiging wordt gemaakt! „Storm"), maar hij moet direct begrijpen, dat zijn zus goed weet, hoe het met hem gesteld is, en dat ze er heelemaal niet van gediend is. En dan dadelijk er overheen weer vriendelijk en gezellig zijn en probeeren hem eenige afleiding te bezorgen. Broer en zuster mogen elkaar af en toe gerust een zoen geven, maar dat moet een morgen- en avondgroet zijn, een verjaarskus, op de wang of het voorhoofd, doch nooit langer dan een oogenblik. Wonen er broers in huis, dan niet nonchalant in je onderjurk over de gang loopen, ook niet goed vinden, dat ze in je slaapkamer binnenkomen. Maar voor al deze dingen is er ontzettend veel tact noodig; wij vrouwen, wij moeten in zulke zaken ècht slim zijn! Want het is b.v. heelemaal niet aardig om extra steeds de deur af te sluiten, wanneer je broer langs komt. Je moet alleen zorgen, dat je hem nooit in bekoring brengt en tegelijk moet je zorgen, dat hij nooit merkt, dat je er bij na denkt.... Mocht je ooit iets van je broer merken, zorg dan b.v. maar altijd dat de deur van je kamer openblijft. Je kunt het gemakkelijk genoeg „benauwd" hebben."

Op deze wijze licht deze schrijvende dame meisjes van zeventien jaar in, over de verhouding met haar broers! Tot nog toe hadden wij immer gemeend, dat bloedschennige verhoudingen bij ons in den grond normale en gezonde Germaansche volk, tot de hooge uitzonderingen behoorden, ziekelijke aborraties waren, die, wanneer zij een enkelen keer voorkwamen, ingrijpende maatregelen noodzakelijk maakten. Mevrouw Schelfhout maakt het ons echter rustig duidelijk, dat zoo iets in roomsche kringen tot de alledaagsche verschijnselen behoort, want zij wijdt er, met volledige instemming van Professor, volle drie bladzijden aan van de tachtig, die haar ter beschikking staan!

Homosexualiteit — een bagatel

In hoofdstuk acht, Vriendinnen, schrijft zij onder meer: „Nu komen nog de vriendinnen aan de beurt. (Aan de beurt, is niet slecht! „Storm") Misschien kijk je vreemd op, dat die ook iets met dergelijke dingen te maken hebben. Maar ja, het is toch zoo. Allereerst kan ik het bezit van zoo'n zéér intieme vriendin niet erg aanbevelen. Zoodra je in een vriendin meer voelt dan een goede, lieve zuster, dan wordt het tijd om op te passen.... En dat nog niet uitsluitend om iets, dat bepaald verkeerd is, maar ook zuiver psychisch, zoogenaamd zuiver geestelijk. Er bestaan wat men noemt: speciale vriendschappen. Het is wel niet zoo aangenaam om hierover te spreken, doch ik doe het, omdat ik van plan ben, àlles met je te behandelen. (Hou je dus maar goed vast, want je krijgt wáár voor je geld! „Storm"). Ieder mensch heeft behoefte aan liefde en koestering. Wanneer een vrouw of meisje nu geen man of verloofde vindt, komt het wel eens voor, dat zij elkander troosten op een manier, die àl te aanhankelijk is. Daarom gelden hier dezelfde regels als ten opzichte van je broers: nóóit een vriendin meer geven dan een hartelijken kus bij welkom, afscheid of verjaring. Liefst niet op één kamer slapen, en als het gebeurt, je zoo decent mogelijk uit- en aankleeden. Verder zooveel het kan, voorkómen, dat je samen in één bed zoudt moeten slapen. Wordt echter, als je ergens logeert, een tweepersoons-bed voor jou en je vriendin samen aangewezen, dan kan je dit natuurlijk niet veranderen. En voor zoover alles tusschen jullie in orde is, kun je je er ook gerust in schikken. Dan lig je nog maar gezellig een uurtje te babbelen. Je moet echter zéér beslist weigeren, zoodra je bemerkt, dat je vriendin een ander soort gezelligheid op het oog heeft...."

Ook homosexualiteit, om het kind nou maar eens erg onroomsch bij den naam te noemen, beschouwden wij tot nog toe altijd als een pathologische afwijking, die bij voorkomen streng gecorrigeerd diende te worden. Mevrouw Schelfhout—Van der Meulen is er echter zóó rotsvast van overtuigd, dat het in háár kringen regelmatig voor pleegt te komen, dat zij in een knus babbeltje twee pagina's van haar sexueele vademecum aan het geval wijdt, waarbij zij overigens totaal vergeet, dat het wenschelijk is, dat kinderen geleerd wordt bij ouders en-of politie melding te maken van de bloedschendige of homosexueele neigingen, die zij bij anderen constateerden, zoodat dergelijke lieden geïsoleerd kunnen worden. De wijze waarop zij het en bagatelle behandelt, zoo van „als je handig bent, glip je er wel zonder kleerscheuren tusschendoor", spreekt echter boekdeelen!

In de kerk

Slecht èn slecht, heet het elfde hoofdstuk, waarin wij kennis mogen maken met zonderlinge staaltjes van roomsche ethiek. Wij laten onze lieve schrijfster zelf maar weer eens aan het woord: „Maar in het eerste stadium, het onwillekeurig opkomen van zinnelijke gedachten en gevoelens, moet je niet te angstvallig zijn. Vooral niet met inspanning probeeren er af te komen. Neen, dan is het veel beter om net te doen of er niets aan de hand is, als het ware onverschillig de schouders optrekken, er niet op letten. Want het kan zelfs voorkomen, als je in de Kerk zit, *ja, misschien juist dan* (cursiveering van óns! „Storm"), dat er wel eens een beeld door je brein flitst, dat heelemaal niet past in die heilige omgeving. Hoe kalmer je daar onder blijft, hoe minder angstig je gaat meenen iets slechts te hebben gedaan, hoe eerder het is overwonnen! Net alsof een ondeugende jongen iets leelijks in je ooren fluistert. Daar zou je immers ook niets aan kunnen doen. „Och jongen, schiet op, ik luister niet eens naar je! Wees gegroet, Maria, enz....." Dus nogmaals: denk over het algemeen niet te gauw, dat je verkeerd doet, want oh, dan ben je zoo'n heerlijk, willoos object voor den boozen geest!"

Hoewel commentaar misschien niet geheel overbodig is, zien we er toch maar liever van af. Zóó redeneeren kunnen wij nu eenmaal niet!

Slecht willen en slecht doen

Zwakheid en gewoonte, heet hoofdstuk 12. U ziet wel, lezer, mevrouw Schelfhout—Van der Meulen slaat principieel niets over. In hoofdstuk 12 instrueert zij haar 17-jarige leerlingen weer eens over wat anders. „Een meisje kan ook tot kwaad komen, wanneer zij zelf iets doet, dat ongepaste gevoelens opwekt, daarin behagen schept en tot slot daarvan bevrediging zoekt. (Ziezoo, voor het geval de je van zulke dingen op je zeventiende jaar nog niet op de hoogte mocht wezen, heb je hier tenminste een aanleiding om rustig doch naarstig uit te zoeken, wat hiermede bedoeld wordt! „Storm"). Dit is wat meestal genoemd wordt een slechte gewoonte (méént U dat nou? „Storm") en dit komt in werkelijkheid voor. Ik zeg dit zoo, opdat je, ingeval je zelf ook aan zoo iets zou lijden, niet hoeft te denken, dat dit een hooge uitzondering is. Want het ergste dat ons, juist in verband met de slechte gewoonte, kan overkomen, is de zelfverachting. Neen en honderd maal neen! Denk je nu heusch, dat jij er zooveel verdriet en spijt over zou hebben, als je niet juist een rein meisje was? Hoe meer je je in gedachten er over opwindt, hoe zwaarder het wordt! Als het gebeurd is, dan maar weer een hartelijke acte van berouw, biechten en communiceeren. Je eigen lichaam vereinen door het Verheerlijkt Lichaam van Christus. En de gedachte aan Christus-in-jou moet je helpen, dat andere niet meer te willen en zoo lang je 't ècht niet wil, zoolang ben je ook niet slecht...."

Afgezien van het feit, dat wij onmogelijk kunnen inzien, op welke wijze het in deze regelen aanbevolen kannibalisme er toe mede kan werken, om slechte gewoonten in het algemeen en deze in het bijzonder tegen te gaan, wil het er bij ons niet in, dat je pas slecht zou wezen als je het slechte *wil*, en niet als je het, met spijt en hartelijke acten van berouw achteraf, *doet*. Voor een dergelijk staaltje van roomsche moraalphilosophie, door en door verrot als het is, staan wij met stomheid geslagen!

Opfrissching noodig!

Er zijn van dit boekje duizenden exemplaren verkocht geworden, zooals ons in de inleiding wordt medegedeeld, en zooals ook uit het oplagecijfer blijkt. Wij hopen van harte, dat de meisjes die het kochten of ten geschenke ontvingen, een voldoenden gezonden geest hadden om zich over dit vieze product flink te ergeren. Als ze er om gelachen hebben, is het ook nog niet zoo erg. Maar als zij het opgenomen hebben, zooals het bedoeld wordt, namelijk in volle ernst, twijfelen wij er niet aan, of er zijn weer heel wat normale gezonde meisjesgeesten verwrongen en verknoeid door deze smiespelige, quasi-vertrouwelijke mededeelingen inzake de abnormaliteiten bloedschande, homosexualiteit en zelfbevlekking. Eén ding is goed. Eens te meer blijkt uit een geschrift als het onderhavige, hoe uiterst noodzakelijk het is, dat de opvoeding onzer jeugd, desnoods met geweld, genomen wordt uit de handen van hen, die een beroerte krijgen als ze een zwembroek zien, doch deze kleedderigheid-in-druk niet alleen toelaten, doch zelfs toejuichen. De jeugd onder leiding van normale, evenwichtige menschen, dit boekje op den brandstapel en de schrijfster met haar achterste in een teil koud water! Zoo gauw mogelijk liefst.

PONTIFICAAL MEDELIJDEN

Rome, 7 December. Volgens de „Osservatore Romano" richtte Paus Pius XII een schrijven aan den aartsbisschop van Turijn, kardinaal Fossati, waarin hij zijn diep medegevoelen met de door bomaanvallen getroffen bevolking dezer stad tot uiting brengt. Ook aan den aartsbisschop van Genua heeft de Heilige Vader onlangs een dergelijk schrijven gericht."

Dit is heel aardig van den Heiligen Vader; alleen is het jammer, dat dit geschiedde of eerst bekend gemaakt werd dat het geschied is, nadat het fascistische dagblad „Regime Fascista" hem eerst geducht op zijn pontificaal tabernakel was gekomen; bovendien ware het ons nog liever geweest, wanneer hij ook eens een kleine dosis „afschuw" over deze misdaden aan de beide aartsbisschoppen en aan de bisschoppen zoo in het algemeen had toegediend. Die kunnen zooiets best gebruiken. En van zijn „charitatieve" zijde heeft hij zich ook niet bepaald doen kennen. Meer dan porto voor twee brieven kon er blijkbaar niet op overschieten.

LOSSE NUMMERS 7 CENT
VERSCHIJNT WEKELIJKS

10 DECEMBER 1942
3e JAARGANG — No. 14

De ZWARTE SOLDAAT

11 jaar STRIJD!

STRIJDBL DE W.A. DER N.S.B.
DANT: MR. A. J. ZONDERYAN

Hoofdopsteller	Adres Opstelraad:	Adres Beheer:
Banleider J. J. van der	Postbus 65 — Utrecht — Tel.: 20141	Mgr. Van de Weteringstr. 116, Utrecht - Tel.: 21006

zònder MUSSERT
PETER BEEK-MAN
heeft N ERLAND
geen toekomst meer!

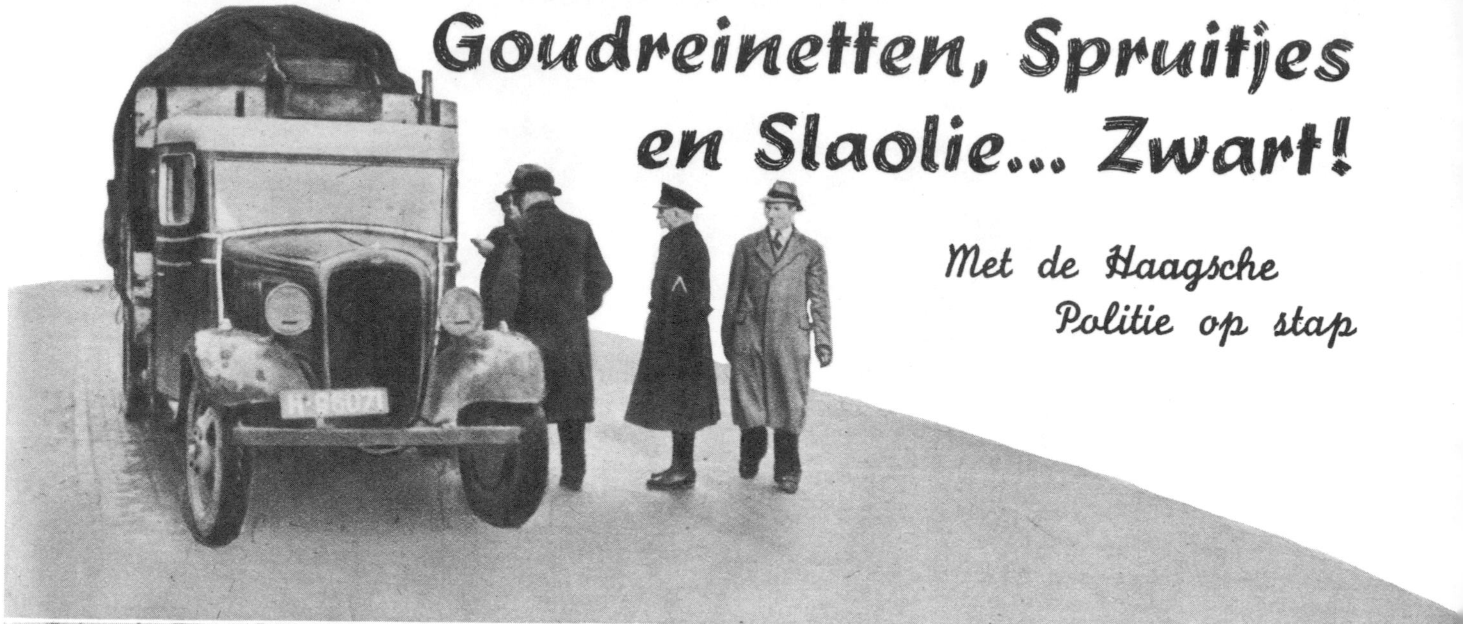

Goudreinetten, Spruitjes en Slaolie... Zwart!

Met de Haagsche Politie op stap

te L. — Daar staan we dan, bij het Viaduct op de grens van Den Haag en Wassenaar. Den breeden Leidschen Straatweg kunnen we heelemaal afkijken. Heel in de verte zien we auto's aankomen; eenige personenwagens, daarachter een zwaarbeladen vrachtwagen. Naderbij gekomen blijkt deze te zijn volgeladen met kool; wittekool schijnt vandaag aan de markt erg in trek geweest te zijn. Of er wàs niet anders. Het is om-en-om: den eenen dag een rood kooltje, den anderen een wit! Halt! De arm der Wet van den agent wordt omhoog gestoken. De remmen knarsen, de wagen schuift nog wat door; de agent moet opzij springen. En dan moeten de vervoerders aantoonen, dat zij niet „zwart" vervoeren. Een veilingbrief of een nota, welke de lading dekt. Is die er niet, dan .... inbeslagneming! Er wordt heel wat geknoeld met de veilingbrieven; èn natuurlijk met de nota's, vertelt de ons begeleidende brigadier van de recherche ons.

Er is een voorval met een nota, die een lading witte kool moet dekken. Men heeft — met potlood — den datum veranderd. Gisteren is er op dezèlfde nota vervoerd, vandaag wéér en wie weet morgen .... Maar een der rechercheurs heeft goede oogen en ontdekt den zwendel. Gevolg: in beslag nemen. De wagen vol kool gaat naar de veiling; een politieman mee. Er zal eens precies worden uitgezocht hòe dat zaakje in elkaar zit! Ineens staan er drie zwaarbeladen wagens achter elkaar op den weg. De eene vervoert groenten zonder veilingbrief; de andere kan evenmin een geldig bewijs toonen dat de groenten mogen worden vervoerd. De derde: dito. Dàn de groenten maar in beslag genomen. Die wordt later in distributie gebracht. En zal dan komen op de tafels van de volksgenooten, die er recht op hebben en niet van hen, die zich de echte Nederlanders noemen op grond van het feit, dat zij kippenringetjes dragen en worteltje boven roepen en .... zwart koopen.

Iets later in den middag staan we te verkleumen op den Rijswijkschen weg. Het begint al aardig donker te worden en dàn vooral moet de politie in het bijzonder op haar hoede zijn.

Ook hier kon zij een goede vangst doen. Zakken vol goudgele appelen, de beroemde goudreinetten, heerlijk versche spruitjes van de eerste soort, zakken aardappelen en .... netjes ingepakt en van een adres te Utrecht voorziene flesschen slaolie werden uit een .... bierwagen gehaald! De vischjes van de plutocraten, welke deze bestemden om goudgeel te bakken in de slaolie, liggen te snakken op het droge ....

Een boterboer heeft geheimzinnige teekens aangebracht op enkele groote stukken kaas. De antwoorden, welke hij op de hem gestelde vragen moet doen, zijn erg verward. Hij probeert „er zich uit te draaien". Neen, die cijfers beteekenen niets. Of het de prijzen zijn? Maar dat kan niet, want dan zouden die te hoog zijn. Och neen, het beteekende werkelijk niets. Maar waaròm dan die getallen? Och .... zoo maar. Gold het ook hier weer een extra stuk kaas voor den O.W.-er?

En nog later op den avond staan we in een koelhuis van de groentenveiling en laten ons niet minder dan 1600 kg prachtige druiven toonen. Ook al „zwart"; maar de druiven zelf waren prachtig blauw ... Ook die zullen nu, dank zij den speurneus der politie, haar bestemming vinden; maar dan niet langs donkere wegen.

Wij laten ons vertellen over het clandestien vervoeren van groenten, fruit en vleesch.

Een vrachtwagen, beladen met kisten, waarop de aanduiding „breekbare" waar, vervoerde in diezelfde kisten varkensvleesch. Inderdaad, het wàs breekbaar!

In een zak, zoogenaamd met groenten, bevond zich een clandestien geslacht schaap. In melkbussen werd eveneens clandestien vleesch vervoerd. Zeer gewild is het verbergen van kaas, vet en boter onder de autobanken. Toen er op zekeren dag een wagen aangehouden werd, waarop groote bossen stroo lagen, bleek daaronder ook al clandestien vleesch te zijn verstopt. En toen de politie, ergens in het Westland, een inval deed in een huis, waar clandestien geslacht was geworden, vond men de juist geslachte koe in .... de slaapkamer. Alleen nog maar een poot miste zij. Misschien bij gebrek aan een varkenskluif in de soep gekookt?

Dat de heeren sluikhandelaars zich niet bedienen van uitsluitend vrachtwagens, melkbussen, slaapkamers e.d. bleek wel uit de volgende ervaring, welke de Haagsche politie opdeed: zij ontving op een goeden dag een anoniemen brief, waarin de mededeeling werd gedaan, dat wanneer er omstreeks zeker tijdstip op dit en dat station een wagon vol takkebossen aankwam, de politie dien maar eens goed moest onderzoeken. Inderdaad bleek bij onderzoek de afgehuurde wagon te zijn aangekomen en bevatte, buiten de camoufleerende takkebossen, clandestien vervoerde groenten en flesschen vol weck: peenen, bieten, erwtjes enz. enz.

CROWN
CUSTARD

Wij hebben van nabij gezien welk een misdaad jegens ons Volk de zwarte handel is. Waar eenerzijds onze huismoeders urenlang in de rij moeten staan, daar graaien anderzijds de rood-wit-blauwe speldjesdragers naar zich toe wat er te halen valt. En „de Duitschers" geven ze de schuld op den koop toe.

Foto: Otto S

LOSSE NUMMERS 7 CENT
VERSCHIJNT WEKELIJKS

4 FEBRUARI 1943
3e Jaargang No. 22

De ZWARTE SOLDAAT
STRIJDBLAD VAN DE W.A. DER N.S.B.
COMMANDANT: MR. A. J. ZONDERVAN

Hoofdopsteller:	Adres Opstelraad:	Adres Beheer:
Banleider J. J. van der Hout	Postbus 65 — Utrecht — Tel.: 20141	Mgr. Van de Weteringstr 116 Utrecht - Tel.: 21006

ONS TEN VOORBEELD

Stalingrad!
Duizenden soldaten hielden stand.
Zij verdedigden met den inzet van hun allerlaatste krachten een puinhoop, die eens een stad was.
Maar mèt die puinhoop verdedigden zij het leven van honderdduizenden kameraden, die op andere punten aan de steeds weer vergeefs aanstormende Mongolen weerstand bieden.
Velen, misschien allen, zijn ten doode gewijd.
Beproefde aanvoerders, mannen in de kracht van hun leven en jeugd, dragers van Germanjes beste bloed.
Géén onder hen aarzelde te doen, wat hij zijn plicht achtte.
Géén kende die doffe berusting, die zonder vreugde en zonder pijn van het leven afscheid nemen doet.

Het is geen angst voor den dood, maar de wil om te leven, te strijden, te bezielen, die hen in staat stelde lichaam en geest op te voeren tot prestaties, die bovenmenschelijk zijn.

Hier werd iedere man een held en doorstond de wereldbeschouwing van het nationaal-socialisme haar zwaarsten proef.

Hier toonde de geest van het nieuwe Europa nòg beter en verhevener dan in alle schitterende overwinningen aan de geheele wereld zijn werkelijke kracht.

MENSCHEN

Want — vergeten wij dit nooit — hier leven en sterven **menschen van vleesch en bloed**, voor een klein deel menschen, die in een kantoor, op een boerderij, in een fabriek, een mijn of een laboratorium, aan een universiteit, in een rechtszaal of een ziekenhuis of achter den toonbank van een winkel hun dagelijksche werk verrichtten, totdat het Vaderland, totdat Europa hen riep om aan te treden ter verdediging van de vrijheid en alles, wat ons lief is.

Niemand in het Vaderland — en bij òns nog minder dan in het reeds tientallen jaren om zijn bestaan strijdende Duitschland — kan zich in de verste verte ook maar voorstellen, wat er achter de eenvoudige woorden van de weermachtsberichten schuil gaat.

Men kan zich eenigszins indenken, wat àl deze mannen dagelijks moeten missen, men kan zwakke vergelijkingen maken met het eigen dagelijksche leven, maar zelfs de soldaat, die in den harden winter van het vorige jaar op een der brandpunten van den strijd het leven van Europa verdedigde, zal moeten erkennen, dat zijn voorstellingsvermogen tekort schiet om volledig te beseffen, wat hier wordt doorstaan.

WEZEN VAN ONS VOLK

Wanneer de Leider dan ook vorige week deze mannen onze kameraden noemde, dan kan dat alleen gebeurd zijn in het besef, dat het door het nationaal-socialisme tot volle en heerlijke ontplooiing gebrachte Germaansche wezen, dat in Stalingrad ook bovenmenschelijke beproevingen overwon, tevens het wezen is van ons eigen Volk.

Ons, Nederlandsche nationaal-socialisten, legt dat meer dan ooit den plicht op, ons niet alleen aan het voorbeeld der helden van Stalingrad op te heffen, maar tevens dag in, dag uit te werken om hun offer ook voor ons Volk vrucht te doen dragen.

Duidelijker en overtuigender dan thans heeft het gevaar der bolsjewistische dreiging voor geheel Europa ons nooit voor oogen gestaan.

Ook tot duizenden goedwillende Nederlanders, die niet in onze rijen staan, moet dat in deze dagen zijn doorgedrongen.

Hèn moeten wij in deze dagen winnen voor den strijd, door hen ons ongebroken vertrouwen in de overwinning en onze boven allen twijfel verheven trouw aan het Vaderland en daarmee aan Europa in onze daden te toonen.

TROUW EN VERTROUWEN

Wat trouw aan het Vaderland en vertrouwen in een bekwame en bovenal volksgetrouwe leiding vermogen, wanneer het uur der hoogste beproeving is geslagen, bewijst Stalingrad.

Een Vaderland, dat het offer van ons leven waard is, hebben ook wij.

Een Leider, die bewezen heeft ook op het diepste punt onzer geschiedenis de verantwoordelijkheid niet te schuwen en bovenal trouw te zijn aan ons Volk, dienen ook wij.

Nog slechts enkele tienduizenden mogen er bewust en trotsch van getuigen, dat zij de beproeving niet uit den weg zijn gegaan, maar haar mannelijk en fier zijn tegemoet getreden en den baas gebleven.

Moge het voorbeeld van Stalingrad ertoe bijdragen, dat, alle lafaards, domkoppen en gokkers op de toekomst ten spijt, wij erin zullen slagen ons Nederlandsche Volk ervan te overtuigen, dat wij ook de hardste en meest grootsche uren der geschiedenis waardig kunnen zijn, wanneer wij ALLEN SAMEN willen!

Banleider J. J. VAN DER HOUT

Germaansche kameraadschap.
(Teekening: ᛋᛋ - P.K. Cranner - Orbis - Holland).

Cigaretten voor het front

De berichten, die ons de laatste weken vanuit het Oosten bereiken, bewijzen ons, dat de kameraden, die daar hun plicht doen voor hun Volk en voor Europa, een strijd voeren, die zijn weerga in de wereldgeschiedenis niet kent.

Door tienduizenden worden aan het front offers gebracht, die niet onder woorden zijn te brengen, terwijl wij, dank zij hun inzet, een leven kunnen leiden, dat bijna niet afwijkt van het normale.

Meer nog dan tot op dit oogenblik het geval was, moet de W.A. worden ingeschakeld in de verzorging van onze frontsoldaten en hun gezinnen.

In samenwerking met Frontzorg zal de verzorging der vrouwen en kinderen van onze frontstrijders in de komende maanden aanmerkelijk worden uitgebreid.

In verband met het vorengaande beveel ik het volgende:

Elke W.A.-man levert in de periode van Zaterdag 13 tot en met Vrijdag 19 Februari/Sprokkelmaand 1943 van zijn rantsoen cigaretten en tabak één pakje cigaretten in bij zijn Vendelcommandant.

Deze cigaretten worden door mij als extragift van de W.A. ter beschikking gesteld van Frontzorg voor onze kameraden aan het front.

Voor de regeling van deze inzameling verwijs ik naar mijn order No. Cdt/16 van 3 Februari/Sprokkelmaand 1943.

Utrecht, 3 Febr./Sprokkelmaand 1943.
de Commandant,
A. J. ZONDERVAN.

LOSSE NUMMERS 7 CENT
VERSCHIJNT WEKELIJKS

18 FEBRUARI 1943
3e Jaargang No. 24

De ZWARTE SOLDAAT
STRIJDBLAD VAN DE W.A. DER N.S.B.
COMMANDANT: MR. A. J. ZONDERVAN

Hoofdopsteller:	Adres Opstelraad:	Adres Beheer:
Banleider J. J. van der Hout	Postbus 65 — Utrecht — Tel.: 20141	Mgr. Van de Weteringstr. 116, Utrecht - Tel.: 21006

Het beest is losgebroken!

Een der oudste actieve Nederlandsche soldaten viel door moordenaarshand.

Enkele dagen later trof het doodelijke schot een vrouw uit ons midden.

En ook ditmaal was er een W.A.-man bij hen, die vielen.

Het sein tot deze serie lafhartige moordaanslagen werd gegeven door de gebeurtenissen in het Oosten. Het bolsjewistische beest, dat voor den oppervlakkigen beschouwer in den genadeloozen strijd bijna den doodsklop had gekregen, sloeg opnieuw de klauwen uit naar Europa.

Of het een allerlaatste krachtsinspanning is, wie zal het zeggen?

Zeker is, dat Europa alle beschikbare krachten moet mobiliseeren om aan deze gruwelijke dreiging het hoofd te bieden.

Zeker is, dat slechts misdadigers en idioten kunnen hopen op de overwinning der Aziatische horden.

Zeker is, dat twee weken nadat zij de bolsjewieken als bevrijders hadden ingehaald, de organisatoren der feestelijkheden het vreeselijke lot van den bovenlaag der bevolking van andere landen, waar eens het bolsjewisme heerschte, zou deelen.

Daarom hebben wij in deze dagen iets beters te doen dan zinnen op wraak.

Wij hebben op de allereerste plaats tot **eendracht** te brengen al diegenen, die mèt ons den sluipmoord verafschuwen en de heerschappij van het bolsjewisme willen bestrijden.

Wij hebben op de tweede plaats ervoor te zorgen, dat een ieder bemerkt, dat juist tegenslagen en lafhartigheden onzen wil en onze overtuiging sterker maken.

Zooals de Leider getuigde: „Ik heb er nog nooit een stap voor omgeloopen en ik zal het ook nooit doen!"

Zóó moet en zal het oòk voor ieder van ons zijn. Wij zijn immers den strijd niet begonnen om ervan te profiteeren, maar omdat ons hart en ons geweten ons dreven.

Omdat wij tegen alles in gelóófden in dit Volk en ons door niets van onze roeping wilden laten afbrengen.

EENZAAM IN ONS VOLK

Van Geelkerken heeft ons eraan herinnerd: „Zij, die den strijd moeten voeren zooals wij, tijdens een bezetting, komen onvermijdelijk EENZAAM te staan temidden van hun Volk". Wij weten het: het zijn er WEINIGEN en het zùllen er weinigen BLIJVEN, die in deze omstandigheden mèt ons den strijd aanbinden vóór het nationaal-socialisme, maar VELEN zullen er zijn, die wij althans de oogen kunnen openen voor het bolsjewistische gevaar.

Want in groote meerderheid is ons Volk toch nog te gezond en te eerlijk om zich op één lijn te stellen met sluipmoordenaars.

De duizenden, die vooral in het roerige Haarlem langs den weg stonden, toen wij Hendrik Bannink uitdroegen en die hem eerbiedig groetten, waren daarvoor het beste bewijs.

Wij zullen het roode beest weer in boeien moeten slaan, zoowel aan de grenzen van Europa als binnen de grenzen van ons eigen land.

Dit eischt onverbiddelijke hardheid, vooral ook tegenover ons zelf.

Wie in de afgeloopen dagen de duizenden W.A.-mannen heeft zien marcheeren, heeft kunnen zien, wat wij ondanks alle aderlatingen van het front en voor andere taken in de twee jaren sinds 1940 hebben bereikt.

Het zou echter dwaasheid zijn daarmee tevreden te zijn.

De eischen, die aan ons worden gesteld, worden iederen dag grooter en zwaarder.

Het thuisfront begint inderdaad af en toe een klein beetje op een front te gelijken.

HET BESLISSENDE

De band met hen, die zich aan de grens van Europa taai staande houden, zal er slechts door versterkt kunnen worden.

En dat IS en BLIJFT voor onzen strijd het beslissende: dat wij samen onder alle omstandigheden stand houden en bereid zijn het uiterste te geven.

Dan zullen de sluipmoordenaars precies het omgekeerde bereiken als zij dachten, dan zal het vergoten bloed vrucht dragen, dan zal ook òns Volk leven.

Banleider J. J. VAN DER HOUT

GEVALLEN VOOR LEIDER, VOLK EN VADERLAND

LUITENANT-GENERAAL SEYFFARDT

KAMERAADSKE REYDON

WEERMAN BANNINK

De oudste spreuk van de W.A. is: „Alles voor het Vaderland". Daaraan blijven wij allen getrouw, met U, die ons zijt voorgegaan in den dood.

MUSSERT

De geest der W.A.

NADAT de eerste berichten over de sluipmoorden bekend werden en de geruchtenmakers het hunne hadden gedaan om den toestand nog te verergeren en verscherpen, moest op een goeden nacht de Heerban Amsterdam aantreden.

Alarm werd gemaakt.

Des morgens om half vijf meldde een Vendelcommandant 89 man van de 90, een andere 70 van de 72 (dit ondanks alle Weermachtswerk, enz.). Een resultaat, dat op de eerste plaats bewijst, dat ook in de stad de aanwezigheid even goed kàn zijn als op het platteland, waar dergelijke opkomsten veelal normaal zijn, op de tweede plaats, dat wij op de W.A. kunnen rekenen, juist als het gevaar het grootst is.

* * *

TWEEMAAL hebben in één week tijds duizenden weermannen moeten overnachten in een zaal, waar geen enkele gelegenheid was tot behoorlijke legering.

Dat daarbij niet één wanklank werd vernomen, maar dat eenieder deze door de omstandigheden voorgeschreven beperking aanvaardde als vanzelfsprekend, moge bewijzen, dat de geest tusschen Vaderland en front, wat de W.A. betreft, toch niet zoover uiteenloopt. Ieder besefte, dat deze paar nachten zonder slaap niets beteekende tegenover alles wat aan het front wordt uitgehouden, maar anderzijds hadden wij allen de voldoening in deze omstandigheden toch iets meer te mogen doen dan normaal.

* * *

HET heeft geen zin hier uitvoerig te gaan opsommen, wat dit voor al die mannen beteekende. Er waren mijnwerkers, die van de mijn naar den trein waren gekomen en bij terugkeer, ondanks den slapeloozen nacht, onmiddellijk weer de mijn in moesten.

Er waren boeren uit kleine dorpjes, die des nachts om vier uur waren opgestaan om mee te kunnen met hun kameraden.

Maar één ding overheerschte alles: wij hadden de behoefte juist in deze omstandigheden den Leider onze trouw te betuigen en onze eendrachtige offerbereidheid te toonen.

Thans staan allen weer op hun vaak eenzame posten en strijden en overwinnen!

De W.A. leeft!

Onze vrijwilligers onderscheiden zich

Bij de jongste gevechten ten Zuiden van het Ladogameer hebben Nederlandsche vrijwilligers zich bijzonder onderscheiden. Volgens officieele berichten van het front hebben pantserjagers van het Vrijwilligerslegioen Nederland zich ware meesterschutters getoond. Den 31en Januari stonden zij midden in de verdedigingslinie en streden schouder aan schouder met de Duitsche grenadiers tegen den met sterke strijdkrachten oprukkenden vijand. Den 1en Februari bij het aanbreken van den dag, zagen de Nederlanders plotseling zes hevig vurende pantserwagens van het type T 34 van korten afstand naderbij komen, waarop zij deze alle zes in brand schoten. De bolsjewisten konden daarop naar hun uitgangsstellingen worden teruggedrongen. (A.N.P.).

NEDERLAND HEEFT ZIJN EERSTE RIDDERKRUISDRAGER

Gerardus Mooijman onderscheiden door den Führer

De plechtigheid

Gerardus Leonardus Mooijman
(Foto archief)

„Mooijman, ik verzoek U met mij langs de gelederen te gaan." Deze woorden spreekt een Duitsch generaal tot een Nederlandschen vrijwilliger, den negentienjarigen SS-Sturmmann Gerardus Mooijman.

Nauwelijks twee kilometer achter de belangrijkste gevechtslinie staan in den commando-post van een Silezische jagersdivisie een paar mannen, die zich aan het front verdienstelijk hebben gemaakt, aangetreden voor een eenvoudige plechtigheid.

Deze militaire plechtigheid heeft betrekking op een gebeurtenis, die plaats vond in den afweerslag ten Zuiden van het Ladogameer op 13 Februari j.l.

De generaal richt slechts enkele woorden tot den SS-Sturmmann Mooijman en tot de kameraden, die te zijner eere staan aangetreden. Hij stelt vast, dat de jonge Ridderkruisdrager door zijn daad heeft gestreden om den opdracht te vervullen, die Europa heeft, namelijk het bolsjewisme neer te slaan.

Als de generaal hem de hooge dapperheidsonderscheiding overhandigt, weerspiegelt het gelaat van den vrijwilliger der Waffen-SS de bedwongen ontroering van het groote oogenblik, z i j n oogenblik.

Koelbloedig en koen heeft hij op slechts één enkelen dag dertien bolsjewistische tanks buiten gevecht gesteld. Ook vóór dien schitterenden dag had hij reeds het bewijs geleverd een infanterist van groote stoutmoedigheid te zijn.

DAAROM WERD HIJ ONDERSCHEIDEN

Op een nacht hadden de bolsjewisten nabij het tankafweerkanon, dat onder leiding van Mooijman stond, een stuk zwaar geschut in stelling gebracht. Door een lichtkogel was hierop de aandacht van onze mannen gevestigd.

Mooijman richtte zijn kanon op de vijandelijke vuurstelling. Daarna trok hij er met slechts twee kameraden op uit. De twee mannen moesten hem vuurdekking geven met een machinegeweer en een machinepistool. Hij zelf nam een mijn mee om het vijandelijke kanon, dat zeer gevaarlijk voor hem kon worden, uit den weg te ruimen. Bij het kanon gekomen, zag hij, dat de bolsjewisten, die het bedienden, reeds waren vernietigd door de granaten van zijn eigen kanon. Het vijandelijk geschut was echter nog intact. Hij bevestigde zijn mijn aan den loop! Klaar!

Zoo verliep de nacht voor den grooten aanval. Daarna brak de dag aan. Door het terrein voor de stelling van Mooijman huilden de granaten van de bolsjewistische batterijen. Rondom het stuk van den SS-Sturmmann loeide twee uur lang het trommelvuur.

Met de mannen van zijn stuk wachtte hij in de wetenschap, dat spoedig de tanks zouden komen. En weldra naderden zij ook inderdaad, kruipend en schommelend.

Hierna begon de strijd met de granaten. Tien tegen één. Mooijman bediende zelf zijn kanon. Zijn granaten vernielden loopen, kettingen en geschuttorens der bolsjewistische tanks. In enkele minuten schoot hij vier stuks in brand.

Hardnekkige vuurgevechten volgden, waarbij in korten tijd nog drie tanks werden opgeruimd. Na deze botsing keerden de resteerende drie tanks om.

Nauwelijks waren de Nederlandsche tankjagers eenigszins op adem gekomen of daar kwam een nieuwe, nog sterkere golf vijandelijke tanks te voorschijn, twintig stuks in totaal. Op superieure wijze leidde de jonge stukscommandant het vuur en wees de bediening van zijn kanon rustig de vijandelijke doelen aan.

Wederom werden zes tanks in brand geschoten. Daarmede stortte de vijandelijke aanval volkomen ineen. Op dezen gedenkwaardigen dag werden dus dertien tanks vernietigd door het geschut van kameraad Mooijman.

SS-PROPAGANDA-KOMPAGNIE

Een frontbrief van Mooijman

In een den derden Februari j.l. gedateerden **brief aan zijn familie schrijft kameraad Mooijman:**

„. . . . Zeven Russische divisies probeeren ons in storm te vernietigen. Bij duizenden stormen zij op onze stellingen af en bij duizenden worden ze vernietigd. Telkens weder werpt hij nieuwe troepen in den strijd, maar wij houden de stelling en wanneer hij op een punt weet door te breken, dan maken wij achter hem de deur toe en hakken hem in de pan".

Eenige alinea's verder schrijft hij:

„Hedenmorgen beleefde ik de grootste sensatie van mijn leven. Dat waar ik op gewacht had, kwam: negen pantserwagens stormen op onze stellingen af. Het toeval wilde, dat ik net mijn posten ging controleeren, toen hoorde ik pantsergedruisch. Ik spring aan mijn „geschütz" en zeg tegen mijn tweeden kanonnier: weg, laat mij maar schieten, jij moet maar laden. Ik geef twee schoten af en daar brandt de eerste pantser, maar rijdt niettegenstaande verder. Den tweeden pantser geef ik een schot. Na dit schot wil de leege huls er niet meer uit; dus we kunnen niet meer schieten en de pantsers komen steeds dichter bij. Ik huil en schreeuw van machtelooze woede. Daar schiet mij wat te binnen, ik ren uit mijn stelling het land in, gevolg door mijn tweeden kanonnier. Na een oogenblik vind ik een dunnen stok, duw dien voor in den loop en stoot tegen die leege huls met het resultaat, dat zij er aan den achterkant uitvalt. Nu is het de hoogste tijd geworden: 9 zware tanks zijn tot op een afstand van 400 meter genaderd. Duidelijk kan men de grauwe monsters herkennen. Snel nog twee kisten granaten aan het geschut en met een krijgsgehuil neem ik plaats achter de richtinstrumenten. Misschien kun je begrijpen, wat er in dat moment in mij omging — ik schreeuwde tegen mijn kanonnier: overwinnen of sterven! Daar ging het dan loos. Met groote snelheid vliegen de granaten uit den loop. Razend snel richt ik na elk schot het geschut. Ja, na negen schoten, het is bijna onmogelijk, branden vier tanks en blijven stilstaan, een oogenblik daarna vliegen zij door hun eigen munitie, die zij in den pantser hebben, in de lucht. De andere vijf tanks, die wat achter gebleven waren en dat gezien hadden, draaiden om en gingen aan den haal. Van deze pantsers wist ik er vier te beschadigen. O, wat een pech, wanneer die leege huls niet had geklemd dan had ik ze alle negen kapot geschoten."

Voorjaarsmarsch Rotterdam

Op 11 April a.s. zal te Rotterdam en omgeving de voorjaarsmarsch worden gehouden van Heerban 5 der W.A.

Kameraadskes en kameraden, die hieraan willen deelnemen, dienen zich zoo spoedig mogelijk op te geven bij het Heerbankwartier der W.A., Westersingel 55 te Rotterdam (C.) onder gelijktijdige overmaking van gld. 0,50 inschrijfgeld.

Zangcursussen

Evenals het vorige jaar zullen er ook dit jaar wederom zangcursussen worden gegeven op de vormingsschool „De Scheeleberg" bij Lunteren, en wel van 3—10 April 1943 van 9—16 October 1943.

Hieraan kunnen alle W.A.-zanginstructeurs en -leiders deelnemen; echter ook zij, die graag in opleiding gaan voor zangleider en later hun diensten op dit gebied aan de W.A. willen geven.

Aan de deelneming zijn geen kosten verbonden; alleen de reiskosten moeten door de deelnemers zelf worden betaald.

Mochten er kameraden zijn die dezen cursus graag willen volgen doch de reiskosten niet kunnen betalen, dan kunnen zij zich toch opgeven bij het Stafkwartier der W.A., Afdeeling VII, dienst zang.

(Teekening: SS-P.K. Cranner-O.-H.)

ZOO KONDEN KAMERADEN AAN HET FRONT KERSTMIS VIEREN, DANK ZIJ HET WERK VAN FRONTZORG.

Vergeet daarom dit werk niet.

Stort nog vandaag een bedrag op girorekening 106156 ten name van kameraadske E. Kröller-Schäfer te Rotterdam voor

FRONTZORG!

11 CENT

STORM SS

WEEKBLAD DER GERMAANSCHE SS IN NEDERLAND

12 MAART 1943 ● TWEEDE JAARGANG NUMMER 49 ● VERSCHIJNT WEKELIJKS ● UITGEVERIJ „STORM", HEKELVELD 15A, AMSTERDAM-C.

GERARD MOOYMAN SCHRIJFT:

De Nederlandsche vrijwilliger Gerard Mooyman werd door den Führer begiftigd met het Ridderkruis bij het IJzeren Kruis. Zooals men weet, schoot hij in totaal zeventien sowjet-pantsers in brand. Maar dat was niet de eenige maal dat Mooyman toonde, te zijn gesneden uit het allerbeste hout.
Wij drukken hieronder een brief af van Gerard Mooyman aan zijn meisje Ria. Uit dezen brief blijkt, bij welke gelegenheid hij het IJzeren Kruis Ie en IIe klasse verwierf.

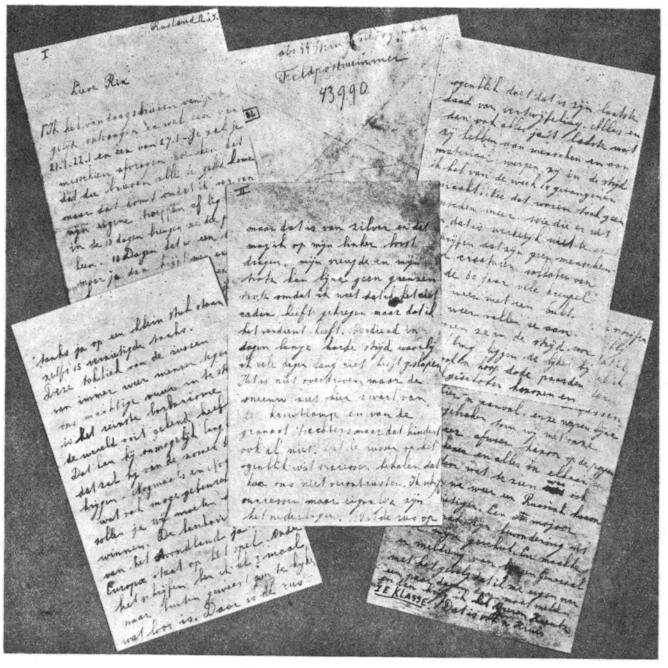

Lieve Ria,

Ik heb vandaag drie brieven van je tegelijk ontvangen en wel een van 21-1, 22-1 en een van 27-1. Je zal je misschien afvragen hoe kan dat, dat die brieven alle tegelijk komen .Maar dat komt, omdat ik ver van mijn eigen troepen af lig en eens in de 10 dagen brengen ze de post hierheen. Tien dagen, dat is een lange tijd, maar ja, dan krijgt men er elken keer een paar tegelijk en dat is ook wel leuk. Zooals ik uit je brief vernomen heb, moet je eerstdaags voor een weekje naar het ziekenhuis. Dat is niet zoo mooi. Maar ja, wanneer het beter is voor je gezondheid, dan moet je toch maar gaan en verder moet je je niet bang maken, want dat is overbodig en we zullen maar hopen, dat je snel weer gezond zal zijn. Wat mijn gezondheid aangaat, dat is nog altijd prima in orde. Dat wil zeggen, op een paar kleine schrammen na. Vijf dagen geleden sloeg er een granaat in op 5 meter afstand van mij. Snel dook ik onder in de loopgraaf. Maar het was iets te laat, ik kreeg twee splinters in mijn linker wang. Maar het is niet slim, hoor, het waren twee heel kleine splinters. Ik liet me direct bij het Roode Kruis verbinden en keerde even opgewekt als tevoren naar mijn loopgraaf terug. Ach ja, dat is zoo'n alledaagsche gebeurtenis.
In mijn vorigen brief heb ik je iets geschreven van wat ik meemaak hier. Dat is echter niet mijn gewoonte. Mijn zwarigheid en dergelijke hou ik liever voor me. En je mocht misschien op de gedachte komen, dat ik alles fantaseer, dat is echter niet zoo, daar hou ik heelemaal niet van. En de feiten spreken voor zichzelf. Daar ik de 6de van deze maand ben onderscheiden met het IJzeren Kruis 2de klasse. Dat is een prachtig kruis met een mooi rood-wit-zwart lintje eraan, dat kruis mag men maar 24 uur dragen. Dan moet het eraf en mag men alleen nog maar het roode lintje dragen. Je weet wel, net zoo als dat andere, dat ik had. Ik ben de eerste Hollander in de Kompagnie, die het IJzeren Kruis heeft gekregen. Ook ben ik de jongste Geschützführer. Maar dat maakt niks uit. Wel kan ik je schrijven, dat ik er heelemaal niet blij mee was, omdat ik wist, dat ik meer verdiend had. Dat heb ik dan ook een paar dagen later laten zien, toen deden de Russen hier een aanval en ze waren bijna doorgebroken, toen wij met ons pantser-afweerkanon op de proppen verschenen en alles in elkaar schoten wat te zien was. Ook wisten we weer een Russisch kanon te vernietigen. Een majoor hier sprak zijn bewondering uit over mijn geschut. En maakte er melding van bij een generaal met het gevolg, dat ik mij over een paar dagen daar moet melden en ik krijg **het IJzeren Kruis 1ste klasse.** Dat is ook een kruis, maar dat is van zilver en dat mag ik op mijn linkerborst dragen. Mijn vreugde en mijn trots kennen geen grenzen. Trots, omdat ik weet, dat ik het niet cadeau heb gekregen, maar dat ik het verdiend heb. Verdiend in dagenlangen harden strijd, waarbij ik vele dagen lang niet heb geslapen. Het is niet overdreven, maar de sneeuw ziet hier zwart van de kruitdamp en van de granaattrechters. Maar dat hindert ook al niet. Dat de Russen op het oogenblik wat successen behalen, dat kan ons niet verontrusten. Ik schrijf successen, maar eigenlijk zijn het nederlagen. Wat de Rus op het oogenblik doet, dat is zijn laatste daad van vertwijfeling. Alles en dan ook alles, ja, het laatste wat zij hebben, aan menschen en aan materiaal, werpen zij in den strijd.
Ik heb van de week veertien gevangenen gemaakt. Nee, dat waren toch geen menschen meer. Hoe die eruit zien, dat is werkelijk niet te beschrijven. Het zijn geen menschen, maar creaturen, soldaten van over de 60 jaar, vele kreupel, andere weer met een bult. Immer weer vallen zij aan, alles gooien zij in den strijd. Voor onze stelling liggen de lijken bij hoopen, ook een hoop doode paarden, vele stuk geschoten kanonnen en tanks, ja, op een klein stuk staan zelfs vijftien vernietigde tanks. Deze tactiek van de Russen van immer weer menschen tegen ons machtige vuur in te sturen, is het reinste barbarisme, wat de wereld ooit gekend heeft. Dit kan hij onmogelijk lang uithouden. Dat zal hij van den zomer te speuren krijgen. Nogmaals en nogmaals, wat ook moge gebeuren, wij zullen, ja, wij moeten den Krieg winnen. De beschaving en kultuur van het Avondland, ja, van heel Europa, staat op het spel. Onder het schrijven ben ik al drie maal naar buiten geweest om te kijken wat loos is. Daar is de Rus weer bezig met zijn propaganda. Eerst met goede woorden, maar we laten hem niet uitpraten. Elken keer laten we onze machinegeweren ratelen. Dan wordt hij kwaad en dreigt hij ons te zullen vernietigen. Maar dat kan hij probeeren, maar, eerlijk gezegd, geef ik hem weinig kans. Een infanterist van onze zijde schreeuwt hem toe om over d'r eigen lijken voorwaarts stormend ons te vernietigen. Waarmee hij zeggen wil, dat, wanneer men over de eigen lijken moet kruipen, men den moed in de schoenen moet verliezen.
Om op een ander thema te komen. Wat het koopen van die stof aangaat, maak daar heusch maar geen haast mee, je wacht maar zoo lang, totdat je iets ziet, wat naar je zin is. Verder schreef je, dat je hoopte, dat ik snel weer bij je zou zijn. Eerlijk gezegd, hoop ik dat ook, niets liever dan dat. Ja, dan kon ik je ook mijn twee IJzeren Kruisen laten zien. Ja, kindje, daar ben ik geweldig trotsch op, vooral op dat IJzeren Kruis **1ste klasse.** Want dat hebben er maar heel weinig. Ook kan ik je schrijven, dat mijn bevordering weer voor de deur staat.
Lieveling, je weet niet, hoe ik op het oogenblik naar je verlang. Buiten schijnt wat loos te zijn. Ik moet maar naar mijn geschut. Daar zijn twee jongens van mij op wacht. Alles kerels, waarop ik kan vertrouwen. Ook voor de soldaten van de Wehrmacht mijn bewondering. Ons vrijwilligers kan je niet rekenen. Wij staan onzen man, daarvoor zijn we ook vrijwillig. Taai und verbissen wird hier bis zum letzten **Atemzuge gekämpft.** Nee, daar was ik bijna wat vergeten, en wel die foto vind ik werkelijk zeer mooi. Ik heb 'm aan al mijn kameraden laten zien. En die vonden 'm gewoonweg af. Dat je er treurig op staat, dat is onzin. Je had misschien wat vroolijker kunnen kijken, maar daar zijn de tijden niet naar en een gemaakte lach op een foto is nooit mooi, maar is grosser Mist.
Dus, doe me een plezier en stuur er nog een op, daar deze wat verkreukeld is aangekomen. Verder moet je maar niet naar het schrijven kijken, want inkt heb ik niet en een tafel is niet in onzen bunker, zoodat ik me maar neergezet heb op een kist. Ik heb een stuk plank genomen en die heb ik op m'n knie gelegd. Macht alles nichts. Hoofdzaak is, dat je post van me krijgt en je hebt niet te klagen, dat ze kort zijn ook.
Verder de hartelijke groeten en vele kussen van je

GERARD.

FRONTZORG-
brieven
W. KLERK

DE REDDENDE ENGEL

Uw pakjes met briefpapier in grooten dank ontvangen. Ik was er zeer door verrast en juist door mijn papier heen. Maar Frontzorg is altijd mijn reddende engel geweest. Nogmaals bedankt voor alle goede zorgen hoor! Hoe gaat het in ons landje en met de Beweging? Daar hooren we hier niet veel van en daarom is het mijn bedoeling uit verschillende deelen van het land brieven te vragen. De een weet dit, de ander dat te schrijven. U weet wel, wat het voor ons beteekent contact met het Vaderland te kunnen behouden. Ontvang dan de hartelijke groeten en ik wensch U veel strijdlust toe. Eens zal de dag komen, dat wij met onzen Leider kunnen opmarcheeren en daarop wachten wij allemaal met spanning en ongeduld. Hou Zee!

Ob. Strm. H. v. d. Veen

POST BRENGT ZOO-VEEL VREUGDE

....Het was Zondag en alle jongens van de kamer maakten zich netjes om de stad in te gaan, toen er geroepen werd: „Post afhalen". Onze jongste Kameraad Rudi (hij is 16 jaar) haalde de post en riep onze namen. Ineens riep hij mijn naam. Ik antwoordde „Hier!" Een brief van Frontzorg! Toevallig had ik de dag te voren in de Vova mijn naam gelezen en nu kwam Uw brief, waar ik heel blij mee was. Van mijn Ouders hoor ik geen taal of teeken, maar dat is zoo erg niet. Als Mussert maar wint en het Legioen terugkomt, dan zullen wij wel weer eens verder zien.

Het zal nu niet zoo lang meer duren en dan gaan we naar het front. Onze opleiding is al haast achter den rug. En de Sovjets zullen weten, dat ik naar het front ga, reken daar maar op!

Nu ga ik echter weer eindigen, anders krijg ik nog met mijn kameraden ruzié, want die willen ook hun naam onder de brief zetten. Misschien dat ze dan ook post uit Holland kunnen krijgen, zeggen ze. Doet U Uw best ook eens voor hen? Heel veel groeten en een krachtig Hou Zee!

Leg. Freiw. A. v. d. Meapel
H. Velt.
H. de Haan.

TWEE JAAR NIETS GEHOORD

....Drie tot vier meter sneeuw is hier geen nieuwtje. En dan te denken, dat het in Holland nu volop zomer is! U begrijpt, dat het dikwijls moeilijk is aan die stilte en eenzaamheid te wennen, vooral als men heelemaal zonder post zit. Meer dan twee jaar heb ik al niets meer uit mijn Vaderland gehoord en als ik dan eens hoor of bij toeval lees, hoe het er eigenlijk voor staat, dan zou ik zoo wel even een kijkje gaan nemen. Maar dat gaat nu niet en verlof schijnt voorloopig ook nog niet los te komen. Nu wilde ik U vragen, aan U kameraden te vragen aan mij te willen schrijven. Ik zou het fijn vinden, weer eens iets te hooren en zou U er erg dankbaar voor zijn.

In de hoop nu binnenkort post te mogen verwachten sluit ik met Hou Zee voor Volk en Leider.

C. Kemperman.

IK HOOR NOOIT IETS

....Ik lig hier ergens in Europa. Mijn hart slaat echter alleen voor ons mooi landje, maar ik hoor er nooit iets van. Daarom schrijf ik U, in de hoop, eindelijk eens post te mogen ontvangen. Kunt U daarvoor zorgen? In de hoop, dat U aan mijn verzoek kunt voldoen, eindig ik met heel veel dank en een krachtig Hou Zee!

SS. Sch. Henny de Bruyne.

WEER GENEZEN

.... Met een dak teeren heb ik mijn handen verbrand en daardoor bloedvergiftiging gekregen, maar gelukkig is het nu over en ben ik weer bij mijn kameraden terug. Bij mij in het lazaret lag nog een Hollander n.l. Jan van Zijst, maar die lag een étage hooger, daardoor wist ik het pas later.

De lectuur hebben we in dank ontvangen en waren blij weer eens iets Hollandsch te lezen te hebben. We liggen hier met 4 kameraden op een kamer, dus als U nog eens iets over heeft, zouden we dit heel graag willen hebben. Mede namens mijn andere kameraden zeg ik U nogmaals hartelijk dank en tot de volgende keer maar weer.

Hou Zee!

F. A. J. Hendriks.

THUIS ALLEMAAL ANTI

....Ik zou graag wat post uit het Vaderland ontvangen. Doordat ik bij de Waffen SS. gegaan ben krijg ik weinig post en in Groningen zijn ze allemaal tegen mij omdat ik mijn plicht doe. Bij voorbaat hartelijk dank. Hou Zee!

SS. Pz. Gren. Gerh. Ch. v. Marm.

MIJN TWEE BROERS VERWOND

....U zult wel denken, wie is die Theo Blom, maar ik kreeg Uw adres van een Kameraad, waar Frontzorg ook mee in verbinding staat. Hij zei mij, dat ik er ook best eens heen kon schrijven, omdat ik, buiten de post van mijn beide broers die ook aan het front zijn, geen brieven of lectuur ontvang. Mijn broers zijn verwond en ik heb lang niets meer van hen gehoord.

Het is lang geleden, dat ik thuis geweest ben en ik hoop dan eens gauw met verlof te kunnen komen. Het bevalt me hier best en we hebben zooveel mooi weer gehad, dat we allemaal chocoladebruin geworden zijn.

Is het waar, dat de koeken in Holland nog zoo lekker zijn? U moet n.l. weten, dat ik niet veel rook (dat is een stille wenk).

Beste Kameraden, schrijf eens gauw terug. Ik wacht met verlangen op post uit Holland. Jullie Kameraad,

SS. Pz. Gren. Theo Blom.

TWEE N.S.K.K.'ERS VRAGEN POST

Met deze hebben wij aan de Frontzorgkameraden een vraag. Wij zijn twee kameraden bij het NSKK en ontvangen heel weinig post. Zou het mogelijk zijn iets voor ons te doen dan zouden wij heel dankbaar zijn. Onze namen zijn:

Strm. Y. Mourik.
Strm. Pe. Gravesteyn.

Hou Zee!

OP EEN EENZAME POST

....Wij hooren hier veel lof over Frontzorg en wij weten, dat Frontzorg al het mogelijke doet om het den soldaten aan het front naar den zin te maken en tot steun te zijn. Daarom heb ik besloten een beroep op U te doen. Ik ziet hier op een eenzame post. Het dichtstbijzijnde kleine dorp is een uur loopen en een tram of zooiets dergelijks is hier niet. Een radio is ons vreemd en de kranten, die wij zoo af en toe in handen krijgen zijn weken oud. Maar het ergste is, dat wij geen post krijgen. Als hier de post binnenkomt en men hoort dan steeds andere namen afroepen, gaan dikwijls mijn gedachten naar mijn Vaderland terug en vraag mij af of er dan werkelijk niemand te vinden zal zijn, die eens een paar vriendelijke woorden voor een soldaat over heeft. Ik weet, heel wat jongens vragen om correspondentie en er zijn er zeer velen, die nooit uit Holland iets hooren. Toch weet ik zeker, dat ik niet tevergeefs aan U heb geschreven. Hou Zee voor Leider, Volk en Vaderland.

Strm. W. W. OTTEN

DE SPIEGEL HEEFT HAAST

„Hédaar, vervloekt, kalm aan! Je kunt me toch wel den tijd laten om me aan te kleeden?!"

(Marc' Aurelio)

VLIEGEN ETEN UIT DE HAND

....Nu ik toch eenmaal aan het schrijven ben, kan ik meteen wel eens iets van hier vertellen. Het is prachtig warm weer, juist goed om te zwemmen. Maar als je dienst hebt gaat het natuurlijk niet. De vliegen zijn zoo tam, dat ze uit je hand eten. Ook wel eens lastig, want als je zit te schrijven, moet je ze telkens verjagen. Het fruit is hier veel vroeger dan in Holland, maar veel hebben we niet gezien. Nu zijn binnenkort de pruimen en perziken rijp en kunnen we daarvan genieten. Nu moet ik eindigen. De hartelijke groeten en een krachtig Hou Zee!

Strm. THEO ANNOKKEE

HARTELIJK DANK!

Tot onze groote vreugde werden wij de vorige week verrast door een pakje van Frontzorg. Het was de eerste maal, dat wij iets ontvingen en wij hadden al gedacht, dat men ons zou vergeten, maar zie daar, ook wij Nachrichtenmänner komen aan de beurt. Ook hadden wij gehoord, dat wij niet voor frontpakketten in aanmerking kwamen, maar als ik nu met verlof kom zal ik toch de stoute schoenen maar eens aantrekken en naar U toe komen. U kunt gerust gelooven, dat wij erg blij zijn met het kleinste geschenk dat wij uit Holland toegestuurd krijgen, want al zitten we dan niet in de steppen van Rusland, wij doen toch ook onzen plicht hier, ver van vrouw en kind.

Een blijk van medeleven wordt altijd gewaardeerd. Wij danken alle kam. dan ook recht hartelijk en hopen nog eens gauw wat van U te mogen vernemen. Met een krachtig Hou Zee!

Strm. J. TER HEEGE
Strm. W. HETTELDER

UIT HET SOVJET-PARADIJS

....De 17e Mei kwamen er vier bandieten, zich noemende „Partisanen" in een dorp op bezoek bij een vrouw en kinderen. Zij gaven de vrouw een mijn met springstof en de opdracht dien nacht dit op een spoorrails te leggen, opdat trein zoo en zooveel in de lucht zou vliegen. Bij weigering zou de dood volgen.

De vrouw vertelde het 's avonds aan haar man en die beging de domheid alles wat de partisanen gebracht hadden, weg te smijten. Daags daarop bleef hij thuis om eventueel bezoek af te wachten. Zij kwamen inderdaad, grepen de man, bonden hem aan een boom, pakten daarna de vrouw, hakten de vingers af, ontkleedden haar en sneden de buik open, sloegen de man half dood en vertrokken met de springstof en het pistool naar een nieuw slachtoffer. Deze aanvaardde de door de partisanen gegeven opdracht, maar toen zij weggingen schoot hij er twee als honden neer, terwijl de anderen vluchtten. Toen ging hij naar de ϟϟ hulp vragen, die op hun beurt de man met zijn gezin in veiligheid brachten.

Zoo zijn de partisanen, door pastoors en dominee's in Nederland verheerlijkt. Wat zouden die zich de oogen uitwrijven, als zij hier eens woonden!

Wij, die den strijd op leven en dood met de bandieten voeren ontvangen van de bevolking melk en eieren uit dank, dat zij hun godsdienst weer kunnen beleiden, terwijl in Nederland de priesters zich één noemen met dit tuig der aarde. Door middel van fotografieën zou ik kunnen aantoonen, hoe dit volk geknecht wordt. Zij wonen in erbarmelijke houten of aarden hutten, hebben geen emmer, geen zeep, geen soda, suiker of lucifers, geen lampen of ander licht, geen radio of muziek, drinken slootwater, hebben geen schoenen of behoorlijke kleeding, kortom het zijn wandelende lompen, bezaaid met luizen. Zout hebben ze niet, stoelen en bedden hebben zij niet. Het is alles armoede en ellende. De woningen bewegen zich van het ongedierte. Electriciteit, gas of waterleidingen zie je alleen in de stad. Boomschors dient als voetbekleeding. Als deze horde zou zegevieren, zouden de jammerkreten het hardst klinken van de zijde van hen, die een overwinning van de Engelsch-bolsjewistische plutocratenkliek voorstaan. Daarom, met God voor Volk en Vaderland, met Mussert voor een nieuw Nederland. Hou Zee!

ϟϟ-Strm. B. J. C. J. Beyer.

Vele brieven zijn reeds bij Frontzorg binnengekomen aan onbekende frontkameraden, maar nog steeds is het niet genoeg. Nog steeds zijn er honderden die geen contact met het Vaderland hebben en toch, vooral in dezen tijd, veel van ons willen hooren. Juist de mannen die ditmaal niet zoo gelukkig waren, met verlof te kunnen komen, snakken naar post. Schrijft hun vandaag nog en stelt hen niet teleur!

BRIEVEN

Indien u het adres of veldpostnummer van een soldaat niet weet, stuur dan uw brieven en tijdschriften aan Frontzorg in dubbelen briefomslag, dan zorgen wij ervoor, dat het betreffende adres of nummer er op geschreven wordt en dat ze verder gestuurd worden. Vergeet echter niet den buitensten briefomslag van een postzegel te voorzien. Het adres aan Frontzorg luidt: Zeemanstraat 14, Rotterdam. Onze mannen wachten op uw brieven. Kent uw plicht!

TIJDSCHRIFTEN

Hebt gij deze week Uw tijdschriften en andere lectuur al naar het Hoofdkantoor van Frontzorg gestuurd? U weet toch, dat U er onze jongens een groot plezier mee doet en hun tegelijkertijd ook op deze manier kunt laten voelen, hoe sterk de band tusschen het Front en het Vaderland is. In hun vrijen tijd lezen zij graag wat er hier in Nederland gebeurt. Aan ons de plicht hun in de gelegenheid te stellen van alles op de hoogte te blijven. Gaarne verwachten wij uw zendingen. Wij zullen zorgen, dat zij nog denzelfden dag naar hen worden doorgestuurd. Ons adres kent u: Zeemansstraat 14, Rotterdam.

NOG EEN DANKBARE KAMERAAD

.... Mijn hartelijken dank voor een deel van de frontzorgdoos, die mij door een kameraad bezorgd werd. Ook uw gezelligen brief zoo juist ontvangen. Als U tijd heeft, schrijft U dan nog eens? Met de beste wenschen voor alle Kam.

ϟϟ-Strm. Th. G. Koenders.

NATUURLIJK KOMT 'T IN ORDE

.... Ik wilde ook zoo graag eens een paar brieven uit het Vaderland ontvangen, want heelemaal geen post, dat is ook niets. Toen kwam als reddende engel de Vova in mijn handen en besloot maar direct even een paar woordjes naar Moeder Frontzorg te schrijven, dan weet ik dat het vast in orde komt. Kan ik op een berg brieven rekenen of is dat te veel gevraagd? Met een paar ben ik ook al heel tevreden hoor. Laat maar eens gauw wat hooren, ik wacht met spanning. Hou Zee en Heil Hitler.

Gefr. A. Veenendaal.

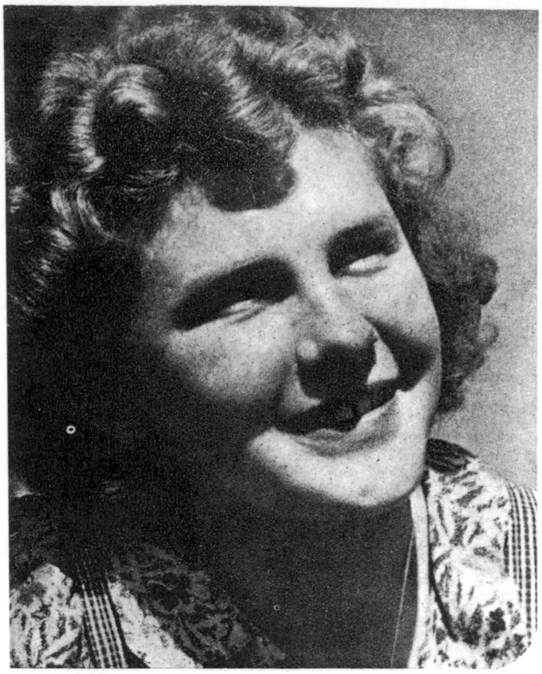

WELKE VROUW KI

Doel en zin van het huwelijk. Waarom is het noodzakelijk, dat de ϟϟ man zich daarmede bezig houdt?

In de voorbije periode van democratische verwording was het huwelijk eer een ontstellend probleem, dan een verheugend verschijnsel. Het vormde het onderwerp van tallooze zwaarwichtige romans, van psychologische tooneelstukken, van cursussen en radiopraatjes, pamfletten en dikke handboeken. Het sexueele vraagstuk, het kinderlooze huwelijk, het kameraadschapshuwelijk, het driehoekshuwelijk, — teveel variaties om op te noemen. Wie niet van alle gezond instinct verstoken was, walgde van de onfrissche belangstelling, die de ontsporing van het huwelijk algemeen genoot. Psycho-analytici, bureaux voor huwelijksmoeilijkheden, psychologen en karakterologen, allen hielden zich bezig met het lijmen der gebroken verbintenissen. Maar de chaos liet zich niet ordenen.

Wat was hiervan de oorzaak?

Men trouwde, omdat men elkaar beviel en meende, elk voor zich, in het huwelijk gelukkig te zullen worden. Bleek dit „gelukkig worden" niet zoo heel eenvoudig te gaan; dan maakte men aldra de gevolgtrekking „niet bij elkaar te passen". Dit was reden genoeg de verbintenis als mislukt te beschouwen. Het gestelde doel: dat het huwelijk beide partners aangenaam zou zijn, was niet bereikt. Waartoe de verbintenis dan bestendigd? Inderdaad, bij afwezigheid van een hooger doel had zulk een huwelijk dan ook geen zin meer.

Het is echter mogelijk het huwelijk een hoogere bedoeling toe te kennen en wel een, welke in overeenstemming is met de machtige natuurwetten, die het leven beheerschen. Berust een huwelijk op dezen grondslag, dan werken deze machtige factoren mee tot het welslagen. Nietzsche ziet het huwelijk als de tuin, waarin de mensch zichzelf veredelt, gelijk de kweeker zijn planten. Veredeling en schoonst mogelijke ontplooiing blijkt het doel der geheele levende natuur. Ook het huwelijk moet aan dit streven beantwoorden, wil het met de natuurlijke orde in overeenstemming zijn.

Vanwaar, waarheen?

Zoolang de menschheid bestaat, heeft zij zich bezig gehouden met de vraag, wat de grond is van haar bestaan en volgens welke wetten zich dit voltrekt. Reeds lang is ons bekend, dat wij slechts een klein deel vormen van een geweldig scheppingswerk. Gelijk alle andere levende wezens zijn wij onderworpen aan deze opdracht:

In den strijd om het bestaan moeten wij ons bestaansrecht bewijzen. Dit geldt niet slechts voor den strijd om het dagelijksch brood. Ook in wijderen zin, voor den strijd om de voortplanting. Ook hierin moeten wij zegevieren. Dat kunnen wij in ons nageslacht. Dat willen wij, omdat in ons leeft de goddelijke drang het menschelijk geslacht in stand te houden. Elk levend wezen is onderworpen aan deze oer-aandrift tot instandhouding der soort. Bij den mensch verleent zijn eeuwigheidsverlangen dezen aandrift nog een bijzondere wijding en kracht.

Onnatuurlijke wereldbeschouwingen laten dezen klaarblijkelijken zin van het leven buiten beschouwing, doordat zij den mensch een eeuwig leven voorspiegelen, dat geheel los staat van het natuurlijk gebeuren. Zij veronderstellen daarbij, dat de menschelijke geest uit het groote verband van ontstaan, bloeien en vergaan in de natuur los gemaakt kan worden. Zulke leerstellingen doen de natuur geweld aan, daar elk wezen onverbrekelijk aan het geheel der levende natuur gebonden is. Vinden dergelijke wereldbeschouwingen groote verbreiding, dan kunnen zij tijdelijk de scheppingskracht van heele volken verlammen.

Om zich de juiste vrouw tot gade te kiezen is het noodzakelijk de wetten te kennen, welke het leven bepalen.

Het leven is ouder dan de mensch. Deze verschijnt eerst in de allerjongste periode der ontwikkelingsgeschiedenis. Hij vormt als het ware de kroon van den oerouden levensboom. Uit het zeer hoog ontwikkelde dier ontstond langzamerhand de mensch. Het dier ontving bij zijn instinct het verstand en werd tot mensch. Dit bracht hem tot andere inrichting van zijn leven, tot onderkennen der natuurwetten, daardoor tot beheersching van natuurverschijnselen.

Doch de ontwikkeling bleef hierbij niet staan. De menschwording voltrok zich in verschillende levensruimten langs afwijkende lijnen. In elke ruimte golden specifieke wetten, welke met klimaat en bodemgesteldheid samenhingen. Er vond een zifting plaats, zoodat slechts die individuen op den duur tot voortplanting kwamen, die voor deze ruimte de beste eigenschappen bezaten. Dit was een veredelingsproces, dat de allerzwaarste eischen stelde aan lichaam, geest en karakter. Maar alleen op deze wijze kon het voor die ruimte hoogstwaardige type, het ras ontstaan. De natuurwetten leidden tot deze ontwikkeling, wij moeten daarom in deze lijn verder gaan en het ras zuiver in stand houden.

Ras en volk

Oorspronkelijk waren ras en volk twee begrippen, die elkaar dekten. In den loop der tijden kwamen echter de rassen met elkander in aanraking, zoodat binnen één volk vertegenwoordigers van verwante en vreemde rassen elkaar vonden. Het volk nam verwant of vreemd bloed op. Het eerste levert niet veel gevaar, daar het ras het dragende grondelement in het volk blijft vormen. Dit is o.a. het geval bij het Noordraselement in de Germaansche volken.

Vermengden zich echter twee wezenlijk verschillende rassen, zooals met de joden het geval was, dan vertoonden deze mengvolken ontbindende eigenschappen en zouden in staat zijn de geheele goddelijke ordening onder den voet te loopen. Want uit den al te zeer verschillenden aanleg van beiden kan zich geen gaaf geheel vormen. Er ontstaan tegengesteld gerichte strevingen.

Wat voor de joden geldt, is ook van toepassing op vermenging van koloniale volken met het overheerschende volk.

Rasinstinct en rastrots zijn bevorderlijk voor de zuivere instandhouding van het ras. De *rassenhaat* deed zich eerst gelden, toen de volken het probleem van rassenmenging leerden kennen. Immers zij zagen daarin een bedreiging van hun voortbestaan. De rassenstrijd is geen uitvinding van het nationaalsocialisme, doch dient den goddelijken wil, soorten te scheppen en in stand te houden.

Bij de kruising van exemplaren met tegengestelde eigenschappen worden in de dieren-, noch in de plantenwereld duurzaam goede resultaten bereikt. Een bestendig succes bleek slechts, wanneer een veredeling werd bevorderd door slechts de uitgelezensten tot voortplanting te laten komen.

De wet van den strijd om het bestaan wordt door twee factoren beheerscht: de vruchtbaarheid en de zifting. Zij zijn op alle rassen en soorten van toepassing. Uit een overvloed van exemplaren komen slechts die tot voortplanting, welke tegen de harde natuurwetten bestand zijn. Op deze wijze komt een natuurlijke veredeling tot stand, welke het voortbestaan der soort waarborgt.

Op overeenkomstige wijze dient de mensch mede te werken aan de instandhouding van zijn soort. Hij kent nu de wetten, welke de natuur tot dit doel stelt en brengt zijn leven daarmede in overeen-

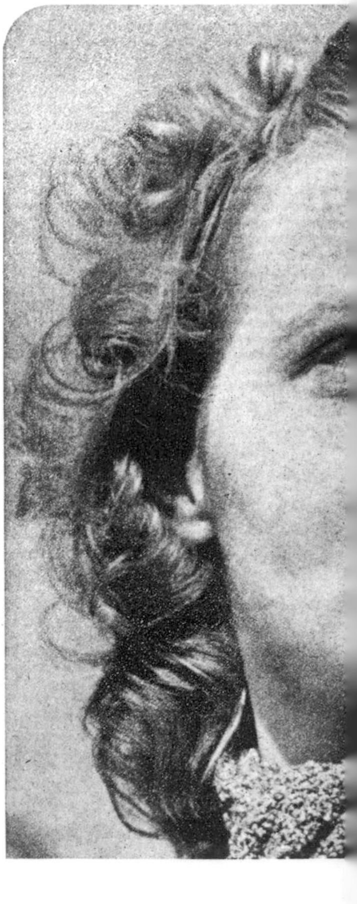

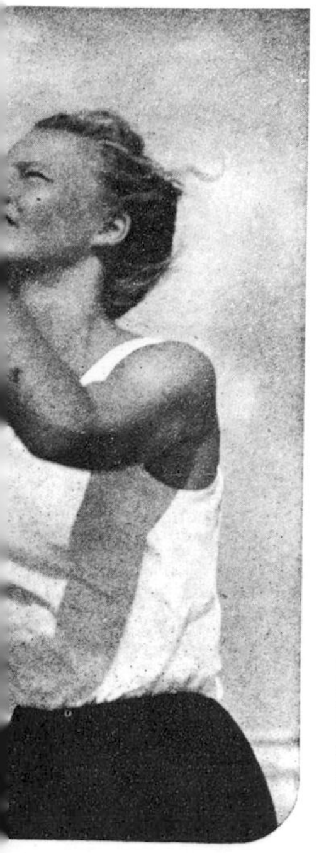

ST ZICH DE ϟϟ MAN

stemming. Vooral dus een zoo belangrijke daad als zijn huwelijk.

Is raszuiverheid voldoende?

Heeft nu de natuur het zoo ingericht, dat in een bepaald ras alle goede eigenschappen zijn vereenigd, terwijl een ander slechts negatieve vertoont? Bij menschenrassen is dit evenmin het geval als in de overige levende natuur. Overal vinden wij van bepaalde rassen en soorten prachtig ontwikkelde exemplaren, doch daarnaast verschijningsvormen, die klaarblijkelijk leelijk, onvoldoende uitgegroeid zijn. Prachtig slank oprijzende beuken naast gekromde; volkronige kastanjes naast dunbebladerde; trouwe honden naast onbetrouwbare; snelvoetige paarden naast

trage. Bij den mensch kunnen zoowel het lichaam als de geest en het karakter meer of minder goed gevormd zijn. Een conservatieve instelling kan vervormen tot geestelijke verstarring, eerzucht kan uitdijen tot onbarmhartigheid tegenover de omgeving, e.d.
Het is dus niet voldoende van de toekomstige echtgenoote vast te stellen, dat zij lichamelijk raszuiver is. Bovendien moet blijken, dat zij naar lichaam, geest en karakter gezond is en niet erfelijk belast. Instinct èn verstand wijzen hier den weg. Vindt een man een vrouw al aantrekkelijk, hij zal haar niet tot zijn echtgenoote maken, wanneer hij weet, dat zij ongeschikt is moeder van zijn kinderen te zijn. Evenmin zal hij trouwen met een vrouw, die hem goede kinderen zal schenken, doch met wie hij geen eenheid kan vormen, dewijl zij daartoe de noodige eigenschappen van lichaam, geest en karakter ontbeert. Want komt het in een huwelijk niet tot zulk een eenheid, dan ontwikkelen zich spanningen, welke de levensontplooiing der beide partners verhinderen, instede van bevorderen.
Een Sturmführer sprak dit eens zeer goed uit bij het huwelijk van een ϟϟ man: Met de vereeniging der beide geslachten sluit de volkomen menschwording, daar man en vrouw van nature voor deze eenheid bestemd zijn. Deze vereeniging blijkt gelukkiger, naarmate zij elkander beter aanvullen.
Hoe vind ik de vrouw, die alle eigenschappen bezit, welke hier zijn opgesomd? Wie deze verzuchting slaakt, is een opschepper, die zich voor iets heel bijzonders houdt, of een zonderling, die zich niet in de gemeenschap kan voegen. Laat toch niemand denken, dat er op de geheele wereld maar één mensch zou zijn, die bij hem past, die hij niet kan veroveren, die hij nog niet ontdekt heeft of nooit ontdekken zal. Bovendien wordt dit argument al te vaak gebruikt om zich aan plichten te onttrekken en desondanks de vreugden te genieten.

Het „groote gezin"

Verder is het te betreuren, dat families, die in elk opzicht beneden de middelmaat der gestelde eischen blijven, zich geroepen voelen een groot aantal kinderen voort te brengen, terwijl wie meer dan middelmatig goed zijn, meenen hun nakomelingschap te moeten beperken, om niet geremd te worden in hun persoonlijke ontwikkeling, hun welstand of hun scheppend werk.
Wat is een „groot gezin"? Een gezin waarbij het dienstpersoneel de overhand heeft? Integendeel, een groot gezin is slechts dat, waar de kinderen de meerderheid vormen. De statistieken hebben uitgewezen, dat vier kinderen per gezin noodig zijn om het volk in stand te houden. Kinderrijk is een gezin dus eerst dan, wanneer er meer dan vier kinderen zijn, wanneer het dus bijdraagt tot den groei van het volk.
Wat de vermeende moeilijkheden bij de keuze van een echtgenoot betreft, normaal is het toch zoo, dat de man de keuze heeft tusschen meerdere vrouwen. Hij kan zich zijn vrouw kiezen en veroveren. De vrouw heeft het moeilijker, vooral wanneer zij vreest haar bestemming als vrouw en moeder te zullen missen en dan onberaden trouwt. Het huwelijk blijkt vaak een mislukking en wordt ontbonden, vooral wanneer de vrouw bemerkt voor zichzelf te kunnen zorgen.
Is het gewenscht jong te trouwen? Deze vraag kan niet in het algemeen worden beantwoord. De eene mensch is lichamelijk en geestelijk rijp voor het huwelijk op een leeftijd, dat anderen nog onvoldoende zijn ontwikkeld. Aanleg, doch ook invloeden van omgeving en levenslot bepalen deze verschillen. Een huwelijk op vrij jeugdigen leeftijd is aanvaardbaar, wanneer beide partners biologisch rijp daartoe zijn en de economische vooruitzichten voldoende, mede ook door de zorgen van den staat.

Wat de oudere mensch bezit aan geestelijke rijpheid, ervaring en zelftucht, wordt bij den jeugdigen mensch vervangen door spankracht, idealistische geestdrift en vaak ook door zuiver instinct. Vooral de waarde van dit laatste mag niet worden onderschat.
In den „strijd om het bestaan" is de neiging tot het andere geslacht een machtige factor, welke niet kan worden ontkend of verloochend. Daarom is het temeer noodzakelijk de eischen voor een goede keuze voor oogen te houden. Want het is een misdaad een erfelijk belast kind ter wereld te hebben gebracht. Bij zorgvuldiger keuze van den echtgenoot had dit vermeden kunnen worden.
Reeds vrij vroeg moet de jeugd van het belang eener goede keuze worden doordrongen. Dit kan des te beter, daar wij het huwelijk weer beschouwen als de vervulling eener natuurwet.

Geen probleem

Al te vaak wordt het huwelijk nog gezien als een probleem. Waarom echter zou dit verschijnsel in de natuur niet aan spanningen en moeilijkheden, aan het eeuwige rhythme van het leven zijn onderworpen? Moeilijkheden zijn dan ook geen bewijs van mislukking. Zij worden door lichamelijk en geestelijk gezonde menschen, die den zin van het leven verstaan, overwonnen. Het doel, waartoe het huwelijk werd gesloten, eischt dit.
De zin van het leven voor den mensch ligt in de sterke keten van zijn geslacht, vast verankerd in het volk, reikende van voorbije naar komende oneindigheid.
Een poging enkele punten vast te leggen, welke voor den man, zoowel als de vrouw, bij de keuze van een echtgenoot belangrijk zijn, geeft het volgende resultaat:

1. Onthouding tot aan het huwelijk is volstrekt niet af te keuren.
2. Maak je een voorstelling van je toekomstige echtgenoot(e), in overeenstemming met je eigen aard en je ras.
3. Leer je hem/haar kennen, maak je dan bewust, of je de geheele persoon lief hebt.
4. Onderzoek daarnaast zijn/haar sibbe, — er zou een gunstige uitzondering kunnen zijn in een ongunstige sibbe. Verder moet de familie vrij blijken van erfelijke belasting.
5. Neem goeden raad aan van personen, die dezen kunnen geven. Handel niet tegen je geweten, in een zwak oogenblik of uit een verkeerd begrepen eergevoel. Denk aan de keten van je geslacht, die in den dienst aan je volk door je kinderen moet worden voortgezet.

Het huwelijk is geen doel op zichzelf, doch middel tot het doel. Het kent zorgen en vreugden in afwisseling. Maar de kinderen sterken het gezonde levensgevoel. Zij schenken het vertrouwen, dat ontglipt aan dengene, die met het eigen bestaan zijn aandeel aan het leven ziet eindigen.
Kies dus goed! Een doordachte keuze beslist voor den opgang van je geslacht!

Foto's: A.P., Volksche Werkgemeenschap

Slechts weinig huisraad kan nog uit de puinhoopen worden gered.

Bommen op vrouwen

Eén der te hulp geroepen reddingsploegen in Rotterdam hoorde de schreiende stem van een kind. In alle haast begon men de puinhoopen te verwijderen....

....en de reddingspogingen werden met succes bekroond. Een driejarig kind, dat vijftig uren tusschen het puin had gelegen, werd levend aangetroffen. — Het kind, gewikkeld in een deken, wordt door een lid van den geneeskundigen dienst overgebracht naar een ziekenhuis.

Dat waren de gevolgen van den Britsch-Amerikaanschen bommenregen op de burgerbevolking. Een geheele stadswijk van Rotterdam is vernield.

Tusschen de nog rookende en smeulende puinhoopen zoeken de Rotterdammers naar de overblijfselen van hun huisraad.

en kinderen

Britsch-Amerikaansche terreuraanval op Rotterdam

Woensdagmiddag, 31 Maart — het geronk van vliegtuigen klinkt boven Rotterdam. Een eskader Britsch-Amerikaansche bommenwerpers scheert over de stad. Kwart vóór een: de eerste bommen vallen, scheuren gierend op huizen, in straten, vijf, misschien zes minuten duurt de helsche verschrikking, donderen de explosies. Dan is de aanval voorbij. Aan den zonnig-blauwen voorjaarshemel verdwijnen de vliegtuigen. De opdracht is volbracht, Londen en Washington kunnen tevreden zijn....

Maar in Rotterdam blijven de schrille getuigenissen van een wandaad, waarvan woorden slechts een schamele beschrijving kunnen geven. Over de stad ligt zwaar en onheilspellend een dikke, vuilgeele rookwolk, overal laaien vlammen op, huizen storten in, vrouwen, kinderen, arbeiders zijn in de puinhoopen omgekomen.

Van alle kanten komen onheilspellende berichten. De werkelijkheid blijkt de grootste vrees nog te overtreffen. Een geheele stadswijk is vernietigd, de laaiende vlammen verteeren wat nog niet uiteengereten werd. 's Avonds worden huizen opgeblazen om het vuur paal en perk te stellen, in den loop van den nacht gelukt het eindelijk de branden te overmeesteren. En tusschen de puinhoopen zoeken weenende moeders naar hun kinderen, die ergens begraven moeten zijn, geheele gezinnen zijn uitgeroeid, hier en daar poogt men wat armzalige overblijfselen van huisraad te redden.

Er wordt bericht van staaltjes van burgerzin, van ontroerende hulpvaardigheid, van hulp van alle mogelijke instanties. Zij doen schitterend werk, maar ook zij kunnen niet het nameloos leed wegnemen wat opnieuw over Nederlandsche burgers is gebracht. Soms gelukt het onder het smeulende puin nog levenden te bevrijden. Een driejarig kind wordt na vijftig uren gered. Maar wat is er met de ouders geschied?

Menige arbeidersvuist balt zich van machtelooze woede in deze dagen van leed. Hij weet thans wat men van „bondgenooten" kan verwachten.... Na de tallooze terreuraanvallen, na de droevige aanval op een school in Brielle, na zoovele andere bombardementen op burgers, is daar opnieuw Rotterdam geteisterd. En hoe! Volgens de cijfers van Zondag 4 April waren er tot dat oogenblik in de Maasstad: 187 dooden, 257 zwaar-gewonden, meer dan 400 lichtgewonden, onder de dooden bevonden zich 54 vrouwen, 32 kinderen, twaalf lijken konden niet meer herkend worden. En nog steeds stegen de totalen....

Bovendien zijn duizenden dakloos geworden, lange straten, heele huizenblokken zijn vernield.

Droevige cijfers, doch slechts een onderdeel van de totalen van de maand Maart. In deze maand alleen vielen in Nederland door luchtaanvallen op de burgerbevolking 353 dooden, er waren 361 zwaar- en vele honderden licht-gewonden.

Trieste getuigenissen van een terreurdaad: ruïnes, straten ver. Vier en twintig uur na den aanval zond de uitgeweken Nederlandsche minister van oorlog, Van Lidth de Jeude, een telegrafischen gelukwensch aan den Engelschen minister van Luchtvaart, Sinclair....

(Foto's C.N.F.—M. 3/Stapf 3.)

BRIEVEN AAN DEN EERSTEN NEDE[R-] RIDDERKRUISDRAGER *Gerardus Leona[rd]*

13 Februari 1943. Deze datum behoort tot de belangrijkste data, die betrekking hebben op den inzet van Nederlandsche mannen aan het Oostfront. Op dien dag namelijk was het, dat de ϟϟ-Sturmmann Gerard Mooijman de dertien pantsers vernietigde, waarin de Führer aanleiding vond hem — als eersten Nederlander — het Ridderkruis van het IJzeren Kruis toe te kennen.

Deze daad van onzen ϟϟ-kameraad heeft weerklank gevonden in het Nederlandsche Volk in zijn geheel, maar wel zeer in het bijzonder in de kringen der Nederlandsche nationaal-socialisten.

Vele tientallen kameraadskes en kameraden hebben dan ook de gelegenheid aangegrepen zich in brieven te richten tot den Nederlandschen nationaal-socialist, die in het Oosten zoo dapper zijn man stond.

Opmerkelijk is het daarbij, dat zoo ontzaglijk veel stormers en stormsters van de gelegenheid gebruik hebben gemaakt hun verbondenheid tot uitdrukking te laten komen met den Nederlandschen Oostfrontstrijder. Men kan moeilijk duidelijker aantoonen, dat, ook al zijn er dan zeer veel ouderen, die geen begrip hebben voor den Oostfrontinzet, de jeugd dit zeer zeker wel heeft en niets liever zou doen dan deelnemen aan den kamp, dien onze Oostfrontstrijders hebben te voeren.

DE JEUGD SPREEKT

Wij citeeren hier bijvoorbeeld een brief van een Haagschen stormer, die den negenjarigen leeftijd nog niet heeft bereikt:

„Mijn vader is ook soldaat en weet je waarbij mijn vader is? Bij het N.S.K.K. Ik mag fijn jouw foto uit „De Zwarte Soldaat" hebben en ophangen in mijn kamer. Ik ben van de pullen, dat is van den Jeugdstorm en ik word ook vast en zeker een soldaat."

En uit den brief van een meeuw in Zutphen, die elf jaar oud is, kunnen vele ouderen ook nog heel wat leeren. Waar een dergelijke strijdbereidheid aanwezig is, zal uit dezen knaap ongetwijfeld nog een harde zwarte soldaat groeien:

„Ik heb gehoord, dat U dertien Sovjettanks hebt vernietigd. In „De Zwarte Soldaat" stond, dat wij U mochten gelukwenschen. Ik als meeuw van den Jeugdstorm moet dat zeker doen. Nu, kameraad dan, hartelijk gefeliciteerd met die overwinning. Nu wou ik vragen of U met mij wilt correspondeeren. Want ik schrijf zoo graag aan frontsoldaten. Ik schrijf in de week aan minstens drie man. Nu zal ik U maar iets vertellen hier van Zutphen. Vanavond spreekt kameraad A. J. Spelt hier onder het motto „Volkseenheid tegen Bolsjewisme". Er moeten maar flink wat tegenstanders komen om te luisteren naar den nieuwen tijd. Vanmiddag ga ik naar den Jeugdstorm om daar mijn plicht te doen.

Ik ben hoornblazer bij de muziek van den Jeugdstorm. Ja, kameraad, en dan hebben we Dinsdagsavonds gymnastiek en dat is ook zoo fijn."

Bij de stormsters is de mentaliteit niet veel anders. Zoo schrijft een stormster uit Schaesberg:

„Wij, als stormsters, weten nog niet veel van politiek, maar dit weten wij, dat iemand, die zoo gevochten heeft als U, den roem waardig is."

Uit den brief van een stormster, die in Gorcum woont, blijkt hoe zeer de gezinnen van nationaal-socialisten zijn ingeschakeld in den strijd voor Neerlands herleving.

„Als ik een jongen was, dan zou ik wel in Uw plaats willen zijn; wat moet U gelukkig zijn geweest toen U die zware tanks zag wijken voor Uw geschut. Ik ben een meisje van zestien jaar; we hebben thuis negen kinderen en ik heb twee broers aan het front. Mijn jongste broer was zestien jaar toen is hij in dienst gegaan. In Juli is hij twee jaar in dienst. Mijn oudste broer is negentien jaar en is ander half jaar in dienst. Dan heb ik mijn vader nog, die reeds twee jaar in Rusland is bij het N.S.K.K. Mijn jongste broer van de twee is voor Leningrad gewond; hij ligt nu in Duitschland in een hospitaal. Drie zusjes en ik zijn op den Jeugdstorm."

ANDERE MEISJES AAN HET WOORD

Dat de meisjes het dikwijls niet gemakkelijk hebben in het Vaderland, bewijst onderstaand citaat uit een brief van een zestienjarig meisje in Amersfoort. Ook uit deze regels spreekt echter de verbetenheid, de strijdlust en het geloof in de toekomst, dat ons onoverwinnelijk maakt.

„Ik zit niet thuis, maar bij een kennis, want je moet weten, dat ze bij mij thuis erg anti zijn. Ik ben een poosje op den Jeugdstorm geweest zonder dat ze er iets van wisten. Nu ben ik bij kennissen, waar ik altijd kom, ook zonder dat mijn ouders dit weten. Het is wel erg hard als je alles voor je ouders verzwijgen moet, maar het moet nu éénmaal, want veel in te brengen, heb ik nog niet, want ik ben nog maar zestien jaar. Dus ik moet alles maar rustig over me laten heengaan. Je kunt ook begrijpen, dat ik er goed van langs heb gehad toen ze er achter kwamen, dat ik bij den Jeugdstorm was geweest. Maar nu ben ik daar al in verhard. Het kan me niets meer schelen wat ze allemaal van me te weten komen. Mijn zuster is al net hetzelfde als ik. Die is drie maanden in Duitschland geweest, ook zonder toestemming. Nu, doe daar nu maar eens wat tegen."

Ook een Voortrekster van den Jeugdstorm uit Vaassen (Gelderland) laat verbitterde klanken hooren, al zijn deze dan meer gericht aan het adres van haar studiegenooten:

„Ik ben nog op school, maar gelukkig voor het laatste jaar, want in Mei—Juni doe ik eindexamen M.U.L.O. Ik ben do[l] op leeren, maar al die vier jaren, dat ik op de U.L.O. ben, sta ik alleen tusschen niets dan haat en gemeenigheid. Wat ik allemaal op school heb meegemaakt, behoef ik je niet te vertellen, want dat is toch allemaal niets bij wat jullie daar meemaken. Maar één ding is er, wat ik nooit zal vergeten en dat is, dat de Nederlandsche mannelijke jeugd in 1940 zoo ver gezonken was, dat ze er niet voor terugdeinsde om een meisje af te ranselen."

VERGELIJKINGEN

Natuurlijk zijn er verschillende personen, die vergelijkingen maken tusschen onze Oostfrontstrijders en de sorrymannekes, die onze straten bevolken. Een kameraadske uit Doesburg schrijft bijvoorbeeld:

„Als wij hier van den moed en de trouw van onze jongens aan het front hooren en wij zien hier dan de laksche en lauwe jongens op de hoeken van de straten staan, dan schiet het gemoed je wel eens vol. Maar nu blijkt voor de zooveelste maal, dat Nederland ook nog andere jongens heeft en dat geeft je dan weer hoop voor onze toekomst."

Een kameraadske uit Almelo laat het volgende geluid hooren:

„Onze landgenooten willen het nog maar niet begrijpen, dat jullie, ϟϟ-mannen, daar in Rusland ver van huis en familieleden, ook voor hen vechten. Ik weet er alles van. Mijn broer is ook in Rusland geweest en is ook bij de ϟϟ."

En even verder gaat ze voort:

„Ik ben een meisje, maar als ik een jongen was, had ik ook al lang bij jullie gezeten in Rusland aan het front."

Een kameraad uit Rotterdam-Noord doet een openhartige bekentenis, die hem wel zwaar zal zijn gevallen, maar waaru[it]

Kameraad G. L. Mooijman dankt langs dezen weg alle kameraadskes en kameraden, die hem schreven naar aanleiding van het feit, dat de Führer hem het Ridderkruis van het IJzeren Kruis verleende.

Legion Niederl

LANDSCHEN

dus Mooijman

valt op te maken, hoe zeer hij zich de houding van zijn zoon aantrekt:

„En dan te bedenken, dat ik ook een jongen van denzelfden leeftijd heb, die in de W.A. geweest is en zijn uniform ingeleverd heeft om redenen van nul en geenerlei waarde, waartegen ik ook zeker acht maanden al niet meer spreek, omdat ik het een lafbek vind."

Gelukkig zijn er ook gunstiger geluiden:

„Ik kan U verzekeren, dat deze daad niet alleen op ons, N.S.B.-ers een zeer grooten indruk heeft gemaakt, doch ook op onze tegenstanders, die thans gezien hebben, dat ook onze Nederlandsche jongens hun man staan."

Tenslotte schrijft nog een niet-lid uit Stad aan het Haringvliet:

„Ik ben wel geen lid van de Beweging, maar ben toch met hart en ziel voor de soldaten, die alles geven voor de vrijheid van het nieuwe Europa."

De mededeelingen van de weermachtsleiding, waarin ook kameraad Mooijman werd genoemd, bezielden tal van kameraden met nieuwen moed. De leden van de tweede sectie der Vrijwillige Hulppolitie te Groningen schreven:

„Soms denken wij wel, dat onze strijd en onze dienst zwaar zijn, maar we zullen niet klagen en denken aan wat onze jongens daar aan het front presteeren."

Een Oppervaandrig der W.A. uit Voorburg, de plaats van inwoning van kameraad Mooijman, schreef:

„Met trotsche vreugde vernam ik eenige dagen geleden in het Weermachtsbericht, je prachtig succes aan het Oostfront. Vooral als Voorburger dit te vernemen, is dubbel prettig. Ik kan je dan ook melden, dat de geheele Voorburgsche N.S.B. hiermede een riem onder het hart is gestoken. Dit doet een mensch goed en ik wensch je dan ook hartelijk geluk namens vele honderden Voorburgsche kameraden."

Het werk, dat de kameraden, die naar het front gaan, achterlaten, wordt steeds meer overgenomen door vrouwen. Een kameraadske uit Musselkanaal (Groningen) schreef:

„Ik heb zoo vaak tegen mijn moeder gezegd: „Wat zonde, dat ik geen jongen ben", maar wat kun je eraan doen. De W.A.-mannen zijn hier haast allemaal weggegaan en nu moeten wij hier onzen plicht doen. Ik ben nog jong en kan dus nog heel wat verrichten."

Blijken van kameraadschap werden kameraad Mooijman ook toegezonden. Een Rotterdamsche kameraad volstond met een gelukwensch van eenige regels en een P.S. van den volgenden inhoud:

„Bijgaand mijn rookrantsoen, laat het je smaken."

Daarbij waren twee pakjes sigaretten gevoegd.

Een familie uit Terneuzen was bezorgd om het lot van onzen Ridderkruisdrager als hij eenmaal weer in het Vaderland zou terug zijn en schreef op echt hartelijke wijze het volgende:

„Uit „De Zwarte Soldaat" las ik, dat U al vroeg Uw ouders hebt verloren. Hebt U nog meer broers of zusters, die U genegen zijn? Mocht dit niet het geval wezen, dan kunt U bij ons te allen tijde terecht, onder welke omstandigheden ook. U zult misschien wel even vreemd opkijken om zooiets van vreemde menschen te vernemen, maar het is van harte gemeend."

EEN FRONTMAKKER

Tenslotte halen wij hier nog het schrijven aan van een ϟϟ-Sturmmann, die in een hospitaal te Dordrecht ligt en in wien het betreffende weermachtbericht, waarin een kameraad van zijn compagnie werd genoemd, het verlangen sterker deed worden om weer ten strijde te trekken tegen den vijand:

„Met vreugdevolle bewondering heb ik het bericht vernomen, dat een Pakgeschut van onze compagnie, waarvan jij Schütze 1 was, een heldendaad verrichtte, die ons geheele Vaderland met trots vervulde. Kameraad Mooijman, ik moet je met mijn gansche hart feliciteeren met zoo'n soldatengeluk en heldhaftig gedrag. Steeds vanaf het begin onzer opleiding zijn we er trotsch op geweest pantserjager te zijn, dat weet jij net zoo goed als ik en het is gebleken, dat we daarop met recht trotsch konden zijn. Dat door deze daad ook de vele jonge jongens, die hier in Holland nog betrekkelijk doelloos rondslenteren, zullen inzien, dat uit Nederlanders een soldatenvolk geboren kan worden.

Ik lig hier in Dordrecht in het hospitaal met een hardnekkige huidziekte, die ik door mijn lang verblijf aan het Oostfront opgeloopen heb. Maar ik wil zoo spoedig mogelijk gezond worden en weer bij onze compagnie ingedeeld worden."

Tot zoover de brieven van de talloozen, die onzen oproep om kameraad Mooijman te schrijven, hebben beantwoord. Wij hebben slechts enkelen hier aan het woord kunnen laten. Tientallen brieven vandezelfde strekking hadden wij kunnen afdrukken, die weer door andere kameraadskes en kameraden waren geschreven.

De plaatsruimte ontbrak ons hiervoor en in de tweede plaats heeft de lezer nu toch ook een overzicht van de wijze, waarop het Vaderland medeleeft met de mannen, die in het Oosten op post staan voor onze kultuur en beschaving.

De band tusschen Oostfront en thuisfront is onverbrekelijk. Dit is nog eens ten overvloede bewezen. Zoolang dit het geval is, weten wij, dat geen vijand ons kan schaden en dat wij onoverwinnelijk zijn.

Eén geloof bindt allen, die zich hebben ingezet voor de herrijzenis van ons Vaderland: het geloof aan de kracht van ons Volk en aan de roeping van den Leider.

1

2

1. Opmarsch van het Nederlandsch Legioen. Teekening: ϟϟ-P.K.-W. Klerk.

2. Uit de vuurlinie. Teekening: ϟϟ-P.K.-Palmowski.

3. Voorzichtig voorwaarts. Teekening: ϟϟ-P.K.-W. Klerk.

4. De gewonde kameraad. Teekening: ϟϟ-P.K.-Cranner.

(Allen: Orbis-Holland).

3

4

VOLK EN VADERLAND

NATIONAAL-SOCIALISTISCH WEEKBLAD

K 2350

DONDERDAG 22 APRIL-GRASMAAND 1943 — UITGAVE: NENASU - OUDEGRACHT 172 - UTRECHT - TEL. 11851 / REDACTIE ADRES: MALIEBAAN 31 - UTRECHT - TEL. 13861 — 11e JAARGANG No. 16

GOD ZOND EUROPA DEN FÜHRER

Dezen winter redde Adolf Hitler ons werelddeel voor de derde maal

OP den verjaardag van den Führer werd Dinsdagavond te Heerlen een grootsche bijenkomst gehouden, waarbij het woord werd gevoerd door den Rijkscommissaris en den Leider.

De Leider sprak de volgende rede uit:

„De verjaardag van den Führer, was ééns een gebeurtenis, die alleen Adolf Hitler en zijn naaste omgeving betrof, van 1919 tot 1933 een feestelijke gebeurtenis in het leven van de partij in Duitschland, de N.S.D.A.P.; van 1933 tot 1939 betrof hij het Hoofd van den Duitschen Staat, als verpersoonlijking van de herrijzenis van het Duitsche volk en sinds 1939 betreft deze dag de historische figuur, die maatgevend is voor het zijn

sche revolutie uit te dragen tot in de verste hoeken van de wereld.

Wij zijn de jaren 1919, 1920 en volgende niet vergeten, de jaren waarin de communistische geesel ging over Hongarije, Duitschland en Italië. Wij zijn Bela Kun, Kurt Eisner, Rosa Luxemburg enz. niet vergeten, evenmin als de Spartakisten, de bloedige opstanden in het Ruhrgebied en het feit, dat de communisten reeds aan de Nederlandsche grens stonden bij Wezel. De vroegere deelnemers aan den wereldoorlog, jonge boeren en arbeiders, waren het die in Duitschland deze eerste uitbarstingen konden neerslaan. Dat kon deze kleine schare gelukken omdat van Rusland uit toen nog geen voldoende hulp kon worden gezonden.

kruisvlag en dat de staatsmacht in Januari 1933 door het nationaal-socialisme werd overgenomen. Daarmede werd het communisme in Duitschland de nek gebroken. Had toenmaals Rusland gegrensd aan Duitschland, dan zouden de bolsjewistische legers dien nacht van den 30sten Ja-

uit werd in 1936 de hulp aan Rood Spanje achter de schermen georganiseerd. Dat Italië niet ten offer is gevallen en dat Franco de overwinning kon behalen, is mogelijk geweest doordat er een nationaal-socialistisch Duitschland was.

Hitler heeft zich in 1935 gesteld naast Mussolini; de economische omsingeling van Italië mislukte, dank zij de aanvoeren uit Duitschland. Het Duitsche legioen Condor vocht schouder aan schouder met Italië's zwarthemden in Spanje. Door deze daden van solidariteit in 1935 en 1936, daden van moed en wijs beleid, heeft Hitler voor de tweede maal Europa gered van de bolsjewiseering, want de nederlaag van het fascisme zou onher-

ste pessimist had kunnen denken; iedereen moet dus nu begrijpen, dat ieder uitstel van het aangrijpen catastrophaal geworden zou zijn. Het besluit van den Führer om toe te slaan zal waarschijnlijk het zwaarste van zijn leven zijn geweest; de teerling was geworpen. Sindsdien zijn millioenen bolsjewieken buiten gevecht gesteld en tienduizenden vliegtuigen, tanks en kanonnen vernietigd. Onze tegenstanders juichten om Stalingrad. Wij weten, dat het front dezen winter is teruggeslagen van Stalingrad tot Charkof. Wat onze tegenstanders hadden gehoopt, was, dat de Don of de Dnjepr, Hitlers Berezina geworden zou zijn. Wat de Russen met Napoleon hebben klaargespeeld, dat heb-

zelfs maar onaangenaam was ten opzichte van ons Volk. Integendeel, uit hem sprak het bewustzijn van zijn verantwoordelijkheid als historische figuur op wien niet alleen groote zorg drukt voor het winnen van den oorlog, maar ook de verantwoordelijkheid voor het winnen van den vrede, d.w.z. voor den opbouw van een nieuw Europa. Dit nieuwe Europa moet een eenheid vormen naar buiten, militair en economisch, opdat het zoo onaantastbaar mogelijk zal zijn. De verscheidenheid der volkeren is geen beletsel daartoe; deze behoort tot den rijkdom van Europa. De cultuurscheppende volkeren van Europa moeten elkander de hand reiken, elkander waardeeren, elkander respecteeren, met elkander optrekken, daar waar dit noodig is. Ieder volk heeft, onder eigen leiding, recht op eigen leven, mits passend in de groote overkoepeling.

Dit is het groote onderscheid tusschen Amerikanisme en bolsjewisme eenerzijds en Europeanisme anderzijds. Amerikanisme en bolsjewisme hebben den smeltkroes tot symbool; het Europeanisme is de belichaming van de eenheid

indirecte wijze in fabrieken voor de weermacht werkend, in politie, in wachtdiensten en in ambten. Honderden zijn gesneuveld.

Wanneer in Duitschland de soldaat van het front terugkeert, wordt hij geëerd in zijn omgeving en gesterkt. Onze soldaten kennen dit meerendeels niet. Zij gaan vrijwillig. Ook nu staan er weer 500 gereed, gekomen op één oproep van mij om ten strijde te trekken. Hun omgeving begrijpt hen dikwijls niet. Toch zijn zij bereid.

Iederen dag offeren de leden der Beweging en toonen daarmede het nationaal-socialisme niet alleen met de lippen te belijden. Zij doen dit voor ons Volk en ons Vaderland, maar daar bovenuit voor alle volkeren van Europa, zooals ook de Duitsche soldaat zijn Volk en zijn Vaderland dient, maar daarbovenuit Europa.

Hitler schrijft in „Mein Kampf": „Für mich und alle wahrhaftigen Nationalsozialisten gibt es nur eine Doktrin: „Volk und Vaterland" (Voor mij en alle waarlijke nationaal-socialisten is er maar één leus: Volk en Vaderland).

Zoo is het. Op dezen grondslag hebt gij elkander gevonden als Duitsche nationaal-socialisten en wij elkander als Nederlandsche nationaal-socialisten. Nu, na 1940, vinden wij elkander aan het Oostfront en het thuisfront in eerlijke broederlijke samenwerking. Wie onzer durft te spreken van den opbouw van het nieuwe Europa als zelfs Duitsche en

Zoo zijn wij ook op Nederlandschen bodem tezamen gekomen als Nederlandsche en Duitsche nationaal-socialisten, om dezen 20sten April van het jaar 1943 te gedenken en is het mijn taak om nu de figuur van Adolf Hitler te belichten, zooals hij gezien wordt van de zijde van de Nationaal-Socialistische Beweging der Nederlanden en van een deel van het Nederlandsche volk, dat ons begrijpt.

Niet alleen het Duitsche, maar ook het Nederlandsche volk heeft zwaar te lijden van de wereldworsteling te midden waarvan wij ons bevinden. Dit lijden stelt hooge eischen aan het moreel der volkeren, want de huidige generatie draagt de offers, die noodig zijn om de volgende generaties te kunnen doen leven. Weinigen zijn er, die dit ten volle beseffen. Het behoort tot onze taak om dit duidelijk te maken aan dat deel van het volk, dat verzucht: was het nationaal socialisme maar niet gekomen, dan zou er nu geen oorlog zijn en wij zouden in rust en welvaart verder hebben geleefd. **Welk een kortzichtigheid! Het nationaal-socialisme is integendeel de onontbeerlijke voorwaarde voor het voortleven der Europeesche volkeren, maar kan dit doel niet bereiken zonder offers te brengen. Zoo is het.**

Niet het nationaal-socialisme heeft het marxisme, het communisme uitgevonden. Niet het nationaal-socialisme heeft in 1917 in Rusland het communisme tot de macht gebracht, maar de democraten hebben dit gedaan uit kortzichtigheid en domheid. Het communisme heeft altijd gestreefd naar de wereldrevolutie en in 1917 is het vaste uitgangspunt daarvoor geschapen, doordat het de absolute macht kreeg in een wereldrijk met een paar honderd millioen inwoners en vrijwel onbeperkte hoeveelheden grondstoffen en mineralen.

Van 1917 af is de fabriek in werking gesteld, die de Sowjet-Russische massa's tot de grootste en sterkste legermacht ter wereld zou maken, in staat om de communistische overrompeling van Europa was mislukt, werd het parool van Moskou: langs democratischen weg de verovering van de macht voorbereiden, intusschen zullen wij in Rusland het groote wapenarsenaal maken, dat op het juiste oogenblik het beslissende woord zal spreken. Toen begon de phase van den opbouw van de communistische partijen in ieder land van Europa, quasi nationaal, in werkelijkheid waren zij alle werktuigen van de Komintern, d.w.z. van de machthebbers in het Kremlin. Alleen in Italië was deze weg versperd; overal elders stond hij open. In ieder land van Europa werd onder Moskou's leiding de weerloosheid gepredikt (het gebroken geweertje) en de communistische invloed geleidelijk maar zeker versterkt. In Duitschland was tenslotte het aantal communistische zetels in den Rijksdag gestegen tot over de honderd. In Nederland was de invloed officiëel kleiner, maar in werkelijkheid was het al zoover, dat de aanvoerder van de communisten met zijn jubileum geluk gewenscht werd door de hoogste democratische partij-functionarissen en Overheidspersonen. Eén ding moet ik hier ter eere zeggen van de Nederlandsche democratische Overheid: zij heeft ieder diplomatiek contact met Moskou afgewezen. Nederland behoorde tot de zeer weinige landen die zich niet lieten vertegenwoordigen in Moskou. Dat langs dezen democratischen, parlementairen weg Duitschland en daarmede geheel Midden en West-Europa door het bolsjewisme zou zijn veroverd, als het nationaal-socialisme daar geen stokje voor gestoken had, daaraan kan toch nu geen redelijk mensch meer twijfelen.

Van 1919 tot 1933, 14 jaren lang, heeft Adolf Hitler met zijn getrouwen gezwoegd en geofferd om het zoover te brengen, dat een groot deel van het Duitsche volk besef had gekregen van de joodsch-bolsjewistisch-kapitalistische dreiging, dat dit begrijpende en strijdende gedeelte zich had geschaard om de Hakenkruisvlag...

Bij den verjaardag van den Führer. Geestdrift en vertrouwen spreekt uit de gezichten der frontsoldaten. (Foto Pressehoffmann).

nuari 1933 zonder twijfel Duitschland zijn binnengerukt, om met hun aanhangers in Duitschland de macht in handen te nemen.

Op 30 Januari 1933 heeft Adolf Hitler door de aanvaarding van de macht in Duitschland voor de eerste maal Europa gered van bolsjewistische overheersching.

Wat bolsjewistische overheersching beteekent? Na de opening van de massagraven van 10.000 Poolsche officieren bij Smolensk, kan niemand meer beweren dit niet te weten. Het beteekent de uitroeiing van de Europeesche beschaving en van den Godsdienst, de vermoording van alle leidinggevende personen op ieder terrein en het in slavernij voeren van de groote massa's. Daarvoor heeft de Führer Duitschland gered in zijn 14-jarige worsteling van 1919—1933.

SPRONG NAAR EUROPA

VAN Januari 1933 af is Duitschland voor het bolsjewisme versperd. Toen sprong het over Duitschland heen naar Genève; men herinnert zich de rol die Litwinoff speelde in den z.g. Volkenbond. Dáár, in Genève, kwam het verbond tot stand tusschen het bolsjewisme en het kapitalisme, tusschen Stalin eenerzijds en Roosevelt en Churchill anderzijds, bij welk verbond het Jodendom als bindend cement optrad. Van dáaruit werd de economische boycot tegen het fascistisch Italië in 1935 geleid; van dáar- uit werd ook het bolsjewisme in Zuid-Europa hebben doen zegevieren, op weg naar verovering van geheel Europa.

Wij, Nederlandsche nationaal-socialisten, zijn er nog altijd trotsch op, dat ook wij zonder eenige aanwijzing of ruggespraak met wie dan ook, in 1935 instinctmatig en dus feilloos dezen weg van nationaal-socialistische en fascistische solidariteit zijn gegaan. Gehoond en geterroriseerd door alles wat macht en aanzien had in dit land, zijn wij eenzaam met onze 50.000 menschen onzen weg gegaan, solidair met bruinhemden en zwarthemden, onwankelbaar in ons geloof aan de wording van het nieuwe Europa.

TOEN in 1936 ook deze aanvallen van het bolsjewiekendom en de plutocratie waren afgeslagen, werd alles klaar gemaakt voor de vernietiging van het nationaal-socialisme door een wereldoorlog. President Roosevelt heeft van 1936 af de leiding; eerst achter de schermen luid roepende om vrede en veiligheid volgens het beproefde recept der bolsjewieken, die van 1917 af in Europa werkten met de leuzen van wereldvrede en ontwapening.

In Juni 1941 heeft de Führer het initiatief tot zich getrokken en de afweer van het bolsjewiekendom met kracht van wapenen aanvaard. Niemand in Europa kon t o e n weten hoe sterk het oorlogspotentieel der bolsjewieken was, iedereen weet n u, dat het veel grooter was dan de ergsten de bolsjewisten niet gedaan gekregen met Hitler.

Wij weten drommels goed, dat de terugslag van het Zuidelijk front een enorme tegenvaller is voor ons, maar wij beseffen eveneens ten volle, dat Stalin het niet heeft klaargespeeld om het Oostfront te vernietigen en daar komt het op aan. Nu, in het voorjaar van 1943 staat het Oostfront onwankelbaar als een muur tegen het bolsjewiekendom en daarmede heeft Adolf Hitler voor de derde maal Europa gered van den ondergang.

Nu is gansch Europa het nationaal-socialistische - fascistische bolwerk dat tevergeefs bestormd wordt door bolsjewisme en Amerikanisme. Wij weten, dat het lot van deze kampgemeenschap, het lot van het Avondland is. Aan de spits dezer strijdende legers kon geen betere veldheer staan dan de man, dien God aan Europa heeft geschonken en wiens verjaardag wij hier heden gedenken in het vaste vertrouwen, dat hij Europa tegen vernietiging behoedt!

EENHEID IN VERSCHEIDENHEID

WEDEROM zijn Führer en Duce tezamen geweest. Zij hebben o.m. gesproken over de toekomst van Europa, de toekomst van de 350 millioen menschen, zoo verscheiden van aard en zeden, maar lotsverbonden in woonplaats, cultuur en economie door hun Europeaan-zijn. Viermalen heb ik den Führer ontmoet. Nimmer heeft hij zich uitgelaten op een wijze, die kwetsend of ... **juist opgevat de kracht en de rijkdom zal uitmaken van het nieuwe Europa, waaraan de naam van Adolf Hitler verbonden zal zijn, zoolang Europa zal bestaan.**

Het geloof aan de komst van dit nieuwe Europa, moet ons allen bezielen. Kennende de kleinheid en de wankelmoedigheid van velen, ziende de arrogantie en de baatzucht van zooveel anderen, zijn wij er allen dankbaar voor te weten, dat de nieuwe ordening van Europa in de handen van groote mannen ligt en dat het laatste woord door den Führer gesproken zal worden.

Ik geloof onvoorwaardelijk, dat God aan onze volkeren den Führer geschonken heeft, niet alleen om Europa te redden van de bolsjewistische vernietiging, maar tevens om het te schenken de nieuwe ordening op den grondslag van rechtvaardigheid en wijsheid. Dit geloof bezielt ons allen en maakt ons sterk.

HET OFFER

BEHALVE het geloof is er het Offer. Wij, Nederlandsche nationaal-socialisten, zijn ook geen broekjes meer; wij staan in het 12de jaar onzer Beweging. Van 1931 tot 1940 is de N.S.B. opgebouwd als een rots in de branding; van tijd tot tijd overspoeld als de zee wild werd; maar ten slotte en altijd weer op de een of andere manier boven komend. Veel is er geleden in die jaren door hoon, terreur en broodroof. De lijn was vast. Zuiver nationaal-socialistisch, principieel tegen iederen vorm van volksondermijning door kapitalisme en marxisme, solidair door dik en dun met Hitlers bruinhemden en Mussolini's zwarthemden. In 1940 stond hier aangetreden een troep van 40.000 idealisten, die alles hadden meegemaakt.

Sinds 1940 is het leven voor ons in vele opzichten nog moeilijker geworden. Dit heeft ons niet ontmoedigd. Wij zijn gegroeid tot meer dan 100.000, waarvan er vele duizenden in de directe oorlogvoering zijn ingeschakeld in Waffen SS, Legioen, NSKK, en vele andere duizenden op ... cialisten elkander niet zouden kunnen vinden. **De Rijkscommissaris heeft het eens zoo juist uitgedrukt: geen separatisme, geen annexionisme, maar samenwerking. Dit is de geest die ook spreekt uit de communiqué's die uitgegeven zijn ter gelegenheid van de bespreking van Führer en Duce. Het is deze geest van eerlijke broederlijke samenwerking, die wij met al onze krachten bevorderen, die den Rijkscommissaris bezielt, die mij tot richtsnoer is en die de vooraanstaande figuren in N.S.D.A.P. en N.S.B. verbindt. Dit is hetgeen ik ten slotte tot uiting wil brengen op deze herdenking van den verjaardag van den Führer.**

De Führer heeft een zwaar en moeilijk jaar achter zich. Een jaar van zorgen en moeilijkheden zonder tal. Toen ik de vorige week reed van Den Haag naar Haarlem, midden tusschen de bloeiende velden door, zei ik tot dengene die naast mij zat: Ik wilde dat de Führer op zijn verjaardag den geheelen dag zonder zorgen zou zijn, dat hij in alle rust deze bloeiende pracht kon aanschouwen en daarvan genieten. Wij allen zouden hem dit zoo gunnen. Maar het is hem nog niet vergund. Zijn persoonlijk leven offert hij dag aan dag voor ons allen. Met groote dankbaarheid gedenken wij dit.

Deze dankbaarheid brengen wij tot uiting in ons besef van zijn grootheid als aanvoerder tegen de ons wereldeel bedreigende krachten, in ons geloof in zijn rechtvaardigheid en wijsheid, in onze onwankelbare trouw, in onze bereidheid tot het brengen van elk offer, dat hij noodig acht voor den opbouw van het nieuwe Europa.

Den brief, welken ik den Führer, ter gelegenheid van zijn verjaardag heb geschreven, heb ik geëindigd met dezen wensch:

„Möge Gott Sie in Ihren neuen Lebensjahr auch in Ihrem persönlichen Leben segnen". (Moge God U in Uw nieuw levensjaar ook in Uw persoonlijk leven zegenen).

Ik ben ervan overtuigd, dat Gij allen U daarbij zult aansluiten. Heil den Führer!

de Jeugd MAG

VERTALEN

Dat zij na schooltijd een ijsje gaan eten — daar zit niets kwaads in. Maar de knaap, die nu zoo trots zijn uithangbord met onzinnige speldjes laat zien, zal Zondag een rooien doek om zijn nek en een guitaar op zijn rug dragen en demonstreeren hoe het niet moet...

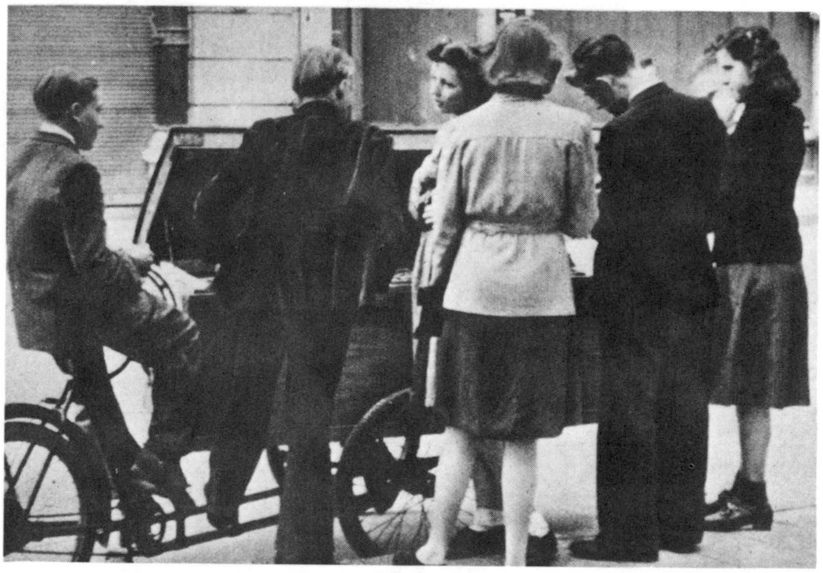

Zoo de ouden zongen piepen de jongen! Volwassenen handelen in jenever, cigaretten en spek, de jeugd koopt en verkoopt koeken en snoepgoed, natuurlijk zonder bon.

*

Na schooltijd: gezellig samenzijn. Handen in de zakken, het linkerbeen op vlotte wijze een ietsje opzij, vlot en geanimeerd spreken met vertegenwoordigsters van het vrouwelijk geslacht: ze leeren het al aardig!

Reeds lang voor dezen oorlog, in den goeien, ouwen tijd dus nog, vormde het vraagstuk van de opvoeding der jeugd een geliefd onderwerp voor debatten in de Kamers en Gemeenteraden en voor artikelen in de dagblad- en tijdschriftpers.
In dien gulden tijd, toen het Koninkrijk nog over Ministers en Staten-Generaal, en de pers nog over voldoende papier beschikte, kon men bijna dagelijks lezen, hoe bejaarde hooggeleerde heeren, al dan niet met baard, zich in 's lands belang hadden opgewonden over het veelvuldige looze gebruik van de Amsterdamsche brandmelders, over de tweede o in het woordje „zoo" of de „ch" in „visch". Redacteuren van kranten schudden al schrijvende hun hoofd, wanneer zij de jongste steenengooierij naar de ruiten van het huis van dezen of genen ingezetene op scherpe wijze hekelden; een afdoend middel tot verbetering konden zij echter niet geven.
Dit geschrijf en gepraat is nu zoo goed als voorbij: de Eerste en de Tweede Kamer met hun oude meubelen en mottige stoffeering zijn opgedoekt en de hoofdredacteuren van de kranten zijn allang blij, wanneer zij de bonnenlijst, het Weermachtsbericht en andere meer acute berichten goed en wel in hun dagelijksche pamflet hebben gepropt.
Het blad, dat vandaag aan den dag misschien wel eens over de bandelooze baldadigheid, de verwildering en de criminaliteit van de jeugd zou willen schrijven, hierbij tevens de lijn aangevend, welke gevolgd moet worden om verbetering te brengen, ziet er meestal maar liever van af; want het onderwerp is aftandsch en nieuwe gezichtspunten kunnen er bij hen, die nog maar steeds afzijdig blijven staan van alles wat vernieuwing wil, toch niet ingeheid worden.
Doordat dus de opvoeders van heden in staat waren, nòch den moed hadden, om maatregelen tot verbetering te nemen, heeft thans de jeugdcriminaliteit, de baldadigheid, de straatslijperij een verbijsterenden omvang aangenomen. Als kleine voorbeelden zie men de stukgesmeten ruiten van leegstaande woningen, de diefstallen en den clandestienen verkoop van eet- en rookwaar, de strafdossiers bij de kinderrechtbanken, feiten en zaken die elk voor zich **schreeuwen** om den man, die gelijk eens Hercules, met stroomen water dezen Augiusstal zal uitspoelen totdat iedere ongerechtigheid zal zijn verdwenen.
In dezen oorlogstijd staan de jongeren veel meer dan vroeger bloot aan invloeden, die verderfelijk zijn voor geest en cultuur. Niet alleen in de bedompte straten van de groote stad voelt het monster, dat het op de toekomst van de jeugd en dus van ons volk heeft voorzien, zich behaaglijk: ook in kampeerboerderijen en jeugdherbergen, in wandelclubs en sportvereenigingen tracht het zijn duivelschen opzet uit te voeren, ten deele met succes.
Hij, die de vrije natuur intrekt, om te genieten van de frissche buitenlucht, hij, die op Zaterdagmiddag of Zondag alleen of in gezelschap wil gaan genieten van bosch en hei, van stedenschoon of volkskunst, wordt maar al te dikwijls onaangenaam getroffen door het gedrag van jongens en meisjes in leeftijden van 14 tot 25 jaar toe, die alles wat zij bezaten aan innerlijke beschaving schijnen te hebben overboord gegooid, om hun lusten bot te vieren, nu eens heelemaal „vrij" te zijn, te genieten van den rustdag en nieuwe kracht op te doen voor arbeid of studie. — Met dit doel zijn zij ongetwijfeld er op uitgetrokken, maar wat komt er van terecht?

* * *

Het strijdblad van den Jeugdstorm „De Stormvlag" is sedert kort in gewijzigd formaat uitgekomen en verschijnt nu wekelijks. Het blad wordt op groote schaal onder school- en arbeidersjeugd verspreid en bevat artikelen, die vele belangrijke en pijnlijke zaken in ons tegenwoordige volks- en jeugdleven raken.
Zoo is in het nummer van 11 Zomermaand een hoofdartikel opgenomen, getiteld „De Komsomol in Nederland", waarin de Nederlandsche jeugd wordt gewezen op de duivelsche geestesgesteldheid die ten grondslag ligt aan het bolsjewisme, uit welken geest ook de „Komsomol" als communistische jeugdorganisatie werd geboren.
„Wij meenen te moeten vaststellen," zegt het blad, „dat in deze dagen, onder de oogen van pastoors en dominees, die het zoo druk hebben om vanaf den kansel te stoken tegen den Arbeidsdienst, onder de oogen van al die brave zielen, die hun kinderen den toegang tot den Jeugdstorm beletten, onder de oogen van heel ons nette, fatsoenlijke Nederland, de Komsomol bezig is ook in ons land zijn prooi te zoeken.
Wanneer men er op een weekeinde op uittrekt, zal men ze ontdekken, de jongens en meisjes, die met de week bandeloozer en schaamteloozer worden in hun optreden. Men ziet de meisjes in de korte broekjes, met haar nonchalante manieren, om den nek hangend van haar vrienden, al even slordig en opstandig gekleed, met wapperende, lange haren en een verdraaid grooten onbeschoften mond. Naast

NIET ONDERGAAN!

onderwereldtypen ziet men er ook frissche, Germaansche jongens en meisjes onder en ons hart bloedt bij de gedachte, dat deze kinderen binnen een minimum van tijd verknoeid zullen zijn."

Dit schrijft een Jeugdstormblad, en met deze woorden is weer eens gewezen op den geest van bolsjewisme die onder onze jeugd huis houdt. Wie niet hoorende doof en ziende blind is kan dit trouwens telkens weer ervaren!

In de jeugd zelf echter is — gelukkig — de „Komsomol" ontdekt. Herhaaldelijk treden jongens of meisjes naar voren, die heelemaal geen lid zijn van den Jeugdstorm, zelfs nog niets voelen voor het nationaal-socialisme, maar die toch inzien, dat slechts bundeling tot een frissche, tuchtvolle jeugdorganisatie het eenige middel is om alle uitwassen van het „jeugdleven", zooals dat vandaag aan den dag overal geleefd wordt, op afdoende en pijnlooze wijze te verwijderen.

Zoo heeft onlangs in het maandblad „De Trekker" van de Nederlandsche Jeugdherberg Centrale een meisje uit een groote stad geschreven over de verhouding tusschen jongens en meisjes, die niets, maar dan ook niets meer gemeen heeft met zuivere kameraadschap. En in de laatste „Trekker" stond een artikel „Geen Struikroovers in de Jeugdherberg", dat zich richt tegen de kleeding, den haartooi en de manieren, die bepaalde categorieën van „trekkers" als noodzakelijk voor een sportief uiterlijk schijnen te beschouwen. Dit soort langharige sloddervossen dient volgens het officieele Jeugdherbergblad zoo spoedig mogelijk uit de herbergen te verdwijnen.

Maar nu genoeg hierover. Dit is een onverkwikkelijk onderwerp, en iemand, die zich dag in, dag uit bezig houdt met de jeugd, die gedwongen is al deze naslepende gevolgen van democratisch wanbestel en kleinburgerlijk gedoe aan te zien, wordt soms zoo moedeloos, dat hij geneigd is om het bijltje er maar bij neer te leggen.

Wij zijn er echter zeker van — en dat is de prikkel, die ons, Nederlandsche jongeren, steeds weer in den Jeugdstorm aan den slag doet gaan — dat éénmaal in ons Vaderland zal staan een jeugd, die bereid is tot dienen, die het bolsjewisme zal hebben verslagen en weet, wat het waard is, voor Nederland te strijden. De deelname van honderden jongens, die nog niet in den Jeugdstorm meevochten, aan de Germaansche Weersportkampen in Duitschland en aan den Landdienst in West-Pruisen, maar bovenal de inzet van Nederlandsche vrijwilligers in de Sovjet-Unie tegen den bolsjewiek, zijn bewijzen voor de aanwezigheid van een kracht, die sluimert diep in het innerlijk van onze jeugd.

Het lust ons niet, hier verder te gaan met afbraak en critiek, want alleen aan opbouw heeft ons Volk op het oogenblik behoefte. Die opbouw kan alleen worden verricht door den Jeugdstorm. Komende generaties zullen hierin worden opgevoed tot nationaal-socialistische Nederlanders, bereid om alles te doen wat noodig is voor het voortbestaan van het Vaderland. Zij, die nu zoo erbarmelijk hun gebrek aan opvoeding te kijk zetten, zullen dan veranderd zijn òf niet meer meetellen.

„Wij zijn de jeugd en de toekomst van ons geliefde land," zingt deze Jeugdstorm. In dit besef strijdt hij verder. De ouderen zullen later in vol vertrouwen de leiding aan de stormers en stormsters van heden kunnen overdragen! K. J. BARNHOORN

Stormsters tijdens een wandeling door de schitterende omgeving van haar geboorteplaats. — Hier geen roovershoeden, lippenstift en „shorts". Is het zóó niet beter?

Foto's: Cino 2 — van de Poll 1 — Hazewinkel 2.

Houding! In een Jeugdstormkamp waar de Haagsche stormers vorig jaar twee maanden doorbrachten in de vrije natuur, wordt iederen morgen aangetreden voor den dienst.

Zij staan kwasi nonchalant met elkaar te praten, doch ondertusschen verhandelen zij dagelijks voor groote bedragen aan bonnen.

Wat zit er in de tasch? .... een fietsband, die na veel loven en bieden van de hand gaat. En de omstanders kijken vol belangstelling hoe hun collega-zwendelaar het varkentje wascht.

De politie surveilleert te paard en te voet over de Nieuwmarkt, doch staat helaas onmachtig tegen het voortwoekerende kwaad van den bonnenzwendel. Hier helpt slechts één methode: onbarmhartig optreden en de zwaarste straffen.

„GOEIE MIE"

TEGEN DEN MUUR MET D

Een ieder in ons kleine landje aan de zee kent natuurlijk wel Goeie Mie. Nee, wij bedoelen niet een of ander kroegje in de buurt van den Zeedijk in Amsterdam of ergens in de havenbuurt van Rotterdam. Kent u haar niet? Goeie Mie is een — wij zouden haast zeggen historische — figuur in Nederland geweest.

Het verhaal, zooals wij dit in „Volk en Vaderland" lazen, luidt, dat in het laatst van de vorige eeuw in Leiden een vrouw leefde, die zich door haar verdiensten jegens de arme menschen den bijnaam van Goeie Mie had verworven. In gezinnen, waar een ernstige zieke was, kon men steeds Goeie Mie aantreffen, die dan de behulpzame hand bood en een fantastisch groot aantal middeltjes kende tegen elke denkbare ziekte. Ongelukkigerwijze en tot groote spijt van Goeie Mie stierven haar patiënten na verloop van tijd, maar daar kon zij natuurlijk niets aan doen. Goeie Mie verpleegde slechts om de arme menschen te helpen ... als u het gelooven wilt. Want de werkelijkheid was wel eenigszins anders. Goeie Mie was namelijk niemand anders dan een sluwe gifmengster, die zich bij de zieke menschen indrong om hen dan te vergeven. Zij sloot eerst een levensverzekering af op het leven van haar toekomstige slachtoffers, met als resultaat, dat bij het overlijden van het slachtoffer aan Goeie Mie de uitkeering werd betaald. Op deze wijze heeft zij verscheidene menschen door vergiftiging om het leven gebracht en zich daarmee een aardig bedrag toegeëigend.

Goeie Mie is reeds lang dood, doch wij zouden met een parodie op Henri de Laguadère kunnen zeggen: zij is niet dood, zij leeft! Zij leeft in tien-, honderdduizend gedaanten van mannen en vrouwen.

Hiermede wil ik natuurlijk niet zeggen, dat Nederland duizend gifmengers of -mengsters rijk is. Goeie Mie zien wij als een begrip; een begrip van zoogenaamde liefdadigheid, die echter in werkelijkheid misdadige eigenbaat is; het zich bij andere menschen indringen uit zoogenaamde philantropie, ten behoeve echter van eigen portemonnaie.

Dit Goeie-Miebegrip leeft in dezen tijd opnieuw. Het leeft in den vorm van „liefdadige" tantes, die de vrouwen in volkswijken opzoeken en melk- en boterbonnetjes opkoopen; die tantes, u kent ze wel, die appelen, sinaasappelen, eieren en lekkernijen eten, wanneer deze artikelen alleen aan kinderen zijn toegewezen, omdat zij de bonnen opkoopen van de vrouwen, die wegens gebrek aan geld toch al die dingen niet kunnen bekostigen, zoodat haar kinderen zich maar tevreden moeten stellen met een korst droog brood. Het Goeie-Miebegrip leeft ook op andere

S HERBOREN!

BONNENZWENDELAARS!

Oude rijwiel-onderdeelen, afgedragen kleeding en tweede-handsch boeken dienen vaak als camouflage voor den bonnenzwendel.

manieren. Het leeft ook in den vorm van hangende, zittende en slenterende jonge kerels op de Amsterdamsche markten, die prevelend aan iederen voorbijganger vragen, of ze nog bonnen te koop hebben. Zij staan zoogenaamd als kringetjesspugers te kijken of slenteren doelloos de markt rond, doch zij hebben hun oogen en ooren wijd open en vliegen als aasgieren op iedereen af, die door teekens of woorden blijk geeft te willen handelen.

Deze lieden sjacheren met bonnen van arme menschen, ofwel zij koopen bonnen op, die door diefstal uit woonhuizen of distributie-kantoren tevoorschijn zijn gekomen. Zij voorzien gezapige vetgevreten volksvijandige burgers van extra bonnen, terwijl in de onmiddellijke nabijheid dezer markten bittere armoede wordt geleden daar de toegewezen bonnen niet in levensmiddelen kunnen worden omgezet.

Deze zwendelende ploerten, die het geheele distributie-apparaat in gevaar brengen en daardoor over hun eigen volksgenooten ellende kunnen brengen, vervullen ons door hun misselijke aanwezigheid meer en meer met gevoelens van diepen haat, omdat wij, nationaal-socialisten, reeds meer dan elf jaar op de bres staan voor ons Volk. Wij beschouwen die lieden dan ook niet langer als Nederlanders. Zij zijn erger dan sjacherende Joden, zij zijn het uitschot van de natie, dat onbarmhartig uitgeroeid dient te worden.

Wij weten, dat er een strenge contrôle is en wij hebben gezien, dat politie-agenten op de markten steeds surveilleeren, doch desondanks is de bonnenzwendel geen cent minder geworden, integendeel, hij neemt nog voortdurend toe. Zij worden dikwijls gegrepen en naar een kamp gezonden, doch zij lachen er slechts om en gaan bij hun terugkeer weer even vroolijk verder, hetgeen hun bovendien mogelijk wordt gemaakt door het huichelachtige politieke aureool van martelaarschap, dat een ieder omgeeft, die eenigen tijd in een kamp heeft doorgebracht. Zij kunnen zich verzekeren van de medewerking der politieke tegenstanders van de bezettende macht. Wij dienen dan ook te beseffen, dat uitzending naar een kamp voor dergelijke volksverraderlijke individuen geen zin heeft. Als voorbeeld moge hier gezegd worden, dat iemand 60 kilo boter had vervoerd en verhandelde en daarvoor gegrepen werd. Na eenigen tijd vastgezeten te hebben kwam hij vrij om .... rustig verder te gaan de 60 kilo aan den man te brengen.

Wij dienen thans te beseffen, dat een zachte heelmeester stinkende wonden maakt, met andere woorden : ten aanzien van de bonnenzwendelaars dienen de strengste maatregelen te worden genomen.

GEORGE DE VRIES

Foto's: A. G. Swart 6

Broodjes zonder bon .... en in de nabijheid der kraampjes wordt gezwendeld en gesjacherd door Joden-zonder-ster, die erger zijn dan hun platvoetige collega's.

Er bestaat groote belangstelling voor de stalletjes, waar zonder bon broodjes verkrijgbaar zijn en onder de omstanders zijn altijd wel lieden te vinden die ook interesse hebben voor bonnen.

RME JONGENS STOE

Vroeger waren er X omroepvereenigingen. Daar kon men vrijwillig lid van worden. De respectieve directeuren waren trotsch op hun stichtingen en staken veelvuldig de loftrompet over „dit monument van cultuurbewuste vrijgevigheid". Daarover willen we niet twisten, doch merken op, dat er geen Staat was, die zich verantwoordelijk voelde voor een nuttig gebruik van de Nederlandsche radio, en dus deswege de groote taak in handen van particulier, politieke partij en kerk kwam te liggen.

Nu is er de Rijksradio-Omroep en dat is — trots en juist door alle moeilijkheden, die hij beleeft — maar goed. Want alle holle, democratische rethoriek ten spijt IS er niets goeds in „eenheid in verscheidenheid", zoolang de eenheid niet beleefd wordt en daardoor de verscheidenheid een chaotische verdeeldheid is. De radio geeft daar een duidelijk bewijs van. Omdat de omroepvereenigingen wortelden in de vrijwillige bijdragen van de geestverwanten, hadden zij zich terwille van de gezondst mogelijke financieele basis naar te richten naar den smaak van het publiek. En zelfs dit stond niet onder leiding in een tijd, waarin de menschen door de ongelukkige opeenvolging van een wreeden oorlog, een wilden opbloei en een ellendige crisis van hun wortels los raakten, waarvan het razende tempo de gemoederen doorloopend schokte en de zenuwen ondermijnde. Geen wonder, dat er zóó van een eenheid geen sprake meer is, al telt men nog zoo ijverig de individuën, of de schakeeringen en de geledingen tezamen.

Van wat voor een eenheid is hier sprake, in deze dagen van omwenteling? Men zal het niet misverstaan: lak hebben wij aan een eenheid in staatschen zin, waarbij de Staat de schuilkelder is van een aantal individuën, de schuilkelder waarin vooral Joodsche elementen nog vluchten om „de bui af te wachten". Nu „de bui" een alles omverwerpende wereldoorlog bleek te zijn, is het alleszins te pas, het begrip Eenheid anders te vertolken met het oog op de komende vreedzame krachtmeting van de Europeesche volken onderling. Daarbij is voor ons, Nederlanders, berooid als we zijn, slechts kracht te putten uit hetgeen we **als volk** zijn. De **volksche** eenheid dus, zooals die reeds door geschiedenis, prestatie en bloed is gegroeid, zal ons baat brengen. Want in geheel Europa zullen de volkeren ontwaken, en wel in het besef hunner saamhoorigheid. Om gezamenlijk de grootst mogelijke prestatie te leveren — dwingendste eisch! — zullen zij allen hun gezondwording doorzetten.

Dat gaat nu eenmaal niet met behulp van swing style, maar wel door een zeer ernstige bezinning op al het schoone en nuttige, dat er leeft in ons bloedeigen volk.

De enorme taak, die de Nederlandsche omroep daarbij heeft als het wereldwijde klankbord van Nederland, is duidelijk. Zoo klaar als een klont is het, dat — willen wij door groote dingen ons bestaansrecht in den nieuwen tijd bewijzen — daartoe niet de kracht kan worden geput uit „Booms-a-

Max Blokzijl, de meest beluisterde man van Nederland.

Een kijkje in de contrôle-studio.

Klessebes.

In de agrarische uitzendingen vertellen boeren ons van den stand der gewassen.

Een Drenthsche Volksdans- en -zanggroep komt in de uitzending „Nederlandsche Volksklanken" voor de microfoon.

E KNAPEN....

Een uitzending in de serie „In het land van do-re-mi-fa-sol", welke kort geleden door den heer Jakma werd georganiseerd. De heer Jakma is belast met de muzikale jeugduitzendingen van den Nederlandschen Omroep.

daisy", maar wèl uit een oereigen volksdans, waarin wij ons onvergankelijke wezen gespiegeld kunnen zien. Niet een gangster, maar onze stoere zeeman moet ons wat te zeggen hebben, niet de gentleman-inbreker, maar de Nederlandsche soldaat. Kortom: de verslaving aan uitingen van een rasvreemde mentaliteit zal plaats moeten maken voor een bewondering voor wat aan het volk eigen is.

Deze moeilijke overgang komt voor een voornaam deel voor rekening van den Nederlandschen Omroep als de dagelijksche representatie van Nederland ten overstaan van Europa en de wereld. De N.O. dan ook, geboren uit het Nederlandsche volk, zal zich hebben te ontwikkelen in en uit dit volk. De programma's moeten de Nederlandsche cultuur stimuleeren en beschermen en daarnaast niet vergeten ons volk voor te lichten en op te voeden.

Een keur van nationaal-socialistische sprekers (wij noemen Blokzijl, Hollander, Van den Hul) bemoeit zich, ons volk de oogen te openen voor de ontzaglijke problemen van dezen tijd.

De jeugduitzendingen hebben de grootste aandacht. Wie kent niet tante Jet, de uitnemende paedagoge van ons kleinste grut, en oom Jakma, die de muziek aan de jeugd brengt? Ook de rijpere jeugd vindt in de programma's veel van haar gading.

De belangen van de boeren worden niet vergeten. Zonder zijn boeren zou ons volk niet bestaan! Als een der belangrijkste uitzendingen moet ook genoemd worden „Nederlandsche Volksklanken", waarmede de Nederlandsche Omroep zich ten doel heeft gesteld de belangstelling voor de volksmuziek van eigen bodem op te wekken. Doch niet alleen het volkslied wordt gepropageerd, ook de volksdans komt aan de orde. Het zal alleen aan ter zake kundigen duidelijk zijn, welk een voorbereidend werk deze uitzendingen vergen. Het overgroote deel van volksche en volksliederen in Nederland was niet bewerkt voor die soort orkesten en koren, die gewenscht zijn. Arrangeurs verrichten daartoe maandenlang werk alvorens tot uitvoering kan worden overgegaan. Dit programma is wel zeer „uit het hart van ons volk"!

Ja, de N.O. doet zeer belangrijk werk. Zijn er onder onze lezers, die er eens meer van willen weten, of die een kijkje in de studio's willen nemen: zij kunnen zich wenden tot de afdeeling Pers en Propaganda van den Nederlandschen Omroep, Schuttersweg 8 te Hilversum. Een bezoek aan de studio's kan samengaan met het bijwonen van een optreden van het politieke cabaret, dat in korten tijd bij het geheele volk door liedjes en kwinkslagen, ironie en spot, bekendheid verwierf; een vorm van uitzending, die ondanks de „vrijheid" van voorheen altijd onmogelijk is geweest.

Het Nederlandsche volk zal geen spijt hebben van zijn Omroep, ja zal er eens trotsch op zijn. In het groote Germaansche geheel zal deze helpen den Nederlandschen volksaard te herscheppen, te doen leven en tot grooten bloei te brengen — ten bate van dit geheel.

De Nederlandsche Omroep zal zijn, in breedsten zin, de spreekbuis en de cultureele vertegenwoordiger van het Nederlandsche volk. Daar doen geen huidige moeilijkheden wat aan af!

J. L. ALBERS

De Omroepkleuterklas, welke Woensdags en Vrijdags voor den microfoon komt, staat onder leiding van Jetty Corbelli, beter bekend onder den naam „Tante Jet".

Foto's: Ned. Omroep — Vermeulen 8 — Cino 2 — Hazewinkel 1.

Politiek cabaret v.l.n.r. (Brink Tummers—Bartoes). Waarom hangt de wasch niet aan de Siegfried-lijn?

In dit nummer

Onze Voorplaat

„Naar Oostland willen wij rijden". Dit werd vroeger gezongen. Opnieuw hebben tal van jonge Nederlandsche kerels deze woorden tot de hunne gemaakt en in daden omgezet. In ons artikel op blz. 2 en 3 wordt van hen verteld en ook onze voorplaat is aan hen gewijd. Daar drukken wij de beeltenis van een hunner af. Het is de timmerman Jan van der Heide uit Haarlem, die sinds Februari van dit jaar in een groot bedrijf in het Oosten werkzaam is. Daar ook trof hem onze fotograaf aan, die in hem het type zag van den gezonden Nederlandschen arbeider: vroolijk, openhartig, een goed en eerlijk werker, die het avontuur niet schuwt.

Allerwegen klinkt in het Oosten het lied van den arbeid. Bedrijven worden of zijn hersteld en in gebruik genomen, nieuwe industrieën verrijzen, de productie wordt opgevoerd ten bate van Europa. — Herstellingswerk aan den Dnjepr stuwdam.

In de bezette Ostgebieden bevindt zich meer dan de helft van de Sovjet-Russische broodgraan- en vleeschverzorging en bijna de geheele suikerbietenteelt. Millioenen tonnen graan, vleesch en suiker komen thans Europa ten goede. Ook voor Nederlanders wacht hier een groote taak. Velen vervullen die reeds. (Zie het artikel).

DE TREK

Al meer dan een jaar lang trekken nu de Nederlandsche vakarbeiders, specialisten en boeren naar het Oosten, in het begin stootsgewijs, doch nu is de trek tot een regelmatigen stroom aangegroeid, het waardevolst omdat de inzet voor het grootste deel vrijwillig geschiedt. De stroom volgt de oude wegen, die onze voorvaderen gingen in de twaalfde en dertiende eeuw, later nog in de zeventiende en achttiende eeuw, naar het Noorden in de Baltische landen, vooral Litauen en de bosch- en meerengebieden daarachter, naar het Zuiden vooral in het stroomgebied en den benedenloop van den Djnepr, waar eens de duizenden doopsgezinde boeren en handwerkers van Nederlandsche afkomst zich neerzettèn en de Steppe omtooverden in graanland en veeland, in tuinderijen vooral. Gelijk het van nijvere, vakbekwame en met liefde voor het eigen werk bezielde Nederlandsche boeren en handwerkers te verwachten was.

In den chaos van vandaag, nu wij met onzen neus vlak op de moeilijkheden zitten, vaak in de zorgen, ook tengevolge van den nog ongeregelden toestand in het Oosten, nu beseffen wij gewoonlijk niet wat er eigenlijk gebeurt. Wij zien dat Jan of Piet naar het Oosten gaat en goed geld verdient of lekkere levensmiddelenpakketten overstuurt of meebrengt, of dat Klaas moeilijkheden heeft met zijn contract dat volgens hem niet wordt nageleefd, of werk moet doen dat hij tot dusver nooit gedaan heeft, of in botsing is gekomen met roovers of partisanen en heeft geleerd zich als een man te gedragen, zelfstandig is geworden en een eigen zaak heeft opgebouwd — maar wij zien niet dat dit alles kleine onderdeelen, kleine episoden zijn van een groot gebeuren, waarover onze kleinkinderen later met eerbied zullen praten. Precies zooals wij in de vroegere trekken op een afstand van eeuwen bezien.

Hier wordt geschiedenis gemaakt, hier wordt een land veranderd, hier wordt een grondslag gelegd, waarop voor eeuwen verder gebouwd kan worden. De krachtigste, flinkste, meest vooruitstrevendste menschen der Germaansche volken bouwen in het Oosten aan de „vesting-Europa", zorgen tezamen met de Slavische, inheemsche bevolking, voor de beveiliging — voor altijd — van de Europeesche voedselpositie. En onder hun leiding wordt hier een toestand geschapen, die voor immer zal moeten verhinderen, dat dit land — wat het eeuwen lang geweest is — eenvoudig een doortochtsgebied, een open invalspoort voor Aziatische volksstammen blijft.

Alleen een minderheid is zich bewust van deze historische taak; de meesten gaan uit drang naar avonturen, in de hoop op een goede toekomst. Maar *niettemin* zijn allen een schakel in dit proces en is *ieder*, ook zij die zich er niet van bewust zijn, een steen die gebruikt wordt in het Europeesche gebouw dat de geschiedenis hier optrekt.

Wanneer wij hierboven een vergelijking trokken met de oude geschiedenis, dan gaat die toch niet geheel op. Er is een belangrijk verschil en wel dit. De trekkers die naar Oostland reden in vroeger eeuwen vormden afzonderlijk trekkende groepen, zonder organisatie, zonder blijvende verbinding met het vaderland. Het was alsof West-Europa zijn overtollige kinderen uitzond — en zich verder om hen niet bekommerde.

Nu echter verplaatst geheel Europa zijn grenzen Oostwaarts; zij die uittrekken blijven deel van een gesloten Europeesche bevolkingsblok. Moderne verkeersmiddelen zorgen voor een snelle verbinding met het vaderland en dientengevolge is een geregelde terugkeer met verlof van allen mogelijk. Geheel anders ook dan dit in de tropen mogelijk was.

En tenslotte zijn er overal organisaties gesticht die ten doel hebben de uitzending langs vaste geregelde banen te doen geschieden en die ervoor zorgen, dat de band met het vaderland niet afgebroken wordt. In Nederland zijn dat de *Nederlandsche Oostcompagnie*, voorzoover het de economische zijde van den inzet en de eigenlijke uitzending betreft en het dezer dagen gestichte *Nederlandsche Oost Instituut*, dat tegelijkertijd wetenschappelijk studie-instituut en lichaam is dat voor de niet-economische behoeften der Nederlanders in het Oosten zorg moet dragen.

Hoe geschiedt nu in werkelijkheid de uitzending en welke mogelijkheden zijn er? Een volledig overzicht geven is niet mogelijk in het bestek van dit artikel; wij zullen dus alleen de algemeene lijnen aangeven.

Voorop staat, voor allen die gaan, dat zij gezond moeten zijn — niet alleen naar lichaam, maar ook naar geest! Voor ieder, in welke categorie hij ook wordt ingezet, gaat dus een strenge medische keuring en een strenge selectie vooraf.

Allereerst *de boeren*. De afdeeling Agrarische inzet van den Nederlandschen Landstand werft de boerenzonen, die in ons overbevolkte land geen grond meer kunnen vinden, voor den arbeid in het Oosten. Tezamen met de desbetreffende afdeeling der Nederlandsche Oostcompagnie wordt een selectie toegepast en vervolgens gaan de boeren naar de „Oostlandboerenschool" van de N.O.C. te Hoofddorp. Daar worden zij, in een cursus van een maand, voor het eerst vertrouwd gemaakt met hun nieuwe taak en de nieuwe omstandigheden. Want de Nederlandsche boer in het Oosten gaat daar voorloopig — zoolang het front nog strijdt — niet boeren op eigen grond, maar moet *leiding geven* aan de groote gemeenschapsbedrijven (de vroegere Kolchozen) of staatsbedrijven (de vroegere Sowchozen) gebieden van 10—30.000 ha met meerdere dorpen soms, over welke gebieden de Nederlandsche boer als vrijwel onbeperkt heerscher en productie-leider den scepter moet zwaaien. Dat wil iets zeggen voor den Nederlandschen boerenzoon die uit het kleinbedrijf van ons vaderland komt. Vandaar dat hij allereerst moet leeren zich als krachtig, maar rechtvaardig *leider* te gedragen: hij moet heer en meester zijn en dat beteekent, dat hij ook zichzelf onder discipline moet hebben om den Nederlandschen naam in het Oosten hoog te kunnen houden. Hij leert te Hoofddorp verder met wapens omgaan, want hoewel het gevaar niet belangrijk is, is in sommige streken een ontmoeting met kwaadwillige elementen niet uitgesloten. Ook Duitsch en Russisch leert hij wat en iets over de verhoudingen in het Oosten.

Vervolgens — voorzien van een uitrusting der N.O.C. — vertrekt hij of naar het scholingsbedrijf der N.O.C., Waka T, bij Wilna in Litauen of naar de school te Spatow bij Rowno in de Oekrajine. Daar volgt dan weer een opleiding, ook op vakkundig gebied en tenslotte vindt dan de Nederlandsche boer als assistent-steunfrontleider (in de Oekrajine) of als assistent-beheerder of beheerder van goederen (in het Noorden) zijn bestemming.

Het is een groote voldoening te kunnen vaststellen, dat de Nederlandsche boer zich in overgroote meerderheid opgewassen heeft getoond tegen de zware en nieuwe taak, die hem in het Oosten wachtte. Gegroeid naar geest en lichaam (aan goed

Rond twee-derde van de Russische ijzererts en van de steenkoolwinning bevindt zich in Duitsche handen. Al deze bedrijven werken thans ter verhooging van Europa's kracht. — Russische arbeiders aan het werk.

De Oekrajine gold eens als de „korenschuur van Europa". Opnieuw zal het enorme gebied van de vruchtbare aarde deze taak vervullen. Daarvoor worden alle krachten gebundeld. — Russische boeren bij den oogst.

naar het Oosten

Nederlandsche werkers voorop

eten ontbreekt het niet!) keert de Nederlandsche boer met verlof in het vaderland terug en is dan vaak een levende propaganda voor hen, die nog aarzelend in Nederland achterbleven.

Ook bij de handwerkers wordt een strenge keuring toegepast, vooral ook ten aanzien van hun vakbekwaamheid, voordat zij, eveneens door de N.O.C. uitgerust, naar het Oosten vertrekken. De Nederlandsche vakarbeider, die initiatief heeft en van zijn vak houdt, heeft op den duur groote mogelijkheden. Hij kan gaan naar het Bau-amt van den Rijkscommissaris der Oekrajine te Rowno, of naar het „Ostwerk Ukraine" in Sjitomir of naar een Nederlandsche bouwonderneming ergens in het Oosten, in Rowno, Sjitomir, Kiew, Minsk enz. Treedt hij echter in dienst van het Ostwerk Ukraine, dan ligt er in de toekomst de mogelijkheid om zelfstandig een bedrijf te kunnen stichten en het gezin te laten overkomen. Wat voor de meeste Nederlanders wel van bijzonder belang zal zijn. Ook hier is nog niet alles geregeld en geordend, ook hier moeten nog vele moeilijkheden overwonnen worden, maar reeds thans kan gezegd worden, dat de Nederlandsche werkers een groot aandeel hebben gehad in den opbouw van het Oosten, zoo werd Rowno en wordt binnenkort Minsk, vrijwel geheel door vrijwillige Nederlandsche arbeiders herbouwd.
Naast den vrijwilligen inzet in het bovenomschreven kader, is onlangs de „Dienstverpflichtung" voor den „ ϟϟ-Bau-Einsatz Ost" ingevoerd. Het betreft hier echter een oorlogsnoodzaak; de bouwwerken, die moeten worden uitgevoerd, zijn belangrijk voor de beveiliging van Europa. Hiertoe moeten, op dit tijdsgewricht, alle krachten worden ingezet, die beschikbaar zijn. Het is echter een geheel andere taak dan de hierboven omschreven vrijwillige inzet, die eveneens voortgang vindt.

Behoudens dit alles echter wordt nog veel werk verricht op ander gebied; baggerwerken, turfgraverijen, het visscherijbedrijf, ook tuindersbedrijven, cultures worden onder Nederlandsche leiding en met Nederlandsche werkkrachten uitgevoerd. Daarover vertellen wij een ander keer.

Drs. W. GOEDHUIJS

Niet alleen in fabrieken en werkplaatsen, in landbouw- en transportbedrijven wordt in het Oosten gewerkt, maar ook in de wetenschappelijke instellingen en bibliotheken.

Onze medewerker drs. W. GOEDHUIJS, directeur van het Nederlandsche Oost Instituut, werd in 1899 te Amsterdam geboren, waar hij ook economische wetenschappen en sociale geografie studeerde. Uit hoofde van zijn studie en zijn volksche overtuiging had hij steeds groote belangstelling voor volksche vraagstukken, mede ten aanzien van Vlaanderen en Zuid-Afrika, op welk gebied hij veel publiceerde. Bij het uitbreken van den oorlog was hij redacteur-buitenland van het dagblad „Het Vaderland". In 1940 werd hij benoemd tot hoofdredacteur van de dagbladen van de Arbeiderspers, kort daarop tot hoofd Perswezen van het Nederlandsche Arbeidsfront. In 1941 nam hij tevens het hoofdredacteurschap van het weekblad „De Waag" over. In November 1942 trad hij in dienst van de Nederlandsche Oost Compagnie als hoofd van de afdeeling Economie en Statistiek, welke functie hij dezer dagen verwisselde met die van directeur van het onlangs gestichte Nederlandsche Oost Instituut.

(Foto's Orbis - Holland)

TOESLAAN... EN HARD!

Een avond bij de bonnengieren van den Nieuwendijk

„Ober, die dames een likeurtje van mij", bestelt een jongeling met vierkante watteschouders.
„Laat ie fijn zijn", bedankt één der „dames", die met haar verfletste zeventien lentes ineengekreukeld op de barkruk zit, als een geknakte aster in het knoopsgat op den ochtend na het feest.
„En laat ie naar paling ruiken", valt de ander bij.
„Op je gezondheid, Jopie", heft zij het glas.
„Proost meiden!"

We bevinden ons te Amsterdam op de Nieuwendijk, een nauwe straat tusschen Dam en Centraal Station. Het is een roezemoezige pijpela, langs tingeltangelende kroegen, ijspaleizen met klankrijke Italiaansche namen, zeven-stuivers bioscopen en goedkoope confectiemagazijnen. Een eivol geasfalteerd flaneerpad, waar voetje voor voetje hetzelfde publiek van elken avond voortschuifelt van het eene eind naar het andere en dan weer terug, aanleggend in één van de kroegjes of „een ijssie pikkend" bij „Venezia" of hoe die lichtgroen geschilderde nepzaken heeten.
Het is een pantoffelparade van de armetierigste soort. Troepen luidruchtige jongens hangen tegen de ramen van de café's, rooken hun „saffie" en schreeuwen hun opmerkingen naar het jonge vrouwvolk. In negen van de tien gevallen is vrouwvolk een te net woord voor de meiden, die op den Nieuwendijk hun vertier zoeken. Tot de onderwereld behooren zij misschien nog niet. Tot de normale maatschappij behooren zij allang niet meer. Het zijn echt „de meiden van de Nieuwendijk", de sloeries met hun uitgerafelde permanentpruiken, die als heiboenders van het hoofd afstaan, de sletten, met hun gekrijsch op straat, met hun gezuip in de café's, met hun gelonk naar de kerels van de lichtschuwe kolonie. Er is ook ouder volk 's avonds op den Nieuwendijk. Arbeidersgezinnen, die hier het goedkoopste vertier van Amsterdam vinden in de bioscopen met hun snorkende titels. Maar het hoofdpubliek op den Dijk is het jonge goed, van beneden de kwarteeuw.
Op den hoek van een steeg zijn we een kroeg binnengestapt. Het hikkende tempo van het muziekje, dat met veel saxofoonen trompetgedaver de „Oriëntexpresse" probeert na te apen, is ons al huizen van tevoren tegemoetgeslagen. Als de rooiekool paarsche gordijnen met de bruine wasdoeken handgrepen zich achter ons hebben dichtgeplooid, zijn we ineens opgesloten in de rookerige sfeer, waar het geroezemoes van het publiek, de lucht van jenever en het berstende lawaai van den band op het sloependek, ons ombruisen. Tegen een hoek van den toog hangt een knaap van hooguit achttien jaar, pommadehoofd, broek met te wijde pijpen en een confectie-robuustheid in de schouders, waarmee een jodenjongen vroeger furore zou hebben gemaakt. Als een van de artiesten de trompet verruilt voor een accordeon, waaraan hij dreinende zuchten onlokt, vervalt de jongeling met bovenlijf en beenen in een rhythmischen hik, een hysterisch geschokschouder, alsof hij centen moest ophalen door de maat te slaan met zijn geheele lichaam. Twee jongedochteren aan den toonbank kunnen zooveel muzikaliteit niet zonder blijk van deelneming aanzien. Met kirrende zanggeluidjes begeleiden zij het lied van den trekpianist. Een lied dat spreekt van „Diep in my haart" en blijkbaar smeltende gevoelens opwekt, althans te oordeelen naar den lichtelijk aangedanen blik, waarmee zij verwezen staren naar het zeilschip boven de tapkast. Als de harmonica het genoeg vindt en met een jankenden uithaal het lied besluit, komen zij, mitsgaders de zenuwtrekkende jongeling tot de werkelijkheid terug. En nog aangedaan door zooveel muzikaal genot, biedt de ridder de twee „dames" de likeurtjes aan. Letwel, met zijn drieën zijn ze nog geen vijftig jaar oud.
Dan kruist 'n andere snuiter op den gullen jongeling toe, zegt iets tegen hem, waarop hij aanstalten maakt om te vertrekken. De ober komt en nieuwsgierig kijken wij toe, wat hij betalen moet. Voor zeventien glaasjes jenever en likeurs, elk van tweevijftig het stuk, staat hij in het krijt. De portefeuille komt te voorschijn, gaat open en wordt als een spel kaarten in de linkerhand patserig omhooggehouden, opdat iedereen zal zien, hoe goed hij in de slappe was zit. Ook de fooi aan den ober is hierop berekend. En vol verbazing vragen wij ons af, wat dit voor een gouden jeugd is, die zonder blikken of blozen op een weekschen avond vijfenveertig gulden kan stukslaan aan jenever en likeur, om dan nog met een blik van „wat heb ik jou daar" en met een nog niet zichtbaar dunner geworden portefeuille de volgende kroeg in te stappen. Samen met het heerschap, dat hem op den schouder was komen kloppen. Wij achter hen aan.

Een stel bar-engelen en asfalt-helden Foto: Storm

In deze nieuwe kroeg hetzelfde beeld. Slierten rook, gegons van stemmen, stank van sterken drank en een trompetter, die een oorvliesscheurend kabaal bijeenblaast. De twee jongemannen zijn gaan zitten bij een groepje achter in de zaal. Geen daarvan is ouder dan dertig jaar. Voor hen, op het bemorste tafeltje staan de glazen met het mondjevol jenever — de prijs ook hier één riks — en verder nogal overtuigend volle pakjes cigaretten. Aan cigaretten schijnt trouwens in deze zaak geen gebrek. Zit ge bijgeval zonder? Geen nood. Even den portier aanschieten. Een pakje van 52 cent kost bij hem slechts *f* 11.50. Maar dat mag niet hinderen op den Nieuwendijk. De klanten hebben geld zat. Wat wonder ook, deze kroegen op den Nieuwendijk zijn de middelpunten van bonnenzwendel. En de handelaars zijn de jonge misdadigers, die hier hun geld aan drank en meiden komen stukslaan. Het is hier in de bocht van den Nieuwendijk deur aan deur hetzelfde liedje. Overal jongens en meisjes, jonge mannen en jonge vrouwen, die hier avond aan avond honderden guldens verbrassen, die hier hun jeugd verzuipen in jenever van tweegulden vijftig het glas. Aan den bar van één dezer kroegen spreekt ons een jongmensch aan. Hij is zooals hij het uitdrukt, „al een paar dagen in de loorum". „Aan het potverteren!" „Dat grapje kost me een paar honderd gulden, meneer, maar ik heb lol van me geld en kijk niet op een tientje. En wat ik kan, dat kon U op Uw twintigste niet!" „Greet," en dat tegen de buffetster, „schenk mij nog eens in, meid!" En Greet schenkt maar al te graag in, want beter dan de kasteleins heeft geen mensch het in dezen tijd. Zoolang de zwendel met de broodbonnen van arbeiderskinderen nog plaats vindt, leven de kroeghouders als God in Frankrijk. Zoolang de bonnenhandel nog bloeit hebben de twintigjarige Koos en zijn driekwartmisdadige vrinden nog volop hun natje en hun droogje. „Wat vraagt U, of ik niet naar Duitschland moet? Ja, moeten wel, maar krijgen doen ze me niet." Als Koos zijn er meer, zijn er zelfs velen. De Nieuwendijk is de beurs en het verzeercentrum van ondergedoken jongelui, die met bonnenhandel hun aas ophalen.
En de groote massa geeft ze nog gelijk, want werken voor de Duitschers, dat doen alleen maar de sufferds, die niet door de mazen van het net weten te slippen.
Als we het café uitkomen, groept een kluit menschen om een vrouw met een mand. „Pondje paling, meneer? Tien gulden maar! Versche broodjes met worst? Eén twintig!" Opmerkelijk zooveel vrouwen als hier loopen te leuren. Ge vraagt naar het waarom? Wel. De mannen zijn ondergedoken en zoo komen zij aan den kost.

Wat moeten we zeggen over dit bedrijf op den Nieuwendijk?
Moeten we erover van wal steken, dat het een schande is dat honderden jonge kerels hier van zwendel leven, dat zij over pakken bankbiljetten kunnen beschikken zonder ooit een hand in eerlijken arbeid uit te steken?
Inderdaad. Dat is schandaal nummer een. Het is een klap in het gezicht van de tienduizenden fatsoenlijke Nederlanders die thans in Duitschland werken. Waarachtig, we behoeven tegenover elkaar geen mooi weer te spelen. Ze waren liever in hun gezin gebleven dan in den vreemde in barakken te slapen. Ze hadden liever bij den eigen baas gewerkt dan in vreemde fabrieken onder vreemde condities aan den slag te moeten. En als zij nu dan in Duitschland werken, dan mag bij velen het begrip leven dat zij daarmee hun volk dienen, omdat een Duitsche nederlaag tegen de bolsjewisten ook een Nederlandsche zou zijn, maar vele anderen zien het als een plicht, die hard en zuur is. Dat alles valt te dragen. Er zijn menschen in Europa die dieper gebukt gaan onder den last van den oorlog. In Duitschland te moeten werken mag desalniettemin menigeen zwaar vallen. Maar het is om te doen. Wat echter geen Nederlandsche arbeider in Duitschland kan toelaten is, dat een aantal schobbers in de groote steden van zwendel en misdaad leeft en de bloemetjes buitenzet. Ook de Nederlandsche arbeider heeft het woord van den Führer vernomen, dat aan den oorlog zal sterven, al wie aan den oorlog probeert te verdienen. Ook de Nederlandsche arbeider in Duitschland verlangt van de politie in de groote steden, dat zij die bandieten bij den kraag vat. Ook de Nederlandsche arbeider eischt, dat het nu eindelijk eens uit zal zijn met dat boevenpak in Amsterdam op Nieuwendijk, Zeedijk, Rembrandtsplein en Nieuwmarkt.

En dan is er een tweede schandaal. Van waar komen de bonnen, waarin dat tuig zwendelt? Dat is makkelijk genoeg vast te stellen. Die bonnen komen van de allerarmsten in Nederland. Er zijn namelijk nog steeds gezinnen waar het wekelijksche inkomen zoo bitter gering is, dat het geld ontbreekt om de geldig verklaarde bonnen ook inderdaad in waren om te zetten. Wij hebben in de afgeloopen maanden al bij herhaling de aandacht gevestigd op dit brandende probleem. Hier en daar is verbetering aangebracht. Maar er is nog steeds een zeer groot aanbod in bonnen. Bonnen verkoopen doet niemand uit weelde. Er is in Nederland nog geen mensch omgekomen van puren honger, maar er is in Nederland de laatste jaren ook niemand meer aan hartvervetting gestorven, die alleen van zijn bonnen had geleefd. Wie zijn bonnen aan den man brengt, is daartoe gedwongen door de meest schrijnende ellende, welke ons volk op dit oogenblik nog kent. Wie die bonnen koopt om er zelf zich aan te goed te doen, is een ellendeling. Hij vreet zich dik en rond op kosten van een hongerend arbeiderskind. Wie evenwel van die bonnenhandel rijk en welvarend wordt is een schurk, voor wien het touw nog te goed is waarmee men hem zou moeten opknoopen. Dat soort schurken zijn echter 's avonds bij honderdtallen te vinden in de kroegen aan den Nieuwendijk. Al die patsers van om en de bij twintig jaar, die daar met dikke portefeuilles pralen, komen niet eerlijk aan hun geld. Zij zijn zwendelaars, bonnen-gieren, parasieten op de uitgeteerde lijfjes van verhongerende arbeiderskinderen. Dat dit alles ongestoord zijn gang kan gaan is een misdaad, die met woorden niet uit te drukken is. Het is trouwens niet noodig het onder mooie woorden te brengen. Iedereen, die eens een kijkje gaat nemen daar in de buurt, heeft het zoo door. Veel woorden zijn daarbij overbodig. Wat noodig is, zijn daden. Daden echter bleven pijnlijk opvallend achterwege.
Toch zouden daden kinderlijk eenvoudig wezen. Als er onder de agenten, die op den Nieuwendijk patrouilleeren, twee eerlijke kerels zijn, kunnen zij onmiddellijk honderd bonnenzwendelaren aanwijzen. Misschien zullen veel van de boeven, die een goeden neus plegen te bezitten voor plotselinge belangstelling van politiezijde, er wel voor zorgen juist geen bonnen bij zich te hebben als ze gegrepen worden. Geen nood. Wat in Oss gebeurde, kan ook op den Nieuwendijk worden toegepast. In Oss werd het heele stelletje beroepsmisdadigers, dat zoo langzamerhand weer uit de gevangenis was ontslagen en zich met gappen onledig hield, zonder eenigen vorm van proces in een kamp gestopt. Achter een keurige prikkeldraadversiering kunnen die heeren thans met schop en kruiwagen de bodemgesteldheid van Nederland bestudeeren.
Wat in Brabant kan, moet ook in Amsterdam kunnen.

Het prikkeldraad wacht op de heeren. Maar wie ook wachten zijn de Nederlandsche arbeiders in Duitschland, die terecht den eisch stellen, dat in Nederland er sociale rechtvaardigheid zal bestaan nu zij met vele tienduizenden Nederlanders zich in Duitschland met hun heele energie hebben ingezet voor de overwinning van het socialisme op de monstercoalitie van kapitalisme en bolsjewisme.

FRONTZORG-
brieven
W. KLERK.

OPRUIMING HOUDEN

.... Om een ding echter heb ik me geweldig kwaad gemaakt en wel, dat er nog zooveel zwarthandelaars in onze stad zitten. Ik weet er van mee te praten, want ik heb vlak bij dat broeinest gezeten. Maar wacht maar tot ik met verlof kan komen, dan zullen we onder die heeren parasieten eens duchtig opruiming houden! Dan zal het Haagsche Veer wel een beetje te klein worden! Met verlangen zie ik den strijd weer tegemoet en ik kan den tijd haast niet afwachten, dat ik uit het Lazarett ontslagen kan worden. Mijn handen gaan gelukkig goed vooruit ,maar het zal nog wel een tijdje duren. Mocht ik echter met verlof komen, dan kom ik natuurlijk onze goede Frontzorg ook met een bezoek vereeren. Dan eindig ik nu weer met heel veel groeten voor alle bekenden van

ϟϟ Sch. J. A. v. Mourik.
Hou Zee!

EEN GEWONDE 17-JARIGE STRIJDMAKKER VRAAGT POST

.... De verzorging van de gewonde soldaten is uitstekend en ik ben al aardig op weg beter te worden. Ik ben 17 jaar oud en met mijn 16de stond ik al aan het front. U begrijpt, dat het altijd prettig is iets uit het Vaderland te hooren en daarom zou ik U willen vragen: Weet U geen kameraad, die met mij zou kunnen correspondeeren? Misschien dat U het in de Frontzorgkrant zou kunnen vragen, want ik heb al van veel jongens gehoord, dat U hen geholpen hebt. Ik hoop dan gauw en veel post te ontvangen en groet U met een krachtig Hou Zee.

Leg. Sch. Staats.

CONTACT MET HET VADERLAND MOET ER ZIJN

.... Mijn ouders zijn intusschen ook naar Duitschland verhuisd en daarom wilde ik U vragen mij een paar adressen te sturen om niet heelemaal het contact met het Vaderland te verliezen. Kranten en andere lectuur is van harte welkom als eenige nieuwsbron uit het Vaderland. Hartelijke groeten en Hou Zee!

ϟϟ Rttf. M. Verkaart.

NOG EEN PAAR ADRESSEN!

.... Bij mijn kompanie zijn nog twee Hollanders die graag pakjes, kranten en brieven uit Holland zouden krijgen. Ik heb op het oogenblik een drukke briefwisseling gekregen en daar zij weinig post ontvangen, vind ik het wel eens beroerd voor hen. Misschien kunt U hen door bemiddeling van het Frontzorgkrantje helpen? Hun namen zijn: Oberstrm. Leo Zwitser en Ob Scharf. Karl Heinz Schutte. Bij voorbaat mijn hartelijken dank. Hou Zee!

Ob. Strm. J. T. W. Beeke.

DAT INZICHT ZAL EENS KOMEN

.... Ik hoop nu maar, dat de menschen spoedig gaan inzien, waarvoor wij eigenlijk hier strijden en alles verlaten hebben wat ons lief was. Het gaat om de toekomst van ons heele Volk en dat van Europa en dat begrijp je pas als je hier zelf in het Oosten geweest bent.

Ik hoorde, dat Frontzorg een eigen huis gekregen heeft. Nu, dat kom ik vast eens zien als ik met verlof kom! Op het oogenblik zijn hier geen andere Hollandsche kameraden meer, die zijn juist overgeplaatst of als genezen ontslagen. Schrijft U nog eens gauw? Dan eindig ik nu met een krachtig Hou Zee en Heil Hitler

ϟϟ Pionier Joh. Oudenbroek.

NOG EEN 17-JARIGE DIE WIL CORRESPONDEEREN

.... Hier is weer een jong soldaat, die graag eens een paar brieven ontving van kameraden uit Holland. Toe, lieve Frontzorg, denk ook eens aan mij als je toch aan het adressen-uitdeelen bent. Ik ben 17 jaar. Jammer genoeg heb ik op het oogenblik geen foto van me, anders had ik die er bij gestuurd. Ik hoop gauw iets te mogen hooren en groet U allen recht hartelijk, Uw kameraad

ϟϟ Pz. Gren. Leen N. 't Hart.

OOK LIEVER NAAR HET FRONT

.... Hartelijk dank voor Uw brief en het postpapier. Zooiets komt altijd goed van pas, want daar zitten we altijd om verlegen. Zooals U misschien al wel gehoord zult hebben, zijn we kortgeleden verplaatst. Nu eerlijk gezegd, bevalt het ons hier heelemaal niet. Veel te rustig na die twee jaar, die we in het Oosten hebben meegemaakt. Als het aan ons lag, gingen we per keerende trein weer terug, al hebben we het daar nog zoo beroerd soms gehad.

Van de tommies hebben we niet veel last en als ze over komen, zijn ze zonder kijker niet te zien. Maar ze kunnen er op rekenen, als ze eens zouden willen landen, dat ze dan een warme ontvangst zullen hebben! Dan zullen we ook ons mannetje staan, net zoo goed als ergens anders.

Ik eindig U allen een krachtig Hou Zee toe te roepen. Gelukkig is er thuis nog een Frontzorg, die ons niet vergeet. Met Mussert alles voor Volk en Vaderland.

Rttf. E. J. v. Staveren.

THUIS ER UITGEGOOID

.... Maar laat ik me eerst even voorstellen. Ik ben ϟϟ Pz. Gren. Jos. Schellekens en sinds 7 weken in het Legioen. Thuis ben ik er uitgegooid, zooals zooveel jongens, die bij de ϟϟ gingen, maar dat mag niet hinderen. Frontzorg zorgt wel, dat ik zoo af en toe post uit het Vaderland krijg, is het niet? Ik kom uit Noord Brabant, zorgt U dat ik brieven krijg? De groeten van alle jongens hier op mijn stube. Hou Zee!

ϟϟ Pz. Gren. Jos Schellekens.

NOOIT POST OF KRANTEN

Van verschillende kameraden hoorde ik, dat zij geregeld via Frontzorg brieven ontvangen van kameraden in het Vaderland. Daar ik van huis uit slechts zelden post gekregen heb en ik geen kennissen heb, die mij schrijven, wilde ik U vragen, of ik zoo af en toe ook eens een brief zou kunnen ontvangen vanuit Holland. Mijn naam is Douwe Zeilmaker en ik ben een jaar soldaat. Ik zou er prijs op stellen, als er kameraden waren die mij van verschillende voorvallen en gebeurtenissen op de hoogte hielden daar ons verlof niet zoo is, dat wij geregeld in het Vaderland kunnen zijn. Kranten zien wij hier nooit, zoodat wij totaal niets weten van de andere fronten. En wat is het voor ons niet waard regelmatig brieven te ontvangen Nu, ik hoop, dat U mij wilt helpen Het zou voor mij een aansporing zijn, nog meer mij in te zetten voor onzen Leider en ons Volk. Hou Zee!

Strm. D. Zeilmaker.

NOG MEER SCHRIJVERS GEZOCHT

.... Ik lig in de Gen. Komp. Het is hier prachtig en er is een groot zwembad, waar we natuurlijk naar hartelust van genieten. Maar daar ik nog heel veel tijd over heb om te schrijven, zou ik Frontzorg willen vragen te zorgen dat ik brieven ontvang. Hopelijk krijg ik gauw wat post? Met heel veel groeten moet ik nu eindigen. Hou Zee en Heil Hitler.

ϟϟ Pz. Gren. J. Ehrbecker.

THUISFRONTERS, AAN HET WERK!

Uw kranten en tijdschriften in dank ontvangen en ik hoop dat U mij nu niet meer zult vergeten. Schrijft U nog eens en vraagt U dat ook aan de andere kameraden? Met Mussert voor Volk en Vaderland. Hou Zee!

Sch. H Frijters.

OOK DIE TIJD KOMT!

.... Na twee jaar aan het front geweest te zijn, moet men zich weer danig aanpassen. Maar ik wil niet klagen, zoolang ik nog gezonde beenen heb en ik kan de tijd haast niet afwachten, dat wij den Tommie eens voor 5 duiten kunnen geven. Hij zal er van opfrisschen, dat beloof ik U. Wees hartelijk gegroet van Uw Kameraad

ϟϟ Uscha Fr. Schellekens

„ALLES KOM REG". BESLIST!

.... Ik was juist met 14 dagen genezingsverlof in Holland, zoodoende kan ik eerst heden Uw brief pas beantwoorden. Het verlof was prettig, maar toch ben ik ook weer blij bij mijn kameraden terug te zijn. We hebben met elkaar al zooveel meegemaakt, dat je heelemaal op elkaar ingesteld bent. En bovendien behoef je je hier niet zoo te ergeren als in Holland met al die O.W.ers en parasieten van allerlei soort. Zij laten ons het zware werk opknappen en zelf plukken ze de vruchten er van. Maar „alles sal reg kom" zullen we maar denken, dus dat ook wel weer. Ik stuur U hierbij een paar marken voor pakjes, die zult U wel kunnen gebruiken voor andere kameraden. Al zijn we wel eens wat stug, ik kan toch aan alles merken dat het Frontzorg werk door de kameraden ten zeerste gewaardeerd wordt. Dat stugge en onverschillige is alleen maar aan den buitenkant. Met Mussert, Hou Zee!

Strm. P. Kroon.

HUWELIJKSGESCHENK

„Met je huwelijk, mijn waarde, wilde ik je gaarne dit geven . . . ."
„Oh, duizend maal dank! Is dat een wekker?"
(Marc' Aurelio).

MAG OOK NIET MEER THUISKOMEN

.... Samen met mijn vriend Kerkhoven lig ik op een kamer in het lazarett. Nu hadden wij het zoo over Holland en daar vertelde hij mij, dat er in ons land beste kameraden te vinden waren, die mij wilden schrijven. Ik ben, net als hij, zonder toestemming naar de ϟϟ gegaan en U begrijpt wel, dat ik niet meer thuis behoef te komen. Met mijn zuster is het hetzelfde geval. Zij is als verpleegster naar Duitschland gegaan en haar eenige wensch is, als D.R.K. naar het front te mogen gaan en misschien mij daar te ontmoeten. Ik hoop, dat U mij eens post kunt laten sturen en zou U er heel dankbaar voor zijn. Hou Zee!

ϟϟ Pz. Gren. P. Wijnsema.

VAN HARTE WELKOM

.... Daar ik al ruim twee jaar militair ben, zou ik ook graag tot Uw „jongens" gerekend worden en kom ik maar gelijk met eenige wenschen op de proppen. Ik zou graag wat lectuur ontvangen, daar ik hier op een zeer eenzame post zit. Briefcontact is mijn tweede wensch. Ik weet, er wordt veel om correspondentie gevraagd, maar iemand zult U toch voor mij ook wel kunnen vinden. Dan groet ik U met een krachtig Hou Zee uit de Süd-Ost.

Truppführer Willem Hilgeman.

TIJDSCHRIFTEN

Hebt gij deze week Uw tijdschriften en andere lectuur al naar het Hoofdkantoor van Frontzorg gestuurd? U weet toch, dat U er onze jongens een groot plezier mee doet en hun tegelijkertijd ook op deze manier kunt laten voelen hoe sterk de band tusschen het Front en het Vaderland is. In hun vrijen tijd lezen zij graag wat er hier in Nederland gebeurt. Aan ons de plicht hun in de gelegenheid te stellen van alles op de hoogte te blijven. Gaarne verwachten wij uw zendingen. Wij zullen zorgen, dat zij nog denzelfden dag naar hen worden doorgestuurd. Ons adres kent u: Zeemansstraat 14, Rotterdam.

EEN BEKENTENIS

.... Met een zware hersensschudding werd ik in het lazarett opgenomen. Dit liep ik op tijdens een luchtaanval toen ik wacht had Het zal nog wel een maand of twee duren voor ik weer heelemaal beter ben. Maar dan hoop ik mijn zin te krijgen en bij de ϟϟ ingedeeld te worden. Ik wil het nu wel eerlijk bekennen Ik ben bij de Sanitäters gegaan omdat ik vroeger een groote lafaard was en dacht, dat deze kameraden niet naar het front behoefden. Nu ben ik echter veranderd als sneeuw voor de zon en mijn Officier zal moeite doen mij bij de ϟϟ te plaatsen. Nu kan ik goedmaken, wat ik vroeger heb bedorven. En ik heb leeren inzien wat voor prachtkerels die „Sani's" eigenlijk zijn. Zij zetten dikwijls nog meer op het spel dan menig soldaat. Ik hoop, dat U gauw eens iets van U laat hooren. Hou Zee!

Soldat J Leurein.

EEN MATROOS AAN HET WOORD

.... Dus een teeken, dat men mij in Holland ook nog niet vergeten is. Zoo'n map schrijfpapier komt altijd van pas. Wij zijn hier met twee Hollanders in deze afdeeling, dat is maar een zielig beetje. Maar de kameraadschap met de Duitsche kameraden is goed, dus hebben we niets te klagen. Wij wenschen alle kameraden sterkte in den moeilijken tijd die zij nu mee maken in Holland en eindig met kameraadschappelijke groeten. Hou Zee.

Matr. I Johann Entrop.

EEN DRINGEND BEROEP OP HET THUISFRONT

.... En daar ik ook tot die ϟϟ-mannen behoor, die wel eens mopperen, dat zij nog nooit een pakje gekregen hebben, heb ik de pen maar eens ter hand genomen om U mijn adres te schrijven. 't Is waar, vele kameraden kregen al iets van Frontzorg, maar het is beroerd als je altijd afzijdig staat van alles en toe moet zien als anderen post ontvangen. Thuis kunnen ze zich de weelde niet veroorlooven pakjes te sturen, dus zou ik U willen vragen eens aan mij te denken. Dan eindig ik nu met onzen bekenden groet. Hou Zee!

ϟϟ Mann Henk Schot.

IK WEET GEEN ADRESSEN

.... Ik lig hier met een paar verwondingen in het Lazarett, maar zoodra ik beter ben, hoop ik naar het front te komen. En als men aan het front is, zoo van alle gemakken verstoken, is het altijd prettig als men brieven ontvangt en af en toe wat lectuur. Daarom zou ik dolgraag met een kameraad willen schrijven. Ik weet heelemaal geen adressen in Holland en daarom vraag ik het onze goede oude Frontzorg maar. Ik hoop, dat ik niet tevergeefs behoef te wachten. Met hartelijke groeten Hou Zee en Heil Hitler.

Pz. Sch. R. Drent.

FRONT EN VADERLAND

MANNEN ONDER HET NET VAN VUUR

Beelden van Nederlandsche vrijwilligers

PK. Het was in een kleine stad in Zeeland, dat een ϟϟ-Oberscharführer met het EK I en de zilveren „Nahkampfspange" (onderscheiding voor gevechten van man tegen man) eenige inwoners aansprak om een inlichting te vragen en zich daarbij van onvervalscht Nederlandsch bediende. De brave burgers geraakten niet weinig in verbazing toen in den loop van het gesprek bleek, dat de ϟϟ-man met al die onderscheidingen een Hollander van geboorte was, die, zooals zoovelen, sedert meer dan drie jaar in het verband van de Weermacht als vrijwilliger diende, in den loop der tijden voor de zesde maal werd verwond en wegens bijzondere dapperheid tweemaal vóór zijn beurt was bevorderd. Weliswaar hadden deze door de wereld vergeten menschen wel eens gehoord, dat er Nederlanders als vrijwilliger dienden, maar dat was als één van die vele lastige oorlogsverschijnselen zonder meer aan hen voorbijgegaan. Dat zou er wel af gaan, hadden zij gedacht, die lust tot avontuur, zooals zij de geste van hun landgenooten indertijd hadden gewaardeerd. Of het meer was dan een avontuur? Dat moge het volgende bewijzen.

Het is September '42. De groep Hendrik van Exel lag in een maisveld aan den rand van een zandwoestijn. De dorst kwelde de „Westlanders" als nooit tevoren. Buiten dezen dorst bestond er niets anders meer. Hij vulde hun geheele wezen, die dorst, die hun lippen wegvrat en hun keelen uitdroogde, zoodat hun mond geen onnoodig woord wilde vormen. Maar toen kwam het bevel tot den aanval, duidelijk en kort zooals altijd. De groep verzamelde zich. Dán springt de wijzer op den vastgestelden tijd. De groepsleider rent naat vóren, naar de vijandelijke loopgraven, die zich aan het eind van het maisveld op een kleinen heuvel bevinden. Een harde slag tegen zijn stalen helm deed hem wankelen, maar het was slechts een ricochet die geen schade aanrichtte.

Na de eerste sovjetrussische stelling hebben ze even een korte rustpauze, voor ze opnieuw tegen de tweede loopgraaf aanrennen, met veerenden sprong schiet de groepsleider voor de tweede maal naar voren, maar dicht bij de loopgraaf zakt hij van pijn in elkaar, terwijl de anderen aan hem voorbijstroomen. Op dien dag gebeurde het voor den eersten keer, dat de Nederlandsche vrijwilliger Hendrik van Exel zijn groep aan een ander moest overgeven.

Maar het duurde niet lang of de groepsleider meldde zich uit het lazaret terug. Het regiment was in zware afweergevechten gewikkeld. De groep had zich ingegraven. Nauwelijks is de groepsleider zelf op voorpost, als de pantsers komen aanrollen. In zig-zag rent de groepsleider met zijn mannen naar de verdedigingsstelling terug. Wachtend liggen zij in hun nauwe kuilen, terwijl de kettingen van de pantsers zich steeds meer naar hen toevreten. De M.G.'s van de pantsers maaien over het veld. Het zou zelfmoord zijn om uit het smalle gat op te staan. Het is afgeloopen, denkt de Nederlandsche vrijwilliger, finaal voorbij, de Hollandsche straten en grachten zie ik niet meer terug.

Maar wanneer nu het donkere staal van den pantser zich als een schaduw over den aardkuil schuift, komt hij nog op een laatste gedachte. Hij houdt zijn wapen voor de borst en hurkt in zijn kuil ineen alsof hij dood is. Door zijn tot spleetjes gesloten oogleden ziet hij de laarzen van de op de pantser zittende infanteristen. Dan wordt het stikdonker. De aarde komt door den geweldigen druk in beweging en ritselt op hem neer. Even kijkt hij omhoog, de pantserkettingen raken den kuil niet en schuiven aan beide zijden voorbij. Dat zou zijn redding kunnen zijn. De schijndoode rukt zijn machinepistool omhoog en vuurt midden tusschen de op de pantser zittende infanteristen, die hij nu in den rug ziet. Als steenen tuimelen ze van den staalkolos naar beneden. De pantserbemanning bemerkt niet, wat daar buiten gebeurt. Dat is zijn redding.

Intusschen is het één van Exel's mannen niet veel beter gegaan. Bij hem wilde de opzittende infanterie iets meer weten en wierp den in den kuil liggende een handgranaat voor de voeten. De doodgewaande slingerde deze onmiddellijk naar buiten. Ze blijkt echter een blindganger te zijn en daarom volgt dus ook een tweede. Maar ook deze slingert de Nederlandsche vrijwilliger den sovjets in het gezicht en ontkomt.

De marsch van de divisie gaat verder. Wederom wordt er aangevallen. Op een open ruimte bijten ze zich vast. Bijna is het hopeloos, maar ze moeten verder, over de open vlakten, die door het vuur van de sovjets als met een onontwarbaar net van vuur wordt toegedekt. Maar het peloton van Van Exel stormt voorwaarts. Na een geweldigen afstand steeds voorwaarts springend afgelegd te hebben moeten zij zich tenslotte toch ingraven. De zware M.G.'s rukken aan. Drie lanciers vallen kort na elkaar zwaar gewond voorover. Plotseling springt Van Exel op en schreeuwt dat de anderen moeten schieten, wát ze maar kunnen, hij zal trachten de gewonde op te halen. Het is een krankzinnige onderneming. Na twee, drie sprongen heeft het vurige net hem reeds in zijn mazen gevangen. Hij heeft meerdere schoten in den onderarm en een schot door het bekken. De hoeveelste verwonding is dat? Maar daar denkt de ineengestorte thans niet over na, want hij bijt van pijn in de aarde, zoodat ze hem niet zullen hooren schreeuwen. Later werkt hij zich op zijn ellebogen terug, onder het vurige net door. Maar na zes weken meldt hij zich weer terug, zonder verlof. In plaats daarvan stuurt hem later bij Isbjum O. Sturmbannführer Dieckmann, de Drager der Zwaarden, die inmiddels gevallen is, toch nog met extra verlof wegens opnieuw bewezen buitengewone dapperheid.

En wat is er met de anderen gebeurd? Het was aan de Mius, dat de Sovjets met een stoottroep op een kleine landtong een M.G.-schutter van zijn post oplichtten.

Bij een lateren aanval vernemen de stormers van gevangenen, die foto's van bedoelden kameraad bij zich hadden, hoe deze zich gedragen had. Bij het verhoor op de Russische commandopost had hij bliksemsnel zijn laatste eihandgranaat afgerukt en deze tegen zijn lijf geperst, opdat ze hem niets meer zouden kunnen vragen.

Uscha-Henk van Exel, van wien in dit artikel sprake is, ontvangt van den Leider als persoonlijke waardeering het eeredraagteeken „Strijd en Offer". (Foto archief)

Maar de uit Tegelen afkomstide onderofficier, die het gouden „Kraftfahrbewährungsabzeichen" (onderscheiding voor leden van het autocorps) en als motorordonnans het E.K., de bronzen „Nahkampfspange" en het „Infanteriesturmabzeichen" (onderscheiding voor den infanterist die minstens 5 stormaanvallen meegemaakt heeft) ontving, deze onderofficier spreekt uit, wat ze in hun binnenste voelen, die vrijwilligers uit Nederland, die men tot avonturiers wilde maken. Zijn jong gezicht draagt een vroege ernst, in de eerstvolgende weken zal hij naar de Junkerschule (school voor opleiding tot officier) gaan. Hij zegt, dat men zóó geloovig zou moeten zijn, dat uit de vele dooden der vrijwilligers een nieuwe kracht zou opbloeien, die de verdoolden tot verstand en de met blindheid geslagenen tot inzicht zou brengen. Want bespeuren zij niet, juist in deze dagen, op al die straten en grachten, dat over hen allen het vurige net geworpen is en dat daartegen vrome wenschen en bezweringen niet meer baten?

Oorlogsverslaggever
TOM REUTER

TUSSCHEN NACHT EN MORGENSCHEMERING

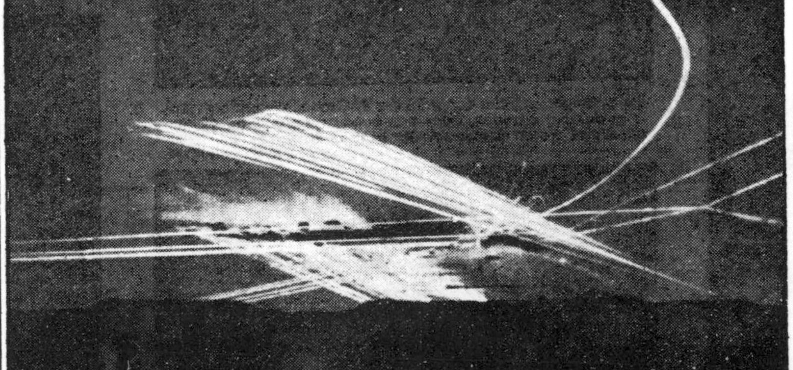

Zoodra de duisternis invalt en de vijanden hiervan gebruik willen maken om de Duitsche stellingen aan te vallen, jagen de machinegeweren hun lichtspoormunitie in hun linies van den tegenstander. „Het vuurwerk begint", zeggen de soldaten in de loopgraven. ϟϟ-P.K. Grönest/O.H.

Het ging ons om het Nederlandsche Volk, het gáát ons om het Nederlandsche Volk en het zál ons altijd om dit Volk blijven gaan!
Commandant Zondervan

Brief uit Hamburg

De laatste maand kan ik niet zeggen, dat ik te klagen heb over berichten, want bijna iedere week zijn er Vova's, Zwarte Soldaten en Nat. Dagbladen overgekomen van Frontzorg. Gisterenavond kreeg ik daarbij nog een zending postpapier en nu heb ik mij direct aan het werk gezet om op dit versch aangekomen papier een brief te schrijven. Het gewone postverkeer met Nederland gaat nogal langzaam, want het duurt een maand ongeveer, voordat de brieven overkomen. Sedert mijn vorig bericht is er een heele hoop met mij gebeurd, o.a. heb ik mij in mijn laatste verlof verloofd met een Schaarleidster van den Nat. Jeugdstorm uit Badhoevedorp. Door de gewijzigde indeeling geloof ik niet, dat er nog veel kameraden uit mijn vroegeren kring in mijn regiment zijn. Voorts ben ik intusschen bevorderd tot Unterscharführer.

Met Mussert voor Volk en Vaderland.

Usch. J. DE BEIJER.

TREIN-belevenissen

Burgemeesters-baantjes

„Die NSB-ers, meneer, daar waren vroeger nog wel eens idealisten bij, vóór den oorlog. Maar tegenwoordig is het allemaal baantjesjagerij. De eene wil burgemeester worden, een tweede commissaris van een een provincie en een derde is zelfs dáár niet tevreden mee. En als ze eenmaal zitten, dan bekommeren ze zich nergens meer om, dan zijn ze precies zoo voor zichzelf aan het werk als de heeren van vroeger, die ook alleen voor hun eigen standje zorgden."

Aldus zoo ongeveer een welgedaan uitziende meneer tegen een uitgedroogde in den trein, die me vanmorgen naar mijn plaats van bestemming voerde. Het toeval wil nu, dat ik op mijn terugreis uitgerekend zoo'n voor zichzelf zorgende NSB-burgemeester tref.

Ik ken hem nog van vroeger, omdat hij actief in de WA diende. Hij had toen, wat je noemt, een goede baan en woonde in het centrum van het land in de plaats, waar hij geboren en getogen was en waar hij zich dus best thuisvoelde. Nu zit hij ergens in een klein plaatsje in Zuid-Limburg als hoogste plaatselijke gezagsdrager.

Hij is er nu ongeveer een jaar en vertelt me een paar van zijn ervaringen.

Over het feit, dat hij er geldelijk behoorlijk op achteruit is gegaan, spreekt hij niet eens. Hij heeft eenvoudig een ontvangen instructie uitgevoerd en heeft het werk aangepakt, dat volgens zijn meerderen voor de gemeenschap het noodzakelijkst was.

Aangekomen in zijn gemeente trof hij aldaar niet alleen geen enkelen kameraad, maar zelfs niemand, die bereid was behoorlijk met hem samen te werken.

Een huis was er niet te krijgen. Dank zij instructies van den pastoor was het zelfs niet mogelijk bij één der dorpsgenooten onderdak te verkrijgen, zoodat hij voorloopig met een kamer in een hotel in een naburige plaats genoegen moest nemen.

Na enkele maanden modderen, waarbij hij viermaal daags de tien kilometer van zijn gemeente naar zijn woning moest afleggen, kwam hij tot de ontdekking, dat de gemeente zelf over woningen beschikte en dat door een reeds lang voorziene verhuizing en verbouwing een onderkomen voor hemzelf en zijn gezin gemakkelijk kon worden gevonden, zoodat hij tenminste na een maand of zeven weer met zijn gezin zou kunnen gaan samenleven.

In dien tusschentijd vond hij nog tijdelijk een onderkomen in zijn eigen gemeente, omdat een vrouwtje van zeventig jaar de opvatting van christelijke naastenliefde van den pastoor niet langer kon waardeeren en den burgemeester bij zichzelf onderdak kwam aanbieden.

Aanleiding daartoe was, dat deze den slager van het dorp uit een moeilijkheid kon redden, waarin hij door de stomme hitspolitiek van den pastoor was gebracht, waarmee tevens het geheele dorp een dienst werd bewezen, omdat het gevaar bestond, dat de huisvrouwen hun vleesch anders voortaan in een ander dorp zouden hebben moeten halen.

Als tegenprestatie verlangde de burgemeester van den slager niets voor zichzelf, maar alléén, dat hij bij de volgende collecte voor Winterhulp er samen met hem op uit zou trekken om de dorpsgenooten tot offers voor hun misdeelde of getroffen volksgenooten te bewegen.

Zóo werd langzamerhand een zekere welgezindheid bij een deel van de dorpsgenooten gekweekt.

Meneer pastoor voelde zich echter nog steeds de baas in het dorp en het was tenslotte alleen in die gevallen, waarin de dorpsgenooten zelf het slachtoffer werden van des pastoors domme sabotage-politiek, dat er na het bereiken van bepaalde resultaten voor de menschen persoonlijk te praten viel.

Op deze wijze waren er na een maand of zes met den burgemeester vijf man op weg voor Winterhulp.

Hoewel het den geestelijken herder van het dorp zeer verdroot, kwam er toch ook voor hem een dag, dat hij bij den burgemeester meende te moeten aankloppen.

Dat was, toen de betreffende gemeente als opname-gemeente voor eventueele geëvacueerden werd aangewezen.

De burgemeester gaf zijn secretaris toen namelijk de opdracht een lijst samen te stellen van die woningen in de gemeente, waar door de afwezigheid van kinderen of door de aanwezigheid van zeer kleine gezinnen de meeste ruimte over was.

Het gevolg van deze opdracht was zeer eigenaardig: Twee uur later stond namelijk de koster als boodschapper van den pastoor voor des burgemeesters deur om „inlichtingen" te vragen, of de pastoor in dit geval ook in aanmerking kwam.

Daar de inlichtingen van den burgemeester van verontrustenden aard waren, verscheen nog dienzelfden dag meneer pastoor zelf.

Natuurlijk geen woord van verontschuldiging over zijn behandeling van den hoogsten gezagsdrager der gemeente.

De geestelijke herder kwam alleen maar vragen ervoor te zorgen, dat in geval van evacuatie toch alstublieft zijn woning zou worden gespaard. Als pikante bijzonderheid moge daarbij dienen, dat niet alleen meneer pastoor met zijn dienstbode een huis bewoont, dat grooter is dan het heele gemeentehuis, maar dat de kapelaan eveneens alleen met dienstbode een niet veel kleinere woning in gebruik heeft.

Het is dan ook niet verwonderlijk, dat de kameraad-burgemeester zijn verwondering tot uitdrukking bracht over dit verzoek van den pastoor, omdat hij meende het met de christelijke naastenliefde niet in overeenstemming te kunnen brengen:

„Ik had gemeend, dat U bij het vernemen van het feit, dat er hier menschen zouden komen, die door de oorlogsomstandigheden van huis en haard zijn verdreven, onmiddellijk vrijwillig Uw geheele huis, dat aan tientallen menschen plaats biedt, zoudt hebben aangeboden en bij den kapelaan zoudt willen intrekken. Dat zou naar mijn meening christelijke naastenliefde geweest zijn. Het spijt mij, dat dit niet het geval is, maar zoo gauw er geëvacueerden komen, kunt U er zeker van zijn, dat U net als andere dorpsgenooten, die daarvoor in aanmerking komen een vorderingsbewijs krijgt en wel als éérste, daar ik in Uw huis minstens dertig menschen kan onderbrengen!"

Dat zijn zoo een paar van de ervaringen, die één van die „baantjesjagers", zooals mijn eerste medereiziger die betitelde, mij meedeelde.

Die ervaringen zullen wel weinig afwijken van de ervaringen, die tientallen kameraden op dikwijls zeer moeilijke en afgelegen posten in ons land opdoen.

Ik geloof, dat er weinig tegenstanders zijn, die in dergelijke omstandigheden graag een dergelijke „goede baan" zouden willen aannemen.

Ik geloof bovendien, dat er heel wat werkelijk idealisme voor noodig is, om dezen dikwijls kleinen, maar harden strijd uit te vechten en met succes vol te houden.

Daarom moeten wij het gemakkelijke geschimp op deze kameraden, die hun verantwoordelijkheid in moeilijke omstandigheden dragen, met kracht afwijzen. De argumenten leveren zij zelf!

Ook zulke burgemeesters zijn er!
Foto SS-PK-Rottensteiner Atl./Holland

Frontzorgavond in Hoorn

Op 4 Maart ll. werd een Frontzorgavond georganiseerd te Hoorn, waaraan het Paulus de Ruitercabaret medewerking verleende. In weerwil van het slechte weer was de Parkzaal stampvol. Onder de vele gasten bevond zich ook de Commandant. Behalve het bekende vlotte programma van Tummers en de zijnen werd een geanimeerde verloting gehouden, waarvoor een aantal zeer fraaie prijzen bijeen gebracht was.

Hier werd geofferd! De kameraden in West Friesland hebben bewezen, dat zij den Front-inzet van onze soldaten naar waarde schatten. Dit bleek wel uit het resultaat: ƒ 3000,—.

Vooral de groep Blokker-Zwaag heeft een eervolle vermelding verdiend. Een groot gedeelte van de opbrengst is door het harde werken van deze groep bij elkaar gebracht. Het behoeft geen betoog, dat de bezoekers en bezoeksters na afloop voldaan en tevreden naar huis gingen met het besef, dat werk voor Frontzorg een eereplicht is. Wij zijn voor het resultaat van een volgenden Frontzorgavond in West-Friesland niet bang!

DECADENTE of ontaarde kunst

Vaak hoort men termen als „decadente of ontaarde kunst" gebruiken zonder dat men er zich eigenlijk van bewust is, wat dat nu is. Decadente kunst, de asphalt-kunst, de namaak-kunst der groote steden, wordt niet geschapen maar gemaakt. Gemaakt om te prikkelen, het zinnelijke op te zweepen. Kunst die geschapen wordt, is gegroeid in een kunstenaar, die in nauw contact staat met het hem omringende leven. Hij werkt bewust of onbewust naar de wetten, die in zijn volk leven. Hij voelt de verbondenheid met zijn volk en land.. Ziet de band, die door de keten der geslachten tusschen het verleden en de toekomst is gelegd. Maar ontaarde en decadente kunst zoekt het in richtingen en stroomingen en in perioden van verval kenmerkt zij zich „door uiterlijke verfijning, het zoeken in het buitensporige, ziekelijke en perverse." Dit hebben wij in Nederland gekend (en kennen het helaas nog). Er bestaan twee richtingen der ontaarde kunst. Die van den vorm en van den inhoud. Die van den vorm is eigenlijk niet zoo gevaarlijk. Deze uit zich in nieuwe, doorgaans belachelijke vormen. Hoewel jonge kunstenaars er door in de war kunnen komen en zich dan uitdrukken in gezochte vormen, waardoor hun echte bezieling teloor gaat.

De andere richting, die der decadentie van den inhoud is gevaarlijker en werd helaas vaak in den uiterlijken vorm der kunst (en soms lang niet slecht) moedwillig hier gepropageerd. Wat te zeggen van deze uiting van een bekend kunstenaar in een veel gelezen weekblad. Hij schreef: „... dat wij... niets, niets, heelemaal niets voelen voor pornografie bestrijden... Maar wat wij in elk geval noodig hebben: mannen en vrouwen die zich niet laten intimideeren ... en die luid en met overtuiging durven roepen: „... leve de pornografie met en zonder kunst!"

Hieruit blijkt duidelijk, dat men de hooge waarden van een volk als reinheid en zedelijkheid moedwillig wilde vernielen. Een ander voorbeeld. (Eens en vooral: ik noem geen namen, daar dit soort die eer niet waard is). Het godsdienstig gevoel van ons volk werd bespot. Het gedicht heet „Blue Band" en eindigt zoo:

„... Aan blauwen band van sterk geluk
Leidt God ons met een zachte druk
Hij heeft ons heden versch gekarnd
En ons hard hart vrij onververd
Als boter op zijn brood gesmeerd."

Wie dezen „bloei" onzer kunst bewonderde, was natuurlijk de eeuwige Jood. O, ze waren zoo handig. Ze wierpen elkaar het balletje toe. De Joden zorgden dat het Nederlandsche volk zijn kunst, zijn kultuur, zijn ruggegraat verloor. Een klein voorbeeld hoe de Joden werkten: In het door den Jood Querido uitgegeven maandblad „Nu" bespreekt de Jood Joseph Gompers het bij den Joodschen uitgever Menno Hertzberger uitgekomen boek van den Jood Siegfried van Praag, dat handelt over de Joden in de letterkunde. In dit boek staat o.m.: „Rabbijn de Hond kneedt en wringt zóó aan zijn taal, dat hij een apart Amsterdamsch Jiddisch dialect geschapen heeft". Onze letterkunde werd doordrenkt met den Joodschen geest. De geest van materialisme, van genot, van gewin, van zedeloosheid. In onze romanliteratuur ging het meestal niet meer om gezonde jonge menschen in gezonde liefde en huwelijksgeluk, maar: „om twee lichamen verdoemd en verloren in de wanhoopswellust van één laatste nacht!"

De andere ontaarde kunst, die der vorm moeten wij ook weer zoeken in die kringen welke door de Joden beïnvloed werden en wel het allermeeste bij de z.g. communistische intellectueelen en de „arbeiderspartij". Wat kan men nog zeggen van dit vers:

„Jij, socialistisch Meisje,
Jij bent als een radijsje:
van buiten rood, van binnen blank,
't Radijsje van de zoete Mei
en ik, ik ben het zout daarbij;
heb dank,
heb dank,
heb dank.

Of wat te zeggen van dit:

Ik lag in bed en telde mijn zonden
Ik had er zeven en dertig gevonden
Ik prevelde gauw een acte van berouw
Maar heb het toch prettig gevonden.
In spin
De hemel in
Uit spuit
De hemel uit."

Zijn het geen bewijzen genoeg om te zien hoe ontaard en rot onze letterkunde was. Ik heb hier niet het allergemeenste, het allerslechtste willen geven. Datgene wat hier staat, is echter reeds teekenend genoeg.

T. Z.

DE HOOFDSTORMER VERTELT OVER ZIJN BEZOEK AAN DEN FÜHRER

Speciale Stormmeeuw-reportage

De eenzame aan den top.

Van Leningrad tot op den Krim, in het uiterste Noorden van ons werelddeel, van Narvik tot Oslo, in Denemarken, langs de geheele westkust van Europa, in Italië, op den Balkan, Griekenland, Athene met zijn Acropolis, de eilanden in de Egeïsche Zee, overal, staat de Duitsche soldaat als klein onderdeeltje van die geweldige, gigantische machinerie, die Duitsche Weermacht heet. Al die millioenen soldaten, waarbij zich nog de millioenen der verbonden naties en de honderdduizenden vrijwilligers uit geheel Europa voegen, zijn door milliarden onzichtbare draden verbonden, voegen zich samen tot compagnieën, regimenten, bataljons, divisies, legercorpsen, tot één machtig geheel . . . .

En al die milliarden onzichtbare draden komen samen op één punt, rusten in de hand van één man, die dat machtige geheel in beweging zet naar zijn wil, die dat geheel beheerscht en leidt, wiens bevelen doordringen tot den eenvoudigsten soldaat in de voorste frontlinie . . . . ; dien eenen man, dien eenzamen, dien door millioenen verblinden fel gehaten, maar tegelijkertijd door millioenen ànderen fanatiek verafgoden man, op wien de geheele verantwoordelijkheid voor den met uiterste verbittering gevoerden strijd om ons aller toekomst rust . . . .

Dag en nacht werkt deze man, zich geen oogenblik rust gunnend. Vijf en twintig jaar geleden nog onbekend soldaat, thans legeraanvoerder van millioenen. En in tijden van grootste nood en zorgen, maar ook in tijden van vreugde en voorspoed zijn onze gedachten bij dezen man, naar wien al ons geloof en vertrouwen in de toekomst uitgaat en die — wij weten het — slechts stand kan houden in zijn bovenmenschelijke zware taak door dit hartstochtelijk vertrouwen der millioenen, die in hem gelooven.

En toch is deze man eenzaam, eenzaam als geen ander. Hebben wij er wel eens over nagedacht, wat het beteekent verantwoordelijk te zijn voor het leven van millioenen, verantwoordelijk voor het leven van een geheel werelddeel, voor een beschaving met een eeuwenoude traditie? Wij allen, hoe verantwoordelijk onze post op zichzelf ook is, zijn slechts een klein schakeltje in het geheel, wij allen zijn op onze beurt de uitvoerders van bevelen, die ons van boven-af gegeven worden. Maar hebben wij wel eens gedacht aan hem, die alleen bevelen heeft te geven en die deze bevelen moet verantwoorden tegenover God en zijn eigen geweten?

Ja, zoo'n man is eenzaam, onvoorstelbaar eenzaam. En het is ons aller hoogste plicht hem deze eenzaamheid te verlichten door onze, diep uit het hart opwellende, liefde, aanhankelijkheid en trouw.

Terwijl de soldaat altijd nog wel een oogenblik tijd vindt voor een korte rust, moet die eene man aan den top voortdurend waakzaam zijn, voortdurend gereed staan nieuwe ontwikkelingen het hoofd te bieden en voortdurend de mogelijkheden scheppen om zijn eigen plannen met ijzeren consequentie door te zetten.

De Leider bij den Führer.

In December van het vorige jaar zijn de Leider en de Hoofdstormer, in gezelschap van den Rijkscommissaris en Dienstleiter Ritterbusch, naar het Hoofdkwartier van den Führer gereisd. Zooals het in den loop der jaren gewoonte is geworden, is de Leider van ons Volk naar den Führer gegaan om aan hem, als Leider aller Germanen, rekening en verantwoording af te leggen van zijn beleid, om gerezen moeilijkheden met hem te bespreken en gezamenlijk nieuwe richtlijnen uit te stippelen. Twee uur hebben deze twee mannen met elkaar gesproken; twee uur heeft de Führer van zijn kostbaren tijd gegeven om de wenschen en verlangens van het Nederlandsche Volk aan te hooren en om te vernemen hoe de besten van dit Volk zich achter hem hebben gesteld en hun aandeel hebben in den Europeeschen vrijheidsstrijd. En weer is in deze twee uur het wederzijdsche vertrouwen en de vriendschap tusschen deze twee mannen gegroeid en is de Leider in het Vaderland teruggekeerd, gesterkt door de wetenschap, dat de Führer ons Vaderland een warm hart toedraagt en dat de Nederlandsche nationaal-socialisten op hem kunnen vertrouwen, zooals hij — naar de woorden van den Rijkscommissaris, wiens ,,meest trotsche oogenblik het was, dit den Führer te kunnen melden'' — te allen tijde op de Nederlandsche nationaal-socialisten kan vertrouwen.

De Hoofdstormer vertelt . . . .

Nu zit ik tegenover den Hoofdstormer, eenige dagen nadat hij uit het Hoofdkwartier van den Führer is teruggekeerd, om van hem, wien het groote voorrecht te beurt is gevallen oog in oog te hebben gestaan met den Führer, iets te hooren over deze historische figuur en om daarmee aan het verlangen van alle leden van den Jeugdstorm te voldoen, die zooveel mogelijk willen weten van den Führer.

,,Het eerste wat opvalt en wat wel de grootste indruk maakt'', zoo begint de Hoofdstormer, ,,is de geweldige rust en eenvoud, die je tegemoet komt, wanneer je het Führerhauptquartier betreedt. Hoewel je het misschien zou verwachten, wanneer je beseft hoe die geheele geweldige machinerie van de Duitsche Weermacht hier in beweging gezet en gestuwd wordt, is er geen sprake van geren en gedraaf, geen voortdurend telefoongerinkel en geen geschreeuw, maar van alles straalt een volstrekte rust en eenvoud af, die weldadig aandoet. Het Hoofdkwartier van den Führer is ook geen kasteel of een vesting. Gelegen midden in een bosch, ergens in het Oosten, bestaat het uit een aantal zeer eenvoudige barakken, terwijl de eigenlijke woning van den Führer bestaat uit een blokhut.

Het begon al te schemeren toen wij om half vier aankwamen en in de hal van de woning van den Führer werden ontvangen. Het was een geweldig aangrijpend oogenblik, toen de deur van de kamer van den Führer geopend werd en ik dezen grootsten aller grooten voor den eersten keer zag, staande geheel alleen in het midden van zijn groote werkkamer.

Dan sta ik oog in oog met dezen man, voel hoe zijn blik mij opneemt en diep in mijn hart schouwt. Ik voel zijn krachtigen, warmen handdruk en dan leidt hij ons naar de stoelen, die in een halven cirkel staan opgesteld, rondom een groot open haardvuur. Groote openslaande deuren komen uit in het bosch; alles in de kamer, met de groote kaartentafels en landkaarten aan den wand, ademt een weldadige rust. Deze zelfde rust straalt van den Führer af, die een geweldig beheerschten indruk maakt, in alles zoo totaal anders dan joodsche caricaturisten en verloopen journaille hem belieft te teekenen. De Führer zelf ziet er buitengewoon goed uit, maar hij zegt zelf dat deze jaren dubbel tellen. En het viel mij op, hoe zijn gelaatstrekken hoe langer hoe meer overeenstemming gaan vertoonen met Frederik de Groote, dezen grooten koning, die ook eenmaal Duitschland uit den grootsten nood tot ongekenden bloei gebracht heeft.

In den loop van het gesprek bleek welk een groot mensch de Führer is, hoe uiterst sympathiek hij is in zijn wijze van spreken. Geen oogenblik krijg je den indruk, dat je tegenover een „dictator" of zooiets zit, die maar decreteert en die „zwelgt" van machtswellust — de bekende democratische waanvoorstellingen —, maar voortdurend groeit in je het besef, dat je zit tegenover een man, die je begrijpt, die je aanvoelt, kortom een man, die werkelijk „einmalig" is. De Führer was ernstig, maar goedgeluimd en kon hartelijk meelachen. Dit bleek toen in den loop van het gesprek een natie ter sprake kwam, die in grenzenlooze zelfoverschatting denkt alles beter te weten dan Duitschland en steeds weer zegt hoe dit en dat wèl moet. De Leider vertelde toen, dat de Nederlanders wat dit betreft een prachtig spreekwoord hebben en hij sprak het in het Nederlandsch uit: „De beste stuurlui staan aan wal!" De Führer liet het zich enkele malen in het Duitsch herhalen, lachte gul en zeide, dat dit spreekwoord wel het best de houding van de betreffende natie typeerde.

Het gesprek dat wij hadden was volstrekt niet eenzijdig, integendeel, de Führer had een open oor voor vragen en opmerkingen en ging er uitvoerig op in. Openhartig besprak de Führer den internationalen toestand en bij alles kwam zijn onbeperkt en ongeschokt geloof tot uiting in den zegevierenden afloop van den oorlog. Ontroerd sprak hij over de geweldige offers, die vooral de Duitsche burgerbevolking zich moet getroosten. Hier was de ware volksleider aan het woord, die — en dat gevoel was zeer sterk — niet boven zijn Volk is uitgegroeid, maar er midden in staat, die weet wat er in zijn Volk leeft en die de nooden en zorgen van dit Volk kent. De Führer was zeer aangedaan toen hij vertelde van de offers, die hij van zijn Volk móest verlangen, maar hij sprak als zijn vaste voornemen en zijn heilige plicht uit, dat hij ieder Duitscher, die zijn bezit moet verliezen, na den oorlog alles schooner en mooier dan het was, zal teruggeven.

Groot was de waardeering van den Führer voor ons Nederlandsche Volk, hij toonde zich een uitstekend kenner van onze geschiedenis en bleek volkomen op de hoogte van hetgeen er op het oogenblik in ons Volk leeft. Gedecideerd legde hij er den nadruk op, dat hij het Nederlandsche Volk niets wenscht te ontnemen wat dit Volk **tot heilig bezit is geworden. En zijn begrip en waardeering voor ons Volk culmineerde in zijn uitspraak: „So kann auch nicht die Absicht bestehen, die Niederländer zu entniederländern, sondern es kommt darauf an, mit den übrigen germanischen Völkern zu lösen, was gemeinsam gelöst werden muss. Wir dürfen den Völkern an Freiheit** nicht nehmen, was genommen werden kann, sondern möglichst Freiheit lassen." Dat beteekent dus, dat wij Nederlanders zijn en blijven en als Nederlandsch Volk onze taak in de Germaansche gemeenschap, waarin wij na Duitschland de tweede plaats willen en kùnnen innemen, zullen vervullen.

Het is fantastisch te merken hoe de Führer, in wiens handen alles wat Europa betreft samenkomt, van alles op de hoogte is en met een bewonderenswaardige genialiteit hoofdzaken van bijzaken weet te scheiden. De eenige ontspanning, die de Führer zich bij zijn overstelpende werkzaamheden veroorlooft, is op gezette tijden een eenzame wandeling met zijn trouwen herdershond, om zich op deze manier de zoo noodzakelijke lichaamsbeweging te geven. Buitengewoon gehecht is de Führer aan dezen hond en het is ontroerend te zien, hoe aanhankelijk dit brave beest aan zijn meester is.

Het afscheid van den Führer was zeer hartelijk en persoonlijk. Geen oogenblik gaf hij je het gevoel dat hij daar stond als de Führer van een Volk van negentig millioen. Neen, uit zijn houding sprak een hartelijkheid, die ons allen diep trof.

En toen de deur van de werkkamer van den Führer achter ons was gesloten, hadden wij het diepe en indrukwekkende gevoel bij een man geweest te zijn, die tot de grootsten der geschiedenis behoort.

En ook als nuchter Hollander stormen gevoelens in je omhoog, die je niet voor mogelijk had gehouden en die je onmogelijk onder woorden kunt brengen. Misschien had je tot nu toe de verhalen, die je wel eens van Duitschers over hun ontmoeting met den Führer had gehoord, met een korreltje zout genomen en toegeschreven aan de veel grootere spontaneïteit, die een Duitscher eigen is, maar nu je zèlf oog in oog met den Führer hebt gestaan kun je dit alles, ondanks je volkseigenaardige nuchterheid, volkomen onderschrijven.

Oog in oog heb ik met den Führer gestaan, zoo besloot de Hoofdstormer, en ik kan het totaal mijner indrukken slechts in één woord weergeven: *onvergetelijk*, **onvergetelijk in den waarsten zin des woords!"**

FRITS BARKHUIS.

---

26 September 1944 zal het tien jaar geleden zijn, dat de Hoofdstormer den „Nationale Jeugdstorm" in het leven riep.
Ter gelegenheid van dit feit zal in het najaar een grootsch opgezet „Gedenkboek tien jaar Jeugdstorm" verschijnen.
In verband hiermede verzoekt de samensteller van het gedenkboek iedereen, die bijzondere persoonlijke herinneringen heeft aan of in het bezit is van documentatie-materiaal over den „Ouden Jeugdstorm", zich met hem in verbinding te stellen.
In het bijzonder gaat zijn belangstelling uit naar de activiteit van de nationaal-socialistische jongerengroepen, die als voorloopers van den Jeugdstorm zijn te beschouwen, naar foto-materiaal en naar de werkzaamheid van den Jeugdstorm in Nederlandsch-Indië. (Wie kan alle verschenen nummers van de „Indische Stormmeeuw" in bruikleen afstaan?)
Door den Hoofdstormer is met de samenstelling van het „Gedenkboek tien jaar Jeugdstorm" belast: Hopman F. Barkhuis, Noorder Amstellaan 63, Amsterdam.
Een ieder, die op eenige wijze zijn medewerking aan de tot stand koming van dit gedenkboek wil verleenen, wordt verzocht zich met hem in verbinding te stellen.

KUN
of Kit

Foto boven: Kunst verraadt iets over den geest van den kunstenaar, gelijk dit wanstaltige, misselijke product — „Moeder en kind" heet het — ons iets zegt over het joodsche brein van den dader, Epstein.

Foto rechts boven: Ter vergelijking met den vormloozen klomp die de personificatie van de vrouw moet zijn, een afbeelding van een werk dat ons wel iets te zeggen heeft, dat ontroerend schoon en edel van lijn en gestalte is: „Anadyomene" van prof. Klimsch.

Foto rechts: Weet u wat dit is? Ge raadt het in geen honderd jaar ook al zoudt ge er, gelijk de verbaasde bezoekers van deze Londensche kunsttentoonstelling, vlakbij staan. Het is een figuur, gewrocht door den joodschen beeldhouwer Jacob Epstein en stelt voor Christus. Kort voor dezen oorlog werd het aan de openbaarheid prijs gegeven.

Een kunsttento
eenige jaren g
own country",
land, oftewel
Vereenigde Staten, d
kers getrokken, gelijk
woonte is, wanneer
aandient als de groot
deze eeuw. Wel... ee
het. Met diepzinnige
kennelijken staat va
king aanschouwden
wonderen der kunst,
brengselen van door
verde geesten.
Daar waren sculpture
lijkheid en een gratie
toond, zooals vrouwe
vorm van een misluk
een ingezakte zandtac
derschrift „Nymf", d
teekeningen, aquarelle
van men op het eer
goed begreep of zij u
van Jantje dan wel
keuken der moderne
Maar daar waren bo
en het uitbundigste
een gewrocht dat ver
waardige aspecten ve
Het was een bonte wa
ken en lijnen, van
puntstreepen, van bob
rimpelige vierkanten
meende de kunstenaa
voorstellen. Het had
gelei op een hooizold
ten en dan had ook
loofd. Gezonde mensc
ter kenbaar maakten,
grepen wat het schoon
nen mochten blij zi
heelhuids op het sti
de rumoerige straat
Er was natuurlijk ee
stoffige mannen m
hoeden en flodderdas
de prijzen toekennen.
leerden al het fraais
derd, kwamen zij een
clusie, dat „zonsopgan
verdiende. Het moois
bij de feestelijke prijs
in daverende redevoe
doordachte, nieuwe r
de, ontroerende prod
kunstenaarschap" was
de bekroonde dader ze
sprak ongeveer als vo
zeer, mijne heeren, v
het schilderij heeft g
heele tentoonstelling
gehangen."

ST
sch

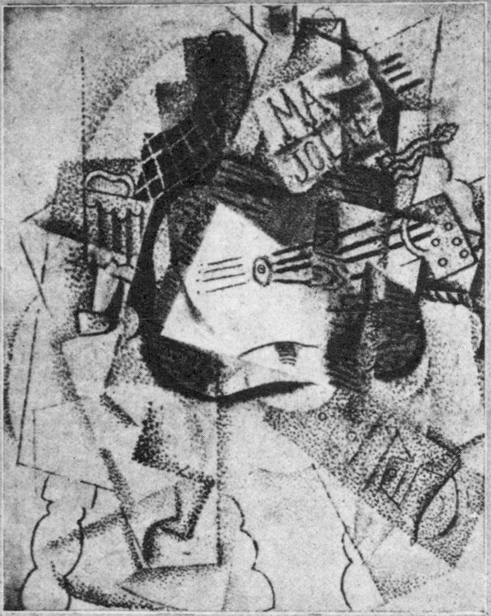
MA
JOLIE

Ge kunt het wenden en keeren zooals ge wilt, het blijft even onbegrijpelijk, en waarschijnlijk zou men vermoeden, dat het uit kladschrift van Jantje komt als men niet wist, dat het van Picasso was. Het heet „Ma Jolie".

„De fabriek is het vaderland der proletariërs en de machine is zijn god." Dezen stelregel maakte de Sowjet-kunst zich eigen en kwam daarbij o.a. tot dit resultaat: een tempel van machinearbeiders. De ronde lijnen duiden den Byzantijnschen koepelvorm aan, inplaats van engelen zijn bovenaan communistische agitatoren aangebracht. Hun hoofden zijn wielen voor drijfriemen. Kunst van een Aziatischen, ons vreemden geest.

Dit gekleurde gipsbeeld, dat nog ongelukkiger van factuur is dan de eerste de beste etalage-pop, moet het zinnebeeld zijn van de Sowjet-Russische jeugd. Kunst of kitsch?
(Foto's Werkend Volk-archief)

ng heeft
in „Gods
ods eigen
taal de
en bezoe-
nds de ge-
lame iets
satie van
atie werd
cht en in
tesverruk-
bbits de
ale voort-
en betoo-

een heer-
nmer ver-
n in den
dappel of
t het on-
ren pen-
en, waar-
zicht niet
kladschrift
e heksen-
kwamen.
hilderijen
deze was
de merk-

van vlak-
odders en
cirkels en
nsopgang"
het moest
ed „Spie-
nnen hee-
n het ge-
e schuch-
j niet be-
st beteeke-
zij weer
asfalt in
kwamen.
nissie van
ddenstoel-
moesten
dat de ge-
n bewon-
ot de con-
eerepalm
m echter
ng. Nadat
het „wel-
en wijzen-
n waarlijk
zen, kreeg
woord. Hij
'k dank u
eer, maar
de de ge-
ersteboven

Dit verhaal is geen sprookje. Het geschiedde eenige jaren voor den oorlog en wie er zich voor interesseert, leest er de kranten nog maar eens op na. Het was echter niet alleen een kostelijke grap, maar tevens een bijdrage voor de cultuurgeschiedenis van onzen tijd, waarin, in de laatste tientallen jaren heel wat meer ondersteboven heeft gehangen dan alleen dit schilderij.

Wat is eigenlijk kunst, wat doet de kunstenaar? Is kunst de aller-individueelste expressie van de aller-individueelste emotie? In haar algemeenheid is deze stelling zeker niet onjuist, maar daarnevens zijn er in die „aller-individueelste emoties", behooren er althans te zijn, gelijkgerichte stroomingen welke begrensd zijn door groepen van menschen, welke biologisch min of meer een eenheid vormen. Wanneer twee Chineezen een zelfde onderwerp zullen uitbeelden, dan mogen wij aannemen dat beiden hun aller-individueelste emotie weergeven. Maar toch, als wij er tegenover staan, dan ervaren wij beide kunstwerken, ondanks de mogelijke verschillen als kenmerkend Chineesch. Dat de meneer van de „Zonsondergang" in ieder geval een rare Chinees was, staat wel vast, maar of hij een gezond kunstenaar was, is te betwijfelen. Want als zijn diepste emoties inderdaad zoo zijn, als hij op de tentoonstelling demonstreerde, dan behoort hij in een inrichting voor geestelijk ontaarden thuis — of hij was een gewetenloos zwendelaar die van de verwarring zijner mede-burgers profiteerde... Wie zal het zeggen? Het resultaat blijft hetzelfde: kunst die met den inhoud van het woord slechts den naam gemeen heeft.

Kunst komt van kunnen, het houdt dus in dat het een daad is, een schepping. De indrukken die van buiten af en van binnen uit op den kunstenaar inwerken, nemen in zijn geest gestalte aan. Zijn ontroeringen deelt hij mede, geeft hij vorm in de stof: hij schept, waarbij hij de dingen in een hoogere orde schaart, ze losmaakt van de dagelijksche werkelijkheid en de dieperen zin tracht te doorgronden. Hij legt daarbij echter tevens getuigenis af van zijn eigen ziel. Hij is dus slechts vrij voorzoover zijn eigen innerlijk vrij is — hij kan slechts datgene scheppen wat in hem erfelijk verankerd is. En bij iedere menschensoort is dat anders. Een neger zal slechts de kunst scheppen — voor zoover hij daartoe in staat is — die aan zijn innerlijk rhythme beantwoordt, gelijk een Mongool dat weer op zijn wijze zal doen. Elke kunst die uit een zuivere ziel voortspruit kan mooi zijn, kunst van bastaarden kan slechts ontaarden gelijk zij zelf een hoon zijn aan de goddelijke ordening der dingen.

Een Nederlander, dat wil dus zeggen iemand van rijzige gestalte met blonde haren en blauwe oogen, zal nooit en te nimmer hetzelfde kunnen maken als bijvoorbeeld een Balineesche kunstenaar. Als hij toch het experiment ging uithalen, dan nog zouden zijn voortbrengselen zijn eigen, Nederlandschen aard op de een af andere wijze verraden.

De geschiedenis, zoo heeft men wel eens beweerd, kan men nauwkeurig aflezen uit de kunstvoortbrengselen der verschillende tijdperken. En zoo ongerijmd is het niet. Want uit den stijl, dus de manier waarop de ziel in de vormgeving spreekt, kan men zeker conclusies trekken ten aanzien van het karakter van sommige historische perioden — gelijk uit de stijlloosheid der laatste vijftig jaren is te zien hoe een chaos en verbastering er in de wereld waren ontstaan.

Als men de prachtige beeldhouwwerken, de strakke architectuur uit den bloeitijd der Grieken aanschouwt, dan ervaart men daaruit iets over den geest van het blonde menschenslag — ge vindt dezelfden thans nog in Noord-west-Europa, in Scandinavië, Noord-Duitschland, Nederland, Vlaanderen — dat er in zijn ongelooflijke spankracht in slaagde een torenhoog monument van cultuur te scheppen. Het Grieksche volk „verouderde", zoo zei men vroeger. Het beleefde eerst zijn opkomst, het werd groot en stierf. Wij weten thans aan de hand van de wetenschappelijke onderzoekingen, niet in het minst uit die op het gebied van de erfelijkheid, dat de Grieken niet verouderden: zij verloochenden hun eigen aard, verbasterden. Hun cultuur bloeide nog eenigen tijd en ging daarop ten onder. Op het oogenblik dat dus het Noordsche Grieksche volk door verbastering zijn eigen doodvonnis velde, ging ook de eenheid in den Griekschen stijl, ging de gansche kunst verloren: alles verdween en verloor zich in het duister der eeuwen. Niet voor niets hebben wij ons sinds vele eeuwen steeds weer beroepen op den bloeitijd der Grieken. Onzen eigen aard vinden wij daarin immers terug, in de kunst beleven wij iets van onze eigen ontroeringen, hetgeen, bij alle bewondering, die men daarvoor overigens zou kunnen hebben, toch nooit gezegd kan worden van de kunst der anders-geaarde Egyptenaren.

In tijden, waarin een volk streeft naar de verwerkelijking, de daadwerkelijke vormgeving van eigen kracht, zal de kunst zich ontplooien. In de middeleeuwen, toen Europa, gelijk eeuwen voordien Griekenland, nog grootendeels bewoond werd door het blonde menschenslag, toen dit nog het uitsluitende voorbeeld was, waarnaar anderen zich richtten, bloeide de gothiek: in omhoogstrevende lijnen brak zich de ziel, onze ziel, baan. Wie thans nog een gothische kathedraal betreedt, voelt dat hier geen kunst is geschapen die ons vreemd is, maar dat hier iets van ons zelf tot uitdrukking is gebracht, in strakke, steeds hooger stormende, nergens door verticalen onderbroken, naar oneindigheid reikende lijnen. Hier was kunst een goddelijke daad, een schepping, een deel hebben aan, ja, deel zijn van een hoogere orde.

Na de gothiek onderscheidt men de andere kunststijlen, de renaissance, den barok, en daarna kwam er de tijd van het groote niets, parallel loopend aan de omwentelingen in mensch en maatschappij.

Kunst is dus niet iets, dat los staat van volkeren en menschen, maar daarmede innig verband houdt, er de expressie van is. Is het daarom zoo verwonderlijk, dat het op het oogenblik, dat menschen de overhand krijgen die uiterlijk noch innerlijk iets met ons gemeen hebben, ook gedaan is met onze kunst en dat wij er slechts niet-begrijpend tegenover kunnen staan en ons afvragen of wij met het geknutsel van een kind of met de schrikbeelden van een krankzinnige te doen hebben? Ziehier de belijdenis van een Sowjet-poëet: „In den naam van onze toekomst zullen wij Rafaël verbranden — de musea verwoesten, de bloemen der kunst vertrappen — Maagden in het schitterende rijk van morgen — zullen schooner zijn dan de Venus van Milo". Zoo werd het neergeschreven in de „Proletarskaja Kultura"...... De Sowjet-kunst wil nivelleerende massakunst zijn en wordt daardoor op haar wijze weer de uitdrukking van de ziel van dit overwegend Aziatische volk, dat niets van doen heeft met het onze en daarom slechts in voor ons onverstaanbare taal kan spreken. Het denkbeeld van een literatuur-machine, om slechts een voorbeeld te noemen, kan slechts ontspruiten aan een anders geaard brein. Deze zou, volgens Kerzentsjew, ongeveer zoo werken, dat verschillende auteurs collectief een boek schrijven, ieder een eigen hoofdstuk met een precies afgepaste arbeidsverdeeling en werktijd: gemeenschapskunst? Een kunstfabriek, kunst aan den loopenden band.

Overal waar het Aziatische bolsjewisme vat krijgt op van de ankers losgeslagen of van nature op drift zijnde geesten, ademt het dezen drang naar nivelleering. Schreef een zekere Georg Gross indertijd niet in „Der Gegner": „Wij roepen allen om op te komen tegen den masochistischen eerbied voor historische waarden, tegen cultuur en kunst". En Herzfelde Wieland in hetzelfde tijdschrift: „Wij geven de voorkeur aan een liederlijk bestaan boven een edelen ondergang. Incapabel maar fatsoenlijk zijn, dat laten wij over aan mislukte individualisten en oude vrijsters."

In de jaren na 1918, in de periode der meest demonische verwarring, toen wel elk gezond, eerlijk, strijdbaar leven voorgoed tot het verleden scheen te behooren, bloeide ook de kunst der „ismen", het dadaisme, het kubisme, het futurisme en de hemel mag weten wat nog meer, uitmondend in het alles overtreffende surrealisme, de voltooide waanzin, het dolhuis in optima forma, dat in Engeland en in de Vereenigde Staten een dankbaar onthaal kreeg. Kan men de verbreiders van dergelijke baarlijke nonsens opvoeden tot beter inzicht? Het is, voorzoover al die „ismen" aan de eigen ziel van deze kunstenaars beantwoorden, onmogelijk. Laten wij er de anderen gelukkig mee laten en ons weer van onzen eigen aard bewust worden, ons zelf hervinden en aanknoopen bij de gezonde krachten welke sinds eeuwen in ons aanwezig zijn. Dan zullen wij iets wat mooi is, weer mooi noemen en wat leelijk is, leelijk. Dan zal de kunst haar zin hervinden, stem en geweten van ons volk worden. Het op z'n kop bekroonde schilderij heeft de onderscheiding overigens verdiend: het heeft ons in ieder geval geleerd, dat wat krom is, nooit recht wordt.

JAN VAN EK.

VOLK EN VADERLAND

ONS NATIONALISME UW REDDING
ONS SOCIALISME UW TOEKOMST

PRIJS 7 CENT

NATIONAAL-SOCIALISTISCH WEEKBLAD

VERKOOPPRIJS VOOR DUITSCHLAND RM 0.20

VRIJDAG 9 JUNI - ZOMERMAAND 1944

UITGAVE: NENASU — ADM.-ADRES VOOR ADVERTENTIES EN ABONNEMENTEN: OUDEGRACHT 172 — UTRECHT — TEL. 11851 — POSTGIRO 207915
REDACTIE-ADRES: MALIEBAAN 31 — UTRECHT — TEL. 13861

K 2350

12e JAARGANG No. 23

DE STORM BREEKT LOS

De feiten duidden de laatste weken op een op handen zijnde losbarsting van de sedert vele maanden opgezamelde energie der strijdende machten. Zware bombardementen teisterden de steden in Frankrijk en Zuid-Nederland en hevig laaide de strijd op aan het Italiaansche front alwaar de Duitsche weermacht met geringe strijdkrachten langzaam terugweek voor groote massa's troepen en zwaar materiaal van den vijand, die meer en meer de stad Rome naderde. Totdat gisteren (het is Dinsdagavond dat wij dit artikel schrijven) het bericht kwam dat Rome zonder strijd door de Duitschers is prijs gegeven. En, terwijl wij ons nog bezighielden met de vraag hoe de positie en de houding zal zijn van het Vaticaan temidden der Anglo-Amerikanen en bolsjewieken, verspreidden zich hedenochtend de berichten over de begonnen invasie bliksemsnel over het land.

Wanneer de stad Rome en daarmede het Vaticaan dat er een onafscheidelijk deel van uitmaakt, voor algeheele verwoesting is gespaard gebleven van hen die dezen oorlog begonnen . . .

* * *

Bovenstaande gedachten hielden ons bezig toen de eerste berichten over de begonnen invasie, welke naar het oordeel van beide partijen, de beslissing moet brengen, loskwamen. Wij kunnen er zeker van zijn dat thans een storm gaat losbreken zooals het Westen van Europa nog nooit te zien heeft gekregen. Een aantal kinderlijke liedjes konden hedenmorgen echter hun vreugde nauwelijks bedwingen. Zij zagen als het ware de „bevrijding" nabij. „Bevrijding" is een hypnotisch woord. Het heeft een aantrekkelijken klank. De vijand heeft al maanden, ja jarenlang met dit woord de ooren gestreeld van duizenden eenvoudige, kinderlijke menschen, die in ernst meenen dat vrijheid geschonken kan worden. Omdat wij, nationaal-socialisten, die de liefde voor volk en Vaderland in ons hart geklonken meedragen, weten, dat vrijheid slechts veroverd kan worden, daarom is het bij voortduring onze plicht onder misch bestaan zou hebben opgeleverd indien de angstige democraten hun zin hadden gekregen en omdat hij sedert dien zijn geheele persoon heeft ingezet voor de verheffing van ons nationale volksbestaan.

Wat een belofte van een democratische regeering voorheen waard was, weet elke Nederlander, die verbetering verwachtte van de voorwaarden van zijn bestaan. Met de verdwijning van een kabinet of een minister, verdwijnt tevens alles wat hij beloofde te doen. Wat een belofte van de democratische regeering in verstrooiing waard is wordt duidelijk, als men ziet hoe de heeren opduiken en verdwijnen en hun verantwoordelijkheden afschudden wanneer ze geen zin meer hebben.

Maar toch gaan de heeren op onbeschaamde wijze voort met verbeteringen en vernieuwingen in uitzicht te stellen wanneer zij eenmaal voet aan wal zullen hebben gezet. Wat zij voorheen verzuimden, dat belooven zij nu zij in Londen zitten. Het merkwaardige daarbij is dat zij van alles van plan zijn wat wij, nationale taal laat hooren, duiken weer een aantal van zijn ministers weg en verschijnen weer nieuwe heeren met steken voor de microfoon . . .

Hoe feller de storm opsteekt aan de Westelijke kusten van Europa, des te heviger zal het propaganda-bombardement van overzee worden. Onder het stoerste gedeelte van ons volk dringt het evenwel meer en meer door dat van jodenknechten en kapitalisten geen heil te verwachten is, noch voor het Vaderland, noch voor den arbeid en den arbeider

Het bericht van de invasie hebben wij daarom kalm en vol vertrouwen opgenomen. Het staat voor ons, nationaal-socialisten, als een rots zóo vast, dat de thans losgebroken storm beslissen zal over het lot van ons oude Europa en daarmede van ons Vaderland, waarvoor wij op de bres staan. Hoe de beslissing zal uitvallen is voor ons niet twijfelachtig. De geheele Beweging staat zooals de Leider het in zijn telegram aan den Führer uitdrukt in trouw en lotsverbondenheid aan de zijde van den Führer. De Führer, die Rome en het Va-

Open brief aan een clandestienen Christen (II)

De dageraad dien gij verbeidt, gloort niet aan gene zijde...

Het bolsjewisme voortreffelijk ontmaskerd!

Hiernevens publiceeren wij het 2de deel van den „Open Brief", door kameraad Jan Hollander gericht aan den schrijver van het illegale geschrift: „Wachter, wat is er van den nacht?, een oproep tot trouw en bezinning aan mijn mede-christenen in Nederland".

Nog „heviger", mijn waarde illegale broeder, ben ik het met U eens, wanneer U zoo eens even op een rijtje zet, waaraan het vroeger in ons nationale en politieke leven ernstig haperde. U schrijft woordelijk:

„Zal er een dageraad zijn voor de door ons begeerde doorwerking der Christelijke beginselen op het publieke erf en dientengevolge een opbloei van ons nationale leven:

dan zullen wij bevrijd moeten worden van de volstrekte, revolutionnaire volkssouvereiniteit, gelijk die tot uitdrukking kwam in den desolaten toestand der voormalige democratie";

Volkomen juist! Maar, pas op, wie aan de driemaal heilige democratie raakt, is des doods schuldig! Nog zeer kort geleden heeft Arie den Doolaard heel de oude, democratische rommelzooi breed-uit voor radio Oranje geëtaleerd, als „het" geluk dat men ons, arme verdrukten en rampzaligen, deelachtig wil doen worden. Dan mag lekker iedereen weer stemmen: de minister . . . en de werkvrouw die zijn bureau afstoft. Dan gaan we *correctief, wenschelijk en onmisbaar te achten gezonden volksinvloed anderzijds";*

Alweer eens! Geen overheid dus, die duldt, dat een sociaal-democratisch lid van de Tweede Kamer — zelf rijk geworden in Indië — terwijl de muiterij aan boord van „de Zeven Provinciën" nog voortduurt, in een openbare vergadering te Den Haag verkondigt dat hij die muiterij „verduiveld leuk" vindt, (zoo'n vent gaven we vroeger nog f 5000.— salaris per jaar to(!)), maar de officier, die met zijn bom het muiterschip tot stoppen en overgave dwong, en daarmede het gezag dierzelfde Overheid herstelde, met medewerking van den minister van Defensie, uit den militairen dienst liet wegtreiteren. Prima! En wat die nuttige, correctieve volksinvloed betreft: geen levensverzekeringsagenten meer, die over boerenbelangen moeten mede-beslissen, geen dominé's, die zich met de Rotterdamsche havens bemoeien en geen advocaat van een boerenleenbank, dien we den eenen dag tot minister van de Marine uitroepen (hoewel 'ie nog nooit een oorlogsschip aan den binnenkant heeft bekeken) en een paar maanden later even glashard tot minis-

Brave man; wij willen eenvoudig niets anders! Steeds hebben wij beweerd, dat een rechtsstaat zonder de macht om het Recht te handhaven een monsterachtig\ onding is. Zooiets als een uurwerk zonder veer; oftewel een lamgedraaid horloge.

Overigens streven wij niet „een" sociale gerechtigheid na, maar zeer consequent „de" sociale gerechtigheid, waarin iedere scheppende mensch de volle kans krijgt zijn gaven en capaciteiten te ontplooien. Niet alleen maar ter bevrediging van eigen verlangens en daardoor anderer arbeidskracht uitbuitend, maar zorgvuldig gericht in den dienst van het grootere geheel, dat volksgemeenschap heet. Daarin is de persoonlijkheid niet méér gebonden, dan zij moreel verplicht is, aangezien zij zònder die gemeenschap nooit een persoonlijkheid geworden was. Wat zou er, om maar een enkel

Führer, die besloot de frontlijn vrijwillig naar een gebied ten Noorden van de stad te verleggen en zelfs de bruggen over de Tiber in tact te laten. Terwijl het vast staat, dat het Vaticaan zijn bemiddeling heeft verleend aan de verradersckliek van Victor Emmanuel en Badoglio om achter den rug van den Duitschen bondgenoot om met de vijanden te onderhandelen en deze in de kaart te spelen, heeft de Führer den kerkstaat gespaard voor volledige vernietiging, welke ongetwijfeld zou hebben plaats gehad wanneer de Duitsche weermacht van haar recht had gebruik gemaakt om elken vierkanten meter Italiaansch grondgebied te verdedigen.

Hierover spreekt de goegemeente niet, maar wel zijn armzalige Engelandknechten al weer doende om een verontschuldiging te propageeren voor de moordaanslagen van Britsche piloten op weerlooze trein- en trampassagiers. Gelukkig zijn enkele dezer schavuiten reeds onbarmhartig afgedroogd. Wij zijn benieuwd of de geestelijkheid den moed en de eerlijkheid zal bezitten om van den kansel af de daad van den Führer recht te doen wedervaren. Wij zijn benieuwd, want van een algemeenen en oprechten afschuw van de vernietigers van kerken, monumenten en woningen is van de zijde der geestelijkheid nog nimmer gebleken. Evenmin is het vuren op treinpassagiers, landbouwers en straatpubliek blijkbaar ooit aanleiding geweest tot een vlammend protest van de kansels. Ja zeker, een enkele maal klinkt aarzelend een dergelijk geluid. Maar hoeveel moest er reeds verwoest zijn voordat een woord in dezen zin eindelijk over de lippen kwam? Het heeft er veel van alsof de tong eens geestelijken ook eerst los komt wanneer het geweld het eigen onderdak is genaderd. Het heeft er veel van, neen, het staat vast, dat de bestuurders der kerken zich als bondgenooten beschouwen van bolsjewieken en Anglo-Amerikanen dus van de godloogen en heid wordt niet geschonken, door niemand, maar indien dit al mogelijk ware, welke arbeider kan in ernst gelooven dat het kapitalisme dit bolwerk der joodsche geldmagnaten, iets zou schenken? Van het kapitalisme kan men alleen iets verkrijgen wanneer men het kapitalisme vernietigt.

Wij, nationaal-socialisten, hebben het bericht van den ontketenden storm in het Westen in zekeren zin ook met voldoening vernomen. Wij zijn er ons ten volle van bewust dat deze strijd vele offers zal vergen, maar wij weten ook, dat hij onvermijdelijk is voor de bevrijding in wezenlijken zin.

Zoolang de fronten in rust blijven, blijft het gevaar van de verwoesting van Europa bestaan. Willen wij bevrijd worden dan moet Europa worden bevrijd van de telkens weerkeerende bedreiging van zijn leven. Nederland kàn niet leven zonder Europa, daarom moet Europa dezen oorlog winnen. Daarom stellen wij, nationaal-socialisten, doordat de Leider ons dit inzicht verschafte, onze volle energie in dienst van den strijd om het behoud van ons continent. Duizenden volksgenooten hebben den zin van onze inspanning reeds verstaan, zochten hun plaats in de rijen der strijdende soldaten of stelden, indien dit niet mogelijk was, hun krachten ter beschikking op ander terrein doch tot hetzelfde doel. Door de gemeenschappelijke inspanning van vele tienduizenden Nederlanders zal de bevrijding van het Vaderland worden veroverd, daarvoor staat het eedverbod tusschen Führer en Leider ons allen borg.

Vergelijken wij daarmede 't gestumper waarop Gerbrandy ons via de microfoon van radio Oranje vergast. Gerbrandy, een man die geen enkele nationale prestatie de zijne kan noemen vraagt het vertrouwen, waarop alleen Mussert recht heeft, alleen al omdat Mussert ons volk eens redde van het z.g. Belgisch Verdrag dat een ontzettende verarming van ons econo- hebben staan. De heeren in Londen kennen geen grooter gevaar dan de N.S.B. maar doen hun uiterste best om aannemelijk te maken, dat zij „straks" maatregelen zullen nemen welke alleen een nationaal-socialistische regeering kan tot stand brengen. En terwijl Gerbrandy derge ontz'ende benden en die eens door alle volken van Europa zal worden erkend als de redder van de cultuur, welke dreigde onder te gaan toen bolsjewisme en jodendom hun verblinde handlangers uitzonden om de oude wereld te vernietigen.

L. L.

glad. De helft plus één heeft gelijk, al gaat het om 51 idioten en 49 wijzen...

Vervolgens:

„dan zal er, zoowel bij Overheid als volk, een juist inzicht dienen te komen ten aanzien van de goede verhouding, die er behoort te bestaan tusschen krachtig overheidsgezag eenerzijds en den daarbij, als nuttig

„dan zal de vrijheid moeten weerkeeren, zonder te ontaarden in ongebondenheid; dan zal de machtsstaat zonder recht moeten plaats maken voor een rechtsstaat met macht; dan zal er plaats moeten zijn voor een sociale gerechtigheid, waarbij de waarde der persoonlijkheid haar volledige erkenning behoudt;

wanneer ik niet Uw woorden aan de illegale vergetelheid had ontrukt en ze de gemeenschap bij dezen voorleg?

NU ALWEER POLITIEKE RUZIE?

Vrij overbodig acht ik:

„dan zal iedere versnippering van krachten, zooals die tot openbaring kwam in de opkomst van velerlei kleine partijtjes, van den aanvang af door de meest stringente maatregelen onmogelijk moeten worden gemaakt;

dan zullen de twee sterkste partijen in ons vaderland moeten afzien van het reeds thans door hen geëischte regeermonopolie en zullen zij de Protestantsch-confessioneele groepen moeten doen deelnemen aan de vorming van een kabinet op breede basis;

Kom, laat de politieke ruzie nog even rusten: wij weten immers niet eens of ons volk aan den partijenstaat überhaupt is blijven „hangen". Daarbij komt nog dit: één democratie, die voor haar eigen consequenties op de vlucht slaat is een ridder-esje van de droevige figuur. Bij de laatste grondwetsherziening in 1937 is aan het euvel van de kleine partijtjes reeds zwaar gedokterd. Men is toen niet verder gekomen, dan de l e i d e r s derzelve op hooge onkosten te jagen, door hun inschrijfgeld op het politieke circus verbeurd te verklaren, indien zij niet een bepaald aantal volgelingen op de been wisten te brengen, voldoende voor één zeteltje, oftewel rond 40.000 stemmen. Bartje leert mij, dat in een Kamer-van-honderd op deze wijze theoretisch altijd nog honderd partijen vertegenwoordigd kunnen zijn... maar dat zal U wel iets te veel zijn. Mij trouwens ook! Edoch, democratisch bekeken is het inconsequent, dat U nu al reeds de rood-roomsche coalitie het regeermonopolie ontzegt en een kabinet op breede basis verlangt (500.000 werkloozen hebben anders aan positief-christelijke kabinetten op breede basis, en dan nog onder leiding van één sterken man, de allerberoerdste herinneringen!), terwijl U de Staatkundig Gereformeerde partij, een anti-Parkverlichtingspartij of een R.K. Geitenfokkersbond den toegang tot het parlement zou willen weigeren.

Veel hartelijker ben ik het met U eens, wanneer U zegt:

„dan zal ons denken in buitenlandsch-politiek opzicht zich hebben los te maken van de verouderde idee eener isolationistische neutraliteit en zal onze diplomatieke activiteit gericht hebben te zijn op een internationale samenwerking in groote verbanden;

DE JODEN ONTKETENDEN DEZEN GROOTSTEN ALLER OORLOGEN

Ter overdenking bij den aanvang der invasie

Er bestaat bij het Nederlandsche volk ten opzichte van het joodsche vraagstuk en het thans veelvuldig gebezigde verzamelwoord „internationaal jodendom" een zoo schromelijk gebrek aan inzicht, een zoo ontstellende misvatting, hetzij door absoluut onvoldoende voorlichting, hetzij door opzettelijk gekweekt misverstand, dat het dringend noodzakelijk moet worden geacht, op dit terrein aan het volk afdoende en objectieve voorlichting te verstrekken.

Wij meenen dit niet beter te kunnen doen, dan door onszelf in deze van uitvoerige beschouwingen te onthouden en uitsluitend vertegenwoordigers van naam uit het wereld-jodendom zelf aan het woord te laten.

In dit verband meenen wij erop te moeten wijzen, dat het internationale jodendom een meesterlijk georganiseerde wereldmacht is, welker cellen en organen met duizend draden aan elkaar verbonden zijn en wier e e n i g streven is de wereldheerschappij te veroveren en de volken aan zich te onderwerpen.

Tot dat doel wordt e l k middel aangegrepen; het heeft zich meester gemaakt van de pers der democratische landen, talloos vele mantelorganisaties gesticht, waaronder de Vrijmetselarij, het beheerscht de Kabinetten, heeft zelfs vorstenhuizen aan zijn belangen ondergeschikt gemaakt, volkeren geestelijk en moreel uitgehold en lichamelijk ontkracht, zonder eenige scrupules oorlogen en revoluties ontketend en daardoor smart, nood en ellende voor millioenen gebracht, blokkades laten afkondigen en daardoor honderdduizenden aan den hongerdood prijs gegeven.

Wel is waar schermden de vertegenwoordigers van het wereldjodendom daar waar het in hun kraam te pas kwam, veel met schoonklinkende bedwelmende begrippen als vrijheid, beschaving, christendom, broederschap, vrede, humaniteit, e.d. maar dat waren slechts fraaie pleisters om de door hen geslagen bloedende wonden in het volkslichaam te bedekken.

Het staat onomstootelijk vast, dat het wereldjodendom verantwoordelijk is voor den nood, het leed, de ellende, den moreelen en zedelijken als ook stoffelijken neergang, die door dezen nieuwen oorlog over Europa gekomen is.

Niet wij beweren dat; het zijn de joden zelf die het komen bevestigen.

Maar — zal men ons tegenwerpen — men mag toch niet alle joden individueel verantwoordelijk stellen voor de daden van een deel hunner ras- en geloofsgenooten.

Dit argument moge vrij sterk lijken, maar het kan niet als steekhoudend worden gehandhaafd. Immers, de joden vormen over de geheele wereld één lotsgemeenschap, zijn door duizend banden van ras, bloed, geloof en solidariteit met elkaar verbonden, terwijl voorts onnoemelijk vele openlijke en geheime organisaties de wereldbelangen van het internationale jodendom behartigen.

Zelfs de jood erkende het beginsel der collectieve verantwoordelijkheid, toen hij bij monde van Jozef Lémann (bekeerde jood en priester) de navolgende verklaring aflegde (in zijn boek Napoleon I en de Israelieten, blz. 117—118):

„Men zal nu wel zeggen, dat er eerlijke Israelieten zijn, edelmoedige, liefdadige joden; wij ontkennen het niet en wij zouden ons ontaarde zonen toonen, door het niet te willen erkennen noch het te willen verkondigen.

Er zijn er velen, daar valt niet over te twisten. Maar het is eveneens onbetwistbaar, dat het Joodsche volk in zijn geheel als volk, zich meester maakt, van de goederen der aarde en dat, daar het niet in andere volken opgaat, het ongemerkt hun rijkdommen zal opzuigen als een groote spons, waarvan de opzwelling wordt bevorderd door de bescherming van liberale wetten."

Er bestaat causaal verband tusschen deze uitspraken en de schokkende gebeurtenissen die zich in den loop der tijden hebben afgespeeld en zich in het heden nog afspelen.

Duidelijk blijkt, dat achter democratie, kapitalisme en bolsjewisme het wereldjodendom wroet en woelt en dat de vrijmetselaren Churchill en Roosevelt, tezamen met Stalin slechts stroomannen zijn in het wereldrama, dat door het jodendom wordt opgevoerd.

JODEN ONTKETENDEN OORLOGEN EN REVOLUTIES!

Wij laten hier enkele uitspraken van vooraanstaande joden volgen, met aangifte van de boeken en bladen waaraan zij zijn ontleend.

Wladimir Jabotinsky (leider der Zionisten) in het blad „Nacha Retch van Januari 1934:)

„Den strijd tegen Duitschland voeren wij nu van het begin van 1933 af en wel door middel van alle Joodsche cultuurvereenigingen, Joodsche conferenties, congressen, handelsbetrekkingen, met behulp van alle Joden op de geheele wereld. Onze deelname aan dezen strijd zal ten algemeenen voordeele zijn. Wij zullen den oorlog van alle landen der aarde tegen Duitschland ontketenen.

Het is den Duitschers er om begonnen weer één groot volk te worden, zijn afgenomen gebieden te herwinnen en de koloniën opnieuw in het bezit te krijgen. Dit mag echter niet gebeuren, want onze Joodsche belangen verlangen de volkomen vernietiging van een eensgezind Duitschland. Het Duitsche volk in zijn eenheid is een gevaar voor de Joden."

Alfred Nossig (in zijn boek „Integrales Judentum, blz. 62):

„Vele vooraanstaande rabbijnen spiegelen ons de hulp van vreemde volken bij den opbouw van Palestina voor. Maar de beslissende wending in dit opbouwwerk zou toch eerst dan pas intreden, als een buitengewoon historisch gebeuren zal plaatsvinden, n.l. een wereldoorlog, waarin al de volkeren tegen elkaar het zwaard uit de scheede trekken.

Emil Ludwig (Cohn) (in zijn boek „Die neue heilige Allianz):

„De vlam van een nieuw wereldgeweten wordt in de Vereenigde Staten aangewakkerd. Waarom altijd alleen maar onzeker en onduidelijk van „zekere" staten gepraat? Het bondgenootschap richt zich tegen Duitschland, en tegen Italië en misschien nog tegen enkele landen, die deze beide staten zullen gaan navolgen. Het bondgenootschap moet waakzaam zijn, vooruitziend en genadeloos.

In plaats van maandenlang gepraat van 13 of 16 regeeringen, hoe bepaalde troepen teruggetrokken moeten worden, of bombardementen moeten worden verhinderd, moeten drie telefoongesprekken voldoende zijn, opdat den volgenden dag een ultimatum van 24 uren gesteld wordt, dat in zijn opstelling geschikt is den dictators den mond te snoeren...

Emil Ludwig (Cohn) in „L'Humanté van 3 Nov. 1938.

„Slechts de oorlog kan ons redden, de oorlog is onvermijdelijk. Hij zal de menschheid laten bloeden, hij zal de atmospheer reinigen, de vereenigde staten van Europa scheppen en de antisemitische wreedheid neerslaan.

Het is helaas maar al te goed gelukt. Deze oorlog is de oorlog van Juda.

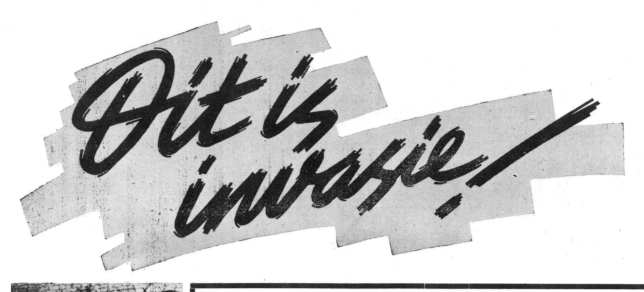

Dit is invasie!

Slachtoffers van den bolsjewistischen wil tot vernietiging van het oude Europa. Engelsche soldaten op Normandischen bodem.

Dat is oorlog voor de burgerbevolking, dat is de invasie, waarop zoovele hier hun hoop hebben gevestigd.

SAINT-LÔ
AUTOS ET MOTOS 25 K
POIDS LOURDS 15 K

PK

BERICHTEN

THEORIE EN WERKELIJKHEID

PK — Alle vier behoorden zij tot het dertiende valmschermjager-bataillon van de zesde valschermdivisie, die in den nacht van 6 op 7 Juni in een gesloten vrachtwagen van een kazerne ergens in Zuid-Engeland naar een vliegveld vervoerd werden. Zij waren alle vier nog zeer jong, niemand van het kwartet wist, wat hem te wachten stond. De 21-jarige Byron Turner uit Londen was student, toen hij voor den militairen dienst was opgeroepen en Roy Ritschley en Arthur Honge, beiden pas 19 jaar oud, waren arbeiders, de een uit Londen, de ander uit Southport. De vierde soldaat, Charles George Hadley was bouwvakarbeider en stamde eveneens uit Londen.
Hun opdracht ontvingen zij pas, toen het vliegtuig al door regenbuien en in het onzekere licht van den morgenschemer tot boven het Kanaal gekomen was. Met zeventien man van hun compagnie moesten zij ergens in Normandië, oostelijk van de Orne, uit de machine springen, om bezit te nemen van een hun toegewezen strookje grond met een klein gehucht om zich daar te verschansen. In ieder geval, zoo luidde het bevel, moest de komst van de met booten landende troepen afgewacht worden, voor zij verder mochten handelen. Na den sprong was dit viertal dicht bij elkaar terecht gekomen, maar de rest hunner compagnie-genooten met wie zij den overtocht gemaakt hadden, bleek niet te vinden.
Dagen achtereen trachtten de vier soldaten, die enkel met geweren, pistolen en een voorraad dynamiet uitgerust waren, contact te krijgen met deze verdwenen rest of met het dertiende bataillon, dat per schip arriveeren zou. Al lang was het laatste doosje Navy Cut met een mismoedig gebaar leeg in een sloot geworpen, en over eten werd ook al niet veel meer gesproken. Byron Turner dacht alleen aan het bevel van zijn compagniescommandant om voor alles contact te zoeken met de compagnie. De nachten waren koel en onplezierig. De bewoners van de boerenhoeven hier of daar op te gaan zoeken, leek het kwartet niet raadzaam.
Op den zevenden dag begon de honger te knagen. Het leven was ellendig. De dagen dwongen de vier mannen zich in bosschen verborgen te houden en de speurtochten in de nachten leverden niets op. De drie Londensche jongens begonnen het hunne te denken van de „Invasie". Het ging niet goed daarmee. Het contact met de per valscherm naar beneden gesprongen groepen, noch met de vanuit zee komende troepen, hadden zij tot stand kunnen brengen. Slechts de bedrijvigheid in het luchtruim van vliegende artillerie-uitkijkposten en het zware dreunen van de inslaande scheepsgeschut-granaten wezen erop, dat er een groote slag woedde en verder ging.
Op den twaalfden dag na hun sprong hadden zij er genoeg van. Honger en de nutteloosheid van hun onderneming hadden hen klein gekregen. Byron Turner, Roy Ritschley, Charles Hadley en Arthur Honge van de zesde valscherm-divisie meldden zich vrijwillig als krijgsgevangenen. De oorlog was voor hen beëindigd.

Kriegsberichter CONRADS.

GELOOF AAN HET MATERIEEL

PK. — De veldslag in Normandië is gelijk aan een brand, aan naar alle zijden lekkende vlammen, die telkens nieuw voedsel vinden. Onverbiddelijk en zonder erbarmen is die brand. De fronten zijn daar hard en taai. Maar de vijand in zijn nauw begrensde ruimte zoekt naar lucht. Hij valt aan, valt aan, valt aan. De uitslag van zijn pogingen is daarbij niet evenredig aan den ten toon gespreiden wil. Wel bepaalt de vijand de doelen, welke hij wenscht te bereiken, maar het tempo om deze doelen te naderen bepaalt hij niet. De verdedigers wijken slechts schrede voor schrede en dan nog alleen, wanneer dapperheid, hardheid en beproefde improvisatiekunst niet meer kunnen opwegen tegen een overmacht aan materieel en menschen. En soms slaan de verdedigers na de opgave van een strook gronds plotseling verrassend terug en werpen den vijand weer achteruit. Het slagveld tusschen de Orne en de westkust van het schiereiland Cotentin biedt voor dit laatste vele mogelijkheden.
Dit slagveld houdt het midden tusschen den steppe-oorlog van het Oosten, waar de krijg op en neer golfde als een zee bij eb en vloed, en de gevechten in het hoog-

Het werk der „bevrijders" van Europa, het Normandische stadje St. Lô staat in vlammen.

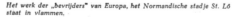

Zelfs de ratten hebben Caen verlaten. 40.000 burgers zijn in Normandië door de „bevrijders" omgebracht.

De langverwachte landingsvloot ligt voor de kust. Gedurende twintig minuten liggen de steunpunten der Europeesche verdediging in het trommelvuur. Dan komt de aanval, welke tóch wordt afgeslagen.

De invasievloot op weg. Kabelballons zweven boven de schepen. Engelsche foto in Normandië buitgemaakt.

gebergte, dat een regelrechte, directe beslissing in den weg staat. Omdat dit Normandische oorlogsgebied zoo klein en eng van ruimte is met zijn talrijke dorpen en gehuchten, zijn onoverzichtelijke wegen, zijn omheiningen van landerijen, velden en tuinen, is het uitermate geschikt voor stoottroepondernemingen, voor gevechten tusschen kleine groepen en voor . . een „geluidlooze" voorbereiding voor nieuwe manoeuvres.
Sterker nog dan aan het front in Italië tracht de vijand de beslissingen te forceeren door het gebruik van zware artillerie en bombardementsvliegtuigen. Hij valt niet aan, voordat hij zich zeker waant de Duitsche verdediging met urenlang trommelvuur en met bombardementen murw gekregen te hebben. Zijn onvoorwaardelijk geloof aan de Macht van het Materieel doet hem telkens opnieuw de ziel onzer soldaten onderschatten, en onderhoudt voortdurend den angst voor de Duitsche zware wapens en pantsers. Deze bijzondere en merkwaardige trek is vooral karakteristiek voor de vechtwijze der Noord-Amerikanen.
De onverbiddelijkheid der gevechten heeft intusschen zelfs de ervaren Oostfrontsoldaten tijdens de eerste dagen hier verrast. Sindsdien is zulks evenwel alweer een vanzelfsprekendheid geworden.... zooals zooveel wat andere menschen, andere volken, ook nog op den huidigen dag, niet kunnen vatten.

Kriegsberichter
Dr. ALFRED HAUSSNER.

BOVEN LONDEN

PK. — Behalve de V's nummer één snellen Duitsche vliegtuigen door de lucht naar Britannië, en vallen daar speciale doelen aan. Wij onderschatten in geen geval de kracht van de nachtelijke afweer boven Engeland, maar wij kunnen vaststellen, dat ook percentagegewijs onze nachtelijke verliezen ver blijven onder die, welke de Britten boven Duitschland lijden. En telkens weer gaan Duitsche vliegmachines naar Londen, werpen hun bommen af en brengen telkens belangrijke berichten mee terug over de uitwerking van het eerste Duitsche vergeldingswapen in Londen.
Alle nachten, wanneer de bewolking dit toelaat, biedt het stadsgebied van Londen den Duitschen vliegers een fantastisch beeld. Ditmaal zagen wij een enorm grooten donkerrooden vlaktebrand in het hart van Londen, die zich rondom uitbreidde. In het totale doelgebied vonden ook op dit middernachtelijk uur voortdurend explosies plaats.
Een der Duitsche vliegtuig-bemanningen zag op geringe hoogte verschillende zich zeer snel voortbewegende helwitte lichten, die door talrijke Engelsche lichte luchtafweerkanonnen beschoten werden. Die voort-schietende lichtflitsen moesten de Duitsche „meteoren" zijn. De stroom dezer geheimzinnige vreesaanjagende projectielen hield niet op.

Kriegsberichter
HANS THEODOR WAGNER.

HELDEN-JEUGD

ϟϟ-PK. — Op een der zwaartepunten van het Westelijk front ligt de ϟϟ-pantserdivisie „Hitlerjugend". Tijdens de eerste dagen van den overmachtigen stormloop der Anglo-Amerikanen kregen de jonge vrijwilligers hun vuurdoop. Niet in inleidende schermutselingen van plaatselijk karakter dus.... maar in den heetsten oven, in den helschen dom van het slagschepen-kanongedonder en in de woeste bombardementen van de viermotorige vliegtuigen, werden uit de nieuwelingen in den tijd van enkele uren vechters gevormd. Hard werden in de eerste invasiedagen de trekken op hun gezichten, nog harder hun harten.
Zij zijn thans bekend onder de Westfront-divisies. Zelfs de tegenstanders, pootige Canadeezen zonder sentimentaliteit, erkennen de groote soldatendaden der piepjonge ϟϟ-mannen. De krijgsgevangenen verbazen zich telkens opnieuw over den geest en de verbluffende ervaring van hun jeugdige tegenstanders, en als zij in hun kampen spreken over de „babydivision" klinkt er respect in den toon waarop zij dit woord, deze benaming uitspreken. „Aanvankelijk lachten wij om hen", vertelde een sergeant uit Quebec, „thans evenwel staan wij er verstomd over waar jullie na vijf jaren oorlog nog zoo'n jeugd vandaan gehaald hebt."
Daar is de Hamburgsche ϟϟ-pionier Horst L. Hij was steeds een der rustigsten geweest. Den derden dag van zijn frontdebuut brengt hem zijn groote kans. Zijn troep, die het bataillons-gevechtskwartier bewaakt, wordt ingesloten. Drie en twintig Sherman-pantsers hebben de eerste linie overrompeld en zijn, ondanks het feit, dat de achteraankomende infanterie tegengehouden wordt, doorgebroken tot aan dit stafkwartier. Wel is waar zijn eigen pantserafweerkanonnen naar deze plaats gealarmeerd, maar op dit oogenblik gaat het om leven of dood. Daar sluipt de kleine Horst L. tusschen de machinegeweersalvi door naar zijn groepscommandant, in zijn handen een „pantserkraker". „Unterscharführer, mag ik die daar voor mij hebben?"; hij werpt naar den dichtstbijzijnden kolos.
Deze kolos draait zijn geschutstoren. „Nu ziet hij een anderen kant uit!!"
In de seconde, waarin dit opeens tot hem doordringt, rent de jonge pionier tien, twaalf passen naar voren, drukt zijn wapen hoog en jaagt de tank de doodende lading in den flank. De tank knerst en rukt, maar haar kracht is nog maar voor enkele meters toereikend, dan moet de bemanning uitstappen en zich gevangen geven. De kleine pionier voert zijn gevangenen mee terug, vijf berensterke kerels, ieder een kop grooter dan hij zelf.
Ach, een overzicht te geven over de talooze staaltjes van individueelen heldenmoed dezer jongens zou te ver voeren. Maar er kan wel gezegd worden, dat de grootste zorg dezer ϟϟ-mannen niet de gelande tegenstander was, niet zijn overwicht in de lucht of wat dan ook, doch.. enkel en alleen het feit, dat zij gehoorzaam aan het gegeven bevel zich op aangewezen plaatsen moesten ingraven en wachten. Zij haten dit lange wachten, dat zich-bestrooien-laten-met-trommelvuur.
De divisie-commandant, die drie der dappersten het IJzeren Kruis uitreikte, vroeg dezen jongens naar hun wenschen. Een oogenblik was het stil, dan had een van hen moed gevat en zeide: *„Aanvallen willen wij, Standartenführer, aanvallen!"* Dat is het antwoord van een oorlogsvrijwilliger van de Hitlerjugend. Dat is de houding van de jonge soldaten, die de vijand heeft leeren vreezen. Hier, in Normandië, vecht een stoottroep van de nieuwe Duitsche jeugd!

ϟϟ-Kriegsberichter RICHARD OEDER.

Nog een Engelsche opname van den „kruistocht" tegen Europa.
Foto's ϟϟ-P.K. Stolberg 2, (E.P. 1 en P.B.Z. 1), Zschäckel-Atl. (1), Wescidlo-Atl. (1); P.K. Vennemann-Sch. (1), Dr. Speck-Sch. (1), Koll-EP (1); Scherl-Auslandsfoto (1), Heinrich Hoffmann (2).

Het einde der invasietroepen? Onze vijanden verbloeden voor de belangen van het kapitalisme, bolsjewisme en jodendom.

Canadeezen worden verhoord. Hun voorouders kwamen uit Europa en maakten Canada tot wat het geworden is.
Zij komen naar Europa terug in dienst der bolsjewistische belangen. Hun werk ziet men op deze pagina.

Foto uit de „Daily Sketch" van 7 Juni. Versperringen op het strand. Daarachter staan de kanonnen en de M.G.'s.

In en om de Landwacht

Wij, Landwachters

— JWS — Landwachter zijn, is een nieuw begrip geworden Het beteekent plichtsvervulling tot het uiterste en ook practisch socialisme, immers, de strijd tegen den zwarten handel en vooral de strijd tegen het terrorisme is niet een zaak voor ons, nationaal-socialisten, alleen, doch een zaak voor geheel ons volk. De Landwacht is niet ontstaan uit de zucht tot soldaatje spelen, maar het was de harde noodzaak, die het besluit tot oprichting van een gewapende formatie, naast de politie, noodig maakte. Misdaad en onregelmatigheden in de voedselvoorziening, overvallen op distributiekantoren en geknoei van officieele ambtenaren maakten een formatie noodig van menschen, die door hun ideaal alleen geschikt waren, de moeilijke taak van „zuiveraar" op zich te nemen.

Het spreekt vanzelf, dat de Landwacht door bepaalde elementen direct na haar intrede in het volksleven zoo zwart mogelijk afgeschilderd werd. Op alle mogelijke manieren werd en wordt getracht de leden van onze nieuwe formatie in een zoo slecht mogelijk daglicht te plaatsen. Trekken wij ons daar iets van aan? Neen, natuurlijk! Reeds bij een groot deel der bevolking heeft het optreden van de Landwacht sympathie verwekt. Men leert ons kennen. Men weet, dat wij niet voor eigen belangetjes het werk doen. Men ziet, dat ook de groote zwarte handelaren in den kraag gegrepen worden en dat de in beslag genomen levensmiddelen en goederen voor allen zijn. In tientallen plaatsen van ons land zijn eieren, kisten groenten en andere „gepikte" voorraden in het openbaar verkocht. Het verhaaltje van het fleschje melk, dat op duizend en één verschillende manieren telkens weer opduikt, is wel zeer belachelijk. Het publiek hoeft ons heusch niet te vertellen, dat wij een vrouwtje met een bosje rabarber moeten laten loopen en dat wij de grooten moeten ontlasten van hun onrechtmatig verkregen voorraad. Dat weten wij ook wel. En er zal heusch geen Landwachter zijn, die niet vol genoegen zoo'n groote meneer in zijn kraag pakt. Wij staan vrij, enkel bezield door ons ideaal. Wij laten ons niet omkoopen en wij zijn ook niet bang voor groote mannen of invloedrijke vriendjes. Wij zijn bovendien streng en hard, wanneer het slappelingen in eigen rijen betreft. Overal zijn slappelingen te vinden, dus ook bij ons, maar wij snijden deze rotte plekken zonder aanzien des persoons weg.

Neen, volksgenoot, wij spelen geen Landwachtertje voor ons plezier, of om er beter van te worden! De meesten van ons zijn er zelfs slechter op geworden, want om buiten je eigen werk per week een flink aantal uren in den Hulpdienst dienst te doen, kun je alleen van een idealist verwachten. U scheldt nu wel, maar heel stiekum bent U ons toch dankbaar. U begrijpt instinctief, dat wij ons land zuiveren van Moskou-handlangers en bolsjewistische methoden. Wij zijn niet zoo bang, als U bent U kunt rustig in Uw huiskamer blijven zitten en van tante Betje de laatste berichten hooren, maar wij gaan het pad op, openlijk! Wij kennen recht, en wat scheef is, moet recht gezet worden. Dat gaat soms ten koste van ons bloed. Dacht U, dat gangstersystemen ons af kunnen schrikken? Nooit! Als er één uit onze rijen weggeknald wordt, komen wij terug, dubbel zoo actief en met meer beslistheid dan ooit.

Vertelt U maar rustig, dat wij een stelletje boeven en moordenaars zijn. Alle kletspraatjes ketsen af op ons pantser van willen. Wij zijn nu zoo langzamerhand gewend aan de roddelpropaganda van radio Londen onder het motto: Ons is niets te dol! Wij zullen ook geen propaganda voor ons zelf maken, want dat hebben wij heelemaal niet noodig. De daad alleen is propaganda genoeg en wanneer alles eens gepubliceerd werd, wat in enkele maanden gepresteerd is, dan zou U toch nog raar staan te kijken. Niet voor niets begint de onderwereld nattigheid te voelen. Het jachtgeweertje blijkt in de practijk toch lang zoo onschuldig niet te zijn, als eenige maanden geleden spottend werd rondgebazuind. Het komt er maar op aan, hoe de persoon is, die het jachtgeweer hanteert. En dit voor de Nederlandsche gangsters: bedenk, dat het jachtgeweer ook vervangen kan worden door karabijnen en zoo noodig door nog sterker wapens! Weet U, angst komt in ons woordenboek niet voor en bovendien zijn wij zeer groote optimisten. Ons gevoel voor recht, orde en het nationale socialisme in het algemeen laat zich niet wegknallen door pistolen van Moskou-handlangers. Het wordt wel geprobeerd, maar de uitslag weten wij heel zeker; een groote nederlaag voor de onderwereld! Het handjevol Landwacht groeit bij den dag. Jonge en oudere menschen doen naast elkaar dienst. Wij staan met beide beenen heel stevig op den grond en wij willen het slechte niet mooier, maar ook niet leelijker zien, dan het is. Wij houden rekening met alle factoren, goede en kwade.

Wij willen ons zelf ook niet als engeltjes voorstellen, want per slot van rekening zijn we geen jongeliedenvereeniging van „Heilige Boontjes". Wanneer er per ongeluk een Landwachter een fout begaat, dan moogt U gerust hard lachen en aan het schelden gaan. Wij zullen uit het gebeurde echter een les trekken en alle verontwaardigde uitlatingen met een vriendelijk gelaat in den prullebak stoppen onder het motto: De beste stuurlui staan aan wal! Dat wil niet zeggen, dat wij niet ontvankelijk zijn voor raadgevingen van betrouwbare en welwillende zijde. Natuurlijk, onze organisatie is jong en het politiecorps bijvoorbeeld bestaat veel langer. Wij zullen hun raad ook heusch niet in den wind slaan, maar koekebakkers, die door hun kletspraatjes bewijzen, dat ze van ons streven niets begrijpen, gelieven thuis te blijven. Zij mogen hun eigen kinderen, die voor Koningin en Vaderland onderdoken, trachten op het rechte pad te houden en hen van de Moskousche smetten bevrijden.

Wij Landwachters, weten, wat wij willen en zetten den ideologischen strijd voor het nationaalsocialisme in eigen land in plaats van met het woord met de wapens in de hand voort!

Geen geklets, geen gezwam in de ruimte, maar daden! En die kent U zoo langzamerhand uit eigen omgeving wel!

Mopjes rond de Landwacht

Het werk van de Landwacht in de groote steden is spannend en niet van humor ontbloot. Dikwijls doen zich van die komische gevalletjes voor, waar je hartelijk om kunt lachen, maar hoe is het nu met de Landwachtpatrouilles gesteld, die niet in de groote stad, maar op het platteland hun plicht vervullen? Spanning zal daar ook wel zijn, maar de vroolijke noot? Hoe zit het daar mee? Wij Nederlanders zijn in den grond van ons hart niet zoo erg zwaartillend en wij kunnen een goeie mop op zijn tijd best waardeeren. Maar de mogelijkheid van een grappige situatie is in een plaats als Amsterdam in ieder geval veel grooter, dan ergens in de rimboe.

Toch is het volgende verhaal de moeite waard om aan de vergetelheid ontrukt te worden.

Wij weten, dat de Landwacht als het ware een staalkaart van leeftijden en beroepen is. Je kunt bij ons van alles tegen komen, bij wijze van spreken van putjesschepper tot burgemeester. Het gebeurde in een heel klein plaatsje, ergens in Nederland. Een patrouille uit de naburige stad was voor een actie ingezet en werkte naast de Dorpslandwacht aan de opgedragen taak. Enkele jongelieden uit het plaatsje stonden met gemengde gevoelens de werkwijze van de zwarte kerels met het jachtgeweer gade te slaan. Een van hen was een bolleboos, want hij had het Gymnasium in de stad bezocht en was drie keer gestraald voor het politie-inspecteurs-diploma. Schamper merkte hij op, dat die stumpers, hierbij de Landwachters bedoelende, geen greintje wetskennis bezaten en dat het toch eigenlijk een grof schandaal was, om dergelijke lui op het Nederlandsche Volk „los te laten". Om zijn woorden met bewijzen te staven, zou hij zoo'n Landwachter er eens eventjes in een kort gesprek laten intippelen. Vol verwachting gingen zijn vriendjes mee. De Landwachter in kwestie was bereid zich met de jongelieden, de bloem van het dorp te onderhouden en gaf zelfs een rondje cigaretten weg. In den loop van het gesprek kreeg de mislukte politie-inspecteur-zonder-diploma op zijn Hollandsch gezegd geen voet aan den grond, hetgeen hem het bloed naar het hoofd deed stijgen. Totdat een der omstanders het nuchtere idee kreeg, den Landwachter naar zijn beroep te vragen. Het antwoord was verbijsterend! „Ik ben Meester in de Rechten met een goede practijk in A."....

* * *

Juist optreden

In de pers heeft het optreden van de Landwacht te Warmond allerwege bewondering gewekt. Het Algemeen Handelsblad, De Waag en nog enkele andere bladen vermeldden met genoegen, dat een afdeeling van de Landwacht de „boerderij", beter bekend als het Zwart-restaurant „De Meerburg", eens wat nader bekeken had. Van de aanwezigen werd een gezelschap van zeventien personen, gekleed in avondtoilet, die daar op vooroorlogsche wijze goeden sier maakten, opgebracht naar Leiden. Het mannelijke gedeelte bleek in totaal een bedrag aan geld van rond **anderhalf millioen gulden op zak te hebben!** Zwarte handelaars van groot formaat!

De dames en heeren zijn onder geleide van de Landwacht netjes drie aan drie naar Leiden gemarcheerd.

Commentaar verder overbodig!

Landwachters

Deze pagina wil een kleine band zijn voor de Landwachters onderling in geheel Nederland. Daarvoor is noodig, dat van Uw kant de noodige medewerking verleend wordt. Bijdragen worden gaarne ingewacht bij de afdeeling Pers van het Stafkwartier Landwacht Nederland, Maliebaan 84-86-88, Utrecht.

HOE DE LANDWACHT WORDT OPGELEID

Niet alleen wordt groote aandacht besteed aan het hanteeren van de wapens, hetwelk een belangrijk onderdeel van het leerplan vormt, maar de zoo belangrijke weersport wordt tevens dagelijks beoefent.

Foto's Swart/C.N.F.

Een volk, dat zelf niet wil, gaat nimmer dood.
Een volk, dat leven wil, is altijd groot.
Maar als het sterven wil, dan is er niemand,
Die het verlossen kan uit zijnen nood.

Erich Wichman.

De aanslag op den Führer

Voor volkeren met een cultuur heeft het begrip „MOORD" immer iets afschrikwekkends gehad, iets wat thuis hoort in een barbaarsche wereld, waar primitieve instincten van de haat en de angst overheerschen.

Het woord „Moord" heeft dan ook in de Germaansche talen een sinistere klank; men huivert als het ware bij het uitspreken ervan.

Dit wil niet zeggen, dat er in de Germaansche landen nimmer moorden werden gepleegd, maar wel, dat men nimmer een moord verwachtte van een volksgenoot van beschaving, van een volksgenoot die deel had aan de volkscultuur.

Alléén dégénerees en beestmenschen welke nimmer deel hadden aan de bereikte cultuur, maakten bij tijd en wijle een uitzondering op den algemeenen regel. Voor hen had men echter altijd afschuw en zij werden meer bekeken als rariteiten, afwijkingen van de natuur, dan als medemenschen. En deze volksopvatting was gezond, daar zij een afschaduwing is van het begrip „Eer", het hooghouden van zichzelf als mensch.

En juist in die kringen, waar men van het begrip „Eer" een cultus had gemaakt en waar men ook tijd en gelegenheid te over had om dit begrip zoowel in theorie als in de praktijk nader uit te werken en toe te passen, ik bedoel in de kringen van het hof en den adel, daar was moord iets dermate ongehoords, dat alléén het denken aan een dergelijk middel al voldoende was, om uit den kring dezer bevoorrechten gestooten te worden. Ik spreek nu over den tijd, dat de adel werd verkregen door het verrichten van edele daden. Uit dien tijd stamt ook het spreekwoord: „Noblesse oblige" of tewel: „Adel verplicht".

Hoeveel moet er sindsdien veranderd zijn, indien wij vernemen, dat op den Führer een moordaanslag is gepleegd door een zekeren Graf von Stauffenberg op instigatie van een aantal door den Führer voor den grooten strijd ondeugdelijk bevonden generaals van het oude regiem, d.w.z. vrij zeker leden van den adellijken kliek, die van 1914—1918 hebben medegeholpen aan Duitschlands ondergang.

Hoe verworden deze dragers van aristocratische namen in wezen zijn, blijkt wel uit het feit, dat deze aanslag in overleg en met behulp van een buitenlandsche vijandelijke mogendheid werd uitgevoerd.

Dus niet alleen moord op den Führer van het Germaansche Rijk was beraamd, doch tevens verraad aan den vijand ten koste van het eigen volk.

Vanzelfsprekend deed aan deze monsterachtige misdaad slechts een te verwaarloozen percentage van het Duitsche volk mede; want wat maakt een 10- of 20-tal misdadigers uit op een volk van 80 millioen?

Het Duitsche volk en de Duitsche mannen aan het front hebben dan ook met afschuw kennis genomen van het feit, dat dergelijke uit officierskringen stammende nietswaardigen het Rijk den dolksteek in den rug hadden willen geven door het zijn leider te ontnemen en het leger te desorganiseeren door het doorgeven van vervalschte bevelen.

Zij spuwen op dergelijk gespuis en zij willen er niets mee te maken hebben; zoo is de houding van het Duitsche volk.

En hoe reageert men in Nederland op dezen moordaanslag? Eenvoudig misselijk. Als je de gesprekken erover hoort, moet je er gewoon van kotsen. Nu kan ik het nog meer begrijpen en meevoelen, dat het hoofdartikel van de Zwarte Soldaat van de vorige week luidde: Moeten wij vechten voor dit gespuis?

Men zwemt in wenschdroomen en de Hollandsche nuchterheid is ver te zoeken.

Dubbelgroot zal daarom weer de teleurstelling in het antikamp zijn, als blijkt, dat ze zich weer door den Engelschen zender te pakken hebben laten nemen. Dat de Duitsche soldaat doorvecht met verdubbelde energie en dat het in Duitschland niet kraakt. Dat deze moordaanslag leidt tot een nog grootere concentratie van alle goedwillende krachten en tot een nog vollediger inzet van het Duitsche volk voor zijn Führer.

Maar voor den Nederlandschen frontsoldaat, voor den W.A.-man die zijn leven inzet, opdat het Nederlandsche volk behouden moge blijven en niet ondergaat in den bolsjewistischen choas, is het wel zeer teleurstellend indien hij moet ervaren, dat hij ook vecht voor een groot deel, dat sympathiseert met moord en voor een kleiner deel, dat zich inderdaad bezig houdt met moord op kameraden.

Het is te begrijpen, dat hij wel even zou willen terug komen, speciaal om eens met deze totaal verwordenen af te rekenen.

Maar dit gaat nu eenmaal niet. Zijn plaats is nu meer dan ooit aan het Oostfront, waar de barbaarsche dreiging van het communisme moet worden weerstaan.

Mogen de oogen van ons Nederlandsche volk toch spoedig opengaan, opdat zij het geweldige gevaar onderkennen van den Russischen stormvloed, welke ons werelddeel wil overstroomen met zijn woeste horden.

Dan houden zij vanzelf op met grapjes maken over den moordaanslag op den Führer, den man, die zich geheel gewijd heeft aan de taak: Germanje en Europa te redden van vreemde overheersching en barbarisme.

J. DICKHOUT

De laatste der brigade

Bij de zware afweergevechten in het Oosten had een SS-Pantsergrenadier-regiment onder moeilijke omstandigheden een bruggehoofd gevormd, dat voor de verdere operaties van de divisie van primaire beteekenis was:

Dagenlang reeds probeerden de bolsjewisten dit bruggehoofd weer in te drukken. Door een enormen inzet van menschen en materiaal trachtten zij een doorbraak af te dwingen. Af en toe gelukte het hen met kleine groepen door te dringen.

Het gebeurde in de eerste herfstdagen. Bij het aanbreken van den morgen waren de bolsjewisten met pantsers en opgezeten infanterie door onze voorste linies heengestooten. Terwijl de SS-Pantsergrenadiers de plaats van doorbraak onmiddellijk weer afgrendelden en de Sovjet-Russische infanterie vernietigden, rolden de pantsers over een heuvel naar de kom van het dal, waar de compagnie's commandoposten van een bataljon lagen.

De chef van een „zware" compagnie zal waarschijnlijk wel verwonderd opgekeken hebben, toen hij den loop van een zwaar Sovjet-Russisch pantser gewaar werd, welke dreigend op zijn commandopost in de armzalige keuterboerderij was gericht.

Voor dat de vijandelijke pantsers hun vernietigingsstrijd konden opnemen, waren onze stukken Pak-geschut reeds in stelling gegaan, maar de stalen kolossen toonden zich niet tot den strijd bereid. Voorzichtig onttrokken zij zich aan ons geschutsvuur. Zonder systeem joegen zij hun pantser- en explosieve granaten uit de loopen.

Teekening SS-P.K. Schmitz/O.H.

De SS-mannen van de commandoposten hadden zich snel van den eersten schrik hersteld. Er begon een wedijver met de pantserjagers, wie als eerste de staalkolossen zou kraken. Zij rukten elkaar de ladingen uit de handen — een ieder wilde de eerste zijn. Vijf Sovjet-Russische pantsers stonden reeds in lichter laaie. De laatste drie draaiden nog tusschen de hutten door.

Tijdens het algemeene tumult en de verbeten jacht op de pantsers was het den SS-mannen ontgaan, dat ook eenige gevechtswagens door de explosiefgranaten der pantsers in brand geschoten waren. Het hevige vuren trotseerend stortte zich een Oberscharführer op een brandende tractor.

Met veel moeite gelukte het hem deze waardevolle machine te redden.

In snelle „Stellungswechsel" hadden de pantserjagers alle pantsers, tot op één na, zonder eigen verliezen, vernietigd. De laatste staalkolos schoot nog steeds wild om zich heen. Langzaam trachtte deze zich achterwaarts rijdend van ons los te maken. Hij wilde waarschijnlijk niet het lot van zijn kameraden deelen. Een jonge Rottenführer had zich, beschermd door een heg, handig tot aan het pantser naar voren gewerkt. Het gelukte hem op die manier onbemerkt tot op enkele meters nadorbij te komen. Het pantser stopte. Langzaam opende zich het luik. Het hoofd van den commandant loerde voorzichtig uit den koepel. Maar reeds ratelden MPigarven op het harde staal. Snel was het hoofd verdwenen. Uit het voorste luik vlogen kletterend de kardoezen op de harde aarde.

De jonge SS-man perste zich nog vaster tegen den bodem. Zeer duidelijk, klonken nu commando's uit het pantser. De toren zwenkte naar hem toe. Dreigend richtte het M.G. zich op hem. Nu moest hij handelen — hij was ontdekt. Twee — drie sprongen, dan stond hij naast het pantser. Reeds had hij zijn lading aangebracht en wierp zich bliksemsnel tegen den grond. Twee mannen sprongen uit de brandende staalkolos, zij wilden vluchten. Na een kort vuurgevecht steken zij hun handen op.

Bij de compagniescommandopost hoorde toen de jonge Rottenführer, dat hij het laatste pantser van een Sovjet-Russische brigade had vernietigd.

SS-Oorlogsverslaggever
Franz Sodenkamp

TROUW

Stampvol was de zaal van het Concertgebouw te Amsterdam j.l. Zaterdagavond, toen de Leider sprak naar aanleiding van den moordaanslag op den Führer.

Spontaan, laaiend enthousiasme heerschte er, ouderwetsch, net als vroeger. Duizenden bekenden hier nogmaals, openlijk, hun onwrikbare trouw aan Leider en Beweging, dus aan den Führer, wien de Voorzienigheid wederom voor het noodlot gespaard heeft. Tegen het verraad van den enkeling staat de trouw van de millioenen. Daarom voorwaarts, Nederlandsche nationaal-socialisten, achter den Führer, door dik en door dun. Aldus sprak de Leider. Wij beloven het!

Foto's C.N.F.-Gino

Jonge soldaten van den Führer

Aan het invasiefront strijdt de ϟϟ-divisie „Hitler-Jugend"

De jongste divisie van de Waffen-ϟϟ, de divisie „Hitler Jugend" heeft zich reeds in de eerste dagen der invasie een faam verworven, welke zelfs den tegenstander zich deed afvragen, waar Duitschland, na bijna vijf jaren oorlog, dergelijk menschenmateriaal vandaan haalde. De roem en wapenfeiten van een Gerhard Witt, den Commandant en Eikenloofdrager, die temidden zijner jonge soldaten den heldendood stierf en van een Michael Wittmann, die in twintig minuten tijds 21 pantserwagens buiten gevecht stelde, kenmerken den strijdwil en den strijdgeest, welke deze jonge soldaten bezielt en waarvan onderstaand PK-bericht getuigenis aflegt.

Aan het invasiefront in Normandië vecht o.a. de ϟϟ-pantserdivisie „Hitlerjugend", een divisie, welke geheel is samengesteld uit leden der Duitsche jeugdorganisatie, die zich vrijwillig voor de Waffen-ϟϟ meldden. Hoewel een der jongste divisies der Waffen-ϟϟ zijnde, werd deze divisie „HJ" reeds meerdere malen eervol in het Duitsche Weermachtsbericht genoemd. Ingezet aan een der brandpunten van het front, wist zij zelfs den meest grootsch-opgezette doorbraakpogingen der Anglo-Amerikanen het hoofd te bieden en den vijand in een voortdurende reeks van tegenacties zware verliezen toe te brengen. Zoo vroegen b.v. meerdere Amerikaansche en Canadeesche krijgsgevangenen zich bij het verhoor, met iets van heilig ontzag in hun stem, af, waar Duitschland, na bijna vijf jaar oorlog, nog zulk een menschenmateriaal vandaan haalt. Ja, zelfs de Londensche propaganda-zender die maandenlang smaalde op Duitschlands „newest baby-division", moest dezer dagen toegeven, dat de divisie „Hitlerjugend", tijdens de eerste invasie-maand een onverteerbaar brok in het Duitsche afweerfront is gebleken.

WITT, WITTMANN, „PANTSER-MEYER"

Witt, Wittmann, „pantser-Meyer, — het zijn namen, die den Duitschen soldaat tot een begrip geworden zijn en tot ver in het vijandelijke kamp een gevreesden klank hebben. En het is hún strijdwil en hún strijdgeest, die den Hitler-jongens, dezen jonge — men kan welhaast zeggen: jongste — soldaten van het nieuwe Duitschland bezielt.

In stilte heb ik deze Hitler-Jongens vannacht bewonderd. Ditmaal nu eens niet als „pantserknakkers" of „Tijgerhuzaren", heelemaal niet. Het waren doodgewone Duitsche jongens, behoorend tot willekeurige eenheden, waarmede ik toevallig in aanraking kwam. Hun namen ken ik niet. Misschien heetten ze Koch, of Schulze of Müller. Ze droegen geen onderscheidingen, geen IJzeren Kruisen, ze waren nog nauwelijks recruut-af. Zij waren slechts jonge kameraden voor mij, onbekende soldaten, enkele uit velen. En juist daarom waren hun daden, hun houding, hun gedrag in elk opzicht en in elke situatie zoo treffend, zoo teekenend voor het hooge moreele peil en den voortreffelijken geest dezer divisie, die als eenige militaire eenheid naast de roemrijke „Leibstandarte-ϟϟ Adolf Hitler" den naam van den Führer draagt.

Bij den regiments-commandopost heerschte hoogspanning. Ordonnansen kwamen en gingen, onderofficieren en specialisten wachtten op bijzondere opdrachten. Tusschen de appel- en pereboomen van een boomgaard, listig gecamoufleerd met groen en takken, de motorfietsen, gepantserde verkenningswagens, amphibie-auto's.

DE TOESTAND IS CRITIEK

De toestand was ernstig, ja, wat misschien nog onaangenamer was: onoverzichtelijk. De verbindingen tot de vooruitgeschoven bataillons waren verbroken, steeds weer stukgeschoten door het zware artillerievuur van den opdringenden vijand. Slechts één ding was bekend, één enkel en in zijn koude nuchterheid haast beangstigend feit: bij het tweede bataillon was een bres geslagen. Amerikaansche infanterie-massa's hadden, na urenlang trommelvuur, de Duitsche linies weten in te deuken en op enkele plaatsen te forceeren. En nu, terwijl het gevechtsrumoer in de verte nu eens afflauwde, dan weer in hernieuwde hevigheid losbarstte, rolde sedert een paar uur de tegenstoot van eenige ter versterking aangerukte compagnieën. Of het zou lukken het woedende Amerikaansche spervuur, de hel van scherf- en phosphorgranaten, brand- en brisant-bommen te doorbreken . . .?

Pijnigende onzekerheid! Het onvermogen iets te doen in dit beslissende oogenblik! Munitie naar voren, dát was de eenige hulp, die men den kameraden vóór kon geven. Zonder munitie geen aanval, zonder aanval geen kans op herovering van het verloren terrein. Twee vrachtauto's, zwaar beladen met granaatwerper-, mitrailleur- en infanterie-munitie, wachtten reeds. Maar waarheen, waarheen met deze munitie in het onoverzichtelijke terrein, waar de strijd op en neer golfde, waar men niet meer wist, waar zich vriend, waar zich vijand bevond . . .

EEN KNAAP MELDT ZICH

Toen meldde zich een soldaat, een knaap eigenlijk nog, zeker nog geen achttien jaar oud. Hij wist zich ternauwernood, tusschen de medewerkers van den commandeur door, naar voren te dringen, om het hooge woord er uit te brengen: hij behoorde tot het tweede bataillon, was tijdens de gevechten zijn compagnie kwijt geraakt en op het nippertje den vurigen greep van den materiaalslag ontkomen. Nu wilde hij, weer naar voren, naar de kameraden, die daarginds hun strijd op leven en dood streden. Hij kon de munitiewagens den weg wijzen. En dan, — er waren nog zeven man, die eveneens van hun eenheid waren afgeraakt. „Met zijn allen zouden ze die munitie er wel door loodsen," voegde hij er, als verontschuldigend, aan toe.

De commandeur, Ridderkruisdrager ϟϟ-Obersturmbannführer F., gaf blijk zijn Pappenheimers te kennen. En twee minuten later rolden de munitie-LKW's (vrachtwagens) frontwaarts, met bovenop de munitiekisten de Hitlerjongens, het geweer in aanslag, op elke verrassing voorbereid. Zij wisten het: ze reden op een vulkaan, het minste of geringste kon de zeer explosieve lading in de lucht doen vliegen. Maar daaraan wilden ze nu niet denken.

Voort daverden de wagens door den nacht. Het artillerievuur dreunde, donderde en kraakte. Mitrailleur- en geweerkogels snerpten laag over de beide auto's. Dwars door kuilen en gaten ging het. En steeds nader kwam de vuurlinie.

MET MUNITIEWAGENS IN EEN HEL VAN VUUR

Toen —, er waren wellicht nog eenige honderden meters af te leggen — verdichtte zich het vuurgordijn. Angstig nabij lagen de inslagen. Mensch en machine sidderden onder het geweld der vlakbij ontploffende projectielen. Fluitend en sissend zochten geniepige granaatscherven naar een prooi. Takken kraakten, aardfonteinen joegen omhoog. Het was een helsche tocht. Maar wonder boven wonder, — het ergste gebeurde niet: hoewel de beide vrachtwagens door meerdere granaatscherven waren getroffen, bleef de gevaarlijke (en daardoor zoo kostbare!) lading gespaard! De vermetele opzet was gelukt.

Met gejuich werden de wagens door de mannen vóór begroet. Maar op de gezichten der convooi-begeleiders lag een ernstige trek: drie der jonge ϟϟ-soldaten, die met hen door dezen hel van vuur en staal gereden kwamen, waren gewond, van wie twee ernstig. Ze moesten wel veel pijn lijden, maar geen geluid kwam over de tot bleeke strepen vertrokken vastopeengeklemde lippen. Gewond als zij waren, hadden zij van geen stilhouden, van geen hulp willen weten, vóór hun transport zijn doel bereikt had! Ook op den terugweg hielden zij zich dapper, ofschoon het vervoer op den schokkenden vrachtwagen een ware marteling voor hen moet hebben beteekend. Zij gaven geen kik, tot hun in het veldhospitaal deskundige medische hulp en de liefderijke behandeling gewerd, die zij zich door hun onverschrokken en onbaatzuchtigen inzet zoozeer verdiend hadden. En er kwam zelfs een gelukkige glimlach over hun bleeke, vermoeide gezichten, toen de behandelende arts, zoo langs zijn neus weg, met één zijner helpers schertste: „Nu, die hebben om den drommel geen slechte kinderkamer gehad . . .!"

ϟϟ-Oorlogsverslaggever W. VERGRAGT

AUNAY IS DOOD

Wat hebben de Franschen Engeland gedaan? Deze vraag wordt door het volgende bericht van een ϟϟ-oorlogsverslaggever gesteld. Ook al ligt de verwoesting van Aunay eenige weken achter ons, zij blijft voor ons het karakteristieke voorbeeld van de barbaarsche oorlogvoering van Engeland tegen zijn vroegeren bondgenoot Frankrijk.

Onze wagen stopt. We zijn den weg kwijtgeraakt, want we staan plotseling midden in een reusachtig trechterveld. Verwonderd zoeken we naar eenig teeken van leven, naar een punt waarnaar we ons kunnen oriënteeren. Waar zijn we? Eerst na lang zoeken en vergelijken met de kaart ontdekken wij een bord, dat a.h.w. geplant staat aan den rand van een geweldigen bomtrechter, die al bijna geheel gevuld is met groenachtig gekleurd grondwater. Het blauwe blik is doorzeefd met splinters. Wij lezen „Aunay sur Odon", en zien om ons heen.

Tot waar het groene bosch, een heuvelrug en de horizont onzen blik het verder doordringen beletten. . . . niets dan een reusachtig veld van bomtrechters. Er is geen muur van manshoogte meer, die het uitzicht kan beletten. Het woeden van den oorlog heeft in een enkelen vertoornden aanval, dit eens zoo bloeiende stadje met zijn bewoners van den aardbodem weggevaagd. Wij gelooven onze eigen oogen niet, die de verschrikkingen van den oorlog van den Boeg tot den Don, van Leningrad tot aan Odessa in de zwaarst getroffen steden van het Rijk, hebben aanschouwd. Alle ellende en al de verschrikking, die de verwoestingsdrift der invasoren reeds over Frankrijk hebben gezaaid, schijnen zich hier op één punt geconcentreerd te hebben.

Wij klimmen over puinhoopen en muurresten, over halfverkoolde balken en omvergeworpen boomstammen, trappen op huisraad en kinderspeelgoed. Niet een enkel huis, zelfs niet één enkele muur staat meer overeind. Alles is verwoest, vernietigd. Wij kunnen geen tien pas loopen, of we staan alweer voor een nieuwen bomtrechter, geslagen door zware en de allerzwaarste bommen. Met dozijnen tegelijk vielen hier de projectielen op vreedzaam, onschuldig leven. Het eenige wat nog zichtbaar uitsteekt boven deze woestenij zijn de overblijfselen van een kerktoren, muurresten die reeds gescheurd zijn en die overhellen, op het punt van instorten staan. . . .

Het schip van de kerk is door een voltreffer weggevaagd. Ergens tusschen de puinhoopen wappert een gekleurde lap. Bij nauwkeurige beschouwing blijkt dit een tricolore te zijn geweest, verscheurd door de splinters.

Bij een kuil vinden wij een man, die graaft, de eenige, dien wij in deze uren in Aunay ontmoeten. Het is een oude man, zijn gezicht is zwart van stof, zijn handen zijn gewond. Een spade heeft hij niet. Een ijzeren stang en zijn handen, zijn zijn eenig gereedschap.

Verdwaasd kijkt hij ons aan, als geloofde hij niet, dat in dit doodenveld nog levende menschen zijn. Wij vragen hem naar bijzonderheden omtrent dit treurig gebeuren en naar de laatste uren van Aunay.

En hij vertelt, onbewogen en zonder hartstocht, zooals hij een maand geleden misschien over het binnenhalen van den oogst sprak. Eigenlijk heeft hij dit alles nog niet begrepen, of hij is reeds over alle pijn en verstandelijk begrijpen heen.

Terwijl hij daar zoo voor het graf van zijn verwanten staat en uit zijn verstarden mond de woorden als druppels vallen, lijkt het ons, als was een der duizenden dooden van Aunay opgestaan, om zijn moordenaars aan te klagen. . . .

„Wij zijn een klein provinciestadje, dat ongeveer 35 km. van de zee ligt. Het ging schuil in de vruchtbare vlakte van Normandië. Wij zijn één geworden met dezen bodem, zooals de boomen en de struiken, zoowel mensch als dier. Wij telden ongeveer drie duizend inwoners en leefden als boeren, vakarbeiders of wijnhandelaars. Wij leefden hier zoo rustig. De oorlog deerde ons niet. Er waren hier geen Duitsche soldaten. Er was hier alleen een klein ziekenhuis, waarin alleen Franschen verpleegd werden. Dat is Aunay. — Neen. — Zijn stem klinkt koud en hol. — Dat was Aunay!

Op den vierden Juni, 's morgens vroeg, ronkten — zooals zoo vaak — formaties viermotorige bommenwerpers over ons heen. Wel draaiden zij bij en trokken strepen, maar wij, die juist aan onze dagtaak begonnen waren, dachten aan geen gevaar. Waarom ook? Op de strooibiljetten, die 's morgens op onze velden lagen, stond te lezen, dat de Engelschen onze vrienden waren, die ons zouden bevrijden. Wij wisten niet waarvan, want de Duitsche soldaten hadden ons geen leed gedaan — maar wij geloofden daardoor nog minder

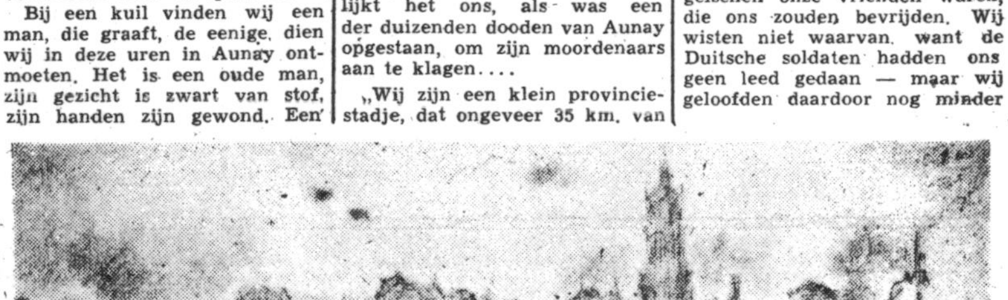

Strijd in een Normandische stad. Wat er van Caen overbleef. Teekening ϟϟ-P.K. Klerk/O.H.

Bliksemoorlog in de lucht

Doodskopjagers, het nieuwe element der Duitsche luchtverdediging

De Engelsche luitenant-vlieger John Anderson, ingedeeld bij het 8ste eskader bommenwerpers, afgeschoten in den nacht van 18 Juli verklaart, dat sinds den 7den Juli verbazend veel Amerikaansche bombardementsvliegeniers zich voor hun vlucht naar Duitschland ziek melden. „The fighters with the death.... Heads", spookten in hun droomen. Met deze Doodskopsjagers worden de Duitsche formaties bedoeld, die aan de spits van hun vliegtuig, als teeken van succesvol rammen, een doodskop dragen.

Sinds den bliksemluchtslag van Oschersleben, den eersten inzet der stormformaties, waarin het met tusschenpoozen van een minuut, twee eskaders bommenwerpers van tezamen 54 vliegtuigen, tot de laatste toe vernietigd werden, en zich nauwelijks tien van de meer dan vijfhonderd veertig Amerikanen konden redden, hoort men in de verblijven der Amerikaansche bommenwerperspiloten dikwijls de vraag: Wanneer zullen wij aan de beurt zijn?

Men rekent er aan de overzijde op, dat bij elk optreden der Doodskopjagers twee of drie eskaders absoluut worden vernietigd. Want de U.S.A.-jagers, die de Duitsche stormformaties zagen aanvallen, vertelden dat tegen hen geen kruid gewassen was. Als een waaiervormige bliksemflits, vertakt en toch geordend, was de formatie der stormjagers uit helderen hemel op de eskaders neergevallen en had in een gigantischen strijd alles vernietigd. Door deze verklaringen worden andere uitspraken begrijpelijk.

De chef van het Amerikaansche bommenwerperscommando heeft voor de officieren en manschappen der vlieghavens, waarvan alle vliegtuigen wegbleven, ten gevolge van de aanvallen der Stormformaties, de censuur op brieven ingevoerd en onder bedreiging van straf, met iemand buiten de luchthaven over de oorzaken van deze zware verliezen te spreken. Men kan zich voorstellen waarom Doolittle dit bevolen heeft. Het Anglo-Amerikaansche publiek weet reeds, dat de sinds langen tijd voorbereide en als veelbelovend bekend gemaakte West- en Zuid operaties der U.S.A.-bommenwerpers tegen Duitschland, door het V. 1-wapen aan kracht hebben ingeboet; dat zij door den inzet van sterke formaties tegen de vermoedelijke startplaatsen van de V. 1 niet meer zoo kunnen opereeren, als in het plan voor de invasie was beraamd.

Zou het publiek nu nog gewaar worden, dat het „uitgeputte en met zijn resten aan het invasiefront gebonden Duitsche jachtwapen", zooals zij bekend maakten, met een nieuw onderdeel hun bommenoorlog bemoeilijkte, ja zouden zij vermoeden, dat de bliksemluchtslag van Oscherleben slechts de inleiding tot een nieuwe phase in den luchtoorlog is, waarvan de offers in geen verhouding meer staan tot de successen, dan zou de barometer der publieke opinie nog verder kunnen dalen.

Doolittle schijnt zich op hoog bevel te kwijten van de taak om alles zoo mooi mogelijk voor te spiegelen.

Als zijn formaties bij een dagelijkschen aanval en een verlies van veertig, vijftig of tachtig vliegtuigen die zwaar beschadigd op Engelschen bodem landen, verloren gaan, dan geeft hij hoogstens een derde gedeelte op. De Duitsche verliezen vermenigvuldigt deze dappere rekenmeester; nog erger dan vroeger, tegenwoordig gewoonlijk met dertig, om de massale inzet van begeleidende jachtvliegtuigen te rechtvaardigen.

In de formaties van zijn bommenwerpersluchtvloot grijpt hij echter met een brutale hardheid, tegen ieder plichtsverzuim en tegen ieder die weigert een bevel op te volgen in. Hij haalt uit zijn eskaders het laatste en zet ze zonder pardon in.

„SING-SING-GROUPS"

„Sing-sing groups" noemde een Amerikaansche eerste luitenant de piloten der Duitsche stormformaties. Hij is van meening, dat voor zulk een aan zelfopoffering grenzende aanvalstactiek, zich slechts menschen leenen die een misdaad begaan hebben en nu door zelfmoord probeeren hun schande ongedaan te maken, of om in 't gunstigste geval hun verdorven leven te redden. Een sergeant heeft de overtuiging, dat de Doodskopjagers de experts van het Duitsche luchtwapen zijn, piloten, die als minste onderscheiding het Ridderkruis zouden dragen. Hij beweert dat jonge piloten niet tot zulk een hooge prestatie in de vliegkunst in staat zijn.

Hoe weinig weten deze twee van den Duitschen piloot en van den Duitschen soldaat.

De Amerikaansche eskaders bombardementsvliegtuigen, vliegen sinds maanden van uit het Westen en het Zuiden het Rijksgebied binnen, omgeven door een net van sterke jagers, dat ze naar alle kanten beschermt. En binnen in dit uitgestrekte net is elke formatie nog eens door een mantel van jagers beschermd. Verder is elke bommenwerpers zoo gepantserd, dat er voor den aanvaller eigenlijk geen zwakke plek overblijft. Het Duitsche jachtwapen heeft aan het lange Oostfront en sinds enkele weken ook in het Westen zoo ontzetiend veel te doen. In de oorlogsindustrieën worden er, uit het onbekende land der Techniek komende, nieuwe wapens gefabriceerd. Een massaconcentratie van jagers tegen deze luchtvlooten is nog niet mogelijk. Het leven van onze vrouwen en kinderen moet echter ook nu zoo doelmatig mogelijk beschermd worden.

Amerikaansche vliegeniers verklaren voortdurend dat zij, indien gesteld op de plaats der Duitsche jachtvliegers, het reeds lang zouden hebben opgegeven. Dat is te begrijpen, want volgens hun mentaliteit en vooral volgens hun theorieën omtrent den luchtoorlog, die zij van Douhet en Seversky hebben overgenomen kan in zulk een positie slechts de overweldigende massa van het terroriseerende materiaal den doorslag geven. Maar de leiding van het Duitsche luchtwapen huldigt andere opvattingen.

De idee van het stormen, die door fanatieke jachtpiloten in den strijd met den vijand op voorbeeldige wijze werd verwerkelijkt, werd voor geheele formaties, voor staffels en eskaders verder uitgewerkt. De grondgedachte van deze overwegingen bevat: Bij een stormaanval onvoorwaardelijk op den vijand toe te vliegen, hem van zoo'n kort mogelijken afstand omlaag te halen als dit niet gelukt, hem te rammen.

Lichte en zeer snelle jachtvliegtuigen, die in belangrijk korteren tijd gebouwd worden, dan een viermotorige bommenwerper, werden voor deze opgave gespecialiseerd, en met nieuwe machinale wapens uitgerust. De Duitsche industrie levert hierbij een verbeterd soort munitie, waarvan een enkele treffer voldoende is om een bommenwerper buiten gevecht te stellen.

Nauwelijks was de gedachte om te stormen bij het Duitsche luchtwapen bekend geworden of talrijke vliegeniers kwamen zich vrijwillig melden, om deze gedachte te verwerkelijken, zelfs tot hun laatsten ademtocht.

Velen waren erbij wien de bommenterreur alles ontnomen had, en die nu hun kans zagen om te vergelden.

Zij kwamen uit alle gouwen, uit alle lagen van het Duitsche volk, jonge gezonde kerels, wien het leven nog alles te bieden had. Zij werden grondig opgeleid voor den strijd met bombardements- en jachtvliegtuigen en voortdurend gehard tegen de geweldige zenuwinspanning, die het stooten op vijandelijke bommenwerpers, nadat zij zich eerst in gesloten verband door de afweerstrijdkrachten hadden heengeslagen, met zich mede brengt. Luchtgevechten die door de jagers met ingebouwde camera's tot in bijzonderheden waren vastgelegd, behoorden tot tot de beste leermeesters.

Steeds duidelijker werd den jachtvliegers de voorstelling der komende gevechten.

EEN STAFFEL ONDERGAAT DE PROEF

Een staffel moest de proef ondergaan. Slechts weinig vliegtuigen namen er aan deel. Tien bommenwerpers meer, dan het aantal ingezette vliegtuigen, werden omlaag geschoten. Daarvan werden er twee geramd.

De onderofficier Maximowitz en de Feldwebel Wahlfeldt hadden dit verricht. In welke positie en hoe met succes geramd kan worden, vertelde Wahlfeldt aan zijn kameraden:

„.... ik drukte op den knop, de kanonnen schoten niet meer. Treffers in de romp en in de vleugels hebben ze buiten gevecht gesteld. Stormaanval! Ik zal rammen! Ik haal naar links uit..... trap op het rechtsche evenwichtsroer en storm op de zijflank van den Amerikaan toe, die als een monster op mij afkomt. Met geweldige kracht boor ik hem tusschen neus en vleugels; nog even zie ik, slechts een onderdeel van een seconde, het van angst vertrokken gezicht van den boordschutter. Mijn schroef scheurt de staart in flarden. Een geweldige slag, dan is het voorbij. Mijn linkervleugel is afgebroken, van de rechter bleef slechts een stuk over. De stuurknuppel werkt niet meer. Het dak van de kabine wordt afgerukt. De wolkenbanken draaien als gramofoonplaten onder mij door. Mijn bezinning dreigt mij te verlaten. Op dit oogenblik word ik door de snelheid uit mijn zetel gerukt. Als ik als een bal in de blauwe lucht wentel, kom ik weer tot mijzelf. Mijn verstand keert terug. Ik trek aan den ring van mijn valscherm. Met een licht geruisch opent de zijde zich boven mijn hoofd. Nu zie ik ook hoe, niet ver van mij verwijderd, de Boeing loodrecht op de aarde toesnelt. Geen van de Amerikanen komt nog levend uit den bommenwerper. Ik zak door het wolkendek en voel een lichte hoofdpijn en een paar rillingen. Maar de rookpluim in de verte vertelt mij, dat het vliegende fort, een vliegende doodskist is geworden.

De onderofficier Maximowitz en de Feldwebel Wahlfeldt droegen vanaf dien dag, aan den neus van hun vliegtuig, in plaats van de gebruikelijk streepen, die het aantal afgeschoten vijanden vermelden, een doodskop.

RAMMEN ZONDER VALSCHERM

Korten tijd daarna vloog de onderofficier Pinsch, die eveneens tot de stormformatie behoort, een nieuw vliegtuig naar zijn plaats van bestemming, toen hij plotseling, door een scheur in het wolkendek, een aantal bommenwerpers boven zich gewaar werd. Ofschoon hij ontdekte dat hij geen valscherm bij zich had, — hij zat op zijn opgevouwen jas, inplaats van op zijn parachute, — trok hij omhoog en begon alleen den aanval. Een bommenwerper heeft hij afgeschoten, en een tweede geramd. Met de zwaar beschadigde machine gelukte hem nog een buiklanding. Pinsch heeft later nog twee maal met succes geramd. In een der laatste luchtgevechten stortte hij met zijn doodelijk getroffen vijand omlaag.

Op den 7den Juli beleefde de stormformatie haar eersten grooten inzet. Dat was de dag van Oschersleben, waarop zij onder leiding van kapitein Moritz, een volbloed Fries, op een 30 bommenwerpers tellende formatie invloog en al deze machines vernietigde. Duitsche boeren hebben ervan verteld. Zij zagen vanaf het land de ongeveer 3 à 4 km lange formatie van bommenwerpers, en kort daarop den aanval der Duitsche jagers. Zij vergeleken de nieuwe Duitsche aanvalstactiek met de snelheid en de vernietigende kracht van den bliksem. Tien parachutes hebben zij geteld in een regen van metaalflarden. Maar elke bommenwerper heeft een bezetting van dikwijls meer dan 10 man. In datzelfde oogenblik likwideerden stormjagers, onder leiding van den Eskadercommandant, Ridderkruisdrager majoor Dahl, eveneens binnen een minuut, een vijandelijke groep ter sterkte van 24 viermotorige vliegtuigen. Ook hiervan hebben zich slechts zeer weinig Amerikaansche vliegeniers kunnen redden. De verliezen der Duitsche jagers waren gering. Tegenover een totaal van 152 afgeschoten vijanden, staan 16 Duitsche jachtpiloten, die hun leven moesten laten. Daarvoor keerden meer dan 1520 USA piloten niet meer naar Engeland terug. Meer dan 1100 van hen zullen Amerika nooit terugzien. Intusschen zijn op den luchtslag van Oschersleben verscheidene gelijkwaardige slagen gevolgd. De Duitsche Doodskop-jagers hebben daarbij denzelfden strijdgeest getoond, als de mannen van de ϟϟ-Divisie Hitler Jugend, waarvan de Engelschen en Amerikanen zeggen, dat zij zich niet wagen tot een gevecht van man tegen man.

ϟϟ-Oorlogsverslaggever
ERWIN KIRCHHOF.

De eskader-commandanten Ridderkruisdrager Major Dahl (rechts) en Kapitein Moritz, die in ons bericht worden genoemd.
P.K.-Hoffmann/O.H.

---

aan gevaar. Wat ging ons de oorlog aan! Allen keken omhoog, tot plotseling uit de nu lager gekomen vliegtuigen, zwarte punten als ballen vielen, die steeds grooter werden. Opeens een afschuwelijk huilen, gillen, kraken en ontploffen. Wij werden gebombardeerd!

En toen vlogen ze op ons toe, aldoor zes bij elkaar, meer dan honderd. Een kwartier lang regende de dood van den hemel. Sindsdien is dit een doode stad. Gelooft U mij, messieurs, ik ben oud-soldaat uit den wereldoorlog. Ik lag in Douaumont voor Verdun en vocht in Vlaanderen. Nog nooit echter zag ik zulk een vernietiging."

Hij zwijgt een oogenblik, woelt met zijn voet in het puin en vervolgt dan:

„Vanaf dat oogenblik zoek ik naar mijn familie, mijn vrouw, mijn dochters en mijn kleinkind. Ik zelf was, toen dit alles gebeurde op het land en maaide gras voor mijn koe. Toen ik terugkwam vond ik de doode stad. Alles wat ik tot nu toe opgegraven heb, is deze verkoolde arm en de pop van onzen kleinen Jean. Ik heb nu niets en niemand meer. Ach, lag ik ook maar onder die puinhoopen, wat moet ik op deze wereld nog beginnen. Mijn leven was vergeefsch. Wat heb ik Engeland voor kwaad gedaan?"

Hij schudt zijn hoofd en graaft verder.

Ja, wat hebben zij allen tegen Engeland gedaan, die nu onder de puinhoopen van hun stad liggen. Ternauwernood is er een ontkomen aan deze hel, hun vaderstad werd hun graf! Wij gaan verder. Als wij vijftig stappen gedaan hebben zien wij een groene vlek. Het in den molen liggende koren werd door de explosies verstrooid en ontkiemt nu door de hitte der branden en door den zonneschijn, ontspruit over de trechters en wegen, over leven en dood....

Bij den anderen uitgang van het stadje is het kerkhof. Omgeploegd door de tallooze treffers, is het nog slechts te herkennen door de verspreid liggende kruisen. Een crusifix is versplinterd, een granaat sloeg er middendoor. Bij den ingang wacht ons reeds onze chauffeur. De noodzakelijke omweg om het stadje heen verlengt den weg met 500 meter.

Nog eenmaal zien wij om. Boven de puinhoopen hangt een geur van verrotting. Een enkele boom staat nog. Drie geheel ontbladerde takken heeft de ijzerstorm hem nog gelaten. Als de vingers van een aanklager staan zij boven de verwoeste stad. Maar niemand hoort hen roepen, want Aunay is dood!!!

ϟϟ-Oorlogsverslaggever
RICHARD OEDER.

LOSSE NUMMERS 8 CENT
Verschijnt wekelijks

31 AUGUSTUS 1944
4e Jaargang No. 52

De ZWARTE SOLDAAT

STRIJDBLAD VAN DE W.A. DER N.S.B. • COMMANDANT: MR. A. J. ZONDERVAN

ONS IS DE OVERWINNING!

Het was in 1937, dat het scheen alsof de nationaal-socialisten in Nederland beslissend waren verslagen. Had bij de verkiezingen van 1935 acht procent van het Nederlandsche volk zich uitgesproken voor het nationaal-socialisme, twee jaar later bleken slechts vier op de honderd Nederlanders vertrouwen te stellen in de mannen, die als nationaal-socialisten in het parlement hun volk zouden vertegenwoordigen. De oude strijders onder de nationaal-socialisten in dit land herinneren zich nog als den dag van gisteren hoe de joden en hun genooten op deze, hun verkiezingsoverwinning, reageerden. Er was geen gevaar meer te duchten van die rustverstoorders; de N.S.B. Wij echter bleven stoer volhouden. Wij wisten, dat eens een oogenblik zou aanbreken, dat het volk ons zou zien als de eenigen, die nog in staat zouden zijn dit land van een zekeren ondergang te redden. Duidelijk stond het ons voor oogen, dat ons vaderland onafwendbaar in den oorlog zou worden betrokken en naarmate de tijd vorderde en de conflicten tusschen Duitschland en zijn tegenstanders zich toespitsten, maakte deze overtuiging zich steeds meer van ons meester.

De feiten hebben ons in het gelijk gesteld. Nederland werd in den oorlog gestort, dank zij het drijven van grijsaards en de steun, die dezen mochten ontvangen van het grootste gedeelte van ons volk. En toen dan moest worden beslist — in principieelen zin althans, want de eindbeslissing zal vallen als het vredesverdrag aan het eind van dezen oorlog wordt geteekend — over de plaats van Nederland in de toekommstige Europeesche ordening, tòen greep de Führer terug op onzen strijd en werd het nationaal-socialisme in Nederland verklaard tot de drager van den politieken wil

Toen de rijkscommissaris ons dit mededeelde, werd het ons pas goed duidelijk welke de zin is geweest van onzen ononderbroken inzet. Wij allen hebben vóór 1940 wel eens oogenblikken gekend, waarin wij ons afvroegen waarom wij toch altijd alleen en verlaten temidden van dit volk moesten staan. Maar altijd weer overwon bij ons de gedachte, dat als wij dit volk alleen zouden laten in zijn nood, het geen toekomst meer zou hebben en daarom was bij ons van weifeling nimmer sprake. Wij waren ervan overtuigd, dat het nationaal-socialisme de eenige toekomstmogelijkheid was voor ons volk en daarom deden wij datgene, wat wij als onzen plicht zagen, hoe slecht de verhouding daardoor ook was tusschen ons en onze andere volksgenooten. De rede van den rijkscommissaris, waarin hij ons mededeelde, dat alleen de N.S.B. het Nederlandsche volk de mogelijkheid kon geven een politiekgerichte wil naar buiten uit te dragen, was het bewijs, dat wij gelijk hebben gehad, toen wij vastbesloten waren onder geen enkele omstandigheid te capituleeren voor de vijandschap van buren en vroegere vrienden, van kennissen en familieleden. Wij sloten ons hechter aaneen dan ooit tevoren en niemand in dit land was er, die ons van den weg, welke wij volgden, kon afbrengen.

Iemand, die er toen niet bij geweest is, kan zich niet voorstellen hoe groot de teleurstelling op den avond van 26 Mei 1937 bij ons was, toen uit alle streken van ons land de berichten binnenstroomden en de stembusuitslag bewees, dat wij aan invloed in dit volk hadden ingeboet. In de toen volgende dagen was er wilskracht voor noodig om te blijven staan en er waren er dan ook velen, die afvielen. Maar de sterken, zij bleven en het zijn juist deze menschen, die ook nu nog het ruggemerg vormen van de strijdgemeenschap der nationaal-socialisten in dit land.

Waarom ik vandaag nog eens herinner aan dien stembusuitslag van het jaar 1937? Wellicht omdat wij zooveel waarde zouden hechten aan het doode getal? Misschien om daaraan de beschouwing vast te knoopen, dat, als toen, in plaats van vier procent, twintig procent van ons volk zich voor het nationaal-socialisme zou hebben verklaard, het in 1940 en in dezen oorlog niet zoo zou zijn geloopen als het is gegaan?

Men kent ons wel heel slecht, als men denkt, dat wij ons onder de huidige omstandigheden met dergelijke onvruchtbare beuzelarijen zouden bezig houden.

Neen, het heeft een andere oorzaak, dat ik deze oude herinnering nog eens ophaal. Want nu — evenals toen — kijken de menschen om ons heen ons aan, alsof zij willen zeggen, dat het nu toch wel heusch met ons is gedaan, dat wij nu zeker niet meer langer dan eenige weken hebben te leven.

Hoe geheel anders is — nu als toen — onze geestesgesteldheid. Wij zijn er vast van overtuigd, dat aan ons de toekomst is, wij weten, dat er geen enkele andere mogelijkheid is voor Europa dan alleen het nationaal-socialisme, wij twijfelen niet — evenmin als we dit in 1937 deden — aan de eindzege van het nationaal-socialisme. De kloof tusschen onze tegenstanders en ons moet toch wel zeer diep zijn als dergelijke uiteenloopende meeningen mogelijk blijken.

Eén ding is zeker: onze hoop op meer parlementszetels in 1937 was niet op niets gegrondvest. Bij den verkiezingsstrijd hadden wij de meeste activiteit aan den dag gelegd. De geheele verkiezingspropaganda van die dagen werd beheerscht door onze pamfletten, onze brochures, onze vergaderingen, kortom door geheel onze propagandavoering. De ons vijandige partijen hadden hun geheele actie en zelfs hun programma's afgestemd op onze beginselen, in de hoop, dat zij ons daarmede den wind uit de zeilen konden nemen.

En zoo is het ook nu weer: ons vertrouwen op de eindoverwinning is niet op niets gegrondvest. En wij willen het hierbij niet eens in de eerste plaats hebben over de houding van het Duitsche volk in dezen strijd. Wij willen ook niet herinneren aan de wapens, welke eens tegen onze tegenstanders in het vuur zullen worden gebracht en die hen zullen stellen voor problemen, die zij niet tot een oplossing zullen kunnen brengen. Want sterker dan alle wetenschap zijn de gevoelsoverwegingen, die in onzen strijd zoo'n groote rol spelen en die van een elk, die zijn plaats heeft gevonden in het door ons gevormde strijdfront, een fanatiek en verbeten nationaal-socialist maakt. De grootste garantie, die wij voor de eindoverwinning hebben, is de persoon van den Führe . Als wij ons realiseeren, dat hij in den tijd van nog geen 25 jaar is opgeklommen van onbekend korporaal tot opperbevelhebber van dezelfde weermacht, waarin hij eens onderofficier was, dan weten wij, dat dit heldenleven pas dan ten volle zijn zin en inhoud krijgt als het wordt bekroond door de totale eindoverwinning van de wereldbeschouwing, die hij in millioenen sterke harten deed ontvlammen.

Steeds weer heeft Reichsminister Dr. Göbbels er in de afgeloopen jaren op gewezen, dat wij de overwinning moeten verdienen, dat wij haar waard moeten wezen. Wij — nationaal-socialiten in het algemeen en als WA.-mannen in het bijzonder — sluiten ons bij deze opvatting aan, omdat de geschiedenis ons de juistheid hiervan heeft leeren inzien. Wij moeten de overwinning verdienen, wij moeten haar waard zijn, door onzen totalen inzet. Ik weet, dat in Beweging en W.A. nog elementen verscholen zijn, die gelooven, dat zij zich kunnen en mogen onttrekken aan den eersten plicht, die ieder Germaansche mensch in deze dagen heeft. Zij misrekenen zich. In de eerste plaats in het karakter van de nationaal-socialistiche revolutie en in de tweede plaats in de lankmoedigheid van hun strijdmakkers. Terwijl duizenden en nog eens duizenden hun plaatsen hebben ingenomen in de weermacht van den Führer en daar blijmoedig ieder offer brengen, dat van hen wordt gevraagd, hebben anderen niet het recht te doen alsof er in deze uren niet wordt gevochten om het voortbestaan van de volksche kracht en het vaderland aller Germanen.

Totale oorlog beteekent juist voor de nationaal-socialisten de inzet van hun geheele persoonlijkheid en van hun geheele wezen. Zij meer dan wie anders ook hebben het zich tot plicht te rekenen, den inzet te geven van hun geheele leven. Want zij weten waarom het in deze dagen gaat, zij weten, dat nu de beslissing zal vallen, waaraan niemand kan ontkomen.

Daarom verwacht ik van iederen W.A.-man, dat hij zich geheel en al zal geven, dat hij niet zal terugschrikken voor welke opdracht ook, dat hij al zijn werkkracht zal stellen in dienst van dezen oorlog, omdat — als straks dan voor het nationaal-socialisme een zegevierend einde aan dezen oorlog zal zijn gekomen — hij ook kan zeggen, dat deze overwinning mede door zijn krachten tot stand is gebracht.

Ik herinnerde aan de gebeurtenissen van 1937 en in verhouding tot het huidige gebeuren, is datgene, wat zich toen afspeelde, zeer klein. Maar toch, zoozals wij het toen hebben gehouden, zoo zullen wij het ook nu houden. Ons rotsvast geloof in den Führer zal niet beschaamd worden. Het heil, dat van hem afstraalt, geeft ons de kracht tot steeds grootere prestaties en inspanningen en ten slotte tot het afdwingen van de eindoverwinning. En dat is in deze dagen ons uiteindelijk en ook ons eenige doel: de overwinning voor Duitschland, voor Nederland, voor Germanje, dat is: voor de wereldbeschouwing van Adolf Hitler, die ook de onze is: het nationaal-socialisme.

ZONDERVAN,
Commandant der W.A.

PARIJS IN VLAMMEN

En Amsterdam?!

Een vernietigende stormwind raast over Europa. Steden van wereldvermaardheid, centra van cultuur en beschaving, metropolen wier naam tot een universeel begrip werd van macht, aanzien en nationale kracht, worden geschonden, met den grond gelijk gemaakt, verdwijnen in wolken van rook stof en asch om plaats te maken voor grauwe kille ruïnes, welke met hun gepulveriseerde steenresten de overblijfselen bedekken van wat eens krachtig leefde of in schoonheid bloeide.

Berlijn, Rome, Londen ... Parijs!!

Parijs, de stad, welke zoovele Nederlanders kennen, Parijs, het beeld van duizenden verlangens, de Lichtstad, die een magische aantrekkingskracht uitoefende op den, heimelijk naar frivoliteit snakkenden, stijven Nederlander van alle rangen en standen, van den „bourgeois satisfait", die daar allo bonepenheid van zich afschudde om zich, al was het slechts voor één maal in zijn leven, te ontdoen van knellende banden van braafburgerlijk fatsoen; deze „Ville Lumière" is thans het gloeiende brandpunt geworden van krachten, tusschen welker wrijvingsvlakken alle leven, alle schoonheid worden vermalen.

Een volk offert het warm kloppende hart van zijn land, omdat het geen respect meer heeft voor eigen cultuur, omdat zijn gezonde bestanddeelen niet meer de kracht kunnen opbrengen om zich te verzetten tegen de ontzielende haat van bederf en verderf willende elementen, voor wie volk, ras en cultuur leege, zinlooze begrippen zijn en die door valsche nationale leuzen hun wil tot den chaos camoufleeren.

Zooals zoovele steden heeft de Duitsche Wehrmacht ook Parijs willen sparen. Onderwereld en partisanen hebben het anders gewild. Communisten, Maquisards, terreurbenden vielen de Duitsche legers in den rug; het lot van Parijs was bezegeld. Nu ligt deze stad onder het vuur van de zware Amerikaansche artillerie, worden zijn voorsteden door luchteskaders gebombardeerd, op straten en pleinen rukken pantserformaties tegen elkaar op, granaatwerpers en geschut verbrijzelen de woonstad.

Parijs is aan den chaos overgeleverd. Winkels worden leeggeplunderd, benden trekken tegen elkaar op, de burgeroorlog is ontbrand. Sadisme en moord vieren hoogtij. De ruiters van den Apocalypsos geeselen het Fransche land. Dood, honger, bederf doen hun intrede.

De Bevrijding is gekomen.

„UMWERTUNG ALLER WERTE"

De oorlog raast verder. Maar weer schijnen de fronten als gestabiliseerd, wordt om elke duimbreed gronds heftig gevochten. Wanneer en waar zullen de Germaansche legers den eindstrijd aanbinden, wanneer en waar zullen de nieuwe wapens in den strijd gebracht, wanneer en waar de speciaal opgeleide nieuwe troepen worden ingezet. De ruimte-strategie, de bewegingsoorlog heeft de steden, heeft ruimten zoo groot als ons land, hun klassieke strategische waarde ontnomen.

Wanneer zal de Führer het bevel geven?! Wanneer zal hij

Parijs in vlammen

toeslaan, hard, radicaal en beslissend. Zal het zijn, nadat hij het Walenland, Vlaanderen en de lage landen aan de zee eveneens prijsgaf, omdat de wil tot leven van deze volken, hun drang naar zelfhandhaving, geboren uit een nog steeds ongebroken volksche kracht, te kort schoot en zijn strengen toetssteen niet meer kon doorstaan? Of zullen zijn legers strijdende terugtrekken, ons bloed te sparen dat verloren zou gaan bij de verdediging van landen en volken, welke deze bloedoffers niet meer waard waren? Zal de houding van ons volk de oorzaak zijn, dat het samen met Europa's vijanden overgeleverd wordt aan de vernietiging van de vreeselijke wapens, waarvan een stem zeide, dat het verschrikkelijk was, dat Duitschland naar deze wapenen had moeten grijpen?

Beseft, Nederlander, dat ge nog Uw eigen lot in handen hebt. Nog bestaat de mogelijkheid om door loyale samenwerking met de bezettende macht het onheil van eigen volk af te wenden en mee te helpen aan de herordening van Europa.

HET ZEKERE WETEN

Het hechte geloof in de eindoverwinning van elken waren nationaal-socialist, moge U, niettegenstaande het schijnbare ongelijk der feiten, krankzinnig toeschijnen, wij weten met absolute zekerheid, dat het nationaal-socialistische Duitschland niet verliezen kan. De oerkracht van het nieuwe Duitschland, haar geschonken door den Führer, is niet te breken. Haar overwinning is niet alleen een historische noodzaak — de eindstrijd van het blanke ras móet nog komen — waaraan het door en door vooze demoplutocratisme en het onmenschelijke communisme niets meer veranderen kunnen, maar het geloof in deze overwinning wordt gedragen door tientallen millioenen mannen en vrouwen, die voor hun Führer hun leven veil hebben.

Het grootste deel onzer volksgenooten is zich de ontzaggelijke draagwijdte der komende beslissing zeer wel bewust. Zij wenschen noch de Amerikanen in ons land, noch de onderhoorigheid aan het perfide Engeland. Zij vreezen het communisme en anarchisme met een heilige vrees en haten den Jood, die hen uitperste en bedroog. Wanneer hen echter in een debat het vuur te na aan de schenen wordt gelegd, roepen zij vreesachtig uit: „Maar wat kan een enkeling doen?!", achter welke laffe gemeenplaats de angst schuilt van den mensch, die zijn genoegelijk burgerbestaan door deze plotselinge opvordering tot den strijd, voor de verdediging van eigen leven en goed, bedreigd ziet.

PARIJS — HET VOORBEELD

Laat Parijs U een voorbeeld zijn, Nederlander. Nog is het niet te laat, nog kan de behoorlijke volksgenoot invloed ten goede uitoefenen. Bekommert ge U niet om de toekomst van Uw volk? Interesseert ge U slechts voor Uzelf? Soit! Maar beseft dan, dat ge Uw eigen graf graaft met:

1e te tolereeren, dat de voedselvoorziening door officieele instanties in die mate wordt gesaboteerd, dat kunstmatig een hongertoestand in het leven wordt geroepen.

2e door zelf bij dergelijke hoeveelheden te hamsteren, dat men zich afvraagt, hoe het mogelijk is, dat voor de officieele toewijzingen nog levensmiddelen ter beschikking staan.

3e levensmiddelenkaarten op te koopen (welke meestal van diefstal afkomstig zijn). Gij eet U zat ten koste van Uw volksgenooten, die U hiervoor, later, wanneer de honger in het land gekomen is, in letterlijken en figuurlijken zin zullen doen bloeden.

4e zich te onttrekken of te tolereeren, dat men zich onttrekt, aan den verplichten inzet bij de oogsthulp. De aardappelpositie voor dezen winter is van dien aard, dat de somberste voorspellingen bewaarheid kunnen worden. De aardappelen verrotten in de aarde, omdat geen hulp aanwezig is, hoewel abeidskrachten bij overvloed aangezegd en voorhanden zijn.

5e toe te laten, dat het parasiteerend en leegloopend schuim de overhand krijgt. Zij zijn de terroristen van morgen, voor wie het niets uitmaakt of gij pro of anti zijt, wanneer het gaat om Uw bezit, Uw have, Uw goed.

Ten zesde, ten zevende enz. Waarom door te gaan met deze opsomming. Het heeft geen zin. Wie oogen heeft om te zien, weet wat ons ten verderve voert.

Weet echter, Nederlander, dat ge zelfmoord pleegt, wanneer aan deze toestanden geen paal en perk worden gesteld. Het Mene Tekel staat op Uw muren geschreven.

DE WERKER EISCHT

De eerlijke werker van hoofd en hand wil gerechtigheid zien. Het rechtsgevoel van iederen goedwillenden arbeider wil en moet bevredigd worden.

Daarom:

Tegen den muur, de economische misdadiger, die ons volk aan den hongersnood wil prijsgeven.

Het leegloopend gespuis van de straat en ondergebracht in arbeidskampen. Voor den werker het eerste voedsel, de eerste kleeding en niet omgekeerd.

Opgeruimd en uitgekamd de distributie-bureaux, waar jonge, krachtige slungels het werk van vrouwen doen, inplaats van op het land te werken en den oogst binnen te halen.

Niet eeuwig in de geregistreerde bedrijven wroeten en de pa's zoontjes, de profiteurs en hengelaars met rust laten.

De arbeidsbureaux uitgebezemd, opdat niet onmondige snotneuzen over het wel en wee van den volkskern kunnen beslissen.

Opruiming op de Departementen, waar de muffe geest van negativisten elk gezond initiatief in de kiem smoort.

Grootere invloed van de beweging op alle organen, die van levensbelang zijn voor ons volk.

Grootere bevoegdheden aan de Landwacht en meedoogenlooze afstraffing van volksuitvreters.

Tenslotte:

Afschaffing van de decimeters dikke, verouderde strafwetboeken, welke het mogelijk maken, dat belachelijk lichte straffen worden toegediend, waar zware tuchthuisstraffen op hun plaats zijn.

Toen de Duitschers de Westersche landen bezetten, heerschte overal orde en rust. In Parijs kwam de bevrijding. Nu staat Parijs in vlammen. In Parijs is de chaos. In Parijs heerscht de anarchie.

En Amsterdam?

Hopman
H. J. VREDEVOORT.

HET MOET NU MAAR EENS UIT ZIJN...!

Ja zeker, het moet nu maar eens uit zijn met halve maatregelen Wij weerma--- zijn de soldaten der Bewe. g en als soldaten komen wij, net als in De Waag over de jeugd gezegd wordt, vaak met onze voeten in de prut, maar wij komen er ook wel weer uit. Wij houden niet van al te diepzinnige redeneeringen, van listig uitgespannen betoogen en, zooals wij reeds veertien dagen geleden schreven: „Onze eer is er mede gemoeid". Wij kunnen niet begrijpen, dat er eenig belang gediend kan worden door jeugd, ijsjeslikkend en zich bezuipend om niets ergers te noemen, ten onder te doen gaan in een onderwereld, zoo vuns, dat een behoorlijk mensch de diepte er niet van peilen kan. Onze volkseer wordt te grabbel gegooid.

Eenigen tijd geleden, één zomersche avond op het station te Driebergen. Op het perron een zwoele, zwijmelende bandelooze groep van kwasi-trekkers. Kersepitten in het rond spuwen, sentimenteele liedjes zingen, vormden het programma. Een zat er midden op het perron op den grond met twee meisjes op zijn schoot. De kracht van het gezelschap bleek te liggen in gillen, schreeuwen, guitaar spelen. Aan de andere zijde van den spoorbaan een troep recruten van een der eliteregimenten der Luftwaffe, H.J. sportinsignes, Schiessabzeichen, de nieuwe Germaansche jeugd. Zij waren te verbaasd om er van te walgen. Dit leek hen en het was dit ook, niets anders dan een andere wereld, een wereld, die zij niet kenden, niet begrepen. Schouderophalend keerden zij zich om en begonnen ijverig eenige wagons te lossen. Zooiets mag niet langer doorgaan. Wij wenschen niet dat de jeugd van den Führer van ons „Ausländer" walgen moet. Wij zijn de zonen van een der beste Germaansche volkeren, zooals de Führer zelf beweert en wij kunnen niet langer dulden, dat, Germanen zooals wij, van ons den indruk krijgen alsof wij tot den zelfkant van Europa behooren.

Nu weer zijn tal van vrouwen en meisjes ingezet als werksters bij tram en trein en bij allerlei overheidsinstellingen. Weer zijn de bedrijven „uitgekamd", weer loopen theedrinkende, flirtende jonge vrouwen uit de „betere standen" in ledigheid rond, hun tijd doodend met anti te zijn, ja zelfs door deel te nemen aan illegale acties. Ledigheid is des duivels oorkussen. En het kan anders. Toen in een gemeente door een bepaalden maatregel de noodzakelijkheid bestond groote hoeveelheden aardappelen te schillen, liet één onzer kameraden-burgemeesters de tennisbanen eens uitkammen en in minder dan geen tijd waren de aardappelen geschild.

Wij kennen den aard van ons volk, wij willen onze jeugd niet zien afglijden in een bodemloozen afgrond. Wij hebben ondanks alle werk nog mannen, die dit kunnen regelen en wij moeten er nu op staan: **Het moet nu maar eens uit zijn.**

WIJ BLIJVEN EISCHEN

Als nationaal-socialisten moeten wij blijven eischen: gerechtigheid voor allen. Uiteindelijk heeft men het in Brabant een heel eind in de goede richting gedreven, inzake het werken in Zeeland. Het moet nu maar eens uit zijn met de bevoorrechting der bezittende klasse, als socialisten komen wij op voor de belangen der werkers en haten de leegloopers, lanterfanters, profiteurs en labbekakken. Recht voor onze werkers! Het is nu zoover, dat gehuwde arbeiders met kinderen in Duitschland moeten werken. Wij begrijpen, dat deze nu niet terug kunnen komen, maar wij moeten er op staan dat het nu eens en voor altijd uit is met een regeling, die huisvaders wegstuurt en losloopende jeugd hier achterlaat. Ook hier in Nederland is nog van alles te doen in het belang der oorlogvoering. In het Oosten is eenvoudig graafwerk te verrichten, waarvoor heel de bevolking van hoog tot laag zich spontaan meldde. Nooit zullen wij er in berusten, dat fabrikantenzoontjes in Loosdrecht of in Friesland maar rustig rondzeilen, tennissen, flirten, dansen, zingen en het leven genieten, terwijl onze gehuwde arbeiders, vaders van gezinnen overal voor gebruikt worden omdat men hen het gemakkelijkst te pakken kan krijgen, omdat zij geen geld en relaties hebben om zich vrij te koopen en vrij te zwendelen. Hoe men dit ook moge opvatten, als nationaal-socialistische soldaten, als strijders voor Vrijheid en Recht voor den werker zullen wij nooit mogen zwijgen vooraleer recht gedaan is. Een schreeuwend onrecht moet worden goed gemaakt, wij wenschen onze eer en onze jeugd te redden. Wij

ONTWAAKT, GEVAAR DREIGT!

Waarom, vragen baliekluivers,
Is die arbeidsinzet goed?
't Is toch een bezopen wereld
Nu een ieder werken moet.
En waarvoor? Voor onzen vijand!
Onzen eigen ondergang!
Spuw een extra fluim in 't grachtje.
Democraten, leve lang!

Kan een troep van lanterfanters,
Eens door pa Colijn geleid,
Werken, en daarbij beseffen,
Dat hij voor een toekomst strijdt?
Toekomst in een vrij Europa!
Zonder bolsjewistenknoet!
Vrij van joden en hun knechten!
Vrij van zwendelaarsgebroed!

— Er is geen werk, geld nog minder,
Mijn miljoenen tellen niet,
Zei Klaas Vaak Colijn en zong toen
Zijn beroemde wiegelied:
„Ga maar slapen, geen gevaar dreigt."
Kom ontwaakt, 't gevaar dreigt wel!
Zonder strijd gaan we voor eeuwig
Naar een communistenhel.

VOLK EN VADERLAND

PRIJS 7 CENT

NATIONAAL-SOCIALISTISCH WEEKBLAD

VERKOOPPRIJS VOOR DUITSCHLAND RM 0.20

VRIJDAG 8 SEPTEMBER-HERFSTMAAND 1944

UITGAVE: NENASU — ADM.-ADRES VOOR ADVERTENTIES EN ABONNEMENTEN: OUDEGRACHT 172 — UTRECHT — TEL. 11851 — POSTGIRO 207915
REDACTIE-ADRES: MALIEBAAN 31 — UTRECHT — TEL. 13861

K 2350

12e JAARGANG No. 36

NAAR EER EN GEWETEN

De toekomst zal ons in het gelijk stellen

WIJ BLIJVEN TROUW AAN LEIDER EN BEWEGING

IN een voor ons land zeer ernstig uur, waarop de pantserlegers der geallieerden tot dicht bij de Nederlandsche grenzen zijn genaderd en het lijkt dat het doel van onzen strijd verder terugwijkt dan ooit te voren, is het **zaak** het hoofd koel te houden. Want de lucht is vervuld van den leugen, van de leuze en van daverende, doch leege fanfare. Welzeker, het is mogelijk dat gemotoriseerde kleurlingen en voor den dienst in zware pantserwagens afgerichte Amerikanen er in slagen ook ons vaderland te overstroomen en het zoogenaamd voor de uitgeweken regeering te „bevrijden", maar wat zou er dan gewonnen zijn?

Waarom begonnen wij onze strijd? **in zijn geheel, omdat het voortbestaan van het geheele volk voorwaarde is voor het bestaan der bevolkingsgroepen.** Maar ook de onderscheiden confessies mogen, hoezeer zij elkaar wederstreven, nimmer de volksgemeenschap offeren op het altaar van den confessioneelen strijd.

De volksgemeenschap werd door den Leider gesteld als de basis van elk streven en tegelijkertijd als het doel van zulk een streven. En zoo werd de volksgemeenschap de bezielende kracht zoowel van ons nationalisme als van ons socialisme.

Ons nationalisme staat der- men voorheen socialisme noemde, was òf liefdadigheid, òf een afgedwongen lotsverbetering, maar nooit de vrucht van een eensgezinden wil om de kracht van het volk, ons Nederlandsche volk tot het uiterste op te voeren. Het is toch heel eenvoudig: Men maakt geen krachtig volk met Maatschappelijk Hulpbetoon maar wel door rechtvaardigheid en een behoorlijke belooning van den arbeid. De arbeid is de basis van het volksbestaan maar een volk kan niet sterk en groot zijn en geen behoorlijken arbeid leveren als de volksgenooten in armoede en druk verkeeren.

WIJ EN DE BEZETTING

TOEN Nederland in den oorlog werd betrokken, hebben wij den strijd voortgezet. Waarom? Omdat wij de heilige overtuiging met ons mededroegen dat het formalis- hij voor ons volk het beste achtte en de Beweging in het bondgenootschap met Duitschland geleid, niet om Duitschland te gerieven maar omdat wij, als nationaal-socialisten, voor ons Nederlandsche volk strijdend, elke gelegenheid moeten aanvatten ons van het kapitalisme, dat ook ons zooveel ellende heeft bezorgd, te ontdoen.

De gevluchte regeering in Londen kan ons voor landverraders schelden zoo hard zij wil, maar wat zij eigenlijk van ons verlangt is niets anders dan het aanhangen van een formeel étatisme met zijn kapitalistische consequenties. Een ieder die hun kapitalisme niet aanvaardt verklaren de heeren, die ons volk zonder eenige leiding achterlieten, tot

land door de Duitschers werd bezet.

Uit het bovenstaande volgt vanzelf, dat wij, leden van de N.S.B. niet de knechten zijn van de Duitschers. Wij hebben ons eigen doel en onze eigen taak. Wij werken met de Duitschers samen waar het gaat over de gemeenschappelijke belangen van Duitschers en Nederlanders. De Duitschers hebben geen belang bij het wereldkapitalisme en het bolsjewisme, en wij, Nederlanders, evenmin. Daarom loopen onze belangen vaak parallel. Maar elke Duitsche functionaris, in Nederland tewerkgesteld, zal getuigen, dat wij, Nederlandsche nationaal-socialisten, niet aarzelen de Nederlandsche belangen met kracht te verdedigen wanneer dit noodig is. Geen mensch in Nederland heeft er eenig denkbeeld van hoeveel de Leider heeft gedaan voor ons volk waar het betreft het verzachten of voorkomen van bepaalde maatregelen, dan wel het invoeren van sociale verbeteringen, waarvan er, ondanks de beperkingen die de oorlog oplegt, toch vele zijn tot stand gekomen. De zich noemende regeering in Londen heeft niets voor ons volk gedaan. Zij heeft geen recht op eenig

ons volk ons streven nog niet begrijpen, of er door misleidende propaganda, of door domheid zich niet in verdiepen, kunnen wij tot den huidigen dag toe vaststellen dat geen duizend of tienduizend pantserwagens der Geallieerden ons volk er toe kunnen brengen hetzelfde stelsel als voorheen weer te doen aanvaarden. Zóó groot kan de lawine oorlogsmateriaal niet zijn, dat de Nederlander den Jood weer terugverlangt. Geen honderd divisies zullen den Nederlandschen arbeider meer het stempelbureau kunnen aannemelijk maken en geen duizend „Liberators" zullen in staat zijn den Nederlander geestdriftig te maken voor den eeuwigen glimlach van ge-

DE IDEE ONOVERWINNELIJK

WANNEER de Geallieerden er in slagen Nederland te bezetten, dan zullen, naast de velen die wij reeds noemden, nog honderduizenden de oogen worden geopend. Zij zullen inzien dat de geallieerden wèl troepen, maar géén oplossing brengen. Pantserlegers kunnen wel andere legers maar geen ideeën meebrengen! En daarom zal onze idee altijd overwinnaar zijn. Vroeg of laat!

Reeds leeft onze idee in honderdduizenden Nederlanders. En deze idee zal telkens weer zuiver te voorschijn komen ook al wordt nog zooveel verwarrende bijkomstigheid of sensationeel conjunctuurgeklets van de zijde van radio Londen geproduceerd. De idee der volksgemeenschap zal de verouderde idee der belangentegenstellingen overwinnen, mèt of zonder pantserauto's. En ook zal de oorspronkelijke Europa-gedachte van den Leider op den duur zegevieren over de egoïstische belangenpolitiek der Anglo-Amerikanen. In 1936 sprak de Leider het uit ten aanhooren van 10.000 functionarissen der Beweging, dat Nederland de brug behoorde te zijn waarover de beide grootste Germaansche volken, Duitschland en Engeland, elkaar zouden kunnen

zen strijd? Omdat het bewind en het regeeringsstelsel van voorheen voor ons volk niet deugde. Omdat de democratie haar tijd had overleefd en in vier en vijftig partijen was uiteengevallen waarmee de regeeringskracht was te niet gedaan. Wij kenden nog slechts kabinetten, samengesteld uit partijen, wier beginselen zóó ver uiteenliepen, dat van een regeeringsprogram, dat wezenlijk een program mocht heeten, geen sprake kon zijn. Wie zich nog de jaarlijksche „troonredes" herinnert, met de telkenjare terugkeerende in ambtelijken stijl gegoten lafheden, zal geen nadere uitlegging meer noodig hebben. Frazen over de onoplosbare werkloosheid, frazen over de nooit eindigende agrarische vraagstukken, frazen over de landsverdediging, frazen over industrieele moeilijkheden, frazen over financieele dogmatiek ten aanzien van openbare werken en tenslotte frazen over goud en internationaal handelsverkeer.

ONS PROGRAMMA

TOEN kwam de Leider met zijn programma. Hij verklaarde kort en goed, dat wanneer in een gezin de vader, de moeder en de kinderen elk hun eigen doel nastreven, er nooit van eenige harmonie en voorspoed sprake kan zijn. Het spreekt vanzelf, dat de onderscheiden bevolkingsgroepen elk haar eigen vraagstukken en belangen hebben, **maar deze belangen mogen nimmer gaan ten koste van het volk**

LEIDEND BEGINSEL

van de Nationaal-Socialistische Beweging der Nederlanden

Voor het zedelijk en lichamelijk welzijn van een volk is noodig: een krachtig staatsbestuur, zelfrespect van de natie, tucht, orde, solidariteit van alle bevolkingsklassen, en het voorgaan van het algemeen (nationaal) belang boven het groepsbelang en van het groepsbelang boven het persoonlijk belang.

halve mijlenver af van het hoera-patriottisme dat voorheen op zoogenaamde nationale feestdagen krampachtig werd uitgestald, doch dat geen wezenlijken inhoud bezat, getuige het feit dat de meerderheid der arbeiders zich van een dergelijk betoon afzijdig hield. De valschheid van dit nationalisme kwam duidelijk tot uiting door den onwil tot sociale maatregelen op groote schaal, juist door hen die zich bij uitstek nationalisten noemden, maar zij kwam ook tot uiting door den onwil om een krachtige weermacht te scheppen en te onderhouden.

WAAROM STRIJDEN WIJ?

WIJ begonnen onzen strijd omdat wij de valschheid, de leegheid, de onmacht en den leugen der politieke constellatie in Nederland niet langer konden verdragen. Als zelfbewuste Nederlanders zagen wij met afgrijzen en droefenis dat in een volk van 14 millioen, waarvan 9 millioen in het Noord-Nederlandsche staatsverband, een volk dat potentieel en kwalitatief tot de besten der wereld behoort, steeds maar meer werd gejengeld over „het kleine landje aan de zee" en dat zulk een lamlendige ouwe wijvenpraat nog met instemming werd begroet ook.

Onze strijd was niet gemakkelijk, maar wij verwachtten niet anders. Onze wekroep werd lastig gevonden, dat begrepen wij. Voor sommigen was ons streven een aanslag op hun heerscherspositie, voor anderen een aanslag op een onbezorgd bestaan. Voor den arbeider had onze strijdkreet de bezinning moeten brengen, de logische basis onder zijn hunkering naar socialisme. Want zoomin als nationalisme echt is zonder de ziel van het volk, is socialisme echt wanneer niet de zucht het volk groot en sterk te maken de drijfveer is van alle werken. Wat **me, waardoor men vijand of bondgenoot wordt niets te maken heeft met het wezenlijke volksbelang.**

Weliswaar hebben wij als plichtsgetrouwe leden van den Nederlandschen Staat, voor zoover de regeering ons daartoe in de gelegenheid stelde, in 1940 onzen plicht te velde naar eer en geweten vervuld, doch toen de regeering ons volk regeeringsloos achterliet, heeft de Leider gedaan wat

landverraders. Maar ons gaat het volk en de volksgemeenschap boven de letter van de door gevluchte ministers uitgevonden wetten. Ons nationalisme is het volk en ons socialisme is wederom ons volk. Daarom staakten wij den strijd niet toen ons gezag, omdat zij ons volk zonder leiding achterliet.

Dit alles overwegende in dit ernstige uur van onze historie, stellen wij met trots vast, dat, wat de komende dagen ook mogen brengen, onze strijd en ons zwoegen zooveel positiefs heeft opgeleverd, dat dit nimmer verloren kan gaan. Want, ofschoon honderdduizenden in

... derd Biesterfeld.

OVERWEGINGEN

OPGESCHOTEN jongens en hysterische oude vrijsters die tuk zijn op sensatie, resp. zwijmelen in het vooruitzicht van een avontuurtje met een „tommy", vormen niet de algemeene opvatting van het ernstige en verstandige deel der Nederlanders. Tienduizenden vrouwen, wier mannen in Duitschland werken zien met zeer gemengde gevoelens de Geallieerde troepen naderen; tienduizenden mannen zien met zéér geringe geestdrift het oogenblik tegemoet, waarop Lord Biesterfeld hen tot den krijgsdienst zal gaan verplichten, en tienduizenden verstandige volksgenooten vreezen met reden ernstige moeilijkheden met de voedselvoorziening wanneer de Amerikaansche „bevrijders" met hun massa's kolossen van ijzer en staal en hun lompe onverschilligheid hier komen binnenrukken. Maar behalve de genoemde overwegingen, is het noodig dit vast te stellen. De zoogeaamde bevrijders kunnen de Nederlandsche vraagstukken niet oplossen. Zij zijn dienaars en instrumenten van het oude systeem, het systeem van het kapitalisme, van de Joden, van de werkloosheid, van de geldpolitiek en de ontaarde democratie.

Zij brengen misschien een paar pakjes Amerikaansche cigaretten mee om eenige idioten tot extase te brengen, maar zij brengen geen socialisme, dus geen rechtvaardigheid, omdat zij daartoe onmachtig zijn. De intocht der Geallieerden beteekent de terugkeer van alle oude ellende. Maar onze strijd sedert 1932 en het antwoord van Duitschland op de Engelsche oorlogsverklaring van 1939 is juist gericht op de vernietiging van de onrechtvaardigheid van het kapitalisme. Daarom beteekent de vreugde die sommigen haast niet kunnen bedwingen over de Geallieerde dreiging, niets anders dan de uitstalling van armzalige domheid.

ontmoeten. Het heeft nog niet mogen zijn. Het belang van Nederland was en is: een goede verstandhouding met Engeland zoowel als met Duitschland. Toen de oorlog in 1940 ook over ons land kwam en de regeering ons volk in den steek liet, zette de Leider ook in dit opzicht zijn politiek voort. Hij koos de zijde die in wezen de Europeesche politiek diende; Engeland was nog gevangen in den greep van kapitalisme en jodendom.

Zoo was en is onze strijd één rechte lijn. Wij schipperden niet en draaiden niet. Ons doel was en is de eenheid, de grootheid en de vrijheid der Nederlanden en kan niets anders zijn. Bij de graven van onze in Rusland en overal elders in Europa voor de ware bevrijding van ons geliefde Vaderland gevallen kameraden, vernieuwen wij in dit sombere uur onzen eed van trouw. De toekomst zal ons recht doen, daar zijn wij rotsvast van overtuigd.

Utrecht, 6 September 1944
(Woensdagochtend)

L. LINDEMAN,
hoofdredacteur
JAN HOLLANDER
H. M. KLOMP
HENK PLAIZIER
redacteuren

OP ANDERE BLADZIJDEN

HEM BLIJVEN WIJ TROUW ONDER ALLE OMSTANDIGHEDEN

VOLK EN VADERLAND

PRIJS 7 CENT

NATIONAAL-SOCIALISTISCH WEEKBLAD

VERKOOPPRIJS VOOR DUITSCHLAND RM 0.20

VRIJDAG 29 SEPTEMBER-HERFSTMAAND 1944

UITGAVE: NENASU — ADM.-ADRES VOOR ADVERTENTIES EN ABONNEMENTEN: OUDEGRACHT 172 — UTRECHT — TEL. 11851 — POSTGIRO 207915
REDACTIE-ADRES: MALIEBAAN 31 — UTRECHT — TEL. 13861

K 2350

12e JAARGANG No. 39

BERGT U, DAAR KOMT DE BEVRIJDER!

Arnhem: het Stalingrad van het Westen...

Onze volksgenooten in Maastricht, in Sittard, Weert, Eindhoven, Veghel en Nijmegen, mitsgaders de plattelandsbevolking van de daartusschen gelegen vriendelijke dorpjes in Limburg, Brabant en het Land van Maas en Waal, weten nu wat „bevrijding" is. Arnhem — het mooie Arnhem met zijn singels en breede lanen — schijnt voorshands de kroon te spannen: het wordt in de Anglo-Amerikaansche pers bereids het Stalingrad van het Westen genoemd. Hier wordt niet meer gevochten om een knooppunt van wegen of een spoorwegemplacement, maar om iedere straat, om ieder huis, ja zelfs om iederen kelder. Zoo trekt de oorlog zijn bloedig spoor door ons mooie land en hanteert de Dood zijn zeis onder duizenden soldaten en burgers. Wie vermag het leed te peilen van de tienduizenden vluchtelingen die met hun laatste hebben en houden hun brandende steden en dorpen verlieten, nog slechts voortgedreven door het oerinstinct van lijfsbehoud!

DIT alles bij elkaar — onpeilbaar in verschrikking en mateloos leed — is nu de „bevrijding"-in-de-practijk. Honderdduizenden hebben zich die bevrijding zoo heel anders voorgesteld. Met vlaggen en muziek, jubelende menschenmenigten en vrachtauto's vol geallieerde verrassingen voor het bevrijde volk. Oneindig bitter daarentegen is de werkelijkheid. Op vele plaatsen zijn wellicht geen huizengevels meer over om vlaggen uit te steken; het gekerm der gewonden en stervenden is hier het trieste marschlied van den oorlog en de men-

principieel te erkennen — indien over ten hoogste drie of vier dagen heel Nederland bezet ware geweest. Nu dit niet het geval is geweest en integendeel om iederen meter Nederlandsch grondgebied zeer bloedig wordt gestreden, treft deze ontijdig afgekondigde spoorwegstaking in heel haar zwaarte de Nederlandsche burgerbevolking en niemand anders! Dat het geallieerde opperbevel zich hier geen snars van aantrekt, is ons bekend. Honger leidt gemakkelijk tot opstand achter het onmiddellijke strijdtooneel en het moet het van den chaos heb-

overige heeft hij het volk dat hij zegt lief te hebben, volkomen onnoodig den honger thuisgestuurd! Nog teert men in het bijzonder in de groote steden van de kleine voorraden die door wijs beleid zelfs in het zesde jaar van den oorlog nog konden worden gevormd. Maar wanneer die zijn opgesoupeerd, wat dan? Dan wordt nieuwe aanvoer een kwestie van leven of sterven! Niet voor de Duitsche weermacht, die over voldoende vervoersmiddelen en anders wel machtsmiddelen beschikt, om de Duitsche soldaten van voedsel te voorzien. Niemand make zich eenige illusie, dat deze dolkstoot in haar rug zou lukken. Wanneer er dan in Nederland honger geleden moet worden, zullen het in de eerste plaats onze eigen volksgenooten zijn, onze eigen vrouwen en kinderen, in het bijzonder van het werkende volk dat geen gelegenheid had tot hamsteren. In naam van die Nederlandsche vrouwen en kinderen doen wij een beroep op het spoorwegpersoneel, om van den heilloozen weg, waarop Gerbrandy hen dreef, terug te keeren en het werk te hervatten. Het leed van den oorlog dat reeds over Nederland is gekomen en helaas nog dreigt te komen, is waarlijk groot genoeg, om dit arme volk ook nog met den honger te kwellen!

steeds armer. Zoo was het in 't klein in de kapitalistische maatschappij, zoo was het ook in 't groot in de worsteling tusschen de bezittende en niet-bezittende volken.

Om dezen waanzin in stand te houden, om het kapitalistische onrecht tusschen volksgenooten onderling en tusschen volkeren onderling in stand te houden, bloedt ons eerbiedwaardige werelddeel — bakermat van onsterfelijke cultuur en beschaving — thans uit duizend wonden. Bloedt ook Nederland — in Limburg, in Brabant, in het Land van Maas en Waal, waar onze vaderen en voorvaderen hebben gezwoegd en gewerkt. De zin van het ontzettende drama waarvan wij getuige zijn, ligt niet besloten in het antwoord op de vraag of wij al dan niet koninginnedag zullen vieren en wordt ook niet bepaald door een falenden Landwachter die tactloos fietsen vordert. Het gaat, bij God, om grootere dingen! De bevrijder komt. Niet met muziek en bloemen, maar met bommen en granaten, zooals de puinhoopen van Arnhem en Nijmegen getuigen. En achter zijn welvoorziene uitrusting als soldenier van het grootkapitaal, verbergen zich de oude machten van een voorbij verleden, waarnaar geen be-

anderd worden, groote deelen van onze bevolking van hof en haard worden verdreven en ons geheele volk straks honger lijden? Is dit de zin van de bevrijding, waarom men heeft gebeden en gesmeekt? De vraag stellen is haar beantwoorden.

Diep in het onderbewustzijn van het eenvoudige volk leeft de wensch naar vernieuwing, naar réformatie, naar herwaardeering van levenswaarden. Dat hebben wij aangetroffen in lange jaren van strijd bij kinderen van ons eigen volk, die eerst afwijzend en aarzelend tegenover ons stonden. Wij vonden het bij de gewonde krijgsgevangenen van Engelsche en Amerikaansche nationaliteit, die wij spraken in dat naar bloed, drek en modder ruikende lazaret, waar zij naast hun Duitsche „tegenstanders" worstelden met den dood om het leven te behouden.

Wij herhalen wat wij reeds eerder schreven: deze oorlog is geestelijk overrijp en psychologisch reeds lang ten gunste van Duitschland beslecht. Want de bevrediging van dit natuurlijke verlangen naar sociale gerechtigheid en maatschappelijke vernieuwing, ligt in de grootsche idee van den Führer besloten: het nationaal socialisme. Hij had dezen verschrikkelijken oorlog niet van noode, om haar tenslotte te doen zegevieren. Wat leeft in de harten van ongetelde millioenen fatsoenlijke menschen overwint tenslotte altijd. Slechts het grootkapitaal, Mammon-Juda, had dezen oor-

De overrijpe oorlog

RADIO ORANJE BEVESTIGT DE JUISTHEID VAN NATIONAAL-SOCIALISTISCHE MAATREGELEN

RADIO ORANJE maakte Dinsdagavond twee „bevelen" van den minister van Binnenlandsche Zaken, den gedrosten rooden wethouder van Dordrecht, Burger, bekend. Bevel No. 1 luidde, dat de regeering het Prijsbeheerschingsbesluit (door de gehate Duitsche bezetting in het leven geroepen!) had... overgenomen en de plaatselijke autoriteiten der „bevrijde" gebieden er dientengevolge op hadden toe te zien, dat de prijzen niet worden verhoogd. Overtreders zullen zich voor den Prijzencommissaris hebben te verantwoorden.

Bevel No. 2 handelde over de pers. De „regeering" had toestemming gegeven tot wederoprichting van het „Eindhovensch Dagblad" onder redactie van den aartsreactionnair Zoetmulder. Daarnaast echter was een nieuw dagblad verschenen onder den naam „Oost-Brabant". Dit blad moest de verschijning onmiddellijk staken... tot dat de Perscommissie nader had beslist. Overtreding zou worden gestraft.

Een bewijs temeer, dat de heeren geen eigen geestelijke bagage hebben, doch in reactionnairen zin de ideeën van het nationaal-socialisme alleen maar overnemen.

Zoo zetten ze de „bevrijding" lustig voort!

lot. Wie dit niet kan aanvaarden, omdat hij bezwaar heeft tegen het optreden van individueele Duitschers, of des-

het gedegenereerde Amerika eenerzijds en het Moskousche barbarendom anderzijds. Doelbewust, naar eer en geweten,

... maar vormen op de wegen naar het Oosten de lange colonne der oorlogsellende. Het s p r o o k j e der bevrijding, zooals brave menschen van een land, dat in geen anderhalve eeuw meer een oorlog heeft gekend, zich dit zelf hadden gemaakt, is in rook vervlogen. In de rook van brandende Nederlandsche steden en dorpen. Hard en genadeloos zijn zij met hun neus op de werkelijkheid gedrukt. Dit is wat anders dan enkele dagen en nachten zinlooze Oranjelol. De fanatici, de redelooze haters, zijn zelfs hun bijltjesdag tegen de N.S.B. misgeloopen. De vlucht voor de „bevrijding" gold vriend en tegenstander en in het beste geval hebben zij e l k a a r geholpen het veege lijf te redden. Onder zulke omstandigheden worden soms afgronden van haat en misverstand gedempt en vinden we elkaar weer als kinderen van één volk, die gemeenschappelijk de harde slagen van het lot te incasseeren krijgen. Het is de eenige groote winst, in een wereld van verlies en in elkaar donderende verwachtingen.

IN dit licht bezien moet het besluit van de Nederlandsche emigrantenregeering in Londen, om terstond na de landingen uit de lucht in ons land de algemeene spoorwegstaking af te kondigen, ten scherpste worden afgekeurd. Voor troepen en materiaaltransport is het spoorwegnet in een zoo klein land als Nederland van ondergeschikt belang, zeker wanneer 't gaat om de verplaatsing van troepen die in hooge mate gemotoriseerd zijn. In Londen heeft men dan ook op pijnlijke wijze moeten ervaren, dat de Duitsche tegenstand terstond ter plaatse was en heel Nederland heeft er zich van kunnen overtuigen, dat de Duitsche Weermacht van deze spoorwegstaking weinig of geen last heeft gehad.

In zooverre is zij niet meer dan een slag in de lucht, die bovendien nog zeer ontijdig ten beste is gegeven. Zij zou z'n kunnen hebben gehad — wij zijn sportief genoeg dit landsch noemende regeering hieraan haar medewerking verleent en het eigen volk bij alle ellende ook nog tuchtigt met den geesel van den honger is meer dan een politieke blunder: het is een misdaad!

Met volle medewerking van de Duitsche bezettingsautoriteiten waren Nederlandsche instanties er in geslaagd, tot in het zesde jaar van den oorlog de bevolking van een land als het onze, dat in zoo sterke mate van den aanvoer van overzee afhankelijk is, voor den ergsten honger te bewaren. De rantsoenen waren ongetwijfeld laag, maar de aangewezen bonnen werden nog steeds in iederen winkel in Nederland gehonoreerd! Wanneer dit thans niet meer het geval is en in de komende dagen in toenemende mate niet meer het geval zal zijn, is dit alleen en uitsluitend de schuld van de Nederlandsche emigrantenregeering in Londen, die tot de even zinlooze als ontijdige spoorwegstaking het sein gaf.

De heer Gerbrandy vergist zich bovendien, wanneer hij uit het slagen van de spoorwegstaking de mate van zijn politieke gezag afleidt. Ondanks de misdadige terreur uit de lucht waren onze machinisten en treinbestuurders tot dusverre trouw op hun post gebleven, waarvoor zij ongetwijfeld den dank van ons geheele volk verdienen. Maar psychologisch was het volkomen te verklaren, dat zij hun door die gemeene terreur uit de lucht zoo uiterst gevaarlijken post verlieten, toen een zich noemende regeering dit tot een vaderlandslievende daad verklaarde en de bevolking opriep hen financieel bij te staan, respectievelijk onderdak te verschaffen. Daarbij kwam dan nog de geestelijke terreur van een anglophiele minderheid, die hen met allerlei straffen in de toekomst dreigde, wanneer zij het gegeven bevel niet op zouden volgen. Maar hiermede is dan ook alles van het politieke „succes" van den heer Gerbrandy c.s. gezegd. Voor het ... denken, toen wij dezer dagen een bezoek brachten aan een lazaret, waarin naast gewonde Duitsche, ook Amerikaansche, Engelsche en Canadeesche en zelfs negersoldaten waren opgenomen. Wij willen onzen lezers het beeld besparen, dat wij daar aantroffen. Een beeld van schrikbarend menschelijk lijden en van zelfverloochenende overgave van artsen en chirurgen, die, alsof men op een abattoir was, aan den loopenden band, armen en beenen amputeerden. Maar juist op zulke plaatsen snijdt de vraag van het „Waarom?" in dezen oorlog een mensch dwars door de ziel. Wij hebben lang en diepgaand gesproken met minder zwaar gewonde Amerikaansche en Engelsche soldaten. Mannen die van het nationaal-socialistische Duitschland niet meer wisten, dan dat Hitler eens de geheele wereld wilde veroveren — Amerika inclusi! — en daarom met zijn regime in Anglo-Amerikaansch eigenbelang moest worden vernietigd. Maar toen wij hen in eenvoudige bewoording verklaarden wat het nationaal-socialisme in het bijzonder voor het arbeidende volk in werkelijkheid wil, bleken wij slechts hun eigen wenschen en idealen te vertolken. Ook zij bleken slechts te verlangen naar een rechtvaardige plaats onder de zon, een menschwaardig leven met vrouw en kinderen, belooning naar prestatie en plichtsbetrachting, sociale gerechtigheid, in een vreedzame, gelukkige wereld.

Wat wil Adolf Hitler voor het Duitsche volk dan ánders? In een wereld waarin alléén Engeland reeds over eenzesde deel van het aardoppervlak beschikte en het kapitalistische Amerika met zijn bodemrijkdommen schier geen raad wist, werd Duitschland door het internationale grootkapitaal doelbewust zijn rechtvaardige plaats onder de zon betwist en onthouden. Inplaats van een rechtvaardige verdeeling der bodemschatten, die een goede God voor alle menschen geschapen heeft, werd door de kapitalistische monopolie-politiek de rijke nog rijker maar de arme ...

... verlangt: kameraden, wier namen wij reeds vergeten waren, oud-ministers, reactionnaire regenten en. . . joden! Moet dáárom Europa, moet dáárom ook ons land in een puinhoop ver- ...

... poging eigen machtspositie in stand te houden.

Duitschlands zaak is de zaak van den scheppenden, werkenden Europeeschen mensch. Daarom is Duitschlands zaak de onze, Duitschlands lot, ons ...

... stanties, moge de stelling aanvaarden: Duitschland m ó e t den oorlog winnen, zelfs ondanks de Duischers! Want Duitschlands nederlaag is Europa's nederlaag: de uitlevering van het Avondland aan ...

... van de nationaal-socialistische revolutie. Omdat alleen bij haar triomf, de matelooze offers, ook van ons goede volk, niet vergeefs zullen zijn gebracht.

JAN HOLLANDER

WORDEN WIJ „BESTRAFT"?

De oude heeren in Londen begrijpen niets van de grootheid der revolutie

KLEINE ZIELEN ZINNEN OP WRAAK

RADIO oranje heeft zich in den loop der jaren vaak bezig gehouden met de vraag wat er zou geschieden met de nationaal-socialisten in Nederland op het oogenblik waarop de oude regeering haar plaats weer zou hebben ingenomen na een geallieerde overwinning. Wij hebben over dit onderwerp een heele massa gedaas te hooren gekregen uit den mond van het legertje zwetsers dat van Londen uit over Nederlandsche toestanden meent te kunnen oordeelen, en wij hebben het gepraat in den regel, als beneden de maat, maar gelaten voor wat het was.

Langzamerhand begon evenwel zoo nu en dan ook een stem van min of meer officieel karakter zich te doen hooren. Deze stem sprak dan over het b e s t r a f f e n van ons, nationaal-socialisten en ook van onze geestverwanten, door speciaal tot dit doel op te richten rechtbanken.

Dit laatste nu, vinden wij machtig interessant, doch niet minder belachelijk. Wij kunnen ons namelijk heel goed voorstellen dat de heeren, die zich straks onder de bescherming der Britsch-Amerikaansche bajonetten hier denken te vestigen, het niet met onze politiek en onze opvatting over het welzijn der Nederlanden eens zijn, en dat zij zullen trachten, wanneer zij daartoe de gelegenheid krijgen, ons en onzen invloed onschadelijk te maken. Zooiets verwachten wij wel van deze heeren, ook al is deze handelwijze geheel in strijd met de beginselen van de door hen hoogvereerde democratie en de heiligheid van het vrije woord. Wanneer de heeren echter van „bestraffen" gaan spreken, dan is de vraag gewettigd: op welken grond zij zich het recht denken aan te matigen politieke tegenstanders te willen gaan bestraffen.

WIJ staan aan deze zijde van de revolutie, z i j aan den anderen kant. Dit is sedert 1931 zoo. Van 1931 tot Mei 1940 hebben wij elkaar bestreden, bij welken strijd z i j over de machtsmiddelen van den staat beschikten, en wij, als opkomende revolutionnaire groep, die opereerde langs den legalen weg, voor zoover die voor ons toegankelijk werd gelaten, alleen onze geestdrift, onze offervaardigheid en ons onvermoeibaar doorzettings vermogen in het strijdperk konden brengen. Toen de oorlog in Mei 1940 over ons vaderland heenrolde, namen de heeren de beenen terwijl wij bij ons volk bleven en ons werk voortzetten.

Niettegenstaande de onbelemmerde terreur, welke de regeering in de weinige oorlogsdagen in Mei 1940 op ons uitoefende en door onbeheerschte politieke heethoofden ongestraft ons liet aandoen, hebben wij er, na 15 Mei 1940 van afgezien onze wraak te koelen op onze politieke tegenstanders, die hier gebleven waren. Voor een revolutionnair is dat volkomen logisch. Wij hadden een i d e e; personen interesseerden ons maar matig. Alleen kleine zielen zinnen op wraak. Wat wij wèl deden was onze propaganda met kracht voortzetten, omdat wij ons volk van het kapitalisme, van het humanisme en van de verderfelijke marxistische en liberale invloeden wenschten te zuiveren en het wenschten te winnen voor de idealen van het nationaal-socialisme.

Het is niet ònze schuld dat de oorlog tegen het oppermachtige kapitalisme en het tot de tanden gewapende bolsjewisme zooveel inspanning en offers der Europeesche volken is gaan vergen, dat van sociale verbeteringen op groote schaal tijdens de worsteling op leven en dood weinig sprake kan zijn. Het is niet onze schuld, dat vele tienduizenden te kortzichtig en te naief zijn om in te zien, dat juist het gewapende kapitalisme en het gewapende bolsjewisme de b e l e m m e r i n g v o r m e n voor de s c h e p p i n g van een geordend, arbeidzaam, gelukkig en welvarend Europa, dat het nationaal-socialisme beoogt. Wij, nationaal-socialisten zijn den oorlog niet begonnen. Het kapitalistische Engeland begon den oorlog, opgehitst door het joodsch-kapitalistische Amerika. Het kapitalisme zag een Europa ontstaan, vrij van kapitalistische overheersching; daarom ontketende het den oorlog in Europa, een oorlog die ellende, armoede en ontbering met zich brengt welke zwarigheden door het huichelachtige kapitalisme worden geschoven op het nationaal-socialisme, dat strijdt voor een vrij Europa!

WIJ staan dus aan d e z e zijde der revolutie sedert 1931 en de heeren in Londen, die ons willen gaan „bestraffen" aan gene zijde, de zijde van het kapitalisme met zijn bolsjewistischen bondgenoot. Tusschen deze beide zijden gaat de strijd van er op of er onder. De beslissing in dezen strijd zal bepalen of de arbeiders van Europa opnieuw de slaven zullen zijn van het kapitalisme en van de joden, die zoowel in het kapitalisme als in het bolsjewisme den dienst uitmaken, of dat de volken van Europa door het nationaal-socialisme zichzelf zullen worden en samenwerkend, militair en economisch, een ongekenden opbloei van het Avondland zullen kunnen scheppen.

Zoo staan de zaken. Wie gekozen heeft vóór het kapitalisme, vóór het jodendom, vóór het bolsjewisme en vóór het systeem van voorheen, staat tegenover o n s. Wie gekozen heeft voor een n i e u w e samenleving, tegen de geldslavernij, vóór de Europeesche samenwerking, wie heeft ingezien dat de arbeid en n i e t het geld de bron is van de nationale welvaart, en die daarom strijdt voor het nationaal-socialisme staat mèt ons. De strijd op het slagveld beslist in wezen over de onmiddellijke vestiging van onze of van de verouderde, verderf brengende kapitalistische en joodsche wereldbeschouwing.

Deze strijd is zóó geweldig, zóó adembenemend en van een zóó wereldhistorische beteekenis, dat het lachwekkend kleinzielig aandoet te hooren spreken over bestraffing van den geestelijken tegenstander.

Men zal reeds begrepen hebben, dat wij dit niet schrijven uit vrees voor een straf. De heeren in Londen zien ons voor te klein aan wanneer zij denken ons met hun dreigement angstig te maken. Wij wenschen even vast te stellen dat het dreigen met „bestraffen" aantoont hoe klein het kaliber der dreigende heertjes is.

Een revolutie is een wereldgericht. Zij wordt uitgevochten of zij wordt gesmoord. Het één of het ànder. Maar in revolutietijd is er geen enkele norm die iemand wezenlijk het recht geeft met juridische argumenten te oordeelen over de idee welke den tegenstander beheerscht. Zij die denken dat zooiets mogelijk is, staan met hun bekrompen ideeën mijlenver af van eenig begrip voor het geweldige van een revolutietijd.

Alleen door het dreigement van bestraffing schetsen de heeren in Londen hun eigen kaliber. Wij w i s t e n dat het kapitalisme uit den tijd was. Het kent geen geestdrift, het heeft geen ziel. Het is de slaaf van het kasboek en van het reglement. Het kapitalisme weet n i e t s van het l e v e n maar het weet à l l e s van effecten en van bankrekeningen. Wij kiezen het leven, het leven voor en vàn ons volk; wij strijden voor de grootheid, de eenheid en de vrijheid der Nederlanden. Wij hebben maling aan „bestraffingen", die alleen kunnen worden geformuleerd en geargumenteerd door doode letterknechterij waarover de historie zich later vernietigend zal uitlaten wanneer zij ooit ten tooneele zou worden gevoerd.

De revolutie gaat voort. Zij zal niet kunnen worden gesmoord door reactionnaire oude heertjes omdat zij door n i e m a n d kan worden tegengehouden. Want zij is historisch aan de orde.

L. L.

LOSSE NUMMERS 8 CENT
Verschijnt wekelijks

5e Jaargang No. 2
20 SEPTEMBER 1944

De ZWARTE SOLDAAT

STRIJDBLAD VAN DE W.A. DER N.S.B. • COMMANDANT: Mr. A. J. ZONDERVAN

Het volk dat zich zelf straft

NEDERLAND SLAGVELD?

MAASTRICHT sedert eenige dagen door de Duitschers ontruimd. Anglo-Amerikanen werpen in het Zuiden des lands parachutisten af. Snelle eenheden van de Duitsche Weermacht gaan tot tegenacties over. Opnieuw is ons land oorlogsterrein en dreigt een uitlating van den Engelschen zender bewaarheid te worden, volgens welke de beslissende slag ten deele op Nederlandsch gebied uitgestreden zal worden. Wie weet, wat dit zeggen wil, huivert bij de gedachte wat er van ons mooie land, van onze welvarende steden over zal blijven. In ruim vier jaren tijds is dit de tweede maal dat Nederland krijgstooneel wordt. Mei 1940—September 1944. Tóen, een modern uitgerust leger dat met een onweerstaanbaar élan in vier korte dagen de Nederlandsche verdediging onder den voet liep en een land tot capitulatie dwong, dat door het bliksemsnelle optreden van den tegenstander vrijwel onbeschadigd uit den strijd kwam. Thans zijn het millioenenlegers die tegenover elkaar staan, die den laatsten strijd op leven en dood strijden en uitgerust zijn met wapens, welke in hun vernietigende kracht de strijdmiddelen uit het begin van den wereldbrand vele malen overtreffen. Tóen, een bliksemsnelle doortocht, die land en steden spaarde, thans een tot verstijving komend front, dat om elke honderd meter verbitterd vecht en slechts grauwe woestenij, een kil -kraterlandschap achterlaat. Een volk van tachtig milioen zielen, dat eens voor Europa vocht, kampt thans nog slechts om eigen bestaan tegen een tegenstander, die de geheele wereld gemobiliseerd heeft om een in wording zijnd eensgezind Europa opnieuw te knechten en uit te buiten. Een volk, dat zich door een aan menschen en materiaal overmachtigen vijand tot den totalen oorlog genoodzaakt zag, dat strijdt om het naakte leven en weet, dat het verliezen van dezen titanenkamp leidt tot algeheele vernietiging van alles, wat het leven waarde geeft om te leven, zoo'n volk strijdt tot den laatsten man en zal, wanneer de beslissende phase gekomen is, elken duimbreed gronds tot het uiterste verdedigen. In den wedloop met den tijd moeten zij standhouden tot de revolutionnaire wapens in den strijd zijn gebracht, welke het aanzicht van den oorlog zullen veranderen en de krijgskansen volledig doen keeren. Het ligt niet aan ons te beoordeelen hoeveel tijd de Führer nog noodig heeft om de nieuwe wapens te kunnen inzetten en of het noodzakelijk is Nederland tot het uiterste te verdedigen. Is dit wel het geval, dan wordt Nederland één groote puinhoop. Maar wanneer men dan hoort van menschen, die in een gebied, waar parachutisten werden neergelaten, overvliegende Anglo-Amerikaansche vliegtuigen met gejuich begroetten, dan vraagt men zich als nuchter Nederlander met verontwaardiging af of men deze verdwaasden nog normaal kan noemen. Wij zullen den parallel met 1940 nog verder moeten trekken, willen wij deze, volkomen in hun grenzenlooze bekrompenheid verstrikte volksgenooten, doen beseffen welk een ontzettende toekomst geheel ons volk te wachten staat, wanneer hun zoogenaamde en thans schijnbaar zegevierende bondgenooten ons land zouden bezetten. Tóen, in 1940, kwam de bezetter in een land, dat, men zou haast kunnen zeggen, overvloeide van melk en honing. Zelfs nu worden op deze voorraden nog geteerd. De voorraadkelders van de meeste welgestelden kunnen daarvan getuigenis afleggen. Thans is door den onwil, het egoïsme en de sabotage — zoogenaamd tegen den Duitscher gericht, maar in werkelijkheid ten koste van het Nederlandsche volk — van officieele instanties, organisaties en breede lagen van het Nederlandsche volk een voedselpositie bereikt, welke het ergste doet vreezen en den honger in het land brengt. Graan werd tot dusverre door Duitsch land bijgespijkerd, in ruil voor andere waren, groenten enz. Wat de Anglo-Amerikanen inzake de voedselvoorziening voor de z.g. bevrijde gebieden presteeren hoeven wij niet nader toe te lichten. De met beloften op een grootscheepsche levensmiddelenbevoorrading tot een schandelijke capitulatie gepaaide Italianen zijn den hongerdood nabij. Zou Nederland een uitzondering maken?

Tóen, in 1940, een ordenende en ordebrengende bezetting, die den Nederlander zijn waarde liet, en arbeidsvrede en rust in het land bracht. Door een grootmoedig en in zijn verschijning in de historie uniek gebaar van den Führer werden onze soldaten uit hun krijgsgevangenschap ontslagen en op eerewoord vrijgelaten, welk woord door velen tot schande van geheel ons volk werd gebroken. Sociale wetten werden ingevoerd, welke den arbeider minimum loon en vacantie garandeerden enz. Thans in 1944 wordt de mannelijke bevolking van de door de Sovjets en de Anglo-Amerikanen „bevrijde" gebieden tot dienstneming in de legers geprest, worden kinderen naar het sovjet-paradijs getransporteerd en losgerukt van de ouders, die ten deele tot dwangarbeid worden veroordeeld. In deze door de „liberators" veroverde gebieden wordt een smerig en onmenschelijk spel met de bevolking gespeeld. Alle vroegere ordening is verdwenen. De anarchie steekt den kop op. De communisten grijpen naar de macht.

Terroristen en verzetsgroepen, de onderwereld en het ondermenschendom bestrijden elkaar, plunderen de winkels, rooven en moorden. Deze landen zijn bevrijd om hun volken te zien ondergaan in ontaarding en een chaotischen toestand van verwording. Wanneer men ervaart, dat tijdens een mis in een kathedraal van de Fransche hoofdstad vanaf de beuk een mitrailleurgevecht werd geleverd tusschen partisanen en verzetsgroepen, wanneer men leest, dat in de stad van den Paus de communisten optochten organiseeren, onverzoenlijke haat tegen het geloof prediken en met gebalde vuist langs het Quirinaal paradeeren, dan vraagt men zich af of de, de Anglo-Amerikaansche bommenwerpers toejuichende volksgenoot, die mogelijk ook nog geloovig is, wel besef heeft van zijn eigen geestesgesteldheid, welke bijna aan waanzin grenst.

Stelt hij zich eigenlijk wel voor wat het zeggen wil, wanneer Duitschland den oorlog zou verliezen en versplinterd en ontrecht ten prooi zou vallen aan de ras- en cultuurschennende Mongoolsche overheerschers? Kan hij zich eigenlijk wel 'n voorstelling vormen van den haast dierlijken levensstandaard, waarin de Europeesche mensch zou komen te vervallen, wanneer de bloem der cultuurdragers in alle Europeesche landen zou zijn uitgemoord en de opbouw van een volledig verwoest Europa, — welks laatste overgebleven cultuurmonumenten en cultuurschatten inmiddels naar Noord-Amerika zouden zijn verscheept, — door een mengelmoes van Mongoolsche volkeren zou worden geleid; volkeren, die, door een 25 jaar lang durend terroristisch regiem tot robotwezens verwerden, die zich tevreden stellen met het levenspeil en de behuizing van een dier? Heeft deze volksgenoot zich wel eens voor oogen gehouden, dat Duitschlands randstaten automatisch in denzelfden onheilspellenden draaikolk zouden worden meegesleurd? Beseft hij wel, dat de ondergang van het blanke ras hiermede bezegeld zou zijn? Heeft hij er wel eens over nagedacht, wat het voor Europa beteekent, wanneer Noord-Amerika en Canada de Europeesche behoefte aan voedingsgraan zouden monopoliseeren, de Nederlandsche en Europeesche boer ontrecht en naar de fabrieken gedreven, de akkers braak gelegd en een geheel continent aan den willekeur van een andere continentale macht zou worden overgeleverd en desnoods uitgehongerd, mocht het opstandig worden? Heeft de geloovige, die den heroïschen strijd van den Nederlandschen vrijwilliger aan het Oostfront koel voorbijging, misschien nog vertrouwen in eigen zedelijke en moreele kracht om met succes den strijd met de het atheïsme brengende sovjets aan te binden?

Heeft tenslotte deze landgenoot eenig benul van de duistere krachten, die aan de zijde van onze vijanden het wereldgebeuren beheerschen en die op een gegeven moment het mom van den communist, marxist of plutocraat zullen afwerpen om het zegevierende, grijnzende gezicht van den jood te toonen, die eindelijk zijn tweeduizend jaren lang gekoesterde wenschdroom in vervulling ziet gaan: de heerschappij over den Christ?

Wij hebben werkelijkheidsbesef genoeg om te voorzien, wat er met Europa zou kúnnen gebeuren. Tegelijkertijd echter zijn wij er ook van overtuigd en daar staat ons geloof in den Führer borg voor, dat de strijd ten gunste van het Nationaalsocialistische Duitschland en zijn verbondenen zal worden beslist. Hoe langer de strijd en hoe grooter het verlies aan kostbaar bloed, hoe moeilijker en langduriger de opbouw van het Nieuwe Europa. Wij verwachten niet, dat onder de onderhavige omstandigheden ook maar een enkele onzer tegenstanders door woorden zou kunnen worden bekeerd of zich nog aan onze zijde scharen. Wij beschuldigen echter hen, die, de waarheid kennend, willens en wetens in laf en zelfzuchtig afwachten afzijdig stonden en Nederland zijn ondergang zagen tegemoetsnellen, zonder een hand uit te steken.

De Voorzienigheid geve, dat het nooit zoo ver moge komen, dat zij nog eens de voor hun land gevallen Nederlandsche National-Socialisten met hun naakte handen uit den grond zouden willen opgraven om hun bescherming te vragen tegen het onnoemelijke leed, dat zij over hun eigen hoofden hebben afgeroepen.

Wij volgen den Führer.

Met Mussert Hou Zee!
Hopman H. J. VREDEVOORT

Aan evacué's en achterblijvenden

Volgens mededeeling van den Directeur van het Evacuatiebureau der Beweging zullen binnenkort alle noodige gegevens ter beschikking staan, welke het mogelijk maken het contact tusschen geëvacueerden en de achterblijvenden c.q. de Landwacht te herstellen.
Inmiddels is door de N.S.V. een voorloopige regeling getroffen, waardoor van hier naar Duitschland een postverbinding tot stand kan komen.
De met 10 cent te frankeeren brieven dienen als volgt geadresseerd te worden:

DURCH DEUTSCHE DIENSTPOST
An die Zentrale Suchkartei
Gauamtsleitung N.S.V.
Ullzenerstr. 33
Lüneburg
Ost-Hannover

Zur Weiterleitung an:
Mevr./Mej.

Voor eventueele uitzonderingsgevallen, waarin de normale administratie van het Evacuatie-bureau of de N.S.V. niet voorzien of kunnen voorzien, zal te zijner tijd in „De Zwarte Soldaat" een Oproep-rubriek worden geopend.

WIJ ZAGEN EEN DOODE STAD

Soepel glijdt onze wagen over de mooie asfaltwegen van het Nederlandsche landschap. De late herfst heeft het loof van de boomen langs den weg nog intact gelaten en de af en toe achter de lichte bewolking te voorschijn komende zon werpt een dartel licht op het landschap, dat met zijn welverzorgde landerijen, heldere hofsteden en boerenbehuizingen zoo bij uitstek Nederlandsch aandoet. Heel ver weg zou men den oorlog kunnen wanen, wanneer niet de bovendimensiale mascotte in den vorm van den op het spatbord zittenden en op den motorkast leunenden gewapenden kameraad, alsmede een voorbijflitsend waarschuwingsbord met de woorden „Achtung - Fliegerbeschusz" ons aan de harde werkelijkheid deden herinneren. Ons doel is Arnhem, de stad, welke nog voor zeer kort in handen van de Engelschen was, en die thans door de Duitschers na zware, verbitterde gevechten werd gezuiverd en heroverd. Reeds bij Ede ontdekken wij de eerste sporen van den strijd, welke zich in de omgeving van Arnhem heeft afgespeeld. Verschillende huizen in puin, een bekende uitspanning een ruïne, van een middelgroote fabriek staan nog slechts de afgebrokkelde muren. Verder gaat de rit. Langs den weg doemen in het bosch verscholen villa's op, zwaar gehavend en als door een wervelstorm geteisterd, weerstandsnesten der gelande parachutisten klaarblijkelijk. Even verder drie Roode-Kruis-auto's beschoten door een onbarmhartigen en wreeden tegenstander, die alle oorlogswetten verkracht. De teekenen van den vernietigingsstorm, welke over dit mooie landschap raasde, worden veelvuldiger. Weggeworpen uitrustingsstukken zoomen den wegrand, stalen helmen, rugzakken, leege kardoezen en ammunitiekisten. In de nabijheid van eenige halfgeopende witte parachutekokers eenige eenvoudige withouten kruisen: „hier rusten zeven Engelschen". Wij naderen Arnhem. De wrakken van Engelsche lichte wagens met den grooten vijfkantigen ster markeeren de vluchtrichting van de Engelschen, die, te oordeelen naar de uiterlijke kenteekenen, zich in paniek op Arnhem moeten hebben teruggetrokken. Dan rijden wij de stad binnen. Een gedrukte stemming maakt zich van ons meester. Verlaten zijn de straten, die naar de stad leiden en die met verbrijzeld glas zijn bezaaid. Gordijnen hangen uit vensters, welke uit hun sponningen zijn gerukt, vrijwel geen venster is meer heel, de weggerukte pui van een woning toont de in flarden van tengels naar beneden hangende verdiepingen in de kille naaktheid van hun verbrijzelde interieuren. Hoe meer wij het centrum van de stad naderen, hoe grooter de verwoestingen worden. Van een huizenblok staan nog slechts een paar verkoolde resten. Eens drukke winkelstraten bieden een beeld van hopelooze verlatenheid. Straat- en winkeldeuren staan open, als in panischen angst door de inwoners verlaten. Etalageruiten zijn versplinterd, de inhoud door elkaar geworpen en verspreid. De meeste van deze beschadigingen zijn niet door het gevecht veroorzaakt. Plunderaars waren aan het werk, die na de „bevrijding" door de Britten hun slag sloegen. In de uitstalkast van een boekwinkel staat achter de vernielde etalageruit een portret van den Leider, onbeschadigd, wel een bewijs, dat de eerste kritieke uren van de bevrijding geen politieke hartstochten ontketenden, maar wel de roofinstincten bij het schuim opwekten. Een magere, mooie herder houdt vreemd en stil de wacht voor een gesloten deur. Verder buiten een enkelen Duitschen soldaat geen levende ziel te bekennen. Vliegtuigen ronken boven de stad. Maar geen mensch kijkt meer in angst naar omhoog. Arnhem is dood. Verlaten ligt zij daar op dezen zonnigen dag, een doode stad.

Wij rijden verder en komen op den weg naar Oosterbeek. Zoo mogelijk is hier de ravage nog grooter. Villa's en huizen hebben hier in het volle vuur van den slag gelegen, zijn ineengestort of vertoonen bijna onherstelbare vernielingen. De palen van het tramnet zijn afgekapt of doorgebogen, tramlijnen kronkelen over den weg, die met afgeschoten boomtakken is bedekt. Daartusschen Britsche uitrustingsstukken, vernietigde lichte personenwagens en vele uitgebrande lichte Britsche tanks, welke door de lucht waren aangevoerd. Hier heeft de strijd in alle hevigheid gewoed. Parachutes hangen in boomen, lichten hier en daar op uit het veld, geel, blauw, wit. Aan den hoogen gevelnok van een villa hangt een lange rose sliert van wat eens een parachute was. De muur van het huis vertoont een enorm gat. Een vreedzame omgeving moet in een vloek en een zucht tot een razende hel zijn geworden.

Onbeschadigd tusschen een verwoeste omgeving staat een mooi landhuis, de zonneschermen uit, de ramen en vensters open; men krijgt den indruk, dat het huis vol leven en beweging moet zijn. Maar geen stem roert zich. De bewoners hebben deze plaats op stel en sprong verlaten.

Zoo ziet de „bevrijding" door de Anglo-Amerikanen eruit. Velen hebben deze met verlangen en ongeduld tegemoet gezien. Mogelijk vluchtten zij wel in de richting Apeldoorn en werden onderweg nog eens door de „liberators" gemitrailleerd. Er zijn menschen die dan nog zeggen: „Ja, daar is het oorlog voor." Deze zijn niet meer te helpen. Op hen zouden de rampen van dezen oorlog in volle zwaarte moeten rusten, opdat zij tot het besef komen, dat zelfs een onverbiddellijken oorlog als deze, eerlijk en mannelijk gestreden kan worden.

Het woord „fairness" ontstond in Engeland en beteekent een eigenschap, welke aan Engelschen wordt toegedicht. Wanneer ooit een volk zich ten onrechte op een dergelijke eigenschap beroept, dan zijn het wel de Britten, die zulks in dezen oorlog hebben bewezen.

H. J. V.

De Arnhemsche bevolking verlaat de zwaar gehavende stad
Foto C.N.F./Cino

In een weer heroverde stad
Teekening ##-P.K. Böhm/O.H.

WIJ HATEN DEN OORLOG

steden aan den rand van den hongersnood en burgeroorlog brengt. Ook zien wij dan niet het uitvaagsel en de onderwereld, die altijd al ten koste van de gemeenschap hebben geleefd. Wel zien wij dan den eerlijken werker, den arbeider van hoofd en hand en den boer, die steeds de ruggegraat zijn van elken volksgemeenschap, maar die ook in dezen oorlog weer de zwaarste lasten dragen, hoewel in Nederland de boer wel eens zijn huidige machtspositie misbruikt.

Wij worden dan wel eens moede én van den oorlog én van den strijd, welke wij steeds weer opnieuw aan te binden hebben om ons volk bewust te maken van de gevaren, waarin het zich bevindt en hen te overtuigen van den eenigen juisten weg, welke wij, als volksgeheel, nog bewandelen kunnen en bewandelen moeten, willen wij niet, ellendig en verdeeld, als volk ten gronde gaan. Het is dan niet zoo, dat wij dan den moed verliezen en zouden willen terugkeeren op onzen weg. Integendeel wij keeren dan een kort oogenblik in ons zelf terug om des te verbetener en vastbeslotener in de werkelijkheid terug te keeren.

Wij haten den oorlog, maar hij zal, ook door ons, tot het uiterste gestreden worden, tot de uiteindelijke overwinning. Aan den afloop van deze worsteling zal ons volk geen invloed kunnen uitoefenen, hoewel zij ten deele misschien in ons eigen land zal worden beslist. Wel kan ons volk invloed uitoefenen op de wijze, waarop en hoe het dezen oorlog zal doorstaan en den vrede ingaan.

Dat deze houding voor de toekomst van geheel ons volk van immens belang zal zijn en beslissend, kan een kind begrijpen.

Nederlander, let op Uw saeck.

Hopman H. J. VREDEVOORT

ZIJN EER WAS TROUW!

Voor mij ligt zijn laatste brief. Zooals in elken brief schreef hij ook nu weer over de trouw aan den Führer en onzen Leider. Vol bewondering was hij voor den onwrikbaren wil van Mussert, om ons volk weer een toekomst te willen geven.

Na den slag bij Tsjerkassy kwam hij geheel onverwachts met verlof. Avonden zat hij bij ons, vertelde over zijn belevenissen, onopgesmukt. Was vol lof over de kameraadschap onder de frontsoldaten. Toen zijn verloftijd verstreken was nam hij afscheid als een man, ondanks zijn jeugdigen leeftijd. „Ik ga weer voor korten tijd weg en wordt dan overgeplaatst naar de Kriegsmarine. Dit is mijn hartewensch."

Eenige weken geleden ontvingen wij een brief, waarin hij schreef dat hij opnieuw was ingezet. „Wij gaan nu Stalin een lesje geven," zoo schreef hij. „Wij Nederlandsche vrijwilligers zullen vechten als leeuwen, opdat Europa van het bolsjewistische monster bevrijd wordt. Wij strijden, opdat Nederland zijn plaats zal krijgen in het nieuwe Europa. Zoo staan wij daar, trouw aan onzen Mussert, voor Volk en Vaderland".

Donderdag kwam het officieele bericht, dat hij, 21 jaar oud, aan het Oostfront aan zijn verwondingen was overleden.

Hij had zich gemeld als vrijwilliger, omdat hij een innerlijke drang voelde om met de anderen tegen de vijanden van Europa op te trekken. Bij hem thuis begreep men hem niet. Tijdens zijn verloftijd werd hem het huis ontzegd, zoodat hij zijn verlofdagen bij anderen doorbracht. De uitreiking van het E.K.II, alsmede zijn bevordering tot Sturmmann waren zijn trots. Zijn einddoel, opname in de Kriegsmarine, heeft hij niet mogen beleven.

Hij viel opdat het Nederlandsche volk zijn gerechte plaats in het nieuwe Europa zou verkrijgen. Zijn woord was „trouw aan den Leider". In dien geest zullen wij den strijd voortzetten.

D. J. Z.

Onder Engelsche bescherming

Zooals wij vernemen stichtte de Hertogin van Portland een Vereeniging tot bescherming der dieren in de bevrijde gebieden.

Oh, die honden! Bij millioenen zullen zij verrekken! — Maar mijne heeren, hoe kunt U...! — Mylady, we spreken alleen maar over de Indiërs — Ah zoo!

Die Overste zou ik uren lang op zijn sm.... kunnen slaan! — Doe het niet, hij staat misschien onder bescherming van de Engelsche Hertogin, als de grootste ezel, die bij ons rondloopt.

Hu hu hu, ik ben heelemaal van streek, wanneer ik bedenk, dat bij den laatsten terreuraanval van onze bommenwerpers misschien weer eens een paar arme kleine katjes zijn gedood!

En wie beschermt hem?

(Uit: „Das Schwarze Korps").

VOLK EN VADERLAND

PRIJS 7 CENT

NATIONAAL-SOCIALISTISCH WEEKBLAD

VERKOOPPRIJS VOOR DUITSCHLAND RM 0.20

VRIJDAG 15 DECEMBER - WINTERMAAND 1944

UITGAVE: NENASU — ADM.-ADRES VOOR ADVERTENTIES EN ABONNEMENTEN: OUDEGRACHT 172 — UTRECHT — TEL 11851 — POSTGIRO 207915
REDACTIE-ADRES: MALIEBAAN 31 — UTRECHT — TEL 13861

12e JAARGANG No. 50

Bij den aanvang van het veertiende jaar

DE LIJN WAS RECHT EN JUIST

OP 14 December 1931 werd de Nationaal-Socialistische Beweging gesticht, heden dus dertien jaren geleden.

Het doel, dat mij als stichter der Beweging voor oogen stond, was de handhaving van de eer, de verhooging van het welzijn en de vergrooting van de welvaart van het Nederlandsche volk.

Wij zijn nu dertien jaren verder en het volk is in grooten nood; het lijkt dus of wij na dertien jaren van strijd verder dan ooit van het doel verwijderd zijn. Velen zullen nu tot zich zelve zeggen: Het lijkt niet alleen zoo, maar het is toch zoo. En in zeker opzicht hebben zij gelijk, doch in diepste wezen niet.

Immers, het jonge frissche groen van struiken en boomen in April en Mei, gaat langzamerhand over in donkerder tinten, die de komende verdorring aankondigen. In October verschijnen de herfsttinten, maar de bladeren zijn nog niet afgevallen; in December is alles kaal. De naakte takken in December doen nog minder denken aan het frissche groen van de lente, dan de herfsttinten van October en het kan zijn, dat de houthakker komt met zijn bijl en den boom kapt; dan zal hij in de lente geen frisch groen meer dragen. Wordt de boom echter niet geveld of doodelijk aangetast door diep indringende vorst, dan is zijn kaalheid van December, Januari en Februari noodig voor het voortbrengen van jong groen in de lente.

Zoo is het ook met ons volk; dertien jaren geleden vertoonde het vele herfsttinten, nu is het kaal. Zal het geveld wor-

maakten, uit hun werk stieten en vervolgden.

Twee jaar later, in 1937, vereenigde de N.S.B. 180.000 stemmen op zich. Zij werd dood verklaard, de democratie had gewonnen. Ieder ambt, tot het eenvoudigste toe, werd aan een N.S.B.'er ontzegd. Geen enkelen invloed mochten zij kunnen uitoefenen. Het lot van het land werd gelegd in handen van Colijn. Ga rustig slapen, Volk van Nederland, er wordt voor U gezorgd. Door middel van de stembus had het Nederlandsche volk zijn laatste kans om van het hellend vlak af te komen verspeeld. Het noodlot ging zich voltrokken en wij, nationaal-socialisten, voorzagen dat, gevoelden dat, gingen er onder gebukt, maar waren onmachtig om deze voltrekking te beletten. Wat gebeuren moest, gebeurde.

BEZET GEBIED

DE Meidagen van 1940 kwamen; als een zeepbel spatte uiteen wat den volke als hecht en betrouwbaar was voorgespiegeld. De Heeren trokken naar Londen, het bleef weerloos achter.

Nederland was bezet gebied geworden. Er is nog nooit een Volk geweest, dat er zich over verheugde bezet gebied te zijn. Wel hebben enkelingen er van geprofiteerd om grove oorlogswinst te maken met de uitvoering van weermachtswerken of door het doen van leveranties. Deze lieden kwamen in den regel niet voor in de ledenlijst der N.S.B. Duizenden N.S.B.'ers werden, toen de oorlog met de Sovjets begon, soldaat en vertrokken naar het Oostfront om

van hij deel uitmaakt en dat hij lief heeft. Zoolang de oorlogsgeesel het land teistert is dit niet mogelijk. De opbouw kan eerst beginnen als de oorlog in West-Europa geëindigd is.

Maar het lijden van dezen tijd brengt dit goede mede, de versterking van de saamhoorigheid van ons Volk. De scheidsmuren vallen weg. De uit verkeerd gedrag, domheid, leugen en bedrog opgebouwde scheidsmuur tusschen ons, nationaal-socialisten en onze andere volksgenooten wordt geslecht, is al grootendeels geslecht. De droom van het feest der bevrijding is uitgedroomd. Wij Nederlanders zullen met elkander moeten herbouwen, sterker en schooner dan al hetgeen in dezen oorlogstijd verwoest wordt.

WEDEROPBOUW

DEZE heropbouw is alleen mogelijk wanneer Europa wint. Het diepste wezen van dezen oorlog wordt daardoor gevormd dat zich buiten Europa twee wereldmachten hebben ontwikkeld, die ieder voor zich de leiding van de wereld aan, zich willen trekken. Dit zijn de Vereenigde Staten van Noord-Amerika en de Sovjet-Unie. De Vereenigde Staten van Noord-Amerika, nog geen twee eeuwen geleden een Engelsche kolonie, hebben zich in een halve eeuw opgewerkt tot de grootste kapitalistische macht ter wereld. President Roosevelt wil President van de wereld worden.

Sovjet-Rusland is in een kwart eeuw een wereldmacht geworden; achter ondoordringbare schermen heeft het communisme zich op het Aziatisch continent voorbereid tot den greep naar de wereldmacht en men moet toegeven, dat het communisme nooit verborgen heeft zijn doel: de wereldheerschappij te veroveren.

Deze beide nieuwe wereldmachten willen Europa vernietigen en hebben elkander gevonden in hun wil tot deze vernietiging. Amerika wil Europa vernietigen om in andere werelddeelen de erfenis over

bezetting van uitgestrekte deelen van Europa door de Sovjets en Amerika maken nu den bodem rijp voor deze noodzakelijke samenwerking. In dien tusschentijd moet Duitschland helaas het overgroote deel van de verdediging op zich nemen. Maar nog altijd geloof ik even stellig als twee jaren geleden, dat God aan Europa het nationaal-socialisme gegeven heeft en den Führer gezonden heeft om Europa te redden van den dreigenden ondergang. Straks, wanneer de oorlogskansen keeren, wanneer Europa door de bezetting der Sovjets en de Amerikanen een harde les heeft gekregen, zullen de oogen van millioenen zijn open gegaan en zullen zij beseffen de grootheid van ons streven: Nooit weer oorlog binnen Europa.

En al zal dan misschien Europa in zijn groote uitbreiding dit nog niet begrijpen, dan zullen toch de volkeren, die de kern van Europa vormen, deze les geleerd hebben. Dan zal Duitschland omringd zijn door volkeren, die hebben leeren zien, dat de samenwerking van de Europeesche volkeren de noodzakelijke voorwaarde is voor het voortbestaan van ieder hunner. In een zee van bloed en tranen, van ontbering en vernietiging moet dit helaas geleerd worden. Is dit begrepen, dan is de weg vrij naar den wederopbouw.

Vurig hoop ik, dat dit de winst zal zijn, die voortkomt uit den grooten nood van onzen tijd. Dit zal niet het minst aan ons volk ten goede komen en binnen ons Volk niet het minst den leden der Beweging die dikwijls ver van hun Vaderland hun moeilijken plicht vervullen. Ook de vrouwen en kinderen, die in Duitschland zijn ondergebracht, nu de oorlog een deel van ons land heeft overstroomd, waaronder duizenden nabestaanden van hen, die vielen aan de fronten, of offer werden in het Vaderland, zullen dan niet voor niets hebben geleden.

Bij al de moeilijkheden en bezwaren van dezen tijd hebben wij, Nederlandsche nationaal-socialisten, deze bevrediging: de lijn, welke wij deze dertien jaren gevolgd hebben, was recht en juist. Hoe-

cember volgt de uitbotting van het jonge groen in de lente, want de boom is sterk, zijn wortels grijpen diep in onze goede aarde en in de schors bruist nieuw leven. Het staat nu wel vast, dat ons volk door een dieptepunt van zijn bestaan gaat, zooals in wellicht drie eeuwen niet het geval is geweest. Een barre, barre winter vóór een nieuwe lente in ons volksleven zal intreden.

Wij, nationaal-socialisten, zijn optimisten. Wij kunnen en willen niet gelooven aan den ondergang van ons Volk, wij gelooven dat ons Volk, gelouterd door ontbering en verdriet, een nieuwe toekomst tegemoet gaat. Er zal aan den ouden boom weer frisch groen komen en vele gezonde vruchten.

Daarom zijn wij er van overtuigd, dat wij schijnbaar verder dan ooit van ons doel verwijderd zijn. Ons geloof en ons vertrouwen in de toekomst zijn ongeschokt, ook nu.

De Rijkscommissaris deed wat in zijn vermogen was om de bezetting een zoo mild mogelijk karakter te doen dragen; ik deed met mijne duizenden getrouwen het mogelijke om ons Volk er van te doordringen, dat er voor ons maar één weg is en die is de solidariteit, de samenwerking met Duitschland, als kloppend hart van Europa. Bezet gebied te zijn, is de ongunstigste omstandigheid van den politieken opbouw van 'n volk. De N.S.B. werd door den Führer erkend als draagster van den politieken wil van het Nederlandsche volk en niettegenstaande de toenemende ongunstige omstandigheden is het aan de Beweging gelukt om haar denkbeelden te doen doordringen in alle lagen der bevolking. Het ledental steeg tot honderdduizend, tienduizenden van de mannelijke leden trokken de militaire uniform aan.

Zij kwamen niet alleen uit de rijen der W.A. en de SS, maar ook uit die van onzen Nationalen Jeugdstorm. De Jeugdstorm heeft aan het front reeds groote offers

gebracht; de Jeugdstormcompagnie van den Landstorm trok den vijand eind Augustus in de Zuidelijke Nederlanden zingend tegemoet en weerde zich heldhaftig. Een Jeugdstormbataillon zal van de Hitlerjugenddivision deel uitmaken. De andere leden staan in de Landwacht; zoo is het grootste deel van de manelijke der Beweging in de oorlogvoering zeer actief ingeschakeld.

Begin September 1944 kwam voor de tweede maal de oorlog in 't land. Ditmaal in veel gruwelijker mate dan in Mei 1940. Nu is de toestand zoo: er is niet meer één bezettende macht in de Nederlanden, maar er zijn er nu twee.

De Zuidelijke Nederlanden zijn bezet gebied van Engeland en Amerika geworden; de Noordelijke Nederlanden zijn bezet gebied van Duitschland gebleven.

Geheel Walcheren, andere eilanden van Zeeland, deelen van Zuid-Holland, de Betuwe enz. zijn overstroomd, de bruggen zijn opgeblazen, steden en dorpen zijn verwoest, de bestaansmogelijkheid van honderdduizenden Nederlanders is verdwenen. Hoeveel burgers zijn omgekomen en nog zullen omkomen bij gevechtshandelingen, kan niemand zeggen.

Bewaarheid wordt hetgeen ik op 3 Februari 1940, dus nog drie maanden vóór de oorlog voor het eerst Nederland bereikte, zeide in een groote vergadering in het Concertgebouw in Amsterdam:

„En wanneer de heeren in „Londen zitten en het goud in „Amerika is, wanneer het land „onder water staat, alle bruggen „kapot zijn en het land niet „meer dan een ruïne is, dan „zullen de heeren zeggen: knap „het nu maar op, En dat doen wij! „Als ingenieur doe ik niets liever dan het oude vermolmde „opruimen en op geheel nieuwe „fundamenten bouwen".

Zoo is de z.g. bevrijding gekomen, zooals zij komen moest, n.l. als een ramp, als een oorlogsgeesel met een zee van onrecht en geweld, vernieling en verminking en niet, zooals zoovele onwetende en naïeve zielen dachten, als een verkwikkend briesje uit zee.

En nu is ons Volk in nood als in geen eeuwen het geval is geweest en ieder waarlijk nationaal-socialist wordt daardoor innerlijk tot in het diepst van zijn ziel bewogen en snakt naar het oogenblik, waarop het mogelijk zal zijn om met de daad te bewijzen zijn vasten wil tot vernieuwing, tot wederopbouw van het volk, waar-

den met het grondgebied en de volkeren van Europa. Vierhonderd, vijfhonderd millioen menschen zouden de Sovjets dan omvatten en daarmede zullen zij den eindstrijd voeren tegen Amerika.

Aan dezen vernietigingswil zou Europa in eendracht, de Europeesche volkeren in de grootste samenwerking met elkander, het hoofd moeten bieden. Zouden de Europeesche volkeren dit bijtijds begrepen hebben, de oorlog zou niet zijn uitgebroken. Sinds 1931, dus na onafgebroken dertien jaren, hebben wij gestreden voor deze solidariteit. Men herinnert zich nog in October 1935 tijdens den Abessijnschen oorlog, dat de N.S.B. in Den Haag, in 'n enorm tentencomplex waarin 30.000 menschen, tegen de democratie in, haar geloof heeft beleden, dat de solidariteit van Europa, de solidariteit van alle nationaal-socialisten en fascisten van Europa noodzakelijk is voor het voortbestaan van Europa.

De Europeesche volkeren hebben dezen wil tot solidariteit tot nu toe niet kunnen opbrengen. De

gevolgd is, was duidelijk Het doel: de vernieuwing, de wederopstanding van ons volk in eendracht en gerechtigheid, is de moeite waard om bereikt te worden ook ten koste van groote offers.

Het is niet mogelijk dezen dertienden verjaardag van de Beweging in grootschen stijl te herdenken; de technische mogelijkheden zijn er niet, het volk is in nood en wij N.S.B.'ers zijn gebonden aan onze ver uit elkander gelegen posten.

Maar deze dertiende verjaardag luidt in het begin van het veertiende jaar. In vast vertrouwen, dat aan het einde van het veertiende jaar de omstandigheden ons veel gunstiger gezind zullen zijn, roep ik al mijne kameraden op om in groote eendracht en samenwerking en in de voorbeeldige trouw, welke ons in deze jaren altijd heeft samengebundeld, voort te gaan met onzen moeilijken en heldhaftigen strijd: voor Volk en Vaderland.

HOU ZEE!

MUSSERT.

Utrecht, 14 December 1944.

ONZE STRIJD

NU dertien jaar geleden, was er groote rijkdom in ons land, maar honderdduizenden, uitgestooten uit 't arbeidsproces, verpauperden en werden op rantsoen gesteld, bepaald door het aantal guldens dat hun als werkloozensteun werd uitbetaald.

Toen, nu dertien jaar geleden, bracht onze bodem enorm groote hoeveelheden levensmiddelen voort. Drachtige koeien werden afgeslacht, millioenen kilogrammen voedsel werden moedwillig vernietigd met ongebluschte kalk en op andere wijzen, waarna men God dankte voor den goeden oogst.

Toen, nu dertien jaren geleden werd de natuurlijke saamhoorigheid van ons volk tot op den grond aangetast door de splijtzwam der vijftig politieke partijen, werd de militaire verdediging van het Vaderland tot een bespotting gemaakt en de bescherming door den Volkenbond als hoogste wijsheid aangeprezen.

Dit groote sociale onrecht, breede lagen van ons Volk, arbeiders en boeren, aangedaan, deze zonde tegen God, deze veronachtzaming van 's lands hoogste belangen, deze ondermijning van het zelfrespect der natie, dit alles te samen maakte het noodig, dat daartegen een dam werd opgeworpen, en dit kan alleen door de versterking van de eenheid der natie en de bevordering der sociale gerechtigheid, zooals wij die wilden, toen wij den strijd daarvoor begonnen.

In het voorjaar van 1935 stemden meer dan 300.000 menschen op de N.S.B.; het beste bewijs, dat deze denkbeelden gretig ingang vonden in ons volk. En dat, niettegenstaande reeds sinds 1933 alle machten in Nederland van de R.K. Staatspartij en de Anti-Revolutionnairen af tot en met de Communisten, in eendracht allen die nationaal-socialist waren verdacht

WAT DOET DE BEWEGING NU?

Politieke leiders nemen de spade ter hand

Het vaderlandslievende werk der „Arnhemmers"

DE ontwikkeling van den oorlog sedert de eerste Septemberdagen heeft, behalve dat zij diep ingrijpende wijzigingen in het economische en sociale leven in Nederland heeft teweeggebracht, ook de onmiddellijke taak der Beweging grondig gewijzigd. Meer dan ooit stelt zij thans haar krachten in dienst der oorlogsvoering.

Sinds 1940 was het aantal vrijwilligers voor de fronten uit de rijen der Beweging gegroeid tot een aantal, dat in bijzonder gunstige verhouding stond tot alle andere vrijwilligers - legioenen, die aan Duitschlands zijde vechten. Op 1 September j.l. was de toestand zoo, dat het grootste deel der jonge mannelijke leden der Beweging op de een of andere plaats in de onmiddellijke oorlogvoering op post stond.

Na 5 September volgden nog velen het voorbeeld van hun kameraden te velde of bij de marine, en meldden zich voor de opleiding.

Zoo is de oorlogsbijdrage der Beweging dus zeker indrukwekkend. De in verhouding tot het geheele Nederlandsche volk uiteraard betrekkelijk geringe groep nationaal-socialisten vervult op het alles overheerschende gebied van de bescherming van het Vaderland tegen de volledige verwoesting de rol van pionier, van voortrekker. Zij geeft het voorbeeld aan duizenden jongeren buiten onze gelederen en dit voorbeeld heeft er toe geleid dat ook een groeiende stroom vrijwilligers van buiten onze rijen zich aanmeldt om tot soldaat of matroos te worden opgeleid.

Maar de Beweging heeft hiermede niet volstaan. Zij heeft ook de mannen boven den leeftijd waarin zij geschikt zijn voor het front, ingeschakeld in de verdediging. Nu de politieke werkzaamheden in groote deelen van het land op de tweede plaats zijn gedrongen, zijn vele politieke functionarissen door den Leider opgeroepen om hun dagelijkschen arbeid te laten rusten en de spade ter hand te nemen. Door deze daad wil de Beweging wederom het voorbeeld geven nu het er op aan komt, door het opwerpen van verdedigingswerken den vijand het verder opdringen te beletten.

Een aantal functionarissen van wie velen nog nimmer graafwerk verrichtten wijdt zich nu reeds geruimen tijd aan deze vrijwillig aanvaarde belangrijke taak.

WIJ allen kennen reeds het begrip „Arnhem". Arnhem eens een onzer fraaiste steden is nu leeg en verlaten. Een levendige, vroolijke stad van 100.000 inwoners is nu een onbewoonbaar oord geworden. Arnhem is een voorbeeld van wat iederen volksgenoot te wachten staat wanneer de verzengende adem van het front over zijn woonplaats blaast.

Maar Arnhem is ook een symbool geworden. Bij Arnhem kreeg de Anglo-Amerikaan zijn eerste groote nederlaag te slikken. Arnhem is een naam die over de gansche wereld bekendheid verwierf omdat bij Arnhem de opmarsch van de Geallieerden werd gestuit. Wie in Duitschland den naam Arnhem hoort, denkt oogenblikkelijk met trots aan de vernietiging der Britsche luchtlandings troepen aan het einde der Septembermaand van 1944. Wij wenschen, wij hopen en wij vertrouwen er op: „bij Arnhem begint de victorie."

Arnhem is het symbool geworden van den weerstand tegen den vijand in het Noordelijke deel van het front Arnhem is voor ons, nationaal-socialisten, het symbool van onze inspanning om dien weerstand zoo sterk mogelijk te doen zijn.

Onder het begrip „Arnhem" werkt nu reeds geruimen tijd een groep kameraden uit de P.O. gezamenlijk en onder eigen leiding in het kader van de machtige organisatie der O.T. aan de versterkingswerken. Deze kameraden werken daar vrijwillig op een appèl van den Leider. Hun arbeid is zwaar, omdat velen hunner dit werk niet gewend zijn, maar de geest is voortreffelijk ondanks de moeilijkheden die moeten worden overwonnen. Zij zouden geen mannen van Mussert zijn, indien zij een oogenblik hadden geaarzeld hun gewone werk in den steek te laten om mede te helpen den vijanden van Europa een halt toe te roepen door voor den soldaat de stellingen voor te bereiden, noodig om Neerlands grondgebied en dat van het hart van Europa te beschermen.

Reeds eenige malen hebben wij in Volk en Vaderland in het kort melding gemaakt van het werk van de „Arnhemmers" en van den wensch van den Leider, dat elk mannelijk lid der Beweging die daartoe maar eenigszins in staat is, mede aantreedt voor den arbeid aan de schanswerken. Aan kameraad ir. R. A. Th. Brusse is door den Leider de organisatie van „Arnhem" opgedragen. Onze kameraden werken, zooals gezegd onder eigen leiding. De verzorging, de ontspanning en de vorming ligt in de handen der eigen kameraden. Hierdoor ontstaat de geest van saamhoorigheid, de geest eener vertrouwde omgeving en de geest te werken voor een groot en gemeenschappelijk doel. Dit alles komt ten goede aan de arbeidsprestatie want de geest stuwt den arbeid.

Zooals straks, na den oorlog de frontkameraad het respect van ons volk zal hebben, veroverd door zijn moed en zijn doodsverachting, zoo zullen ook de „Arnhemmers" zich een onderscheiding hebben verworven boven den gewonen Nederlander en den kameraad, die het bijzondere offer der verdediging met de spade niet hebben gebracht

DE GEEST DER „ARNHEMMERS"

WIJ schreven reeds, dat de geest van Arnhem bewonderenswaardig is. Deze geest komt o.m. tot uiting bij de mannen uit Arnhem die ons hier in Utrecht bezochten en zij wordt op uitnemende wijze geïllustreerd door een eigen blaadje, dat door onze „spitters" wordt uitgegeven. Voor ons ligt „De Arnhemmer", maandblad voor spitters. In het hoofdartikel schrijft de kampleider, kameraad ir. G. E. M. Janssen o.a.:

„Een aantal makkers, spitters van Mussert, hebben elkaar hier gevonden. Kerels, die de roepstem van hun Leider hoorden en verstonden; mannen, die begrijpen, dat op dit oogenblik frontinzet voor ieder lid der Beweging vereischt is. Duizenden van onze beste kameraden staan als soldaat te velde of geven hun leven voor de toekomst van ons volk. Wij zouden daar ook staan, als wij lichamelijk geschikt bevonden waren. Daarom weten wij het onzen plicht in de frontzone te werken aan de schansen, die door de Weermacht gebruikt zullen kunnen worden.

Dezelfde geest bezielt ons allen, idealisten van den nieuwen tijd. Het is de frontgeest die wij hier zoeken, omdat wij weten, dat deze oorlog moet worden gewonnen. Het is de frontgeest die ons vormt tot harde kerels, tot een gemeenschap van makkers, die tezamen staan en in elkaars oogen denzelfden strijdwil lezen.

Voor ons allen zijn de omstandigheden gelijk; allen missen vrouw en kinderen; allen weten het gevaar dichtbij; allen voelen ook; dat nu een kameraadschap groeit, zooals die slechts in frontgeest mogelijk is. Niet in een rustige „Abschnitt" willen wij werken, maar daar graven waar de vijand slechts op korten afstand van ons ligt. Hier komt men tot het besef, dat het leger van de schop vlak naast het leger van het geweer staat, eensgezind van wil en kracht.

Leider, eens willen wij, als de zege over de duistere machten van chaos en vernietiging afgedwongen is, met onze frontkameraden aan U voorbij marcheeren, Uw spitters van Arnhem.

Kameraden, wij hier staan in rotsvast vertrouwen. En gij allen, die nog op veiligen afstand van het front staat, roepen wij toe: „Slechts de moedigen, slechts de sterken brengen de revolutie. De slappelingen zetten wij straks op zij. Komt tot ons mannen van Arnhem, dat worden zal tot een nieuw bolwerk der Beweging".

Aan dezen gloedvollen oproep is elke toevoeging overbodig.

Adviseeren de Bisschoppen opheffing der spoorwegstaking?

In enkele groote steden in het hongergebied van ons land deed de laatste weken het gerucht de ronde, dat de kerkelijke overheden in het bezette Nederlandsche gebied in een herderlijk schrijven, gezien den nood, waarin de bevolking in het Westen van ons land verkeert, de spoorwegmannen zou adviseeren het werk te hervatten om hiermede duizenden menschen van een wissen hongerdood te redden.

Tot heden is een herderlijk schrijven van deze strekking uitgebleven, maar hoe het ook zij, het feit dat een dergelijk gerucht in breede lagen der bevolking werd gehoord, geeft duidelijk de verwachting weer van de bevolking, dat het geestelijk gezag in het bezette Nederland, eindelijk in deze haar taak begrijpend, een positieve daad zou stellen om een einde te maken aan den nood en ellende, waarin 4½ millioen menschen nu reeds maandenlang leven, nadat een gewetenlooze, gedroste regeering een spoorwegstaking afkondigde die reeds minstens drie maanden allen zin en beteekenis voor de oorlogvoering der „bevriende" mogendheden dezer gedroste regeering zou kunnen hebben.

De protestante en katholieke kerkelijke overheden staan politiek gesproken t e g e n o v e r de bezettende macht in Nederland en o n d e r s t e u n e n politiek gesproken, diegenen, die zij nog als de wettige Nederlandsche regeering zien, doch dit alleen reeds om grondwettelijke redenen niet meer zijn, een koningin met haar ministers in Londen. Waar men van kerkelijke zijde steeds weer een beroep doet op de naastenliefde en de burgerij aanspoort haar kleine voorraden ter beschikking te stellen van hen, die niets meer hebben en dit op straffe van zware zonde, is het begrijpelijk, dat waar de feitelijke oorzaak dezer ellende gemakkelijk is op te sporen en gelegen is in het feit, dat de aanvoeren niet behoorlijk kunnen plaats hebben wegens staking, men zich afvraagt, waarom zij, die hier in Nederland nog eenig gezag uitoefenen over de stakers, zich niet in deze staking mengen om hierdoor een groote ramp, den gewissen hongerdood van honderdduizenden en van verdere honderdduizenden een ondervoeding, die de haard vormt van alle verderfelijke ziekten, die ons volk ondermijnen, te voorkomen. En zij, die in Nederland gezag uitoefenen over de stakers zijn voor wat de katholieke stakers betreft de Bisschoppen en van de protestante stakers de protestante kerkelijke overheden. Zij, althans de Bisschoppen, hebben h e t middel bij de hand, waarmee zij ons Nederlandsche nationaal-socialisten trachten af te houden van ons werk van ons ideaal: het interdict en het weigeren der sacramenten. Evenzoo zouden zij het onder zware zonde verplicht kunnen stellen, dat katholieke spoorwegmannen hun plicht gaan begrijpen en wederom aan het werk gaan om hierdoor niet alleen een werk van naastenliefde, maar tevens een zichzelf loochenend en opofferend werk te gaan doen om door een opzijstelling van alle daaraan verbonden gevaren voor eigen persoon en leven hun medemenschen, hun volk, datgene te brengen waarnaar het allereerst en dringendst behoefte heeft: brood, aardappels en verdere voedingsmiddelen.

Wanneer men dit hiermede zou bereiken, zou men tevens nog een ander belangrijk doel bewerkstellen, namelijk, dat de gezinnen in het Westen niet geheel uit elkaar gerukt worden omdat door middel van de kerkelijke overheden de kinderen uit het Westen naar het voedsel in het Oosten worden gebracht. Aan deze bolsjewiseering werken de kerkelijke overheden door hun moreele steun aan de spoorwegstaking mede. Liever zien zij de gezinnen verder uiteengerukt (en hoe hebben zij zelf niet geweeklaagd bij den arbeidsinzet, die de jonge mannen uit de gezinnen haalde) dan dat zij zouden ingrijpen in de spoorwegstaking, die er aanleiding toe is, dat de bolsjewiseering van ons volk hand over hand toeneemt, zeer ten genoege van de communisten, vooral verzetsgroepen, die straks hierdoor, als zij ooit de overhand krijgen, wanneer de legers van Stalin Winterswijk gepasseerd zijn, met ons volk gemakkelijk spel zouden hebben.

De kerkelijke overheden trachten wel zooveel mogelijk om hun eigen protestanten of katholieken kring voedsel aan te voeren met vervoermiddelen, die in feite het volksgeheel zouden moeten ten goede komen, het niet-kerkelijke volksdeel profiteert hiervan niet mede, doch aan dat volksdeel wordt onthouden, wat bij een algeheele benutting der vervoermiddelen voor het algemeen, ook aan hen zou ten goede komen. Dit nu is een misdaad tegenover het niet-kerkelijke deel van ons volk, dat hiermede dank zij het feit, dat de kerkelijke overheden over belangrijke relaties beschikken bij „bevoegde Nederlandsche autoriteiten" en andere, die de verlokkingen van het zwaaien met den sleutel van St. Petrus, die hen veilig stellen in het Hiernamaals èn in het ondermaansche wanneer de zaak toch scheef zou gaan, niet kunnen weerstaan en daarom onverantwoordelijke concessies doen.

Hierdoor is de honger geworden tot het moderne Inquisitie-zwaard der hierin elkaar gevonden hebbende kerkelijke overheden van Protestanten en Katholieken, die met uitsluiting van ieder ander alleen de huisgenooten des geloofs laten profiteeren van hun gezag, invloed en relaties op welke wijze ook verkregen, ten koste van de buitenkerkelijken.

Het is onze plicht als nationaal-socialisten er voor te zorgen, dat niet alleen bepaalde volksgroepen worden bevoordeeld boven anderen. Het is tijd dat deze huichelarij als boven omschreven wordt doorbroken, opdat ons geheele volk zal meedeelen in het weinige voedsel, dat in deze wintersche weken nog het hongergebied in het Westen bereikt.

Indien de kerkelijke overheden hun gezag niet aanwenden, zooals dit door een groot deel van ons volk in deze weken van hoogsten nood is verwacht, om los van de directieven van hun regeering uit Londen, de spoorwegmannen te adviseeren het werk te hervatten, werken zij mede aan de bolsjewiseering van ons volk door het verder uiteenrukken der gezinnen en bedreigen zij de niet-kerkelijken met hun modern inquisitie-zwaard: den honger.

Dit moge een zware beschuldiging zijn, de geschiedenis is echter daar om te bewijzen, dat voor het uitoefenen van politiek kerkelijke macht de Christelijke leer volledig overbodig wordt geacht.

Of zou er nog een mogelijkheid zijn, dat het gerucht toch nog bewaarheid wordt?

M. DIJKSTRA.

In gespannen afwachting

Wat mogen de Nederlanders van den afloop van den oorlog verwachten?

Oogenschijnlijk doet het er voor vele Nederlanders weinig aan toe hoe wij nationaal-socialisten ons de ordening na dezen oorlog denken. Dit nu buiten beschouwing gelaten, wat voor andere mogelijkheden moet de Nederlander dan met het oog op de toekomst van land en volk onder oogen zien? Wij van onzen kant hebben reeds zoo vaak gezegd waarvoor wij strijden en ieder zou kunnen weten hoe wij Nederlandsche nationaal-socialisten de vrijheid van ons volk temidden der omringende landen en in deze wereld gewaarborgd wenschen te zien. Welke waarborgen, of beter gezegd, wat blijft er voor ons over bij een Geallieerde overwinning? Voor dezen oorlog was ons land schatrijk door het koloniale bezit, door het transitoverkeer met Duitschland, door onzen handel en scheepvaart, en dit laatste voorzoover Engeland ons volgens het principe, leven en l a t e n leven, een deel der te behalen winsten overliet. Hoe wordt nu de toestand voor Europa en in het bijzonder voor ons land, wanneer de Sovjets en de United States met Engeland zouden overwinnen?

Wanneer de oorlog ten einde zal zijn is de rijkdom van Nederland ingeteerd, maar krijgen wij dan de mogelijkheid ons een nieuwe toekomst te veroveren?

Ten eerste de vraag, wat zullen deze overwinnaars ons van onze koloniën laten, en zoo wij ons weer in het geheele of gedeeltelijke bezit van ons eilandenrijk kunnen stellen, zal dat dan baten afwerpen voor ons, of voor de groote mogendheden, die de exploitatie aan zich zullen trekken? Zal het voor ons een verliespost op de landsbegrooting worden, terwijl vreemd kapitaal met de revenuen scheeps gaat? Zij, die kennis van zaken hebben zullen zich niet kunnen ontveinzen, dat deze noodlottige ontwikkelingsgang dan toch voor de hand zou liggen, hetgeen een feitelijke bestendiging van den toestand zou zijn, gelijk die voor den oorlog reeds ontstaan was.

En dan ten tweede transitoverkeer, het bestaan van Rotterdam en Amsterdam, wat kan men daar van verwachten, wanneer dan eens metterdaad het natuurlijk achterland volkomen ten gronde gericht zou zijn? Met dit transitoverkeer dreigt een der belangrijkste bronnen van onze volkswelvaart uitgeschakeld te worden.

En dan nog — de machtsstrijd om Europa. Zal Moskou of New York de economie van Europa beheerschen? Voor de hand ligt, dat de geweldige machtsontwikkeling van de vastelandsmogendheid, die de Sovjet-Unie zou zijn, in het geval van een overwinning, het stempel zou drukken op de geheele economische ontwikkeling, zoomede op het handelsverkeer. Wij hebben reeds voor jaren kennis gemaakt met den strijd om de afzetmarkt voor benzine, waarbij de Russische benzine hier voor enkele centen aan den man gebracht werd.

Door de militaire machtsontwikkeling behoeven de Sovjets het d u m p i n g s-systeem niet meer te gebruiken en het zou verwacht mogen worden, dat de Sovjets voor Europa het monopolie zullen opeischen en veroveren. Bij de machtige hegemonie op het vasteland worden alle buitenstaanders bij voorbaat uitgeschakeld. Met transitoverkeer gaan dan handel en scheepvaart voor Nederland verloren en in een tot een autarkisch geheel wordend Europa moet Nederland met zijn overbevolking zich dan onder deze in dat geval dubbel rampzalige omstandigheden terugschakelen tot landbouwstaat (staat, voorzoover dan nog van de oude vormen sprake zal zijn).

En wat baat het ons of dan mogelijkerwijs de andere oorlogsoverwinnaar er eens in zou slagen het Europeesche afzetgebied te veroveren? Ook in deze bezitten wij de ervaring van voor den oorlog, dat Amerika wel wil invoeren, doch zelf haar eigen behoeften dekt en dus van hier niets noodig heeft. Amerika wil verdienen, wil leveren aan de verwoeste gebieden. Nederland en de andere Europeesche landen hebben hun tonnage in dezen oorlog verloren zien gaan, terwijl de Amerikanen gebouwd hebben. Zij zullen zelf voor het transport zorgen en ook deze verdiensten voor zich behouden. Zéker is, dat het met de scheepvaart droevig gesteld zal zijn. Een zekerheid te meer; of wij van de kat of van den kater gebeten worden. Slechts binnenscheepvaart, te deelen met het achterland, blijft ons over.

En de schutsengel van het evenwicht der krachten, Engeland, zal hierbij nog de bescheiden rol van eiland voor een machtig continent vervullen, eerst bij de gratie van het Amerikaansche werelddeel, doch later natuurlijk behoorend bij dat Euraziatische geheel, waar het het dichtste bij ligt en het op aangewezen zal zijn, als het geleidelijk aan door de huidige partners van de zich heroriënteerende, zelfstandigmakende of bevrijdende overzeesche gebieden, dominions of koloniën, ontdaan zal zijn.

De uitslag van dezen oorlog zal beslissend zijn voor den verderen ontwikkelingsgang der komende eeuwen. Groote krachten werken en ook Nederlands lot hangt van dezen strijd af.

Velen verlangen alleen naar 't moment, dat de wapenen neergelegd zullen worden, doch wij zullen moeten inzien, dat het niet de vrede alleen is waar het om gaat; het gaat om de toekomst, om het lot der volkeren, om het bestaan van het Nederlandsche volk.

Wanneer wij dan de Geallieerde overwinning als uitgangspunt nemen en daarbij Neerlands kansen wegen, dan komen wij in een ongunstigen toestand van afhankelijkheid te verkeeren — een afhankelijkheid, waarbij voor millioenen Nederlanders geen plaats meer is bij de vertrouwde haardsteden in het Vaderland.

Hoe het ook zij; of wij strijden naast het Duitsche volk onzen vrijheidsstrijd en vormen een eensgezind Europa, waarin voor ons een bestaan naar eigen aard weggelegd zal zijn; dan wel wij zullen ons tóch moeten ontworstelen aan de overheersching van Aziatische, ons vreemde invloeden, zoowel als van de kapitalistische Amerikaansche macht.

Nederlander zijn wij, maar Nederlander blijven beteekent, dat wij ons daarvoor zullen moeten inzetten.

Slechts wanneer wij ons metterdaad inzetten is voor Nederland een toekomst weggelegd.

De oude door Engeland gegrondveste, evenwichtspolitiek is dood. Het geldt: wachten wij af, wie zich nu over ons lot meester maakt, of nemen wij ons lot in eigen hand door ons aandeel te nemen in de grondvesting van het nieuwe Europa?

Slechts door vertrouwen in eigen kracht, en dan door eigen inzet kunnen wij Nederlanders aan een gelukkige toekomst werken.

E. S.

De tegenaanval is begonnen

SCHRIJFT BRIEVEN AAN ONBEKENDE FRONTKAMERADEN!

Verschijnt wekelijks

5e JAARGANG No. 29
4 APRIL 1945

De ZWARTE SOLDAAT

STRIJDBLAD DER W.A. IN NEDERLAND

Adres Redactie Utrecht: MALIEBAAN 78 — TEL. 20141	Hoofdopsteller: HOPMAN H. J. VREDEVOORT	Adres Beheer Utrecht: MALIEBAAN 78 — TEL. 20141

VREDE TOT ELKEN PRIJS?

Menig wankelmoedige slaat de schrik om het hart, wanneer hij de oorlogskaart van het westelijk halfrond bekijkt. En — laten we eerlijk zijn — het zijn niet altijd alleen de wankelmoedigen die met nauw bedwongen onbehagen de kronkelende vlaggelijntjes en de gekleurde speldeknoppen, welke de peripherieën van de Europeesche en Euro-Aziatische landkaart begrensden, langzaam maar gestadig zagen terugwijken náar en zelfs reeds gevaarlijk ver óver de grenzen van wat voor enkele jaren als de trotsche en ongenaakbare citadel van Europa gold. Het zou namelijk van weinig werkelijkheidszin getuigen, wanneer men de zeer kritieke situatie waarin Duitschland is komen te verkeeren ten behoeve van eigen gemoedsrust met een lichtvaardig: „Het zal wel terechtkomen" zou willen bagatelliseeren. De gevolgen van dit gevaarlijke optimisme — gevaarlijk, omdat het zich niet op een gezonden en krachtigen levenswil baseert, maar zich integendeel in een passieven wenschdroom verliest — zouden funest kunnen worden, doordat zij den strijdwil bij den enkeling verlammen en daardoor het geheel in gevaar brengen. Niets komt namelijk van onze zaak terecht, wanneer niet een ieder van ons persoonlijk zijn aandeel bijdraagt. „Het zal wel terechtkomen" houdt in, dat anderen het wel op zullen knappen en dat de kentering — men is geneigd zelfs reeds over een wonder te spreken — zich zonder hen zal moeten voltrekken. Vanzelfsprekend heeft het bovenstaande vóór alles betrekking op sommige nationaal-socialisten, die niet in den directen frontstrijd zijn ingeschakeld — voor onze vrijwilligers bestaan dergelijke problemen niet meer —, het is echter in zekeren zin eveneens van kracht voor al diegenen — en wij hoeven hun aantal zeker niet te onderschatten — die, de donkere dreiging van een mogelijk, vreeselijk onheil vermoedend, thans de Duitsche wapens zouden willen zien zegevieren om nog tijdig uit den greep van het bolsjewistische monster te kunnen ontsnappen.

Waarmede kan men echter de gemoedsrust bestempelen, waarvan de overgroote meerderheid van de Nederlandsche nationaal-socialisten blijk geeft, óók wanneer de uiterlijke omstandigheden zich steeds meer tegen hen keeren? Kan men hun vertrouwen in de toekomstige, gunstige ontwikkeling van hun zaak anders doodverven als een niet door feiten geschraagd optimisme? Ja en neen. Men vergete namelijk niet, dat er tweeërlei uitingen van optimistische levensbeschouwing bestaan, één die zich baseert op de ervaring, op de werkelijkheid, die dus gedragen wordt door het verstand en de andere, welke bepaald wordt door de ingevingen van het hart, door de intuïtie, door het voorgevoel en het besef van de geestelijke krachten, welke den loop der dingen uiteindelijk bepalen. En het zijn in hoofdzaak deze geestelijke waarden, welke onder de huidige omstandigheden een oogenschijnlijk lichtvaardig optimisme volkomen rechtvaardigen. Dat echter ook de werkelijkheid er allerminst hopeloos uitziet, hoop ik nog aan het eind van deze beschouwing te kunnen aantoonen. Bij den waarlijken revolutionnairen strijder intusschen vereenigen zich deze beide uitingen van het optimisme. Het verstand corrigeert het hart en omgekeerd. Lange jaren van harden en wisselvalligen strijd hebben hem geleerd, dat bijkans onoverkomelijke moeilijkheden te overwinnen zijn, dat zekere nederlagen in overwinningen veranderden, doordat strijdgeest en strijdwil hard en ongeschonden bleven. Hij weet nu, dat het geloof bergen verzetten kan, maar hij weet tevens, dat het geloof geschraagd moet worden door een staalharde wilskracht, welke alleen de onwrikbare overtuiging kan schenken. Hij zegt dan ook niet: „Het zal wel losloopen", maar hij werkt én zwoegt én strijdt en draagt het zijne er toe bij, opdat het doel verwezenlijkt worde. Dit optimisme en deze kracht werden hem door den Führer gegeven. In trouw aan den Leider gaat hij zijn moeilijken weg. Sommigen noemen hem stoer, anderen zien in hem de beste eigenschappen van ons volk verwezenlijkt. In werkelijkheid personifieert hij het geweten van het Nederlandsche Volk, dat thans op den fatalen tweesprong staat.

„WIJ HEBBEN DEN OORLOG NIET GEWILD!"

Nog steeds wordt de massa van het Nederlandsche Volk gekenmerkt door haar bekrompen gezichtskring, haar passiviteit, haar gebrek aan dadendrang. Waar zij zich vroeger, na het bewust worden van het acute joodsch-kapitalistisch en bolsjewistisch gevaar, verschool achter het: „Wat kan een enkeling doen?!", daarmede zichzelf een vrijbrief gevend van lafheid en halfheid — het is zoo makkelijk achter de kachel te blijven zitten en anderen voor zich te laten vechten — zegt zij nu, terwijl de teerling geworpen gaat worden, „wij hebben den oorlog niet gewild!", „wij werden overvallen" en „met het bolsjewisme zal het wel losloopen". Zij vergeten echter één ding en dat is, dat sedert Mei 1940 de heele wereld op zijn kop is gezet, dat de oude ideeënwereld werd weggevaagd en dat het thans gaat om het zijn of niet-zijn ook van ons Volk. Men kan dit uit opportuniteitsoverwegingen, uit kortzichtigheid of naar de regelen der struisvogelpolitiek ontkennen of zelfs heftig bestrijden, wie ooren heeft om te hooren en oogen om te lezen moet zich wel de ontzaglijke bedreiging bewust worden, welke ons én van het bolsjewisme én van het Amerikanisme te wachten zijn. De strijdmethodes van een ploertendom, dat de burgerbevolking van de groote steden eerst uit hun huizen bombardeert om deze vervolgens in parken en op weiden urenlang met brisantbommen te bestoken, geven wel een waardig voorbeeld van wat o.a. Nederland te wachten staat, wanneer het bolsjewistische dier ook naar het Westen zijn klauwen uitstrekt om met een diabolische systematiek eveneens met de uitroeiing van onze intelligentia en dat wat ons nog aan cultuur en beschaving rest, te beginnen. De massa van ons volk wil vrede hebben, vrede tot elken prijs. Zij is bereid alles te aanvaarden, ook het ergste. Daarbij heeft zij op stukken na niet doorstaan wat het Duitsche volk aan slagen moest incasseeren. Natuurlijk heeft zij den oorlog niet gewild, beschouwt zichzelf niet eens als oorlogvoerend — hoewel de verzetsgroepen een andere meening zijn toegedaan en onze vóóroorlogsche verdedigingswerken een bitteren bijsmaak gaven aan onze hooggeroemde neutraliteit — maar goed beschouwd, heeft zij, ondanks zichzelf, maar dank zij de democratie, waarvan zij toch zulk een getrouwe aanhang was, eveneens haar deel bijgedragen tot het uitbreken van dezen oorlog, welke een gewapende voortzetting werd van den strijd der wereldbeschouwingen, van den strijd tusschen socialisme en kapitalisme, van den strijd om een menschwaardig bestaan voor elken sterveling en de uitbuiterspraktijken van enkelingen, die hun macht fundeerden op het geld of de heerschappij van de onderwereld.

M.G. wordt in stelling gebracht
Teekening ᛋᛋ-PK. Prof. Petersen

Thans is zij bereid alles te accepteeren, ook het ergste. Het Duitsche volk weet wat dit „ergste" beteekent. Dát weet, dat het zal worden vernietigd, dat zijn mannen als arbeidsslaven naar Siberië zullen worden getransporteerd en dat zijn kinderen in tuchtscholen zullen worden opgevoed, wanneer het verlangen naar vrede de overhand behaalt en aan de roepstem van het instinct het zwijgen oplegt. Dit gezonde instinct tot zelfbehoud was bij het gros van het Nederlandsche volk óók reeds niet meer in voldoende mate aanwezig. Hiervoor hadden meerdere decenniën democratie wel gezorgd. Zes maanden van ondervoeding, waarvan vele maanden van hongersnood deden de rest. Vóór de hongerperiode, welke zij grootendeels aan hun eigen menschen te danken hadden, zouden zij een goede zaak voor een appel en een ei hebben verkocht, leken hun de geneugten van echte koffie en chocolade begeerenswaard genoeg om er een socialistisch regeeringssysteem voor te bestrijden; tijdens dezen hongersnood bleken ze in staat de toekomst van hun kinderen en van hun volk voor een snee brood te verkoopen. Maar het „ergste" beseffen zij niet of willen zij niet beseffen. Zij willen slechts de klok van den tijd terugzetten, willen het rad der ontwikkeling terugdraaien tot waar hun zoogenaamde tegenspoed een aanvang nam. Hoe zag dan eigenlijk hun vóórspoed eruit? Was deze werkelijk de moeite waard om ernaar terug te verlangen? Herinneren de zakenlieden zich misschien nog de Joden, die hen per Gods gratie af en toe nog wel eens een kruimel van hun commercieelen disch lieten meepikken; herinnert zich de werklooze de stempellokalen en de vernederingen waaraan hij als zoogenaamd vrij man was blootgesteld? Weet de boer nog, dat hij van zijn erf werd afgejaagd, wanneer hij zijn pacht niet kon betalen of de reiziger in stofzuigers — het crisisvak bij uitnemendheid — hoe hij trapop-trapaf zeulde om als bedelaar te worden weggestuurd? Inderdaad zijn deze reminiscenties niet prettig, maar ze zullen heilig zijn vergeleken bij de toestanden, welke hier te lande zullen heerschen, wanneer over Europa de chaos komt.

Vrede tot elken prijs?

Oók wanneer de honger een constante begeleider wordt op ons pad? Oók wanneer de verwaarloozing, de ellende, de verwording en de verdierlijking ons deel zullen worden? Oók wanneer wij tot nummer-, tot massamensch zouden moeten worden gedegradeerd?

Heeft deze vrede dan nog zin?

Wij betwijfelen het.

DUS TOCH ...

Wanneer we dan nog eens een blik slaan op de landkaart en wij zien het concentrische terugwijken van den binnensten verdedigingsgordel van de kern van Europa, dan komt onwillekeurig weer de vergelijking van de gebalde vuist in onze herinnering. Beseffen wij wel, dat deze kern voor het overgroote deel alles in zich opslokte wat aan bewegelijke troepen, wat aan bezettingsmacht eens half Europa en Euro-Azië beheerschte? Moet men niet verwachten, dat deze dynamisch geladen vuist plotseling als een tot het uiterste gespannen veer zal openspringen om met onweerstaanbaar élan en spankracht den bedreigenden gordel open te breken? De Geallieerden hebben al hun reserves reeds in den strijd gebracht. Duitschland echter beschikt nog over deze reserves, welke tezijnertijd met de revolutionnaire wapens, wier inzet blijkbaar voor het beslissende oogenblik wordt bewaard, in den strijd zullen worden geworpen om te bewijzen, dat ons optimisme ook in de werkelijkheid van vandaag gerechtvaardigd is.

H. J. VREDEVOORT

Staan wij voor de grootste tragedie aller tijden.

Het einde nadert. Met verbijstering en bewondering volgt heel de wereld de ont zaglijke worsteling in het hart van het eeuwenoude Avondland.* Namen van prachtige steden en dorpen en landstreken, waaraan soms de mooiste herinneringen zijn verbonden, worden als geheel verwoest of gevallen in het officieele Weermachtsbericht genoemd. De horden uit de steppe van Azië staan voor de poorten van Berlijn; van d andere zijde naderen de negers uit Amerika en de Britsche wingewesten, moordend en brandstichtend, hun groote revanche nemend tegen de blanke, beschaafde wereld. Waa om te ontkennen, dat bij het lezen van deze smartelijke berichten ons het hart bloedt en veebittering zich van ons meester maakt?

Inderdaad: voor den oppervlakkigen toeschouwer staat de zaak van het nationaal socialisme er slecht voor. En hij vraagt zich met dezelfde oppervlakkigheid af, waarom Duitschland nog verder tegenstand biedt. Daartegenover staan wij met ons onwrikbaar geloof en vertrouwen in den Führer die eenerzijds zijn door het Lot ree zoo zwaar beproefde volk ook tot het brengen van het laatste en hoogste offer durft oproepen, omdat hij weet, dat een Duitsche capitulatie voor het harteloozo joodsche kapitalisme duizendmaal erger is dan een Duitsche ondergang in eere, anderzijds de middelen en mogelijkheden weet om aan den rand van den afgrond de krijgskansen definitief, en dan voor de laatste maal, te doen keeren.

x x x

4 Mei 1945 13e Jaargang 18

VOLK EN VADERLAND

NATIONAAL-SOCIALISTISCH WEEKBLAD

Redactie-adres: Maliebaan 31. Utrecht

ADOLF HITLER

Op den eersten Mei 1945 vond Adolf Hitler den Heldendood in de hoofdstad van het door hem geschapen Derde Rijk. Met diepe ontroering hebben zijn volgelingen binnen en buiten de Duitsche grenzen van dit smartelijk bericht kennis genomen. Binnen en buiten de Duitsche grenzen. Ja, want deze groote figuur is niet alleen Duitschlands grootste zoon, maar daarbovenuit de grootste Europeaan die ooit heeft geleefd. Als schepper en formeerder van de nationaal-socialistische idee, heeft hij in harden strijd ongetelde millioenen weten te bezielen. Begenadigd met een machtig redenaarstalent heeft hij de vlam van de nationaal-socialistische revolutie hooger en intensiever doen oplaaien dan na hem ooit een mensch zal vermogen te doen.

Moeilijk en zwaar was zijn strijd om de ziel van zijn geliefde Duitsche Volk. Uiteengescheurd door partijstrijd, krachteloos gemaakt door 't waanzinnige vredesverdrag van Versailles heeft hij met eindeloos geduld en uithoudingsvermogen de Duitsche volksgemeenschap gesmeed, zooals deze zich in den smeltkroes van den oorlog aan een verbaasde wereld heeft geopenbaard. Hij heeft het leven van millioenen menschen nieuwen zin en inhoud gegeven: tienduizenden zijn voor het ideaal dat de Fuehrer hun schonk blijmoedig en dapper den dood ingegaan, in de heilige overtuiging daarmede Duitschlands en Europa's zaak in hoogste overgave te dienen.

Wie het voorrecht had hem van oog tot oog te zien, weet, dat van dezen man een schier magische kracht uitging. Hier sprak de super idealist, geladen met energie en wilskracht, aan zijn persoonlijk leven geen enkelen eisch stellende, uitsluitend levende voor Duitschland en het Duitsche volk. Zelfs de persjoden die hem met doodelijken haat vervolgden, konden op zijn persoonlijk leven geen smet vinden, die hem in de oogen van zijn volk, van vriend en tegenstander, naar beneden haalde. Adolf Hitler is een „einmalige" figuur, bemind en gehaat als geen ander, maar in ieder geval mijlen ver uitstekende boven zijn gemiddelden-tijdgenoot. Staatsman, Volksleider, Partijleider, Legeraanvoerder als geen ander in de Duitsche geschiedenis, was hij bovendien de bezielende prediker van de Europeesche solidariteitsgedachte, de eenige mogelijkheid om het tweeduizendjarige erfgoed van de Avondlandsche cultuur en beschaving noch aan het bolsjewisme, noch aan het kapitalisme tijdelijk of voor eeuwig uit te leveren.

Het staat niet aan den tijdgenoot, de machtige figuur van een genie als Adolf Hitler in vollen omvang uit te meten: dat zal de altijd rechtvaardige historie doen. Maar nu reeds is het buiten twijfel, dat de naamlooze soldaat uit den wereldoorlog 1914—1918 als de grootste onder de grooten in de geschiedenis nog voort zal leven, als zijn hedendaagsche rivalen reeds lang zullen zijn vergeten.

Want de idee die hij schiep is onsterfelijk. Zijn lichtend voorbeeld aan zelfverloochenende overgave, trouw aan plicht en roeping, heldenmoed en daadkracht eveneens. Hij is gevallen waarvoor hij leefde: voor Duitschland!

* * *

In dit somberste uur van Duitschlands geschiedenis gaan onze gedachten uit naar dit zwaar beproefde volk, dat door een onbegrijpelijk Lot gedoemd is ook dezen bittersten druppel uit den drinkbeker van zijn nationale lijden te ledigen. Waar het op zij bloeddoordrenkten bodem bad o verlichting, teneinde met inspanning van zijn laatste krachten d vloedgolf uit de hel om eigen e Europa's leven tot staan te brengen, kreeg het slechts het edi van des Führers dood. Met ee bied en bewondering volgen w het op zijn kruisweg: een lichten voorbeeld van onverwoestbare va derlandsliefde, door het trotsch ideaal van den Führer gerefor meerd en van nieuwe, onsterfe lijke waarden voorzien.

Moge de Hemel dan eindelij de matelooze offers tellen, die he in trouw en toewijding voor ee heilige zaak heeft gebracht.

* * *

De Fuehrer is niet meer. H heeft zich gevoegd bij het groot leger zijner getrouwen die op d slagvelden en oceanen als dapper soldaten het leven lieten vo Duitschlands en Europa's to komst. Vol eerbied, bewonderin en dankbaarheid neigen wij h hoofd bij zijn baar.

Onder de dapper strijdend Duitsche jeugd die zijn naa draagt èn onder de generaties d na ons komen, zal zijn gee echter voortleven tot in eeuwi heid.

De Fuehrer is dood; Leve d Fuehrer!

Heil Hitler!

Jan Hollande

Hoofdredacteur: L. Lindeman (afw.), Wnd. Hoofdredacteur: J. Hollander, Utrecht; Redacteur H. Plaizier, Den Haag; H. M. Klomp, Den Haag.